ŒUVRES   SPIRITUELLES

IV

SOURCES CHRÉTIENNES

Fondateurs : H. de Lubac, s. j., et † J. Daniélou, s. j.
Directeur : C. Mondésert, s. j.
N⁰ 255
Série des Textes Monastiques d'Occident n⁰ XLVIII

GERTRUDE D'HELFTA

ŒUVRES SPIRITUELLES

TOME IV

LE HÉRAUT

(Livre IV)

TEXTE CRITIQUE, TRADUCTION ET NOTES

PAR

Jean-Marie CLÉMENT,   les Moniales de Wisques
moine de Steenbrugge

et

Bernard de VREGILLE, s. j.

LES ÉDITIONS DU CERF, 29 BD DE LATOUR-MAUBOURG, PARIS 7ᵉ

1978

*La publication de cet ouvrage a été préparée
avec le concours de l'Institut des Sources Chrétiennes
(E.R.A. 645, C.N.R.S.)*

© *Les Éditions du Cerf, 1978*
ISBN 2-204-01346-3

AVANT-PROPOS

L'introduction donnée par Dom P. Doyère à l'ensemble du *Héraut* de sainte Gertrude (*Œuvres spirituelles*, II [SC 139]) a bien caractérisé (p. 23) le livre IV ici présenté : « Les révélations de ce livre suivent l'ordre liturgique des fêtes depuis l'Avent jusqu'à la sainte Catherine et la Dédicace. Peut-être, comme le laisse entendre le Prologue, sont-elles les confidences de lumières reçues alors que la sainte malade ne pouvait assister aux offices, mais n'en vivait pas moins sa prière dans les mystères mêmes que célébrait la liturgie » (certaines de ces grâces ont d'ailleurs été reçues tandis que Gertrude participait effectivement aux célébrations). Recueillies au jour le jour, ses confidences, qui portent sur plusieurs années, ont été notées par ses compagnes, puis rédigées et groupées suivant le calendrier liturgique par la moniale qui se fit l'éditrice du *Héraut*. Le plan donné ainsi au recueil se justifie pleinement. Dom Doyère a montré en effet (p. 53-55) que « l'orientation essentielle donnée par l'action liturgique à la vie de prière même la plus intime » est perceptible dans toute l'œuvre de Gertrude ; elle est rendue plus manifeste dans le cadre de l' « année liturgique » que constitue ce livre IV du *Héraut*.

*
* *

Comme Dom Doyère l'a indiqué (p. 58 et 60-61), les problèmes critiques relatifs à l'établissement du texte du livre IV diffèrent de ceux posés par les autres livres. Seuls sont en présence ici les manuscrits de Vienne (W), de Munich (B) et de Mayence (Z) ; encore ce dernier s'interrompt-il dès le ch. IX. Il se trouve, de plus, que le copiste de W a utilisé, il nous le dit, pour ce livre IV, un modèle autre que celui dont il se servit pour les livres I-III et V (cf. ci-dessous, *Appendice* II, p. 491s.). On peut constater que ce modèle utilisé pour le livre IV n'était pas exempt de fautes et que surtout il présentait maintes retouches de vocabulaire et de style.

Dom Paquelin, ignorant l'existence de B, s'est appuyé ici très largement sur W, tout en gardant sous les yeux le texte édité par Lansperge en 1536 ; or ce dernier est issu d'une tradition différente, apparentée à B, et souvent il a été arrangé par l'éditeur chartreux. Tout ceci explique que le texte de 1875 appelle de nombreuses corrections.

Une édition critique du livre IV doit, en règle générale, partir du texte de B, qu'appuient normalement Z (là où il existe) et, le plus souvent, Lansperge (*l*). B n'est d'ailleurs pas d'un usage facile, car le texte en est surchargé d'additions, surtout marginales ; la plupart sont de seconde main : certaines ne font que réparer des oublis, fréquents, mais beaucoup témoignent d'une révision faite d'après un modèle apparenté à W.

L'apparat critique, beaucoup plus développé dans le présent volume que dans les précédents, rend compte de cette situation complexe. Les leçons de *l* n'y sont invoquées que lorsqu'elles ont paru significatives, mais il en a été partout tenu compte.

*
* *

L'établissement du texte de ce livre IV, préparé par Dom J.-M. Clément, a été achevé par le Père B. de Vregille. La traduction, nouvelle, due à Mère Bénédicte Masquelier, prend le relai de celle donnée autrefois par ses sœurs, « les moniales de Wisques ». Les éditeurs ont eu tous trois part à la rédaction des notes. Le livre V et dernier sera publié dans les mêmes conditions.

SIGLES ET ABRÉVIATIONS

Texte du Legatus divinae pietatis (cf. t. II, p. 58-70).

B   Codex de Munich 15332 (Buxheim).
W   Codex de Vienne 4224 (Werdau).
Z   Codex de Mayence 13.
l   édition Lansperge, Cologne 1536.

Apparat critique

B¹	B prima manu
B²	B secunda manu
a. corr.	ante correctionem
add.	addidit
codd.	codices
del.	delevit
mg.	in margine
om.	omisit
p. corr.	post correctionem
s.l.	super lineam

Références des sources et notes

CAO	Corpus antiphonarum officii (R. Hesbert).
DACL	Dictionnaire d'archéologie chrétienne et de liturgie.
DTC	Dictionnaire de théologie catholique.
EC	Éditions Cisterciennes (*Sancti Bernardi Opera*, éd. J. Leclercq et H. Rochais).

MECHTILDE   Sainte MECHTILDE, *Liber specialis gratiae*, éd. Paquelin.

PL   Migne, Patrologie latine.

RB   Règle de saint Benoît.

RH   Repertorium hymnologicum (U. Chevalier).

SC   Sources Chrétiennes.

TEXTE ET TRADUCTION

CAPITULA

LIBER QUARTUS

PROLOGUS

Cum diebus festivis cuilibet sit magis studendum ad intentionem et devotionem, ut hinc volens sumere materiam promoveatur, hoc loco simul posita sunt ordinatim quae videbantur congruere ex his spiritualibus con-
5 solationibus quibus Dominus istam singulis festis visitavit per circulum anni, cum deficientibus viribus in rigore Ordinis Conventum sequi non posset.

Prol., 5 *post* istam *add.* singulariter W ‖ *post* singulis *add.* in W ‖ 7 posset : potuit W

PROLOGUE

C'est surtout aux jours de fête que l'on doit s'étudier à une dévotion plus attentive. Aussi, pour la commodité de celui qui voudrait en trouver ici la matière, on a réuni en ce livre et disposé par ordre ce qui semblait opportun parmi les consolations spirituelles dont le Seigneur favorisa la sainte lors de ses visites en chacune des fêtes du cycle annuel, alors que, les forces lui manquant, elle ne pouvait suivre en toute sa rigueur l'observance conventuelle.

CAPUT PRIMUM

De praeparatione ad Nativitatem Domini

1. In nocte igitur praecedenti ante sacratissimae
Nativitatis Domini vigiliam, dum ante Matutinas lon-
gam horam duxisset insomnem et in revolutione verborum illius responsorii, scilicet : *De illa occulta* [a], multum
5 delectaretur, recognovit Dominum Jesum *in sinu* Dei
Patris [b] suavissima quadam tranquillitate quietissime
accubantem, ad quem omnium personarum festum
instans cum devotione percolere intendentium desideria
in similitudine cujusdam vaporis dirigebantur. Domi-
10 nus autem Jesus, totus floridus et delicatus, de Corde
suo divino in omnes vapores illos splendorem mirificum immittebat ; per quem splendorem parabatur
ipsis via ad se veniendi. Per quam dum singulae accede-
rent ad eum, intellexit quod illae quae se aliorum
15 orationibus humiliter commendaverant, quasi quibusdam manibus ducentium subvectae ac ex utraque
parte vallatae, sine omni errore recto tramite ad Dominum in splendore Cordis sui divini properabant. Illae
vero quae in propriis studiis et orationibus suis con-
20 fisae festum devote percolere nitebantur, quandoque
extra viam calcantes errore itineris impediebantur,

I. 1, 1 in *om.* W ‖ 1-2 vigiliam sacratiss. nativ. dom. W ‖
4 *post* occulta *add.* habitatione W ‖ 6 *post* tranquillitate *add.*
suavissime vel W ‖ 8-9 intend. in similit. cujusdam vap.
dirigeb. desideria Z *l* ‖ 9 similitudinem W ‖ 14 eum : deum Z *l*
et a. corr. B[1] ‖ 16 subvecti *codd.* ‖ 17 vallati *codd.* ‖ 19 confisi *codd.*

CHAPITRE I

Préparation à la Nativité du Seigneur

Préparation à la fête. **1.** La nuit précédant la Vigile de la très sainte Nativité du Seigneur, comme elle était restée avant Matines une longue heure sans dormir, occupée à repasser délicieusement les paroles de ce répons : *De illa occulta* [a], elle considéra le Seigneur Jésus jouissant très paisiblement, *dans le sein de* Dieu *le Père* [b], du plus doux des repos ; et vers lui montaient, semblables à des vapeurs, les désirs de toutes les personnes s'apprêtant à célébrer dévotement la fête toute proche. Le Seigneur Jésus, cependant, plein d'éclat et de charme, projetait de son Cœur divin sur ces vapeurs une merveilleuse clarté qui leur traçait la voie pour arriver jusqu'à lui. Tandis qu'en suivant cette voie, chacune s'approchait de lui, elle comprit que celles qui s'étaient humblement recommandées aux prières des autres s'avançaient vers le Seigneur à la clarté de son Cœur divin, comme conduites par les mains d'un guide, protégées à droite et à gauche, sur un chemin droit d'où l'on ne pouvait dévier. Celles, au contraire, qui se confiaient en leurs propres efforts et en leurs prières personnelles pour se disposer à célébrer la fête avec dévotion, marchaient parfois hors du chemin, s'égarant loin de la route, puis, d'autres fois, revenaient

I. 1 *a.* Ancien répons de l'office de la vigile de Noël (*CAO* 6393) ; texte dans Paquelin, p. 286, n. 1 ‖ *b. Jn* **1, 18**

quandoque vero ad viam revertentes accedebant ad
Deum in lumine sibi divinitus ministrato.

2. Cumque illa multum scire desideraret qualiter
divina pietas dignaretur inclinari ad singulas, recognovit subito omnes in ipsum paternae suavitatis accubi-
tum translatas ad Dei Filium et quamlibet pro desi-
5 derio suo et capacitate in ipso delectari. Nec quaequam
ab altera poterat impediri, sed quaelibet tam pleno
effectu fruebatur Deo pro desiderio suo, tamquam se
Dominus ipsi soli praeberet. Quaedam enim ipsum com-
plectebantur velut tenellum infantulum pro nobis incar-
10 natum ; aliae tamquam ad amicum fidelissimum, cui
omnia secreta cordis sui securissime pandere possent,
se ad ipsum habebant ; aliae vero tamquam sponso
florido unice ex millenis millibus electo [a], secundum omne
cordis sui delectamentum ipsi blandiebantur. Et sic sin-
15 gulis pro delectamento proprii affectus dabatur in ipso
feliciter jucundari.

3. Tunc ista accedens more sibi solito humiliter procidit ad pedes Domini [a] sui, dicens : « Et quae nunc,
amantissime Domine mi, esse poterit praeparatio mea,
vel quid potero beatissimae Matri tuae in festo isto sui
5 sanctissimi partus exhibere obsequii, quae etiam Horas
eius, ad quas voto religionis constricta sum, non solum
ex infirmitate corporis, sed heu ! propria negligentia,
persolvere omisi ? » Tunc benignus Dominus, inopis
suae misertus, videbatur singula verba quae ipsa ad
10 laudem Dei et lucrum animarum [b] alicui sive docendo
sive expediendo per Adventum fuerat locuta, blande

2, 3 in ipsum omnes B ‖ 11 securissime : secretis-
sime W

---

2 *a.* Cf. *Cant.* 5, 10 ‖ **3** *a.* Cf. *Mc* 7, 25 ‖ *b.* Cf. *RB*, 58

dans le chemin et s'approchaient de Dieu à la lumière qui leur était divinement départie.

2. Et comme elle désirait beaucoup savoir de quelle manière la divine Bonté daignait se pencher sur chacune d'elles, soudain elle les vit toutes amenées dans le repos suave au sein du Père, auprès du Fils de Dieu ; et là, chacune, en proportion de son désir et de sa capacité, se délectait en lui. L'une n'était en rien gênée par l'autre, mais chacune jouissait de Dieu selon son désir, aussi pleinement que si le Seigneur se fût donné à elle seule. Oui, certaines l'embrassaient comme un tout petit enfant incarné pour nous ; d'autres se comportaient avec lui comme avec un ami très fidèle à qui elles pouvaient révéler entièrement et en toute sécurité les secrets de leur cœur ; d'autres enfin, comme si ce fût un époux merveilleux, choisi entre des milliers de milliers [a], trouvaient la joie de leur cœur à lui prodiguer des caresses. Et ainsi il était donné à chacune de se réjouir en lui, suivant l'attrait particulier de son amour.

Suppléance. **3.** Alors elle s'avança et se prosterna humblement selon sa coutume aux pieds de son Seigneur [a] : « Et maintenant, dit-elle, ô mon Seigneur très aimé, quelle sera ma préparation, ou quels hommages pourrai-je rendre à votre bienheureuse Mère en cette fête de son très saint enfantement, moi qui ai manqué, à cause de ma santé, sans doute, mais aussi hélas, par ma négligence, de m'acquitter des Heures auxquelles m'obligeaient cependant mes vœux de religion ? » Alors le Seigneur plein de bonté eut pitié de sa pauvrette, et toutes les paroles qu'elle avait prononcées durant l'Avent pour louer Dieu et gagner les âmes [b], soit en les instruisant, soit en les soulageant, il parut

offerre suae dulcissimae Matri sibi assidenti in gloria
mirifice, in supplementum omnium quibus ista neglexis-
set eam debitis honoribus et obsequiis revereri, cum
15 omni fructu qui ex eisdem verbis de una persona in
aliam usque in finem saeculi posset provenire. Quod
Mater Domini multum gratanter acceptans, miro modo
exinde perornata videbatur. Ad quam accedens anima
devote exorabat ut Unigenitum suum pro se dignaretur
20 exorare. At illa protinus materna blanditate serenata, se
ad ipsam inclinabat, ac deinde suavibus amplexibus et
osculis unico suo blandiens, his verbis pro ea orabat,
dicens : « Tuus affectus, mi Fili praedilecte, affectui meo
unitus te efficacissime precibus hujus tuae dilectricis
25 inclinet. » Post haec ista dilecto suo blandiens, his verbis
ipsum alloquebatur : « O dulcor animae meae, Jesu
amantissime, desiderantissime, omnium carorum caris-
sime ! »

4. Cumque haec et his similia multiplicasset amatoria,
inquirendo dixit ad Dominum : « Et quem fructum
haec verba ferre possunt, quae vilitas mea tibi efficere
potest insipida ? » Respondit Dominus : « Quid interest
5 cujus generis stipite aromata vel pixis unguentaria cir-
cummoveantur, cum mota eumdem spirent odorem ?
Similiter cum aliquis me alloquens dicit : Dulcissime,
quamvis ipse qui loquitur se indignum reputet propria
vilitate, dulcedo tamen ingenita divinitatis meae in
10 semetipsam medullitus commota, fragrantiam mirae delectationis mihimetipsi aspirat, et etiam in ipsum qui dulcedinem meam talibus verbis affectuose instigat, odorem
salutis aeternae respirat. »

3, 12-13 sibi — mirifice : sibi in gloria honorifice assidenti
W ‖ 13-15 quibus — omni *om.* B¹ *mg.* B² ‖ 15 fructuum *a.*
corr. B¹ ‖ 16 saeculi *om.* W ‖ 18 videbatur *om.* BZ ‖ 22-25
pro ea — his verbis *om.* B¹ *mg.* B² ‖ **4,** 5-6 circummoveatur
W ‖ 7 *post* dulcissime *add.* amantissime etc. W ‖ 10
semetipsa W

les offrir avec tendresse à sa très douce Mère qui siégeait avec honneur auprès de lui dans la gloire, et suppléer ainsi à toutes les négligences apportées à son service dans son tribut d'hommage et de vénération. Il y ajoutait tout le fruit que ces paroles pourraient produire en se transmettant d'une personne à l'autre jusqu'à la fin des temps. La Mère du Seigneur accepta très volontiers cette offrande qui semblait lui faire une merveilleuse parure. L'âme, s'étant approchée, la priait avec ferveur de daigner intercéder pour elle auprès de son Fils unique. Aussitôt la tendre Mère s'inclina avec sérénité vers cette âme ; puis, étreignant doucement son cher Fils et le couvrant de caresses et de baisers, elle le priait ainsi en sa faveur : « Que votre amour, ô Fils de ma dilection, uni à mon amour, vous incline de façon très efficace vers les prières de cette bien-aimée. » Celle-ci, alors, témoigna sa tendresse à son bien-aimé par des paroles caressantes : « Ô douceur de mon âme, Jésus très aimant et très désirable, infiniment plus cher que tous ceux qui me sont chers ! »

4. Et comme elle multipliait ces exclamations d'amour et d'autres semblables, elle posa au Seigneur cette question : « Quel peut être le fruit de ces paroles que mon indignité vous rend probablement insipides ? — Peu importe, répondit le Seigneur, de quel bois est le bâton qui remue les aromates ou la gomme odoriférante, pourvu que, grâce à ce mouvement, ils exhalent un parfum identique à lui-même. Ainsi, lorsque quelqu'un s'adresse à moi en disant : ô infiniment doux, bien que celui qui parle s'estime indigne du fait de sa propre misère, néanmoins, la douceur essentielle de ma divinité, remuée jusqu'en ses profondeurs, exhale en moi un arôme de merveilleuses délices, et celui qui, par de telles paroles d'amour, a ému ainsi ma douceur, en est lui-même embaumé d'un parfum d'éternel salut. »

CAPUT II

De vigilia dulcissimae Nativitatis Jesu

1. Sequenti vero die, ante Matutinas aliquantam horam pervigilans, in amaritudine cordis retractabat coram Domino defectum impatientiae suae, quem incurrit vespere ex quadam negligentia sibi servientium.
5 Cumque audiret primum signum ad Matutinas pulsari, exhilarato spiritu laudabat Dominum in sonitu illius primi signi, quo praenuntiabatur sibi instans festum praedulcissimi Natalis Domini sui. Et ecce Pater caelestis blande alloquens eam, ait : « Ecce immitto animae
10 tuae affectum illum quem praemisi ante faciem Unigeniti mei ad purgandum mundum a peccatis (ut patuit in Sodomitis, quos omnes ipsa nocte sanctissimae Nativitatis scriptura interemptos asserit), quo et tu ab omni peccati macula, negligentiarumque naevo plene purgata,
15 digne ad festum instans praepareris. » Illa vero, tali dono accepto, adhuc revolvebat in corde defectum suum cum moerore, reputans se omnium donorum Dei valde indignam, quae ex tam parva sibi servientium negligentia ad tantam impatientiam foret dilapsa. Super quo
20 divina misericordia eam tali instruxit intelligentia : quod scilicet omnes cogitationes quibus homo cum moerore suum retractat defectum, post digne peractam paenitentiam de qua Scriptura dicit : In quacumque hora conver-

II. 1, 4 *ante* vespere *add.* in B ‖ 5 pulsare W ‖ 7 signi primi B ‖ 9 immittam W ‖ 18 servientium *s.l.* B ‖ 20 eam tali instruxit : eam tali modo instr. B tali eam instr. W

CHAPITRE II

De la Vigile de la très douce Nativité de Jésus

Regrets d'une faute. **1.** Le lendemain, se trouvant éveillée un certain temps avant les Matines, elle regrettait devant Dieu, dans l'amertume de son cœur, une faute d'impatience où l'avait fait tomber vers le soir la négligence de celles qui la servaient. Et comme elle entendait le premier son des Matines, l'âme joyeuse, elle se mit à louer le Seigneur au son de ce premier signal qui lui annonçait comme toute proche la fête de la très douce Nativité de son Seigneur. Et voici que le Père céleste s'adressa doucement à elle : « Voici, dit-il, que j'envoie à ton âme cet amour que j'ai envoyé devant la face de mon Fils unique, pour purifier le monde de ses péchés — les Sodomites en sont une preuve manifeste, car tous, comme il est écrit, ont subi la mort en cette nuit même de la très sainte Nativité [1]. Cet amour te purifiera parfaitement de toute tache de péché, de toute trace de négligence, ainsi tu seras dignement préparée à la fête prochaine. » Cependant, après avoir reçu une telle grâce, elle n'en continuait pas moins à repasser en son cœur le triste souvenir de sa faute, s'estimant grandement indigne de toutes les grâces divines, puisqu'une si petite négligence de celles qui la servaient avait pu la faire tomber dans une telle impatience. Sur quoi, la divine miséricorde l'instruisit par cet enseignement : toutes les pensées par lesquelles l'homme regrette sa faute avec amertume, après cette digne pénitence dont l'Écriture dit : « A

---

1. A quelle légende se rapporte cette affirmation, difficile à expliquer ?

sus fuerit peccator et ingemuerit, omnium iniquitatum
25 ejus non recordabor amplius *ᵃ*, nihil aliud sunt quam
quaedam habilitatio ad gratiam Dei recipiendam.

2. Ad secundum vero signum campanae, dum similiter
per illud intenderet laudare Dominum, Deus Pater ait :
« Ecce iterum immitto animae tuae eumdem affectum
quem praemisi ante conspectum Filii mei ad emendan-
5 dos omnes humanae fragilitatis defectus, qui similiter
emendabit omnes defectus tuos in quibus non est profectus. Verbi gratia : sunt quidam defectus quos homo
in se recognoscens humiliatur et compungitur ; et in
his est profectus humanae salutis. Et tales defectus per-
10 mitto quandoque etiam amicissimis meis, ut per ipsos
in virtutibus exerceantur. Sunt et alii defectus quos
homo recognoscens vilipendit, et quod pejus est, quandoque etiam quasi pro justitia defendit, nec ab his cor-
rigi consentit. Et ex talibus defectibus homo maximum
15 incurrit periculum et perpetuum damnum ; a quibus
anima tua nunc penitus est purgata. »

3. Ad tertium deinde signum campanae, dum similiter per illius sonitum collaudare studeret Dominum,
donavit ei Pater caelestis omnes virtutes quas praemi-
serat ante Natalem Unigeniti sui in corda veterum
5 patrum, scilicet patriarcharum, prophetarum alio-
rumque fidelium suorum, ad exoptandum desiderabi-
lem adventum ejus, scilicet humilitatem, desiderium,
cognitionem, amorem, spem, et similia cum quibus et
ipsa digne praeparata praesens percoleret festum. Sicque
10 his et aliis virtutibus Dominus ipsam decenter compo-

24-25 iniquitatum ejus : peccatorum suorum B ‖ **2,** 2
per : ad W ‖ 8 et¹ *s.l.* B ‖ 10 etiam : et Z ‖ 12 *post* homo
add. non W ‖ 14 defectibus *om.* W ‖ **3,** 5 prophetarum
om. W

II. 1 *a.* Cf. *Éz.* 18, 21-22

quelque heure que le pécheur se convertisse et gémisse, je ne me souviendrai d'aucun de ses péchés [a] », toutes ces pensées ne sont autre chose qu'une disposition à recevoir la grâce de Dieu.

2. Au second signal de la cloche, comme elle s'appliquait encore à louer le Seigneur par ce signal, Dieu le Père lui dit : « Voici que j'envoie de nouveau à ton âme cet amour que j'ai envoyé au devant de mon Fils pour l'amendement de toutes les fautes de fragilité humaine. Il amendera de même toutes les fautes qui ne peuvent contribuer à ton avancement. En effet, certains défauts que l'homme reconnaît en lui excitent son humilité et sa componction ; et il y a là profit pour son salut. De tels défauts, je les laisse subsister, parfois même chez mes plus grands amis, pour exercer par là leur vertu. Mais il en existe d'autres que l'homme reconnaît peut-être, mais auxquels il n'attache aucune importance et, pire encore, qu'il va parfois même jusqu'à défendre comme une chose juste, sans consentir à s'en corriger. Et ces défauts-là précipitent l'homme dans le plus grand des périls et la damnation éternelle. Ton âme en est maintenant complètement purifiée. »

Deux manières de jouir de Dieu. 3. Puis, au troisième signal de la cloche, comme elle s'étudiait de nouveau à louer le Seigneur par cette sonnerie, elle reçut du Père céleste toutes les vertus qu'il avait mises, pour préparer la Naissance de son Fils unique, dans le cœur des anciens pères, c'est-à-dire des patriarches, des prophètes et de tous les autres croyants, afin qu'ils attendent avec ardeur son avènement si désirable, je veux dire les dispositions d'humilité, de désir, de connaissance, d'amour, d'espérance et autres semblables qui la prépareraient, elle aussi, à célébrer dignement la fête d'aujourd'hui. De toutes ces vertus et des autres, le Seigneur lui fit une gracieuse parure,

nens, velut stellis mirifice radiantibus perornavit, et statuit eam coram se, dicens : « Quid potius eligitis, o puella,
an ut ego serviam vobis, vel ut vos mihi serviatis ? »
Habebat enim duos modos divinae fruitionis : unum
15 videlicet, quo ita totaliter per excessum mentis fereba-
tur in Deum, quod de illa fruitione perpauca respectu
veritatis ad utilitatem proximorum enarrare potuit ;
alium vero modum, quo sensus per Scripturarum exercitationes exacuans, Domino cooperante [a], spiritualis intel-
20 lectus fruebatur mirabili sapore et delectatione, tamquam praesentialiter facie ad faciem [b] colluderet Domino,
sicut amicus amicissimo suo quandoque super tabulam
colludit in secreto. Et ex his valebat aliorum utilitatibus
deservire. Et hoc erat quod Dominus requirebat ab ea,
25 utrum eligeret ut ipse serviret ei per primum modum,
an ipsa vellet sibi servire per modum secundum. At illa
non quaerens quae sua sunt [c], sed quae Jesu Domini sui [d] :
potius cum labore ministrare ad laudem ipsius, quam
vacando et gustando quam *suavis est Dominus* [e], propriae
30 satisfacere delectationi. Quod Dominus miro modo videbatur acceptare.

4. Cumque imponerentur Matutinae, ista per *Deus in
adjutorium* [a] divinum implorans auxilium, per *Domine
labia mea* [b], etc., qui versus ter canitur, immensam Dei
Patris omnipotentiam ac inscrutabilem Filii Dei sapien-

28 *ante* potius *add.* elegit W ‖ ipsius *om.* Z ‖ **4,** 1
matutini *codd.*

---

3 *a.* Mc 16, 20 ‖ *b.* Cf. *Ex.* 33, 11 ‖ *c.* Cf. *I Cor.* 13, 5 ‖ *d.* Cf.
I Cor. 7, 34 ‖ *e. Ps.* 33, 9 ‖ **4** *a. Ps.* 69, 2 ‖ *b. Ps.* 50, 17

---

1. « Cumque *imponerentur* Matutinae » : le mot, qui revient
souvent dans ce livre, est le terme quasi technique pour désigner
le fait d'entonner, au cours de la liturgie, une pièce de l'Office.
Cf. *RB*, c. 24 : *antiphona non imponat* (le frère excommunié) ;

comme si des étoiles extraordinairement brillantes lui
eussent servi d'ornement. Puis, la plaçant devant lui,
il lui dit : « Que choisis-tu, jeune fille, ou d'être servie
par moi, ou de me servir ? » Elle avait, en effet, deux
façons de jouir de Dieu : dans la première, son âme était
si complètement transportée en Dieu par l'extase que
ce qu'elle pouvait révéler de son expérience pour l'utilité
du prochain n'était vraiment que bien peu de chose,
en regard de la réalité. Dans la seconde, au contraire,
elle enflammait son cœur par la méditation des Écritures,
et *sous l'action du Seigneur* [a] son intelligence surnaturelle
y trouvait une saveur surprenante et délicieuse. Il lui
semblait alors jouer face à face [b] avec le Seigneur en
personne, ainsi qu'il arrive à un ami de jouer sur un
échiquier, à l'écart, avec le plus intime de ses amis.
Mais, dans ce cas, elle pouvait faire profiter les autres
de ce qu'elle avait reçu. Et c'était là le sens de la question
du Seigneur : à savoir, si elle préférait, selon la première
manière, être servie par lui, ou si, selon la seconde, elle-
même voulait le servir. Mais elle, sans rechercher son
propre avantage [c], mais plutôt celui de Jésus, son Seigneur [d], choisit de le servir laborieusement pour sa gloire,
plutôt que de goûter passivement *combien le Seigneur
est doux* [e], et de s'accorder ainsi une délicieuse satisfaction personnelle. Et ce choix parut singulièrement agréable au Seigneur.

**Les cinq
plaies.**
4. Au commencement des Matines [1], elle
implora le secours divin par le *Deus in adjutorium* [a]. Au verset *Domine labia mea ape-
ries* [b], etc., chanté trois fois, elle salua l'incommensurable
toute-puissance de Dieu le Père, la sagesse insondable

---

c. 44 : *psalmum aut lectionem vel aliud quid non praesumat in oratio
imponere* (*id.*) ; c. 63 : *... ad psalmum imponendum, in choro standum* (le rang que doivent garder les frères).

5 tiam dulcissimamque Spiritus Sancti benevolentiam salutando, *toto corde, tota anima totisque viribus* [c] *unum
Deum in Trinitate et Trinitatem in Unitate* [d] supplex
adorabat. Deinde per quinque versus psalmi *Domine,
quid multiplicati* [e], ad florida vulnera Jesu accedens,
10 suaviter ea deosculabatur. Per sextum etiam versum
ejusdem psalmi, ad pedes Domini procidens, adorabat,
gratias agebat [f] devotas pro plena remissione omnium
peccatorum suorum. Per septimum quoque ad manus
Domini gratias agens pro universis beneficiis sibi unquam
15 a gratuita pietate Dei collatis, per octavum vero amatorium vulnus sanctissimi lateris Domini devotissime
salutabat. Per *Gloria Patri* autem se cum omni creatura
ad laudandum fulgidam semperque tranquillam Trinitatem reverenter inclinabat [g] ; et per *Sicut erat in prin-
20 cipio*, ad Cor Jesu accedens illudque intimo affectu
salutans, extollebat pro eo quod in ipso plenissime
latent quasi recondita omnia incomprehensibilia divinitatis.

5. Post hoc ad primum versum psalmi *Venite* [a], iterum ad vulnus sinistri pedis Domini se prosternens, plenam indulgentiam omnium peccatorum quae commisit
in perversis cogitationibus et verbis impetravit. Ad vul-
5 nus vero pedis dextri, per secundum versum obtinuit
suppletionem omnium quae omisit in perfectione sanc-
tarum cogitationum et verborum. Ad sinistrum quoque
vulnus Domini benedictae manus, per tertium versum
accepit remissionem omnium peccatorum quae commi-
10 sit in perversis operibus. Ad dexterum deinde vulnus
manus dominicae, per quartum versum recepit suppletionem dignam omnium quae omiserat in operibus bonis.

---

9 *post* vulnera *add.* Christi W ‖ 17 autem : ante W ‖
5, 9 peccatorum *om.* W ‖ 11-12 recepit suppletionem
dignam : percepit dignam suppletionem W

de Dieu le Fils, la bonté infiniment douce du Saint-Esprit, adorant et priant de tout son cœur, de toute son âme et de toutes ses forces *c le Dieu unique dans la Trinité et la Trinité dans l'Unité d.* Puis, dans les cinq premiers versets du psaume *Domine quid multiplicati e,* s'approchant des plaies vermeilles de Jésus, elle les baisa avec tendresse. Au sixième verset du même psaume, se prosternant aux pieds du Seigneur, elle l'adora et lui rendit grâce *f* dévotement de la totale rémission de ses péchés. Au septième, elle se tourna vers les mains du Seigneur, lui rendant grâce pour tous les bienfaits que lui avait jamais accordés la bonté toute gratuite de Dieu. Au huitième, elle salua très dévotement la plaie d'amour du côté infiniment saint du Seigneur. Au *Gloria Patri,* elle s'inclina respectueusement avec toute la création pour louer la radieuse et toujours tranquille Trinité *g.* Enfin, au *Sicut erat in principio,* s'approchant du Cœur de Jésus et le saluant du fond de son âme, elle le glorifia de contenir, comme enfermée en lui-même, toute la plénitude des mystères incompréhensibles de la divinité.

5. Après cela, au premier verset du psaume *Venite a,* se prosternant encore devant la plaie du pied gauche du Seigneur, elle obtint l'entier pardon de tous les péchés commis par des pensées ou des paroles perverses. A la plaie du pied droit, au deuxième verset, une suppléance lui fut accordée pour tout ce qui manquait à la parfaite sainteté de ses pensées et de ses paroles. A la plaie bénie de la main gauche du Seigneur, lui fut donnée, pendant le troisième verset, la rémission de toutes les actions perverses qu'elle avait commises. Puis, à la plaie de la main droite du Seigneur, pendant le quatrième verset, il fut suppléé, de manière parfaite, à tous ses manquements dans les œuvres bonnes. Enfin, au cinquième ver-

c. Cf. *Mc* 12, 33 ‖ d. Symbole *Quicumque* ‖ e. *Ps.* 3 ‖ f. Cf. *Lc* 17, 16 ‖ g. Cf. *RB*, 9 ‖ 5 a. *Ps.* 94

Postremo per quintum versum, accedens ad vulnus lateris sacrosanctum sui dulcissimi amatoris, quod abundat
15 et superabundat omnibus bonis [b], illudque devote exosculans, in aqua illa rosacea quam exinde produxit mili-
taris hasta [c] ab omnibus maculis purgata, super nivem
reddebatur candidata [d], et ex pretiosissimo sanguine
omnigenis virtutibus est decorata, et ex aromatico
20 vapore exinde prodeunte intracta est ipsi fonti totius
boni. Sicque *Gloria Patri* ut supra ad laudem et gloriam semper venerandae Trinitatis decantans, *Sicut erat*
per Cor Jesu Christi determinabat, quod totius divinae
influxionis est contentivum.

6. Per Invitatorium etiam, scilicet *Hodie scietis* [a],
quod quinquies cum *Venite* [b] canitur et postea bis repetitur, accepit a Deo Patre purgationem septem affectionum suarum, quae ex adjunctione sanctissimarum affectio-
5 num Jesu Christi miro modo nobilitabantur. Inter psalmos vero reliquos, adstitit coram Domino in vestitu virtutum splendore, quasi stellis coruscantibus, perornato.
Ex hinc, cum desiderium suum extenderet in Deum, pro
eo ut in gloria dulcissimi Natalis Jesu omnia, quae tam
10 in corporalibus quam in spiritualibus exerceret, summam
laudem semper venerandae Trinitatis resonarent, dum
Laudes compulsarentur, Dominus dixit ad eam : « Sicut
per sonum campanarum istarum praenuntiatur festum
Natalis mei, sic do tibi quod in omnibus quae in isto
15 festo perfeceris in cantando, legendo, orando, meditando,
sive etiam in exterioribus laborando, comedendo, dormiendo, et similibus, resonabunt sanctae Trinitati laudes,
in unione desiderii mei et amoris qua nunquam discor-
davi a Dei Patris voluntate. » Dum vero septem can-

16 roseacea WZ ‖ 23 Christi *om.* W ‖ 23-24 influxionis
divinae B ‖ **6,** 14-15 festo isto W

b. Cf. *Rom.* 5, 20 ‖ c. Cf. *Jn* 19, 34 ‖ d. Cf. *Mc* 9, 2 ‖

set, s'approchant de la plaie sacro-sainte du côté de son très doux amant, laquelle abonde et surabonde de tous biens [b], elle la baisa avec dévotion, et fut purifiée de toute tache dans l'eau rosée que fit jaillir la lance du soldat [c]. Devenue ainsi plus blanche que neige [d], parée grâce à ce sang très précieux de toute espèce de vertus, elle se trouva attirée, par les vapeurs embaumées qui s'en exhalent, jusqu'à la source même de tout bien. C'est ainsi que, chantant de nouveau le *Gloria Patri* à la louange et gloire de la toujours adorable Trinité, elle conclut le *Sicut erat* par le Cœur de Jésus-Christ, réceptacle où se déverse tout le flot de la divinité.

Purification et préparation. **6.** Pendant l'invitatoire *Hodie scietis* [a] qui se chante cinq fois avec le psaume *Venite* [b] et se répète ensuite deux fois, elle reçut de Dieu le Père la purification de ses sept puissances affectives qui, par l'union aux très saintes affections de Jésus-Christ, acquirent une admirable noblesse. Pendant les psaumes suivants, elle se tint devant le Seigneur dans son vêtement orné de l'éclat des vertus, comme d'étoiles brillantes. Et là, tout son désir était tendu vers Dieu, souhaitant qu'en la glorieuse et très douce Nativité de Jésus, tous ses exercices, aussi bien corporels que spirituels, soient un chant de suprême louange à la toujours adorable Trinité. Au signal de Laudes, le Seigneur lui dit : « De même que le son de ces cloches annonce la fête de ma Nativité, ainsi je t'accorde que toutes tes œuvres en cette fête : chants, lectures, prières, méditations, et même les exercices corporels : travail, repas, sommeil, tout enfin, résonne à la louange de la sainte Trinité, en union avec mon désir et mon amour qui jamais ne furent en désaccord avec la volonté de Dieu le Père. » Et comme on allumait les

6 *a.* Invitatoire (*CAO* 1084) : cf. *Ex.* 16, 7 ‖ *b.* *Ps.* 94

20 delae accenderentur, Dominus tribuit animae ipsius ornatum septem donorum Spiritus Sancti, quantum capere
potuit, in ea dignitate sicut ipse Dominus Jesus eis fuit
adornatus.

7. Post haec dum oraret ut, pro dignatione qua in
diversorio est natus, etiam cor suum dignaretur sibi
placite componere, clementissimus Dominus iterum
benigne annuens, quasi pro tecto et muris disposuit in
5 ea omnipotentiam, sapientiam et benignitatem suam.
Inter quae ista, quasi in diversorio, miro modo jucun-
dabatur in intimis suis, cum videret quasi per omne
tectum et muros ad modum delectabilium tintinnabu-
lorum dependere omnia opera quae per adjutorium
10 omnipotentiae, sapientiae et bonitatis Dei in aliquo
homine perfecta sunt, quasi sibi data in adjumentum,
quo Deo laudabilius hoc festum posset celebrare.
Cumque, in tali deliciositate velut in caelestibus deliciis
frueretur, apparuit Dominus Jesus nova superaddens,
15 et amicabilissima dignatione se ibi collocavit cum ministerio caelestium Principum. Hinc cum vice omnium membrorum, scilicet ducentis viginti quinque vicibus, legeret
Laudo, adoro, etc., videbatur ipsa sibi quasi ad singu-

22 Jesus *om.* W ‖ **7,** 11 *post* adjumentum *add.* cum *s.l.*
B ‖ 12 percelebrare W ‖ 13 in² *om.* W ‖ 14 *post* apparuit
add. ei W

---

1. *225* est donné ici comme le nombre des différentes parties
du corps humain. Même indication en 35, 10, 2 et au l. V, en 30,
6, 4. C'est aussi ce chiffre qu'il faut lire, dans ce l. IV, en 23, 10,
9 (cf. note à ce passage). Cf. 49, 3, 5 : nombre des vertus de saint
Bernard. On remarquera, tout au long de ce l. IV, l'importance
donnée dans la piété de Gertrude et de son milieu aux chiffres
fixant le nombre des répétitions d'une même formule de prière

sept cierges, le Seigneur orna son âme des sept dons de l'Esprit-Saint, dans toute la mesure où elle put les contenir, avec cette beauté dont le Seigneur Jésus lui-même fut orné grâce à ces dons.

7. Elle pria ensuite le Seigneur, par la condescendance qui le fit naître dans un refuge, de daigner préparer son cœur selon son bon plaisir, et le Seigneur, plein de clémence, agréant de nouveau sa requête, plaça en elle, en guise de toit et de murs, sa toute-puissance, sa sagesse et sa bonté. Se trouvant entre ces murailles comme dans un refuge, elle sentait au plus profond d'elle-même une joie merveilleuse en voyant pendre du toit et des murs, sous la forme de ravissantes petites clochettes, toutes les actions accomplies en qui que ce soit avec le secours de la toute-puissance, de la sagesse et de la bonté divines, et ces actions lui étaient dévolues à elle-même comme pour l'aider à célébrer parfaitement la fête avec plus de gloire pour Dieu. Au milieu de jouissances si délectables qu'elles ressemblaient aux délices célestes, l'apparition du Seigneur Jésus en ajouta encore de nouvelles, et avec une condescendance affectueuse, il daigna s'installer en ce lieu ainsi que ses serviteurs, les princes célestes. Alors elle récita au nom de chacun de ses membres, c'est-à-dire deux cent vingt-cinq fois [1] : *Laudo, adoro,*

ou d'un même acte de dévotion. Il s'agit de chiffres choisis non pour leur valeur symbolique, mais pour leur correspondance à des données naturelles ou historiques. On relève ainsi le souvenir des *33* ans de la vie de Jésus (20, 1, 7), des *66* ans de la vie de Marie (48, 1, 4-5), des *225* parties du corps humain (2, 7, 17 ; 23, 10, 9 ; 35, 10, 2 ; cf. 49, 3, 5), des *276* jours de la gestation humaine (12, 10, 4 ; 51, 1, 3), des *5466* coups de la flagellation (35, 1, 4). Seul le chiffre de *150*, assigné à la récitation des *Ave* en 51, 9, 1, paraît conventionnel. Le nombre *365*, qui fut utilisé aussi (cf. l. III, 9, 6, 9), rappelle les jours de l'année.

las oratiunculas illas introducere singula obsequia mem-
20 brorum suorum in laudem Dei. Hinc etiam videbatur
quod Dominus per quemdam amplexum lenissimum
omnes sensus ipsius, tam interiores quam exteriores,
miro modo purificaret, purificandoque renovaret, et
renovando in unione sanctissimorum sensuum suorum
25 effectuose sanctificaret.

8. Cum vero pulsaretur ad Capitulum, ista iterum
in sonitu campanae illius collaudabat Dominum, gratias agens pro eo quod ipse personaliter dignaretur illo
Capitulo praeesse ; sicut etiam felicis memoriae domnae
5 M. dignatus est revelare. Unde cognovit in spiritu
Dominum ex devotione — quod quamplures de congregatione habebant ad illud Capitulum desiderium, propter
jam dictam revelationem domnae M. factam — in
tantum provocatum, quod quasi cum ingenti gaudio
10 adventum congregationis videbatur praestolari, sedens
in loco domnae abbatissae, in cujus persona mirabiliter
quodammodo videbatur dominari, et super ipsam mira-
bilius regnare in gloria divinae majestatis suae, vallatus
multitudine omnium ordinum Spirituum beatorum, sus-
15 tentatus in solio imperiali per ministerium ordinis Thro-
norum. Cumque congregatio consedisset, Dominus tamquam prae gaudio se ultra continere non valens, ait
cum serena hilaritate : « Ecce advenerunt amicissimi

---

23 purificandoque renovaret *om.* B¹ *mg.* B² ‖ **8**, 5 et 8
M. : Methildi W ‖ 8-9 in tantum factam B ‖ 14 *post*
spirituum *add.* scilicet W

---

1. La formule de louange et de prière ici indiquée par ses
premiers mots devait être analogue à celles composées par sainte
Mechtilde, par exemple les cinq formules *Laudo, adoro...* sur les
cinq joies du Christ ressuscité (MECHTILDE, I, 19 ; éd. Paquelin,
p. 65-67) ou celle au Cœur de Jésus (*ibid.*, III, 17, p. 217).

etc. [1]. Or, par chacune de ces courtes prières, elle se voyait comme ordonner à la louange de Dieu l'hommage de chacun de ses membres. Ensuite de quoi, le Seigneur, par une sorte d'étreinte d'infinie douceur, sembla purifier merveilleusement tous ses sens, tant intérieurs qu'extérieurs, et en les purifiant, les renouveler, et en les renouvelant, les sanctifier effectivement par l'union à ses propres sens infiniment saints.

8. Comme on sonnait le Chapitre [2], elle loua de nouveau le Seigneur par cette sonnerie de cloche, lui rendant grâces de daigner présider en personne ce Chapitre, ainsi qu'il daigna le révéler à dame Mechtilde d'heureuse mémoire [3]. Elle connut alors en esprit que la dévotion avec laquelle beaucoup dans la communauté désiraient ce Chapitre — à cause de cette révélation faite à dame Mechtilde — était pour le Seigneur une sorte de provocation, au point qu'il semblait pour ainsi dire attendre, avec une immense joie, l'arrivée de la communauté. Assis à la place de la dame abbesse, il semblait en quelque sorte présider en sa personne de façon admirable, tandis qu'au-dessus d'elle, il régnait plus admirablement encore dans la gloire de sa divine majesté, entouré d'une multitude d'Esprits bienheureux de tous les ordres, porté sur un siège impérial par le ministère des Trônes. La communauté ayant pris place, le Seigneur, comme s'il ne pouvait plus contenir sa joie, dit avec un sourire heureux : « Voici arrivés mes amis les plus chers ! »

2. Chapitre particulièrement important : dans les monastères, en cette vigile de Noël, la coutume est d'annoncer solennellement la Nativité du Seigneur en tête de la lecture du Martyrologe. Cette annonce est entourée de tout un cérémonial et ornée d'une mélodie particulièrement expressive.

3. Sainte MECHTILDE avait vu le Seigneur en personne siéger au chapitre, pour la vigile de Noël, *loco Abbatissae in throno eburneo*, et l'avait entendu déclarer : *Hoc Capitulum hic singulis annis teneo* (MECHTILDE, I, 5 : éd. Paquelin, p. 15).

mei. » Hinc, cum puella legeret : *Domna, jube* [a], et abba-
20 tissa responderet : *In viam mandatorum suorum* [b], etc.,
Dominus extensa venerabili manu sua benedixit conventum, dicens : « Ego ex omnipotentia Dei Patris mei,
his assensum praebeo. » Puella vero prosequente : *Jesus
Christus Filius Dei vivi in Bethleem Judae nascitur* [c],
25 omnes chori angelorum sanctorum audientes dulcifluam
nativitatem Domini Dei regis sui praenuntiari, inaestimabili gaudio repleti, ob reverentiam ipsius se in terram
prosternentes adoraverunt.

9. Cumque conventus se ad legendum *Miserere mei
Deus* [a] more solito prosterneret, singuli angelorum corda
sibi commissarum personarum de congregatione Domino
cum gaudio praesentabant. De quibus singulis ad unum-
5 quodque *Miserere mei Deus* videbatur Dominus accipere nexum quemdam convolutum et reponere in sinum
suum. Et cum offerebantur Domino corda ferventius
amantium, tunc angeli de choro Seraphim ministrabant
Domino, sustentantes brachia ipsius et adaptantes corda.
10 Cum vero praesentabantur ipsi corda magis in cognitione Dei illuminata, tunc obsequebantur angeli Domino
de choro Cherubim. Quando autem corda se plus in
virtutibus exercitantium, ad hoc serviebant de choro

19 domne Z ǀǀ 20 suorum etc. *om.* B ǀǀ 22 *post* conventum
add. suum B ǀǀ 26 dei *om.* W ǀǀ **9, 1** *post* legendum *add.*
psalmum W ǀǀ 11 domino angeli W ǀǀ 12 se corda W

---

8 *a.* Formule de demande de bénédiction ǀǀ *b.* Ancienne
formule de bénédiction, citée par D. Martène d'après les
Coutumes de Saint-Denis : *De antiquis ecclesiae ritibus,*
t. IV, l. I, c. V, § X ǀǀ *c.* Cf. *Matth.* 2, 1 ǀǀ **9** *a. Ps.* 50

---

1. *Nexum quemdam convolutum* (cf. 11, 4 : *nexus*). « L'idée
renfermée sous ce symbole est celle d'un gage de mutuelle affection.

Puis, alors que la jeune lectrice disait : *Domna jube* [a] et que l'abbesse lui répondait : *In viam mandatorum suorum* [b], etc., le Seigneur, étendant sa main vénérable, bénit le convent en disant : « De par la toute-puissance de Dieu mon Père, moi, je donne mon assentiment à ces paroles ». Et tandis que la lectrice poursuivait : *Jesus Christus Filius Dei vivi in Bethleem Judae nascitur* [c], tous les chœurs des saints anges, entendant annoncer la douce naissance du Seigneur Dieu, leur roi, furent remplis d'une joie incommensurable, et, dans leur vénération pour lui, se prosternèrent jusqu'à terre pour l'adorer.

Le rôle des anges. 9. Puis, lorsque le convent se prosterna, selon la coutume, pour réciter le psaume *Miserere mei Deus* [a], chacun des anges présenta avec joie au Seigneur le cœur de la personne qui, dans la communauté, lui était confiée. A chaque *Miserere mei Deus*, le Seigneur paraissait recevoir de chacun d'eux une sorte de ruban noué et le déposer dans son sein [1]. Et lorsque des cœurs plus fervents dans l'amour étaient offerts au Seigneur, c'étaient des anges du chœur des Séraphins qui exerçaient leur ministère, soutenaient les bras du Seigneur et disposaient les cœurs. Quand les cœurs présentés étaient plus illuminés de la connaissance de Dieu, c'étaient alors les anges du chœur des Chérubins qui assistaient le Seigneur. Pour les cœurs plus exercés aux vertus, ceux du chœur des Vertus étaient de service.

Nous verrions donc ici les ' cordelières ' ou ' lacs d'amour ' employés dans le langage héraldique en France, en Allemagne et ailleurs, pour embellir l'écusson des abbesses et même des veuves de distinction. » Cette note de la traduction des moniales de Wisques, (éd. 1952, II, p. 13) ne paraît pas exacte. L'usage de la cordelière héraldique, réservé aux veuves, est apparu au XVe siècle seulement. Le don d'un nœud de ruban comme marque d'amour relève du rituel courtois.

Virtutum. Et sic singuli angelorum chori ministrabant
15 Domino quando corda sibi similium in virtutum meritis
offerebantur. Illarum vero corda quae ob praedictam
revelationem ad specialem devotionem non erant incitata, non deferebantur Domino per angelorum ministerium, sed in corporibus propriis apparebant in terra
20 prostrata.

10. Tunc ista in humilitate spiritus accessit ad Dominum, offerens ei primum *Miserere mei Deus*, quod propria pro persona solet legi, dicens : « Ecce, mi sponse
floride, ego libere abdicens totius partis meae, offero
5 tibi hunc psalmum in aeternam laudem et gloriam, ut
exinde benefacias tuis meisque specialibus amicis secundum beneplacitum tuae divinae pietatis. » Quod munus
sibi oblatum Dominus in similitudine gemmae cujusdam nobilissimae vivae et perlucidae accipiens, ipsam
10 in medium monilis quod coram pectore suo habebat,
miro modo gemmis coruscantibus aureisque floribus
diversimoda varietate vermiculatum, ponebat, dicens illi :
« Ecce hanc amoris gemmam a te modo mihi oblatam
ad hoc in medio monilis istius exaltavi, ut omnes qui se
15 tuis commendant orationibus, vel saltem aliquo cogi-
tatu interventum tuum exoptant, exinde tantam con-
sequantur salutem, quantam adepti sunt Judaei a ser-
pentibus percussi ex aspectu serpentis aenei [d] quod per
ministerium Moysi feci in eremo exaltari. »

11. Cum vero, finitis psalmis, conventus de venia
resurgeret, advenerunt duo praeclari proceres ferentes
quamdam auream tabulam, quam tenentes extendebant
coram Domino. Tunc solvente Domino nexus in sinu suo
5 congregatos, ecce subito in eadem tabula comparue-

19-20 prostrata in terram W ‖ **10,** 2 ei *om.* B ‖ 8 gemmae
om. B¹ *s.l.* B² ‖ 13 mihi modo B ‖ **11,** 1 vero : ergo W ‖ 5
ecce *om.* W

Et ainsi, chacun des chœurs des anges prêtait son ministère au Seigneur pour l'offrande des cœurs qui lui ressemblaient le plus par la qualité des vertus. Quant à
celles que la révélation citée plus haut n'avait pas excitées
à une dévotion spéciale, leurs cœurs n'étaient pas présentés au Seigneur par le ministère des anges, mais
on les voyait, gisant à terre, dans les corps auxquels
ils appartenaient.

10. Alors, dans l'humilité de son esprit, elle s'approcha
du Seigneur pour lui offrir le premier *Miserere mei Deus*
qu'on récite habituellement pour soi-même. « Ah !
dit-elle, mon époux plein de charme, je renonce spontanément à ma part tout entière, et je vous offre ce psaume
en éternelle louange et gloire. Daignez en faire bénéficier
vos amis intimes — qui sont aussi les miens — selon
le bon plaisir de votre divine bonté. » Le Seigneur reçut
cette offrande sous la forme d'une pierre de grand prix,
brillante et de très belle eau, et la plaça au milieu du
collier qu'il portait sur la poitrine, collier d'un admirable
travail où se mêlaient diversement pierres étincelantes
et fleurs d'or : « Cette pierre d'amour que tu viens de me
donner, lui dit-il, voici que je l'ai mise à la place d'honneur au milieu de ce collier. Ainsi, tous ceux qui se recom-
mandent à tes prières, ou pensent seulement à souhaiter
ton intervention, en recevront le salut, comme les Hébreux
piqués par les serpents venimeux en regardant le ser-
pent d'airain [a] que Moïse dressa sur mon ordre dans le
désert. »

11. A la fin des psaumes, tandis que le convent se
relevait de sa prostration, deux nobles et brillants personnages se présentèrent, portant une sorte de table en or ;
la soutenant, ils la déployèrent devant le Seigneur.
Celui-ci, alors, détacha les nœuds qu'il avait rassemblés
dans son sein ; et voici que, soudain, apparurent sur cette

10 *a.* Cf. *Nombr.* 21, 8

runt omnia verba psalmorum et orationum quos conventus dixerat, in similitudine vivarum gemmarum mira
varietate mirabiliter distincta, et quaelibet gemmula
praetendebat splendorem mirae claritatis cum clangore
10 sonus praedulcis. Per splendorem enim quadam amatoria gesticulatione alludens, Domino blandiebatur, et
per sonum commovebat ipsum, ut omnem fructum qui
ex quolibet verbo universali foret ecclesiae proventurus,
illis restitueret duplicatum quae eadem persolvissent.
15 Et haec omnia intellexit Dominum operantem propter
devotionem specialem quam conventus ad hoc habebat,
quod intellexerat Dominum ipso die semper Capitulo
praesessurum.

12. Cum vero legeretur tabula in qua praenuncia-
bantur nomina earum quae ad Matutinas erant canta-
turae vel lecturae, Dominus singulas personas quae ob
studium intendebant audire quid eis foret praescriptum,
5 tam serena blanditate videbatur respicere ac motu capitis devote resalutare, quod hoc humana lingua non sufficit enarrare. Sed quae cum moerore retractabant cur eis
similiter illa vel illa responsoria non essent praescripta,
illarum mentum Dominus blande contrectans, ipsas
10 benigne demulcendo consolabatur. Tunc ista hoc intel-

12, 2-3 caniturae W ‖ 4 attendebant W ‖ 7 tractabant
W ‖ 10 hoc : haec W

1. Ce serait une erreur que de vouloir interpréter ceci comme
une « double » récompense donnée par le Seigneur. Il s'agit en réalité
d'un *duplicatum*, c'est-à-dire d'un second exemplaire, d'une équi-
valence. L'Église reçoit le fruit de la prière de chaque sœur, et
celle-ci, à son tour, a droit à un fruit égal. On rencontrera plusieurs
fois dans la suite du texte des expressions semblables qu'il faut bien
se garder de comprendre dans le sens d'un redoublement (voir en
particulier, ci-dessous, 27, 4, 34 et la note).
2. Conformément au cérémonial monastique, les sœurs dési-

table tous les mots des psaumes et des oraisons récités
par le convent, sous forme de pierreries brillantes aux
nuances admirablement variées. Chacune de ces pierres
jetait un feu et un éclat merveilleux et résonnait comme
une cymbale très douce. Le jeu et le mouvement de la
lumière étaient pour le Seigneur comme une caresse
d'amour, et le son le provoquait à rendre à chacune
l'équivalent de tout le fruit qui reviendrait à l'Église
universelle pour chaque parole qu'elle avait prononcée [1].
Alors elle comprit que le Seigneur en agissait ainsi à
cause de la dévotion spéciale du convent au Chapitre
tenu toujours, on le savait, en ce jour-là, sous la prési-
dence du Seigneur.

12. Puis, on lut sur le tableau où étaient marqués
d'avance les noms de celles qui auraient à chanter ou
à lire à Matines. Or, pendant cette lecture, le Seigneur
semblait regarder avec tant de douce bienveillance
chacune des personnes très attentives à écouter les prescriptions à suivre, et il rendait à chacune son salut
par un mouvement de tête [2], avec un si grand empressement qu'aucune langue humaine ne saurait l'exprimer.
Certaines se demandaient avec tristesse pourquoi on
ne leur avait pas assigné de même tel ou tel répons,
mais, dans sa bonté, le Seigneur, leur prenant doucement
le menton, les dédommageait par des caresses [3]. Elle

gnées répondent à l'appel de leur nom par une inclination de
tête. Le Seigneur leur rend ce salut.

3. « illarum mentum Dominus blande contrectans » : pareil
geste d'humaine tendresse de la part de Jésus envers les reli-
gieuses qu'il console (2, 12, 9), envers Gertrude qu'il récompense
de son amour (22, 3, 10), envers Marie-Madeleine glorifiée (46,
1, 8), envers une jeune religieuse qu'il accueille au Paradis (l. V,
5, 5, 1) exprime avec une charmante simplicité l'amour même
du Cœur divin. C'est aussi le geste de Marie vis-à-vis des commu-
niantes (48, 21, 7), ou même vis-à-vis de son Fils (51, 8, 9). Le geste
a paru trop réaliste aux anciens traducteurs qui se sont contentés
chaque fois de vagues équivalences.

ligens in spiritu, dixit ad Dominum : « O Domine, si
congregatio sciret hunc tam benignae blanditatis tuae
in eas respectum, valde moerentes fierent, quae nomen
suum legi non audirent ». Ad quod Dominus : « Quae-
15 cumque libenter legeret vel cantaret si posset, et dolet
pro eo quod perficere non potest, hanc ego simili blanditate consolabor, et bonam voluntatem ipsius pro perfecta remunerabo. » Et adjecit Dominus : « Si quaelibet, quando audiret aliqua sibi adscripta, cum inten-
20 tione voluntatem suam ad hoc cum capite inclinaret
quod ad laudem meam hoc perficere vellet, et commen-
daret mihi ut ego eam ad idem digne perficiendum
juvarem, quoties aliqua hoc faceret, toties pietas mea
tam efficaciter me ipsi attraheret, quod me nullatenus
25 valerem continere quin osculum ei infigerem suave. »

13. Hinc dum conventus secundum statuta ordinis
negligentias suas, proloquente priorissa, profiteretur
coram domna abbatissa, et per ipsam absolutae incli-
narent, Dominus blanda serenitate adjunxit : « Et ego
5 absolvo vos, auctoritate meae divinitatis, ab omnibus
negligentiis modo cum intentione in mea praesentia pro-
fessis, ita quod, quandocumque ex humana fragilitate
eadem iteraveritis, semper me super eis misericordiorem
invenietis et ad remittendum promptiorem. » Cum vero
10 more solito septem psalmi paenitentiales pro peccatis
et negligentiis legerentur, apparuerunt protinus omnia
verba illa in specie margaritarum, sed obscurarum, in
tabula praedicta, circa illas viventes et splendentes gemmas, de quibus praescriptum est, ordinata. Intellexitque
15 per spiritum, ideo illos psalmos in specie tenebrosarum
margaritarum comparere, quia conventus ipsos tantummodo persolvebat ex usu, et non cum devotione speciali.

13-14 suum nomen W ‖ 17 perfecta : facto Z ‖ 21 *post*
meam *add.* libenter W ‖ **13**, 10 septem : sepe dicti W ‖ 13
praedicta : supradicta W ‖ 14 ordinatas Z

qui voyait tout ceci en esprit, dit alors au Seigneur :
« Eh bien, Seigneur ! si le convent pouvait contempler
votre regard de tendre bienveillance envers ces sœurs,
celles qui ne s'entendraient pas nommer en seraient bien
marries ! » A quoi le Seigneur répondit : « Si quelqu'une,
toute disposée le cas échéant à lire ou à chanter, se désole
de ne pouvoir le faire, je lui donnerai, moi, pour la con-
soler, des caresses toutes semblables et récompenserai
sa bonne volonté autant que l'action même. Et, ajouta
le Seigneur, si chacune, en s'entendant désigner pour
une fonction, fait l'effort d'incliner sa volonté en même
temps que sa tête, afin d'accomplir son office pour ma
gloire, et s'en remet à moi pour l'aider à s'en acquitter
dignement, oui, chaque fois qu'elle fera ainsi, chaque fois
elle s'attirera si efficacement ma tendresse que je ne
pourrai me retenir de lui accorder un baiser très doux. »

Les fautes de fragilité. **13.** Ensuite, la communauté, prieure en
tête, selon les statuts de l'ordre, s'accusa
de ses manquements devant la dame
abbesse. Tandis que toutes s'inclinaient pour recevoir
son absolution, le Seigneur ajouta avec une douce sérénité : « Et moi aussi je vous absous, par l'autorité de ma
divinité, de toutes les négligences que vous avez pris
soin d'accuser à l'instant en ma présence. Et sachez
bien que, si vous y retombez par fragilité humaine, vous
me trouverez chaque fois plus miséricordieux et plus
prompt à vous les pardonner. » Pendant la récitation
accoutumée des sept psaumes pénitentiaux pour les
fautes et négligences, tous les mots en apparurent aussitôt, sous forme de perles fines, mais sans éclat, rangées
sur la table dont on a parlé, autour des pierres brillantes
d'un vif éclat. Elle comprit alors en esprit que si ces psaumes apparaissaient sous forme de perles très ternes,
c'est que le convent ne les acquittait que par routine
et sans dévotion spéciale. D'où il ressort, prenons-y

Unde animadvertendum est quod, quamvis debita ex
usu suppleta Domino praesententur ad cumulum meri-
20 torum nostrorum, infinitum tamen excellentius nobili-
tatur et gratificatur quidquid cum intenta perficitur
devotione.

14. Inter Vesperas vero, dum cantaretur in hymno
Gloria tibi Domine [a], vidit copiosam angelorum multitudinem [b] circa conventum volitantem et cum ipso eumdem versiculum sonoris vocibus jubilando resonantem.
5 Tunc requisivit a Domino quem profectum homines ex
hoc haberent, quod angeli sancti se ipsorum laudibus
adjungendo una cum illis psallerent. Super quo dum
nullum a Domino responsum acciperet, sed diligentius
in perquirendo laboraret, tandem divinitus inspirata
10 intellexit quod, quando angeli sancti nostris in terris
intersunt sollemniis, exorant Dominum ut eos qui se
ipsis conformare student in devotione, etiam adaequare
dignetur in vera cordis et corporis puritate.

15. Hinc timere coepit, ut moris est humani, hunc se
intellectum non ex divino spiritu, sed ex proprio hau-
sisse sensu. Ad quod divinae consolationis accepit responsum : « Noli timere, quia eo quod voluntas tua tam
5 plene divinae voluntati meae unita est quod nihil velle
potes quam quod ego volo, et per consequens in omnibus laudem meam summe desideras, omnes spiritus angelici sic tuae subjecti sunt piae voluntati, quod si antea
non orassent pro vobis, secundum quod eos facere per
10 spiritum intellexisti, ex eo quod tibi hoc ipsos facere

14, 6 ipsorum : eorum Z ‖ **15**, 6 potest Z *l* ‖ 8 antea :
angeli W ‖ 10 hoc : hic W

---

14 *a.* Doxologie d'hymnes du temps de Noël ‖ *b.* Cf. *Lc*
2, 13

garde, que si les devoirs acquittés par habitude sont,
il est vrai, présentés au Seigneur pour l'accroissement
de nos mérites, néanmoins, ce qui est accompli avec
attention et dévotion revêt une noblesse et reçoit une
récompense infiniment plus excellentes.

Encore les anges. 14. Pendant l'hymne des Vêpres, tandis
que l'on chantait *Gloria tibi Domine* [a],
elle vit une grande multitude d'anges [b]
qui volaient autour du convent et répétaient joyeuse-
ment avec lui ce même verset de leurs voix sonores [1].
Elle s'enquit alors auprès du Seigneur du profit que reti-
raient les hommes de cette union des saints anges à leur
louange, en une commune psalmodie. Et comme elle ne
recevait du Seigneur aucune réponse là-dessus, et qu'elle
s'efforçait à chercher plus attentivement, elle comprit
enfin, sous l'inspiration divine, comment les saints
anges, présents à nos solennités terrestres, demandent
au Seigneur, pour ceux qui veulent imiter leur dévotion,
de pouvoir les égaler aussi par une authentique pureté
de cœur et de corps.

15. La crainte lui vint alors d'avoir puisé cette pensée,
non pas dans une inspiration divine, mais plutôt —
ce qui est bien humain — dans son propre sens. Mais
elle reçut de Dieu cette réponse apaisante : « Ne crains
plus : ta volonté est en effet unie si totalement à ma divine
volonté que tu ne peux plus rien vouloir que je ne veuille,
et c'est bien ma gloire qu'en toutes choses tu recherches
souverainement. C'est pourquoi tous les esprits angéliques sont soumis à tes pieux désirs, au point que si
auparavant ils n'avaient pas prié pour vous comme tu
viens de le comprendre spirituellement, dès lors qu'il

---

1. Cette présence des anges à la psalmodie monastique est
fortement soulignée par saint Benoît dans sa règle (voir en particulier le ch. 19). Elle est suggérée par le *Ps.* 137, 1 : « In conspectu
angelorum psallam tibi ».

complaceret, amodo absque dubio studiosissime cona-
rentur adimplere ; immo, quoniam tu a me imperatore
imperatrix effecta es, omnes principes mei caelestes ita
obsecundant tuae voluntati, quod si tu aliqua eos facere
15 diceres quae nondum fecissent, statim ad verificandum
verba tua summopere beneplacitum tuum studerent cum
summa festinatione complere. »

16. Post Vesperas itaque, dum ex more circumferren-
tur reliquiae cum beatae Virginis imagine, ista cum
moerore revolvens in corde suo quod, infirmitate praepedita, nihil obsequii aut orationum persolvisset per
5 Adventum ad offerendum virgineae Matri in solemnitate
sua tam praedulci, attamen unctione Spiritus Sancti
edocta, sciens quid faceret, obtulit intemeratae Matri
praenobilissimum ac praedulcissimum Cor Jesu Christi
pro suppletione sui totius neglecti. Quod benedicta Virgo
10 maximo cum gaudio et gratitudine suscipiens, in aspectu
illius omnis obsequii et honoris sufficiens comperit delectamentum, quia Cor illud unice praedignissimum ac
totius boni contentivum exhibebat illi omnium deside-
rabilium summam, quae unquam ex alicujus devotione
15 vel orationum studio possent honori ipsius materno
exhiberi.

te plairait qu'ils le fissent, indubitablement ils s'y appliqueraient à l'heure même. Bien plus, moi, l'empereur, je t'ai faite impératrice ; ainsi, tous les princes de mon ciel se conforment si bien à ta volonté que, si tu disais qu'ils font une chose qu'ils n'auraient pas faite encore, aussitôt, pour authentifier tes paroles, ils s'appliqueraient en toute hâte à exécuter ton bon plaisir. »

Le Cœur du Christ. **16**. Après les Vêpres, tandis qu'on portait selon l'usage les reliques avec l'image de la Vierge, elle se rappela, le cœur gros, que, retenue par la maladie, elle n'avait pu acquitter pendant l'Avent ni dévotions, ni prières pour les offrir à la Vierge Mère en sa très douce solennité. Mais, instruite par l'onction de l'Esprit-Saint, elle comprit ce qu'elle devait faire et offrit à la Mère sans tache, pour suppléer à toutes ses négligences, le Cœur de Jésus-Christ dont la noblesse et la douceur sont infinies. Ce présent, la Vierge le reçut avec une extrême et joyeuse gratitude. A sa vue, elle connut des délices compensant tout hommage et toute louange. Ce Cœur, en effet, seul réceptacle parfait de tout bien, lui apportait la somme de tout ce qu'elle pouvait désirer, et cela, jamais la dévotion, le zèle ou la prière de quiconque n'aurait pu le réaliser en l'honneur de sa maternité.

CAPUT III

De melliflua Nativitate Domini

1. Ad Matutinas vero, dum eisdem conaretur intendere de quibus praescriptum est in praecedenti nocte,
Dominus ipsi vicem recompensans fidelis servitii totaliter
eam sibi intraxit, ita quod per quemdam suavissimum
5 suae divinitatis influxum in animam et animae cum gratitudine in Deum refluxum, per singula quae cantabantur tam in psalmis quam responsoriis, inenarrabilis et
inaestimabilis suavitatis eam pasceret intellectu, cumque
in his deliciis miro modo delectaretur, recognovit con-
10 ventum *Regi regum* [a] Domino in imperiali suo solio divinae majestatis sublimato reverenter circumadstantem,
et Matutinas ad laudem et gloriam ipsius cum devotione
magna persolventem.

2. Tunc memor plurimorum qui se orationibus suis
devote commiserant, in humilitate spiritus dixit ad
Dominum : « O quomodo decet me indignam pro istis
orare, quae cum labore et devotione tibi adstant psal-
5 lentes et laudantes, quae heu ! infirmitate detenta nequaquam illis perficere possim similia ! » Cui Dominus respondit : « Optime potes pro ipsis orare, quia ego te ab
eis assumptam in sinum paternae benignitatis meae col-

III. 1, 3 dominus *l* : dum *codd.* ‖ 7 tam *s.l.* B ‖ 11 circum-
stantem Z ‖ 12 matutinos W ‖ **2,** 6 *ante* illis *add.* cum W

III. **1** *a. I Tim.* 6, 15

1. La tenue traditionnelle de la psalmodie monastique était
la station debout, position à laquelle la « miséricorde » des stalles
vint apporter un adoucissement. *Sic stemus ad psallendum* ; *in
choro standum* dit saint Benoît (*RB*, 19 et 63). La pauvre Gertrude

CHAPITRE III

De la Nativité du Seigneur, douce comme miel

Joie d'une liturgie festive.

1. A Matines, comme elle s'efforçait de s'appliquer aux exercices de la nuit précédente — tels qu'on les a décrits plus haut —, le Seigneur, voulant récompenser la fidélité de sa servante, l'attira en lui-même si totalement que, par un très doux écoulement de sa divinité en son âme, et par un reflux de gratitude de l'âme vers Dieu, il rassasiait son esprit, pendant le chant de chacun des psaumes et des répons, d'une suavité au-delà de tout ce qu'on en peut exprimer ou saisir. Tandis qu'elle se délectait en ces merveilleuses délices, elle vit le *Roi des rois* [a], le Seigneur, trônant sur le siège impérial de sa Majesté divine. Le convent l'entourait avec respect et s'acquittait dévotement des Matines à sa louange et gloire.

Comment prier pour autrui.

2. Se souvenant alors que beaucoup de personnes avaient eu la dévotion de se recommander à ses prières, elle dit au Seigneur dans l'humilité de son âme : « Oh ! comment me convient-il, à moi, indigne, de prier pour ces personnes : elles sont là, en effet, debout en votre présence [1], dans les saintes fatigues de la psalmodie et des chants de louange, alors que, retenue hélas ! par la maladie, je ne puis aucunement accomplir semblables choses à leur intention ! — Tu peux très bien, lui répondit le Seigneur, prier pour elles, car moi, je t'ai choisie parmi elles et placée dans le sein de ma pater-

se sent incapable, vu son état de santé, de supporter cette fatigue, et s'en humilie.

locavi, ad impetrandum et obtinendum omnia quae-
10 cumque desiderat anima tua. » Et illa : « Domine, si
tibi placet ut orem pro eis, peto ut ad hoc perficiendum
talem mihi horam constituas, qua et hoc fideliter tibique
laudabiliter ac ipsis utiliter perficiam, nec tamen a fruitione caelestium epularum quibus me modo pascere
15 dignaris aliqualiter impediar. » Ad quod Dominus :
« Commenda singulas cognitioni meae divinae et amori,
quorum ductu de sinu Patris Dei ad terras propter sal-
vandum hominem descendi *a*. » Cumque illa hoc faciendo
singulas personas sibi commissas tantummodo nomina-
20 ret, benignus Dominus, dulcore divini amoris sui commotus et cujuslibet necessitatem in lumine divinae cognitionis suae rememorans, amatoria compassione singulis
condescendit.

3. Apparuit etiam Virgo Mater inclyta in caelesti
gloria Filio assidere honorifice sublimata. Cumque cantaretur responsorium *Descendit de caelis* *a*, Dominus
quasi in verbis illis commonefactus amantissimae digna-
5 tionis illius, qua de sinu Dei Patris descendens per
uterum inviolatae Virginis nostrae miseriae exilium
introivit, et inde tamquam amore liquefactus, suavissima
quadam blanditate arridentibus oculis Matrem suam virgineam aspexit. Ex cujus amicabilitatis afficientia,
10 omnia interiora ejus medullitus poterant commoveri.
Sicque osculum praedulce ori ejus blande infixit. Per
quod quodam modo omnia gaudia quibus de sua sanctissima humanitate gavisa fuerat in terris, ipsi velut
duplicata renovavit.

4. Apparuit quoque immaculatus uterus Virginis gloriosae ad instar purissimae crystalli perspicuus, per quam
omnia viscera ejus divinitate medullitus pertransita et

18 hoc : haec W ǁ **3**, 8 quadam *cm.* W ǁ **4**, 2 ad *om.* W

---

2 *a*. Cf. *Jn* 3, 17 ǁ **3** *a*. 4ᵉ répons (*CAO* 6410)

nelle bonté, pour obtenir et recevoir tout ce que désire ton âme. — Seigneur, dit-elle, si c'est votre bon plaisir que je prie pour ces personnes, veuillez me fixer dans ce but un moment où je sois fidèle à le faire pour votre gloire et leur utilité, sans néanmoins être privée si peu que ce soit de la jouissance de ce festin céleste dont vous daignez actuellement me rassasier. » A quoi le Seigneur répondit : « Recommande chacune d'entre elles à cette science divine et à cet amour qui, du sein de Dieu le Père, m'ont fait descendre sur la terre pour le salut de l'homme [a]. » Elle le fit, en désignant simplement par son nom chacune des personnes qui s'étaient recommandées à elle. Dans sa bonté, le Seigneur, ému alors de la divine douceur de son propre amour, et se rappelant les besoins de toutes à la lumière de sa science divine, se pencha vers chacune avec une affectueuse compassion.

La Vierge Mère de Dieu. **3.** La vénérable Vierge Mère apparut aussi, élevée à l'honneur de siéger auprès de son Fils dans la gloire céleste. On chanta alors le répons *Descendit de caelis* [a]. A ces mots, le Seigneur sembla se rappeler la condescendance pleine d'amour qui l'avait fait descendre du sein du Père et entrer, par les entrailles d'une Vierge inviolée, en notre misérable exil. Et, comme liquéfié d'amour à ce souvenir, il fixa sur la Vierge, sa Mère, un regard souriant, doux comme la plus affectueuse caresse et capable de la faire intérieurement tressaillir, sous le coup de l'émotion, jusqu'au plus profond d'elle-même. Puis il alla jusqu'à déposer sur ses lèvres un baiser très doux qui renouvela pour elle, comme en les répétant, toutes les joies dont sa très sainte humanité l'avait comblée sur la terre.

4. Le sein immaculé de la Vierge glorieuse apparut alors, aussi transparent qu'un cristal très pur à travers lequel ses entrailles, traversées de part en part et toutes remplies de la divinité, en rayonnaient l'éclat, comme

repleta refulgebant, velut aurum diversi coloris serico
5 convolutum elucere solet per crystallum. Videbatur etiam
puerulus ille floridus, summi Patris unicus, cor Matris
virgineae avida delectatione sugere. Per quod intellexit
quod, sicut humanitas Christi lacte pascebatur virginali,
sic divinitas delectabatur perfrui puritate ipsius inno-
10 centissimi et amantissimi cordis.

5. Dum vero ad XII^m responsorium, scilicet *Verbum
caro factum est* [a], profunde conventus inclinaret ob reverentiam dominicae incarnationis, intellexit Dominum
dicentem : « Quotiescumque aliquis cum devota grati-
5 tudine se inclinat in verbo isto, gratias agens mihi quod
pro amore ipsius dignatus sum homo fieri, toties ego
stimulis propriae benignitatis instigatus me ipsi dignantissime reinclino, et ex intimo cordis affectu Deo Patri
omnem fructum beatissimae humanitatis meae offero
10 duplicatum in augmentum beatitudinis aeternae hominis
illius. »

6. In fine vero responsorii illius, in illo verbo : *et veritate* [a], procedens Virgo Maria gemino decore virginitatis
ac maternitatis mirabiliter adornata, primo accessit ad
superiorem dextri chori, circumponensque brachium
5 suum dextrum humero ejus et suaviter eam constringens, impressit animae ejus generosum infantulum
prae filiis hominum forma speciosum [b]. Sicque procedens per totum chorum ad conventum, consimili modo

---

5, 1 vero : ergo W ‖ **2** conventus profunde W ‖ **10** aeternae
beatitudinis W ‖ **6, 1** illius responsorii W ‖ **3** accessit :
processit Z *l* ‖ **4** *post* superiorem *add.* partem W sororem *l*
‖ **8** consimili : simili Z *et a. corr.* B

---

5 *a.* 12e répons (*CAO* 7840) : *Jn* 1, 14 ‖ **6** *a. Jn* 1, 14 ‖ *b.*
Ps. 44, 3

l'or, enveloppé dans une soie aux diverses couleurs, brillerait à travers un cristal [1]. On voyait le tout petit Enfant, en son printemps, lui, l'Unique du Père, trouver ses délices à puiser avidement la vie au cœur de la Vierge, sa Mère. Cela lui fit comprendre que si l'humanité du Christ se nourrissait du lait virginal, sa divinité trouvait ses délices à jouir de la pureté de ce cœur, le plus innocent et le plus tendre qui fut jamais.

5. Au douzième répons, c'est-à-dire *Verbum caro factum est* [a], comme le convent s'inclinait profondément par révérence pour l'incarnation du Seigneur, elle entendit le Seigneur dire ces paroles : « Chaque fois que quelqu'un s'incline à ces mots avec dévotion et reconnaissance, me rendant grâce de ce que, par amour pour lui, j'ai daigné me faire homme, autant de fois, pressé par l'aiguillon de ma propre bénignité, je m'incline à mon tour vers lui très favorablement et, du plus profond de mon cœur, j'offre à nouveau à Dieu le Père le fruit de ma bienheureuse humanité, pour accroître l'éternelle béatitude de cette personne. »

6. A la fin du même répons, aux mots : *et veritate* [a], la Vierge Marie s'avança, admirablement parée de la double gloire de la virginité et de la maternité. Elle vint d'abord à celle qui était la première du chœur droit, lui entoura l'épaule de son bras droit et, la serrant contre elle avec force et douceur, fit pénétrer profondément dans son âme le noble Enfançon [2] *plus beau que tous les fils d'homme* [b]. Allant ainsi à travers tout le chœur vers le convent, elle fit pénétrer de la même manière dans

1. Voir au livre III, 37, une image analogue, mais plus simple. Voir aussi, dans ce l. IV : 28, 2, 9 ; 50, 6, 2-5. Ici s'ajoute le tissu de soie qui enveloppe le lingot d'or, le tout étant enfermé dans un vase de cristal. Gertrude évoque-t-elle le souvenir de quelque précieux reliquaire qu'elle aurait contemplé ?

2. L'enfant est comme imprimé, gravé, buriné, dans le cœur de celle qui le reçoit (cf. lignes 10 et 29).

puerum amabilem et delicatum singularum animabus
10 per blandum impressit amplexum. Omnibus vero puerum illum tenerrimum in ulnis animae tenentibus, quaedam videbantur caput illius cautissime et satis commodose velut molli cussino superpositum sustentare. Quaedam vero, minus caute caput tenelli sustentantes infan-
15 tuli, sinebant illud incommodose dilabi. Per quod intellexit quod illae personae quae voluntatem suam praebebant Deo libere ad omne complacitum suum, hae nimirum caput amantissimi Jesu tamquam molli cussino, id
est bona voluntate sua, commodose sustentabant. Illae
20 autem quarum voluntas in aliquo erat inflexibilis et
imperfecta, hae caput pueri permittebant incommodose
dilabi. Ergo evacuemus, carissimae, corda et conscien-
tias nostras ab omni contrarietate, et offeramus corda
nostra Domino libera et integra voluntate ad omne bene-
25 placitum suum, qui in omnibus summe desiderat pro-
fectionem nostram, ne unquam inquietare nos contin-
gat, saltem ad horam ictus oculi, commodum tam praedulcis et delicati pueruli intimis nostris dignantissime
inclinati et impressi.

7. Inter Missam vero *Dominus dixit* [a], pius Dominus
iterum eam per singula illa verba inaestimabilis dulcedinis intellectu replevit. Hinc inter *Gloria in excelsis*,
dum cantaretur *primogenitus Mariae Virginis* [b], ista retrac-
5 tavit quod Dominus magis congrue diceretur *unigenitus*,
quam *primogenitus*, eo quod intemerata Virgo genuerit
nullum alium quam illum unicum, quem Spiritu Sancto
meruit concipere. Unde beata Virgo blanda serenitate

---

17 complacitum : placitum W ‖ 20 inflexibilis : flexibilis
W ‖ 23 corda *s.l.* B² ‖ 28 *post* pueruli *add.* in W ‖ **7,** 4
virginis : filius W ‖ retractavit : retractans W

---

7 *a.* Introït de la messe de minuit : *Ps.* 2, 7 ‖ *b.* Trope du
Gloria in excelsis

l'âme de chacune, par une douce étreinte, l'aimable
et délicieux Enfant. Toutes tenaient ainsi cet enfant
si délicat dans les bras de leur âme. Mais certaines paraissaient lui soutenir la tête comme si elles la faisaient
reposer avec beaucoup de précaution et de soin sur un
coussin moelleux. D'autres, au contraire, moins soigneuses
à soutenir la tête du doux petit Enfant, la laissaient
retomber de façon fort incommode. Elle comprit par là
que les personnes qui, sans entraves, laissaient Dieu
disposer de leur propre volonté à son bon plaisir, posaient
commodément la tête du bien-aimé Jésus comme sur
un coussin moelleux : celui de leur volonté bonne. Celles,
au contraire, dont la volonté était, sur quelque point,
raide ou imparfaite, laissaient retomber de façon incommode la tête de l'Enfant. Ô mes bien-aimées, bannissons
donc tout obstacle de nos cœurs et de nos consciences
et offrons nos cœurs au Seigneur avec une volonté entièrement libre pour tout ce qui lui plaira, car, en toutes
choses, c'est notre progrès qu'il désire au plus haut point.
Que jamais donc il ne nous arrive de troubler, ne fût-ce
que le temps d'un clin d'œil, le repos de ce petit Enfant
si doux et si délicieux qui, dans son extrême bonté, s'est
penché vers notre cœur pour y pénétrer profondémentt

**... et Mère
des hommes.**
7. A chacun des mots de la Messe
Dominus dixit [a], le Seigneur, dans sa
tendresse, la combla, une fois encore,
et elle connut une inestimable douceur. Ainsi, pendant
le *Gloria in excelsis*, tandis que l'on chantait *Primogenitus
Mariae Virginis* [b][1], elle remarqua qu'il serait plus exact
d'appeler le Seigneur *Unigenitus* plutôt que *Primogenitus*,
étant donné que la Vierge sans tache n'a engendré aucun

1. Il s'agit de tropes introduits entre les versets du *Gloria,*
selon l'habitude médiévale des « Gloria farcis »,

ipsi respondit, dicens : « Nequaquam unigenitus, sed
10 congruentissime dicitur primogenitus meus dulcissimus
Jesus, quem primo clauso utero procreavi, et post ipsum,
immo per ipsum, vos omnes, ipsi in fratres et mihi in
filios, maternae caritatis visceribus praeoptando gene-
ravi. » Circa Offertorium vero cognovit in spiritu quod
15 singulae de congregatione offerrent Domino munera orationum quas persolverant per Adventum, quarum quaedam offerebant in sinum Pueri animabus earum impressi.
Ad quas beata Virgo singillatim in loca sua accedens
obsequebatur cuilibet affectuose, coaptando sinum ac
20 manus sui praedilecti Filii ad recipiendum munera
oblata sibi.

8. Quaedam vero personae videbantur ad altare in
medio chori accedere et ibi orationes suas offerre
Virgini Matri Puerum in gremio gestanti. Ad quarum
orationes suscipiendas dum Puer tenellus non coapta-
5 retur, exhibebat se quasi prae sui teneritudine non posset
recipere. Unde intellexit quod quae offerebant in sinum
pueri Jesu erant illae quae devote intendebant Domino
in intimis suis, quasi spiritualiter nato, quibus obsequi
et cooperari videbatur beata Virgo, ipsarum congaudens
10 devotioni et saluti. Sed illae personae quae tantummodo
secundum repraesentationem Ecclesiae cogitabant Dominum tempore suo in Bethleem natum, hae visae sunt in
medio chori accedere ad altare, ibidem offerentes Virgini
Matri.

---

12 ipsi : illi Z ‖ 15 domino : deo Z ‖ 21 sibi oblata W ‖ 8, 1-2
accedere in medio chori W ‖ 4 orationes : oblationes W ‖
5 posse W ‖ 12 suo *om.* W

autre Fils, sinon cet Unique que l'Esprit-Saint lui donna de concevoir. A quoi la bienheureuse Vierge lui répondit avec une affectueuse douceur : « Mais non, ce n'est pas *Unigenitus*, mais bien plutôt *Primogenitus* qui est le nom exact de mon très doux Jésus, car c'est lui que j'ai mis au monde le premier, mon sein demeurant clos, et, après lui, ou plutôt par lui, je vous ai tous engendrés, faisant choix de vous dans les entrailles de mon amour maternel pour être ses frères à lui et mes fils à moi. » A l'Offertoire, elle connut en esprit que chaque personne de la communauté offrait en don au Seigneur les prières qu'elle avait récitées pendant l'Avent. Certaines plaçaient leur offrande dans le giron de l'Enfant qui avait pénétré leur âme. La bienheureuse Vierge, venant les trouver tour à tour à leur place, se prêtait à chacune d'un geste affectueux, et présentait le cœur et les mains de son Fils bien-aimé pour recevoir les dons offerts.

8. Certaines personnes cependant semblaient s'avancer vers l'autel au milieu du chœur, et là, offrir leurs prières à la Vierge Marie portant l'Enfant dans ses bras. Mais ce frêle Enfant était inhabile à recevoir les prières de ces personnes. Il était, selon les apparences, trop petit pour être capable de s'en saisir. Elle comprit alors que celles qui présentaient leurs offrandes dans le giron de l'Enfant-Jésus étaient celles qui contemplaient avec dévotion le Seigneur né spirituellement au fond de leur âme. A celles-là, la bienheureuse Vierge semblait prêter son aide et son concours, heureuse de leur dévotion salutaire. Quant à ces personnes qui se bornaient à considérer le Seigneur né, au temps jadis, à Bethléem selon que l'Église nous le décrit, on les voyait venir au milieu du chœur et là, remettre leur offrande à la Vierge Mère.

9. Tunc ista accedens ad Regem gloriae obtulit illi,
secundum quod rogata erat, quarumdam personarum
oratiunculas ante diem festum completas et quarumdam
personarum bonam voluntatem quae libenter similia
5 perfecissent, si impeditae ex aliquibus causis etiam utilibus non fuissent. Unde edocta per spiritum, intellexit
quod illae orationes quae erant devote peractae, ordina-
bantur in tabulam praedictam, in specie pretiosarum
margaritarum ; et bona voluntas earum quae libenter
10 similia perfecissent, si utilioribus non fuissent impeditae,
et insuper negligentiam suam dolebant, et per consequens humiliabantur, videbatur ordinari in monile illud
ornatissimum quo pectus dominicum videbatur decoratum,
et exinde illae tantum fructum obtinebant ad accessum
15 divini Cordis, sicut aliquis per clavem cistam aliquam
potest aperire, de qua diversa sumat delectamenta.

CAPUT IV

De sancto Joanne apostolo et evangelista

1. Joannes evangelista et apostolus apparuit huic
oranti die quodam in Adventu flavis vestibus indutus,
quae aureis undique aquilis erant intextae. Per quod
figurabatur quod quantumcumque vivens adhuc in cor-
5 pore elevabatur supra se per excessum mentis in con-

9, 3-4 oratiunculas — personarum *om.* B[1] Z *l mg.* B[2] ‖
8 praedictam : saepedictam W ‖ pretiosarum : speciosarum
W ‖ 15 sicut aliquis *mg.* B[2]
IV. 1, 1 apostolus *mg.* B[2] ‖ 2 quadam W ‖ flavis vestibus
in adventu B ‖ 5 supra : super W

---

1. Il n'est pas très facile de cerner ici avec précision la pensée
de sainte Gertrude. Dans ces vêtements jaunes, brochés d'aigles
d'or, elle voit d'une part l'humilité de saint Jean, et d'autre part
l'élévation de sa contemplation. Peut-être faudrait-il donner à

Offrande. **9.** S'approchant alors du Roi de gloire, elle lui offrit, comme on le lui avait demandé, les petites prières que certaines personnes avaient récitées avant la fête, et aussi la bonne volonté de quelques autres qui eussent volontiers fait de même si elles n'en avaient été empêchées par des travaux indispensables. Elle comprit, d'une connaissance spirituelle, que les prières récitées avec dévotion étaient rangées comme des perles précieuses sur la table dont il a été parlé. Quant aux personnes qui en eussent volontiers fait autant, si de vraies nécessités ne les en avaient empêchées, et qui éprouvaient regret et humiliation de cette omission, on voyait leur bonne volonté trouver place dans le magnifique collier qui semblait orner la poitrine du Seigneur, et elles obtenaient par là une grande facilité d'accéder au Cœur divin, comme quelqu'un qui, à l'aide d'une clef, peut ouvrir une cassette et prendre divers objets pour son plaisir.

CHAPITRE IV

De saint Jean, apôtre et évangéliste

Les prérogatives de Jean. **1.** Un jour, pendant l'Avent, tandis qu'elle était en prière, Jean, évangéliste et apôtre, lui apparut, portant des vêtements jaunes, entièrement brochés d'aigles d'or [1]. Cela signifiait que, durant sa vie mortelle, l'esprit ravi, il s'était élevé très au-dessus de lui-même par la

---

flavus le sens d'un jaune terne, décoloré, qui symboliserait le désir d'effacement et d'abaissement de saint Jean, par opposition aux *aureis aquilis*. Une description identique est donnée dans la *Missa*, 7, 3-4 : « flavis vestibus indutus, quae aureis undique aquilis intextae... ».

templatione, semper tamen conabatur se in vallem humilitatis, per propriae vilitatis recognitionem deprimere.
Cumque ornatum ipsius diligentius consideraret, videbatur sub aquilis illis aureis quidam color rubeus com-
10 parere, qui ex omni parte circa aquilas parumper pro-
micabat, figurans quod beatus Joannes contemplationis
suae ordinem semper inchoare studebat a memoria
dominicae passionis, quam nimirum oculis conspexerat
et corde medullitus per intimam compassionem persense-
15 rat. Sicque paulatim procedendo usque ad celsitudinem
divinae majestatis pervolans, irreverberatis oculis mentis ipsum in solis orbe perspicacius contemplabatur.
Habebat etiam duo aurea lilia, unum in dextro et unum
in sinistro humero ; eratque in dextro mirabili sculptura
20 scriptum : *Discipulus quem diligebat Jesus* [a]; in sinistro
vero : *Iste custos Virginis* [b], etc., ob insigne privilegiorum
istorum specialium, quo ipse solus prae caeteris apostolis
discipulus quem diligebat Jesus nominari et esse meruit,
et quod ipsi etiam Dominus suum lilium, hoc est Matrem
25 suam virgineam, in cruce moriturus commendandam
dignum censuit [c].

2. Habebat quoque coram pectore suo rationale quoddam mirificum, ob praerogativam illam qua supra melli-
fluum pectus Domini Jesu in caena recubuit [a], in quo
aureis litteris velut viventibus erat scriptum : *In prin-*
5 *cipio erat Verbum* [b]. Per quod significabatur viva virtus

---

7 propriae vilitatis recognitionem : vilitatem propriae
recognitionis W ‖ 10 qui : quae W ‖ 16 mentis oculis W
‖ 17 in solis orbe : veri solis orbem W ‖ 21 vero : autem
W ‖ 22 istorum : illorum W ‖ 24 hoc : id Z ‖ 25 suam *om.* W
‖ **2,** 2 supra : super B ‖ 4 velut *om.* Z *l* ‖ inscriptum B

IV. **1** *a.* Jn 13, 23 ; 21, 7 ‖ *b.* Cf. séquence *Verbum Dei,*
Deo natum (*RH* 21353) : cf. *Esther* 2, 15 ‖ *c.* Cf. *Jn* 19, 27 ‖
2 *a.* Cf. *Jn* 21, 20 ‖ *b.* Jn 1, 1

contemplation, tout en s'efforçant cependant de descendre toujours plus au creux de la vallée de l'humilité par un vif sentiment de sa bassesse. En regardant plus attentivement sa parure, elle vit apparaître sous les aigles d'or une sorte de reflet rouge qui s'étendit rapidement tout autour des aigles. Cela signifiait que le bienheureux Jean s'étudiait toujours à prendre le point de départ de sa contemplation dans le souvenir de la passion du Seigneur qu'il avait bien considérée de ses yeux et ressentie jusqu'au fond de son cœur par une intime compassion. Progressant ainsi peu à peu, son vol l'emportait jusqu'à la sublime Majesté divine, et, sans être aveuglés, les yeux de son esprit se fixaient d'un regard perçant sur le disque même du Soleil [1]. Il portait aussi deux lis d'or : l'un à l'épaule droite, l'autre à l'épaule gauche. Sur celui de droite on lisait, admirablement gravé : *Discipulus quem diligebat Jesus* [a], et sur celui de gauche : *Iste custos Virginis* [b], etc., pour marquer ses prérogatives personnelles : lui seul, en effet, parmi tous les autres apôtres mérita d'être, et de nom et de fait, *le disciple que Jésus aimait* ; et de plus, c'est lui que le Seigneur au moment de mourir sur la croix jugea digne de recevoir [c] ce lis qui lui appartenait en propre, c'est-à-dire : sa Mère virginale.

2. Il portait aussi sur la poitrine une sorte de merveilleux rational pour rappeler qu'il eut le privilège de reposer à la Cène sur la poitrine du Seigneur Jésus [a], source de douceur. On y lisait en lettres d'or, qui paraissaient vivantes : *In principio erat Verbum* [b], ce qui symbolisait la force vive

---

1. Dans son édition, Lansperge a cru bon d'atténuer ce passage sur saint Jean s'élevant, de son vivant, jusqu'à la contemplation de Dieu lui-même : « Sicque paulatim procedens usque ad celsitudinem divinae maiestatis *subvolabat*, quam irreverberatis oculis mentis, *quantum mortali homini fas erat*, perspicacius contemplabatur ».

dignissimorum verborum illorum quae in hoc evangelio
continentur. Tunc ista dixit ad Dominum : « Ad quid,
amantissime Domine, hunc praedilectum tuum mihi indignae modo praesentasti ? » Respondit Dominus : « Ad
10 hoc, inquam, ut ipsum speciali tibi adjungam amicitia,
et cum nullum habeas apostolum, ego tibi assigno istum
quem semper apud me habeas patronum in caelis fidelissimum. » Et illa : « Doce me, inquit, dulcissime, quid
ipsi possim obsequii exhibere. » Respondit Dominus :
15 « Quilibet homo quotidie unum *Pater noster* suo legere
posset apostolo, admonendo illius praedulcis fidelitatis
quam cor ejus persensit, cum ego docerem ipsos hanc
orationem, et orare ut obtinere sibi dignaretur, quo
secura mihi semper perseverantia mereretur usque in
20 finem vitae suae fideliter adhaerere. »

3. In festo vero ejusdem apostoli, inter Matutinas,
more sibi solito Deo devotius intendenti affuit idem
dilectus *discipulus quem* revera *diligebat Jesus* [a] (unde
et ab omnibus amantibus merito est diligendus), multis
5 modis ipsi blandiens. Cui dum plures de congregatione
sibi commissas fideliter commendasset, et ille omnium
vota blande acceptasset, dicens : « Ego in hoc assimilor
Domino meo, quod *diligentes me diligo* [b] », ista dixit ad
eum : « Et quid ego tantilla gratiae potero adipisci in
10 hoc festo tuo praedulci ? » Qui respondit : « Veni mecum,
tu electa Domini mei, et repausemus simul supra dulci-
fluum pectus Domini, in quo latent totius beatitudinis
thesauri. » Et assumens eam deduxit secum ad melli-
fluam Salvatoris Domini praesentiam, statuitque eam
15 ad dexteram, et ipse declinavit pausaturus ad sinis-

---

8 domine *om.* Z*l*B[1] *mg.*B[2] ‖ 19 perseverantia semper B ‖
3, 3 dilectus : electus W ‖ 15 declinabat Z

---

3 *a. Jn* 13, 23 ; 21, 7 ‖ *b. Prov.* 8, 17

de ces mots très sublimes que contient son évangile.
Alors elle dit au Seigneur : « A quelle fin, ô très aimé
Seigneur, me présentez-vous maintenant celui qui est
votre préféré alors que j'en suis si indigne ? — C'est,
répondit le Seigneur, pour qu'il te soit lié par une amitié
spéciale. Puisque tu n'as pas d'autre apôtre, je te donne
celui-ci afin qu'il te serve de protecteur très fidèle dans
le ciel auprès de moi. — Enseignez-moi, ô Bien-Aimé,
quels hommages je puis lui rendre. — Tout homme, répondit le Seigneur, pourrait réciter chaque jour un *Pater
noster* en l'honneur de son apôtre, en lui rappelant
l'attachement et l'affection que ressentit son cœur
lorsque je leur enseignais cette prière. Il lui demandera
aussi de lui obtenir la grâce de toujours adhérer fidèlement à moi par une indéfectible persévérance jusqu'à
la fin de sa vie. »

**Avec Jean
sur le Cœur
du Seigneur.**

3. En la fête du même apôtre, durant
les Matines, alors qu'elle était plus dévotement attentive à Dieu que de coutume,
lui apparut ce même *disciple* bien-aimé
que véritablement *Jésus aimait* [a] et qui doit donc être
chéri de tous ceux qui aiment —, et il la combla de mille
marques d'amitié. Elle ne manqua pas alors de lui recommander plusieurs personnes de la communauté qui
s'étaient confiées à elle, et il reçut avec bonté les vœux
de toutes en disant : « Je ressemble à mon Seigneur, car
j'aime ceux qui m'aiment [b]. » Elle lui dit alors : « Et quelle
grâce pourrai-je obtenir, moi si petite, en votre très
douce fête ? — Viens avec moi, lui répondit-il, toi,
l'élue de mon Seigneur, et reposons ensemble sur la
poitrine du Seigneur, source de douceur qui renferme
le secret trésor de toute béatitude. » La prenant alors
avec lui, il la conduisit en la douce présence de notre
Seigneur et Sauveur et, la plaçant à droite, il se dirigea
vers la gauche pour y trouver son repos. Or, tous deux

tram. Cumque ambo in sinu Domini Jesu recumberent,
beatus Joannes indice pectus dominicum reverentissima
blanditate contingens dixit : « Ecce, hoc est sanctum
sanctorum attrahens sibi totum caeli terraeque bonum. »

4. Tunc ista requisivit a beato Joanne cur ipse lae-
vam partem pectoris Domini praeeligens, eam ad dextram collocasset. Cui ille respondit : « Ideo, inquam, quoniam ego jam devici omnia, et unus spiritus cum Deo
5 effectus [a], penetrare possum subtiliter quo caro non per-
tingit : ergo ego elegi solida ; tu vero cum adhuc vivens
in corpore non possis pari mihi modo solidiora penetrando
investigare : ergo te ad aperturam divini Cordis locavi,
ut eo liberius exinde haustus dulcedinis et consolationis
10 extrahere possis, quos sine intermissione omnibus desi-
derantibus ebulliens impetus divini amoris large profun-
dit. » Illa vero, cum ex motu sanctissimorum pulsuum
quibus sine intermissione commovebatur Cor divinum
ineffabili delectatione afficeretur, dixit ad beatum Joan-
15 nem : « Numquid et tu, dilecte Dei, horum suavissimo-
rum pulsuum non sensisti delectamentum, dum in caena
supra idem beatissimum pectus recubuisti [b], quorum
delectatione ego nunc tantum afficior ? » Respondit :
« Etiam fateor, veraciter sensi et persensi, quia suavitas
20 illorum sic medullitus animam meam pertransivit, sicut
dulcissimus medo unquam suavius pertranseundo dul-

16 *post* ambo *add.* suaviter W ‖ 18 sancta Z ‖ **4,** 1 ipse :
ipsa W ‖ 3 *post* inquam *add.* ego W ‖ 6 ego *s.l.* B ‖ 8 ergo :
ego Z *l* ‖ 9 eo : ergo B ‖ exinde : inde B¹ (*corr. s.l.* B²) ‖ 17
supra : super Z

4 *a.* Cf. *I Cor.* 6, 17 ‖ *b.* Cf. *Jn* 13, 25

1. Sainte Gertrude se fait ici l'écho d'une tradition largement
utilisée par l'iconographie, selon laquelle la lance du soldat aurait

étant ainsi penchés suavement sur le sein du Seigneur Jésus, le bienheureux Jean toucha de son index avec tendresse et infini respect la poitrine du Seigneur en disant : « Voici le Saint des saints qui attire à lui tout bien au ciel et sur la terre. »

4. Elle demanda alors au bienheureux Jean pourquoi il avait choisi de préférence pour lui le côté gauche de la poitrine du Seigneur et l'avait placée, elle, à droite [1]. A quoi il répondit : « J'ai déjà remporté toutes les victoires et suis devenu un même esprit avec Dieu [a], je suis donc capable de pénétrer avec subtilité là où la chair ne peut atteindre. C'est pourquoi j'ai choisi le côté fermé. Toi qui vis encore dans ton corps, tu ne peux, de la même manière que moi, pénétrer et scruter ce qui est moins accessible. Je t'ai donc placée à l'ouverture du divin Cœur, en sorte qu'il te soit possible de puiser plus aisément au breuvage de douces consolations que le bouillonnement impétueux de l'amour divin répand sans trêve avec largesse sur tous ceux qui y aspirent. » Et comme les très saintes pulsations qui faisaient battre sans cesse le Cœur divin lui causaient une jouissance indicible, elle dit au bienheureux Jean : « N'avez-vous pas senti, vous aussi, ô bien-aimé de Dieu, les délices de ces battements très suaves, lorsqu'à la Cène vous avez reposé sur cette poitrine très sainte [b] ? J'en éprouve actuellement une si grande jouissance ! — Oui, je l'avoue, lui répondit-il, je les ai en vérité ressenties et profondément ressenties. Leur suavité a pénétré mon âme jusqu'au fond, comme un hydromel très doux imprègne de sa suave douceur la bouchée de pain frais dans laquelle

pénétré le côté droit du corps du Christ pour atteindre son Cœur. C'est donc à droite que se trouve la blessure ouverte. Cf. l. I, 16 (t. II [*SC* 139], p. 209 et n. 1). — Cette tradition se rattache, pense-t-on, à la prophétie d'*Ézéchiel* 47, 1-2, où il est dit que la source de vie sortait du Temple *in latus templi dextrum, a latere dextro* (cf. l'antienne *Vidi aquam*).

cificare potest micam recentis similaginis. Insuper, ex
ipsis spiritus meus etiam tam efficaciter est succensus,
sicut coquens olla ex nimio ardore ignis ferventius potest
25 succendi. » Tunc illa : « Et cur hoc ita penitus conti-
cuisti, quod nec quidquam vel modice saltem exinde
nostris profectibus intelligendum conscripsisti ? » Respondit : « Meum profecto erat novellae adhuc ecclesiae
de increato Dei Patris Verbo unum describere verbum,
30 de quo usque in finem mundi sufficienter carpere posset
intellectus generis humani totius, quamvis a nullo tamen
unquam plene possit comprehendi. Eloquentia autem
suavitatis pulsuum istorum reservata est moderno tempori, ut ex talium audientia recalescat jam senescens et
35 amore Dei torpescens mundus. »

5. Cumque ista miraretur venustatem sancti Joannis,
qui apparebat recumbens supra pectus Domini [a], ipse
respondens dixit ei : « Usque modo apparui tibi in ea
forma qua in terris supra pectus Domini amatoris mei
5 et amati unici in caena recubui ; sed nunc, si delectat
te, obtinebo tibi ut conspicias me in ea forma qua jam
deliciis divinitatis fruor in caelis. » Et cum haec illa desideraret adipisci, statim vidit immensum pelagus divinitatis introrsus in pectore Jesu, et in eo beatum Joannem
10 in specie tenellae apiculae tamquam pisciculum ineffabili delectatione et libertate natantem. Intellexitque quod
ubi divinitatis impetus efficacissime influit humanitatem,
ibi esset frequentior habitatio ejus. Ex cujus suavissimis
torrentibus avidissime potatus et inebriatus, videbatur

23 meus *mg.* B² ‖ tam : tamen Z ‖ 24 olla : ulla Z ‖ 26
quisquam B ‖ 32 posset Z ‖ **5,** 5 amati : amici Z *l* ‖ 10
ineffabili : inestimabile W ‖ 13 ibi : inibi W

5 *a.* Cf. *Jn* 13, 25

il pénètre. Bien plus, mon âme est devenue aussi brûlante qu'une chaudière en ébullition échauffée par l'ardeur d'un feu violent. — Et pourquoi donc, lui dit-elle,
avez-vous gardé là-dessus un si profond silence ? Dans
vos écrits, on n'en peut rien saisir, rien du tout ; nous
aurions pu cependant en tirer profit. — Ma mission,
répondit-il, était que je manifeste à la jeune Église, par
une seule parole, le Verbe incréé de Dieu le Père, et que
cette parole soit capable de satisfaire l'intelligence du
genre humain tout entier jusqu'à la fin du monde, bien
que personne ne parvienne jamais à la comprendre en
plénitude. Quant à la douce éloquence de ces pulsations, elle est réservée aux temps actuels, afin qu'en les
écoutant, le monde, déjà vieilli et engourdi dans son
amour pour Dieu, puisse retrouver sa ferveur. »

Jean dans la béatitude. 5. Tandis qu'elle contemplait et admirait la beauté de saint Jean reposant
sur la poitrine du Seigneur [a], il lui fit
cette proposition : « Jusqu'à présent, je me suis montré
à toi sous l'aspect que j'avais sur la terre tandis que je
reposais à la Cène sur la poitrine du Seigneur qui m'aimait
et que j'aimais exclusivement. Mais maintenant, si la
chose t'agrée, j'obtiendrai que tu me voies sous l'aspect
où je savoure à présent dans les cieux les délices de la
divinité. » Et comme elle désirait contempler ce spectacle,
elle vit aussitôt l'immense océan de la divinité renfermé
dans le sein de Jésus et, dans cet océan, le bienheureux
Jean, sous la forme d'une jeune abeille, nager comme un
petit poisson, avec une ineffable jouissance et en toute
liberté. Et elle comprit qu'il faisait plus habituellement
sa demeure en ce Cœur où le flot de la divinité se déverse
avec plus de puissance dans l'humanité [1]. Il buvait
avec une extrême avidité à ce torrent de délices dont

---

1. Il s'agit ici de la sainte humanité du Christ.

15 de corde suo quasi venam quamdam emittere, et ex illa
per universum mundi ambitum large dispergere stilli-
cidia divinae suavitatis, quae erant saluberrima monita
doctrinae suae salutaris, et specialiter evangelii : *In principio erat Verbum* [b].

6. Item alia vice in eodem festo, dum multum delectaretur in eo quod ipso die toties tam nectareis verbis
audivit in beato Joanne integritatem virginitatis extolli,
tandem conversa ad ipsum specialem amicum Dei, ora-
5 vit ut precibus suis nobis obtinere dignaretur quatenus,
Dei auxiliante gratia, ad tam diligentem castitatis custodiam studeremus, quo in aeterna vita in gloria Dei
etiam tam suavisonorum laudum praeconio cum ipso
pro modulo nostro participaremur. Ad quod tale a sancto
10 Joanne accepit responsum : « Qui mecum in beatitudine
desiderat participari victoriae bravio, studeat mihi similem modum currendi tenere in via. » Et adjunxit : « Ego
per omne tempus vitae meae frequentius recolens quam
suavi familiaritatis amicitia amantissimus magister meus
15 et Dominus Jesus in me respexerit, immo remuneraverit
illam continentiam qua, conjugem derelinquens, ipsum
de nuptiis sum secutus, postmodum semper in omnibus
verbis et factis meis hoc studium adhibui, ut diligenter

6, 3 virginit. integrit. W ‖ 4 dei amicum W ‖ 13 recoli Z ‖
14 amantissimus *om.* W ‖ 15 Jesus *om.* B

---

b. Jn 1, 1

---

1. Sainte Gertrude poursuit ici la comparaison de l'abeille.
Il s'agit de la « trompe » de l'insecte (même si l'usage qui lui est
attribué ne correspond pas tout à fait aux données des naturalistes).
2. Nombre de manuscrits des évangiles comportent de très
anciens prologues latins (« prologues monarchiens », ive siècle),
dont celui relatif à saint Jean commence ainsi : « Hic est Johannes
evangelista, unus ex discipulis Dei, qui virgo electus a Deo est,
quem de nuptiis volentem nubere vocavit Deus... » Certaines des vies

il s'enivrait, et l'on voyait, comme venant de son cœur,
une sorte de trompe [1] avec laquelle, goutte à goutte,
il répandait sur toute la surface du monde l'abondance
de la suavité divine, c'est-à-dire l'enseignement salutaire
de la doctrine de vie et particulièrement celle de son
évangile : *Au commencement était le Verbe* [b].

La chasteté de Jean. **6.** Une autre fois encore, en cette même
fête, ravie d'avoir entendu en ce jour
célébrer par tant de si douces paroles
l'intégrité virginale du bienheureux Jean, elle se tourna
finalement vers cet intime ami de Dieu, et lui demanda
de daigner nous obtenir par ses prières une attention
si diligente à conserver la chasteté, moyennant le secours
de la grâce de Dieu, que, dans la vie éternelle, nous puis-
sions, à notre mesure, bénéficier avec lui, dans la gloire
de Dieu, d'éloges et de louanges si doux à entendre. A
pareille requête, elle reçut de saint Jean cette réponse :
« Celui qui souhaite partager avec moi dans la béatitude
le prix de la victoire, qu'il s'applique à suivre, tandis
qu'il court sur le chemin, un rythme semblable au mien.
Moi, ajouta-t-il, tout au long de mon existence, je n'ai
cessé de me rappeler avec quelle tendre et affectueuse
familiarité mon maître et Seigneur Jésus a jeté les yeux
sur moi, que dis-je ? comment il a récompensé cette
chasteté qui me fit laisser mon épouse et quitter les noces
pour me mettre à sa suite [2]. Ensuite, en toutes mes paroles
et actions, je me suis toujours efforcé de veiller, avec le

apocryphes de saint Jean amplifient ce thème. C'était là, révèle
notre Seigneur à sainte Mechtilde, le second des douze privilèges
de saint Jean (MECHTILDE, I, 6 : éd. Paquelin, p. 21 et 23). On
alla jusqu'à reconnaître S. Jean dans l'époux des noces de Cana.
Déjà RUPERT DE DEUTZ, au XIIe siècle, affirme que cette opinion
était générale (*ipsius Johannis enim istas fuisse nuptias opinio fere
omnium est* : *In Johannis evangelium*, II ; *CCM* IX, p. 109, avec
diverses références).

caverem ne vel in meipso vel in aliis aliquo modo darem
20 occasionem, unde illa magistro meo grata virtus, scilicet castitas, aliquo modo macularetur. »

7. Et adjunxit : « Nam cum caeteri apostoli suspecta
omnino caverent, et non suspecta liberius admitterent,
ut in Actibus apostolorum legitur : *erant cum mulieri-*
bus et Maria matre Jesu [a], etc., ego inter illos semper me
5 sic caute gerebam, ut cum aliqua necessitas corporis
vel salus animae exigebat, numquam viderer sexum refu-
gere, nec tamen unquam omisi diligentiam custodiae
adhibere. Habebam enim in more, ut ubicumque aliqua
se occasio praebere potuit humanitatis, semper invoca-
10 bam auxilium divinae pietatis. Et hoc est quod canitur
de me : *In tribulatione invocasti me, et exaudivi te* [b], etc.,
quia Dominus nunquam permisit ut aliquis ex affectu
meo aliquatenus macularetur. Unde et a dilectissimo
magistro meo hoc accepi in remunerationem, quod prae
15 caeteris omnibus electis castitas in me collaudatur. Nec
hoc solum, sed accepi etiam in caelo locum speciali
dignitate praeeminentem, ubi in gloria et praerutilanti
fulgore assistens directius cum dulcore voluptatis suscipio radios amoris illius qui est *speculum sine macula*
20 *et candor lucis aeternae* [c]. Quoties enim in ecclesia per
aliquod verbum recitatur memoria castitatis meae, toties
ipse Dominus, amator meus, delicatissimo blandimento
gestus sui me salutans, omnia interiora mea ineffabili
replet suavitatis jucunditate, quae velut efficacissima
25 potio penetrat omnes medullas animae meae. Et hoc
est quod canitur in laude mea : *Ponam te sicut signacu-*

7, 8-9 se aliqua Z ‖ 13 meo *s.l.* B² ‖ dilectissimo : dulcissimo
W ‖ 14 meo *om.* Z ‖ 15 electis : electione Z ‖ 16 etiam in caelo
om. B¹ *mg.* B² ‖ 23 ineffabili : inestimabili W

7 *a. Act.* 1, 14 ‖ *b. Ps.* 80, 8 ‖ *c. Sag.* 7, 26

plus grand soin, à ne donner aucune occassion de ternir si peu que ce soit, ni en moi, ni dans les autres, de quelque manière que ce puisse être, cette vertu si chère à mon maître, je veux dire la chasteté. »

7. « En effet, ajouta-t-il, les autres apôtres évitaient seulement ce qui est suspect, se montrant plus libres et tolérants pour ce qui ne l'est pas. Ainsi lit-on dans les Actes : *Ils étaient avec les femmes et Marie, Mère de Jésus* [a], etc. Parmi eux, moi je me conduisais avec tant de circonspection que, sans pour autant fuir les femmes lorsque quelque nécessité matérielle ou le salut des âmes me créaient une obligation, je ne me suis jamais départi cependant d'une garde vigilante sur moi-même. Il était dans mes habitudes, toutes les fois que l'occasion se présentait d'un service à rendre, d'implorer le secours de la bonté divine. C'est pourquoi l'on chante à mon sujet : *Dans la tribulation tu m'as invoqué, et je t'ai exaucé* [b], etc. Jamais en effet le Seigneur n'a permis que mon affection puisse le moins du monde souiller qui que ce soit. C'est pourquoi mon bien-aimé maître m'a accordé en récompense que la chasteté soit louée en moi plus qu'en tous les autres élus. Et, de plus, j'ai reçu dans le ciel l'honneur particulier d'une place éminente. Là, siégeant au milieu d'une gloire et d'une splendeur éclatantes, je reçois plus directement, dans un enivrement de volupté, le rayonnement de l'amour de celui qui est *le miroir sans tache et l'éclat de la lumière éternelle* [c]. Chaque fois, en effet, que, dans l'Église, est rappelé, par un texte quelconque, le souvenir de ma chasteté, le Seigneur qui me chérit me salue lui-même d'un geste de caressante tendresse, comblant l'intime de mon cœur d'une joie ineffablement douce. Comme un philtre d'une efficacité souveraine, elle pénètre totalement mon âme jusqu'à la moelle. Et voilà pourquoi l'on chante à ma

lum in conspectu meo [d], id est, quasi receptaculum ad
suscipiendum omnes emissiones meae ardentissimae, immo
suavissimae caritatis.

8. Post haec, ista ducta in altiorem cognitionem intellexit, secundum quod Dominus dicit in evangelio : *In
domo Patris mei mansiones multae sunt* [a], specialius tres
mansiones in quibus beatificantur triplici modo integri-
5 tatem virginalis pudicitiae sectantes. Prima mansio est
illorum qui, sicut praedictum est de apostolis, suspecta
omnino fugiunt, et non suspecta rationabiliter admit-
tunt ; et si quid inter haec mentem tentando pulsaverit,
viriliter certando devincunt ; si quando vero ex humana
10 fragilitate aliqualiter succumbunt, hoc dignis paenitentiae fructibus [b] delent. Secunda autem mansio est illorum
qui, tam in non suspectis quam etiam in suspectis cau-
tius agentes, omnino elongantur ab omni quod posset
esse occasio alicujus tentationis. *Castigant carnem suam
15 et in servitutem redigunt* [c], in tantum quod quasi impossi-
bile est illi contra spiritum rebellare. De quorum numero
videtur esse beatus Joannes Baptista, et caeteri spiri-
tuales viri, qui omnes in hac secunda mansione beatificantur secundum hoc ex una parte quod eos pietas
20 Dei gratuito sanctificavit, et ex altera parte secundum
hoc quod ipsi gratiae Dei praecipue sunt cooperati
seipsos a malis retrahentes et in bonis exercentes. Tertia

8, 1 ista : ipsa Z *l* ‖ 2 in evang. dicit W ‖ 3 multae mansiones
B ‖ 9 vero quando W ‖ 11 illarum B ‖ 12 in² *om.* Z ‖ 13 posset :
potest W ‖ 17 beatus : sanctus Z *l* ‖ 20 gratuite *p. corr.* W ‖
21 *post* hoc *add.* praecipue B ‖ 22 exercitentes B

d. 2ᵉ antienne du 2ᵉ nocturne (*CAO* 4303) : *Aggée* 2, 24 ‖
8 *a. Jn* 14, 2 ‖ *b.* Cf. *Lc* 3, 8 ‖ *c. I Cor.* 9, 27

1. 9ᵉ répons des Matines de saint Jean. La référence scripturaire correspondante (*Aggée* 2, 24) ne comporte pas les mots :

louange : *Ponam te sicut signaculum in conspectu meo* [d][1], c'est-à-dire comme un objectif destiné à recevoir toutes les émissions de ma très brûlante ou plutôt de ma très suave charité.

8. Puis elle fut conduite à une connaissance plus élevée et comprit que, selon la parole du Seigneur dans l'Évangile : *Dans la maison de mon Père, il y a beaucoup de demeures* [a], il existe en particulier trois demeures où jouissent de la béatitude, selon trois modes différents, ceux qui se sont adonnés à l'intégrale pureté de la virginité. La première demeure est pour ceux qui — comme on l'a dit des apôtres — fuient absolument ce qui est suspect et accueillent raisonnablement ce qui ne l'est pas ; si quelque tentation vient assaillir leur âme, ils en triomphent par un combat généreux ; et si parfois ils succombent tant soit peu, du fait de la fragilité humaine, ils effacent leur faute par de dignes fruits de pénitence [b]. La deuxième demeure est pour ceux qui se conduisent avec autant de prudence dans les occasions non suspectes que dans celles qui le sont, fuyant absolument tout ce qui pourrait être sujet de tentation. *Ils châtient leur chair et la réduisent en servitude* [c], au point qu'il lui est quasi impossible de regimber contre l'esprit. De ce nombre est le bienheureux Jean Baptiste et d'autres saints personnages que l'on voit tous jouir de la béatitude en cette deuxième demeure, car si, d'une part, la bonté de Dieu les a sanctifiés gratuitement, ils ont, d'autre part, coopéré eux-mêmes activement à la grâce de Dieu en fuyant le mal et en pratiquant le bien. La troisième

---

in conspectu meo. On a ici un bon exemple de la manière dont sainte Gertrude cite l'Écriture. C'est très souvent à travers les adaptations de la liturgie qu'elle en a mémorisé le texte ; c'est donc aussi à ces pièces liturgiques plutôt qu'au texte scripturaire lui-même qu'il faut avoir recours pour préciser les emprunts ou les allusions qu'elle y fait. On le note ici une fois pour toutes.

vero mansio est illorum qui, praeventi a Domino in
benedictionibus dulcedinis ᵈ, omne malum quasi natu-
25 raliter abhorrent, et tamen inter diversitates acciden-
tium quandoque cum malis, quandoque cum bonis conver-
santur pro diversitate causarum, semper tamen immutabili proposito malum detestantes et bono adhaerentes,
tam se quam omnes homines student immaculatos
30 custodire. Talibus quandoque hominibus cum non desit
humanus affectus, miro etiam modo per ipsum lucran-
tur, dum eamdem pietatis commotionem pertimescentes
humiliantur, et inde diligentius ad sui custodiam ani-
mantur, sicut dicit Gregorius : *Bonarum mentium est*
35 *ibi culpam agnoscere, ubi culpa non est.* Inter istos
beatus Joannes evangelista obtinet privilegium victoriae principalis. Unde et in festo ipsius canitur : *Qui*
vicerit, faciam illum, etc. Verbi gratia : *qui vicerit,*
humanum scilicet affectum, *faciam illum columnam in*
40 *templo meo,* id est, quasi firmum receptaculum super quo
quasi sustentaturus incontinentiam divinae delectationis meae repausem. *Et scribam super eum nomen meum,*
id est, manifesta apparentia imprimam illi divinae familiaritatis meae suavitatem. *Et nomen civitatis novae Hie-*
45 *rusalem* ᵉ, id est, tam interius quam etiam exterius acci-
piet specialem remunerationem pro singulis personis quarum salutem quaesivit in terris.

27-28 immutabili : mutabili B¹ (*corr. s.l.* B²) in immutabili Z ‖ 28 adhaerentes : inhaerentes Z ‖ 29 omnes : alios
Z ‖ 31 affectus : defectus Z ‖ 32 dum eamdem pietatis : dum
eodem officio caritatis pietatis W ‖ 41 incontinentiam : in
continentia W ‖ 42 repausem : repauset W ‖ 43 *post* est *add.*
in B

d. Cf. *Ps.* 20, 4 ‖ e. 5ᵉ répons des Matines(*CAO* 7486) :
cf. *Apoc.* 3, 12

demeure est pour ceux qui, prévenus par le Seigneur
de ses bénédictions *d*, semblent avoir une horreur natu-
relle pour le mal. Cependant, si diverses circonstances
les mettent en rapport pour divers motifs, tantôt avec
les méchants, tantôt avec les bons, ils gardent toujours
avec fermeté la même répugnance pour le mal et le même
attachement au bien, et s'efforcent ainsi de se conserver
purs, eux, aussi bien que tous les hommes. Ces gens-là
ne sont pas complètement à l'abri des passions humaines,
mais — et voilà qui est admirable — cela même tourne
à leur profit, car lorsqu'ils doivent se tenir en garde
contre ces émotions de la tendresse, ils s'en humilient
et s'excitent d'autant plus à veiller sur eux-mêmes, selon
le mot de Grégoire : *C'est le propre des âmes vertueuses
de craindre une faute là où il n'y a pas de faute*[1]. Dans
ce groupe, le bienheureux Jean l'évangéliste possède le
privilège de la victoire principale. C'est pourquoi l'on
chante en sa fête : *Qui vicerit faciam illum*, etc., que l'on
peut expliquer ainsi : *Celui qui vaincra* — sous-entendu :
l'affection humaine —, *je ferai de lui une colonne de mon
temple*, c'est-à-dire comme une base solide sur laquelle
je puisse me reposer[2], pour l'affermir, en quelque sorte,
par l'excès de mes délices divines ; *et j'écrirai sur lui
mon nom*, comprenez : je manifesterai de manière sensible
qu'il est marqué de la douceur de ma divine familiarité ;
et le nom de la cité, la nouvelle Jérusalem *e*, c'est-à-dire :
il recevra intérieurement et extérieurement une récompense spéciale pour chaque personne dont il aura cherché
le salut sur la terre.

---

1. S. Grégoire le Grand, *Ep.* XI, 64 : *PL* 77, 1195 B.
2. Saint Jean est une solide colonne du temple. Le Seigneur
peut s'y reposer (comme il l'a fait à la Cène). Mais, par une conséquence apparemment paradoxale, c'est en s'y reposant qu'il lui
donne sa stabilité, *quasi sustentaturus*. Même si l'image n'est pas
exempte de préciosité, elle exprime une pensée admirable.

9. Huic concordat quod altera quadam vice dum
mente revolveret qua de causa beatus Joannes evangelista tantum extolleretur pro integritate virginitatis, cum
tamen legatur a Domino de nuptiis vocatus, beatus vero
5 Joannes Baptista, omnino immunis ab omni carnalitate,
minus tamen pro tali virtute collaudaretur, Dominus
qui est *discretor cogitationum* ᵃ et distributor meritorum
in visione monstravit illi utrosque, Baptistam quidem
quasi sedentem in solio elevato et ab omnibus remoto
10 supra mare, evangelistam vero stantem in medio camini
qui tam terribiliter succensus videbatur quod flamma
ipsum totum involvebat, tam supra quam infra et cir-
cumquaque. Quod cum videret et admiraretur, Dominus instruxit eam dicens : « Quid magis videtur tibi
15 laudabile, quod evangelista non ardet, sive quod Baptista non comburitur ? » Hinc intellexit quod valde dissimilis est praemii virtus impugnata et virtus in pace
servata.

10. Item cum in nocte orationi insisteret et speciali
devotione niteretur Domino appropinquare, vidit beatum Joannem innixum illi et suavissimis eum amplexibus constringentem diversisque modis dulciter blandien-
5 tem. Tunc ipsa se ad pedes Domini proprios luitura defectus humiliter prostravit ; quam beatus Joannes blande
alloquens ait : « Non meo consortio absterrearis. Ecce

9, 1 quadam *om.* W ‖ 16 comburitur : mergitur *a. corr.*
submergitur *p. corr.* W ‖ **10,** 5 proprios luitura : ut proprios lueret W

9 *a. Hébr.* 4, 12

1. Ces images hardies ont déconcerté les lecteurs, qui ont voulu
y mettre plus d'apparente logique. Le manuscrit de Vienne (*W*)
remplace *Baptista non comburitur* — qui est la leçon du manuscrit
de Munich (*B*) et celle de Lansperge — par *Baptista non submer-*

9. A ceci on peut rattacher cette autre vision : elle retournait en son esprit cette question, à savoir : pourquoi le bienheureux Jean l'évangéliste était à ce point glorifié de son intégrité virginale, lui qui fut, dit-on, appelé par le Seigneur au moment de ses noces, alors que le bienheureux Jean Baptiste, totalement exempt de tout désir charnel, est cependant moins loué pour cette vertu. Le Seigneur *qui lit les pensées* [a] et dispense ses faveurs lui fit voir d'une part le Baptiste assis sur un siège élevé, à l'écart de tout, au-dessus de la mer, et d'autre part l'évangéliste debout au milieu d'une fournaise dont l'ardeur semblait si effrayante qu'il était entièrement enveloppé par les flammes, au-dessus, en dessous et tout autour de lui. Elle regardait et s'étonnait de ce spectacle. Le Seigneur, pour lui en expliquer le sens, lui dit alors : « Que trouves-tu de plus admirable : que l'évangéliste ne prenne pas feu, ou que le Baptiste ne soit pas consumé [1] ? » Elle comprit alors que très différente est la récompense selon que la vertu est en butte à des assauts, ou conservée dans la paix.

Le disciple que Jésus aimait.

10. Une nuit encore, où elle s'adonnait à l'oraison et s'efforçait avec une particulière dévotion de s'approcher du Seigneur, elle vit le bienheureux Jean appuyé sur lui. Il le tenait serré en de tendres embrassements, et de mille manières lui prodiguait de douces caresses. Elle se prosterna alors humblement aux pieds du Seigneur pour qu'il la purifiât de ses propres déficiences. Le bienheureux Jean, cependant, lui adressa la parole avec bonté : « Que ma présence ne t'éloigne pas. Voici

---

gitur ; cette dernière leçon est adoptée par Paquelin. Le raisonnement se trouve faussé : il n'est pas dit que Jean Baptiste soit exposé aux flots, mais que, « à l'écart de tout, au-dessus de la mer », il est totalement à l'abri du feu.

collum quod mille millenorum amantium sufficit am-
plexui, et os quod diversorum osculis praebet suavita-
10 tem, et aures quae omnium susurriis secreta conservant. »
Inter Matutinas vero, dum cantaretur : *Mulier, ecce*
filius tuus [a], vidit de corde Dei mirificum quemdam
splendorem procedentem super beatum Joannem, qui
omnium sanctorum intuitum cum reverenda admira-
15 tione in ipsum provocabat. Visa est etiam beata Virgo
speciali alacritate blandiri ipsi, cum ipsa nominaretur
mater ipsius. Unde etiam ipse praeelectus discipulus,
speciali blanditate dulcioris affectus, ipsam resalutabat.
Similiter, cum singula privilegia specialis amicitiae sibi
20 a Domino impensa recitabantur, ut est : *Iste est Joannes*
qui supra pectus Domini in caena recubuit [b]. *Iste est dis-*
cipulus qui dignus fuit esse ⟨inter secreta caeli⟩ [c]. *Iste est*
discipulus quem diligebat Jesus [d], et similia, semper
simili novi splendoris gloria omnibus sanctis declaraba-
25 tur. Et ex hoc omnes sancti in laudem Dei tam dilecti
discipuli inaestimabili congratulatione provocabantur.
Et in hoc beatus Joannes mira delectatione afficiebatur.

11. In illo autem verbo : *Apparuit caro suo* [a], intellexit quod in illa forma qua Dominus tunc visitavit
Joannem renovabatur ei omnis suavitas mutuae familiaritatis, quam in omni vita sua unquam fuerat expertus.
5 Unde beatus Joannes velut in virum alterum mutatus,
aliqualiter jam praegustavit delicias aeternarum epularum, specialiter in tribus de quibus in transitu egit gratias. De primo enim ait : « Vidi faciem tuam, et quasi
de sepulcro excitatus sum. » De secundo : « Odor tuus,

17 ipsius *mg.* B² ‖ etiam : et W ‖ 18 dulcoris B ‖ 25 et : ut Z
‖ **11**, 1 *post* apparuit *add.* dilecto *s.l.* B²

---

10 *a.* Cf. *CAO* 7000 : cf. *Jn* 19, 26 ‖ *b.* Cf. *CAO* 3425 et 7001 :
cf. *Jn* 13, 25 ‖ *c.* Antienne du *Benedictus* (*CAO* 3421) ‖ *d.* Cf.
Jn 13, 23 ; 21, 7 ‖ **11** *a.* Incipit d'antienne (*CAO* 1458) et
de répons (*CAO* 6113)

le cou qui suffit aux étreintes de milliers d'amants,
et la bouche qui offre sa douceur aux baisers de chacun
d'eux, et les oreilles qui gardent les confidences de tous. »
Pendant Matines, comme on chantait : *Mulier, ecce
filius tuus* [a], elle vit venir du cœur de Dieu vers le bienheureux Jean une sorte de merveilleuse clarté qui attirait sur lui les regards et la respectueuse admiration
de tous les saints. Elle vit la bienheureuse Vierge elle-
même lui témoigner sa tendresse avec une joie spéciale
quand elle s'entendit nommer sa mère. Et le disciple,
objet de cette prédilection, lui rendait, à son tour, son
salut avec une particulière affection et une douce tendresse. Il en fut de même au fur et à mesure que l'on
énumérait chacun des privilèges de spéciale amitié
qu'il avait reçus du Seigneur, comme par exemple :
*Iste est Joannes qui supra pectus Domini in caena recu-
buit* [b]. *Iste est discipulus qui dignus fuit esse inter secreta
caeli* [c]. *Iste est discipulus quem diligebat Jesus* [d], et autres
textes semblables ; chaque fois, l'éclat de sa gloire était
de nouveau manifesté à tous les saints, et tous étaient
ainsi stimulés à louer Dieu en entendant les félicitations
sans prix adressées à ce disciple si aimé : et de cela, le
bienheureux Jean ressentait une joie merveilleuse.

Mort de Jean. **11.** Aux mots : *Apparuit caro suo* [a], elle
comprit que le Seigneur, en venant visiter
Jean par cette vision, renouvela pour lui à
ce moment toute la douceur de leur familiarité réciproque, telle qu'il avait pu en faire autrefois l'expérience
durant le cours entier de sa vie. Le bienheureux Jean,
transformé, pour ainsi dire, en un autre homme, connut
déjà alors une sorte de délicieuse prégustation du festin
éternel, et ceci tout spécialement par trois faveurs dont
il rendit grâces à l'heure du trépas. De la première,
il dit : « J'ai vu votre face et j'ai été comme ressuscité
du tombeau. » De la seconde : « Vos parfums, Seigneur

10 Domine Jesu, in me concupiscentias excitavit aeternas. »
De tertio : « Vox tua plena suavitate melliflua, etc. »
Acceperat enim ex virtute dulcissimae praesentiae ipsius
quasi quamdam immortalitatis vivificationem, et ex virtute divinae vocationis spem suavissimae consolationis,
15 et ex blanditate verborum ejus summae delectationis
jucunditatem.

12. In eo autem quod legitur quod ad vocationem Domini surgens coepit ire quasi volens gressu Dominum sequi
in caelum, intellexit beatum Joannem tantam et tam
securam habuisse confidentiam de piissima benignitate
5 Domini et magistri sui, quod indignum se non duceret
assumere absque dolore mortis. Et quia hoc ausu amoris
praesumpsisset, profecto etiam accipere meruit. Tunc
ista mirari secum coepit, quia scriptura dicit ideo Joannem absque dolore mortis transiisse quia juxta cru-
10 cem Christi passus est mente et etiam propter incor-
ruptionem carnis, quomodo nunc ipsa intellexerit propter
confidentiam hoc Joannem obtinuisse. Ad quod Dominus
respondit : « Integritatem virginitatis et compassionem
meae mortis electo meo in aeterna vita praecellenti
15 gloria retribui ; sed illam securam fiduciam qua de meae
suavitatis superabundantia nihil sibi a me denegari posse
praesumpsit, tali modo complacuit mihi in praesenti
vita remunerare, quod eum ab omni dolore mortis illae-
sum, quasi in jubilo de corpore assumpsi, et virgineum
20 corpus ejus incorruptum et quodammodo jam glorifica-
tum speciali honore sublimavi. »

12, 5 non duceret se W ‖ 11 intellexit W ‖ 18 mortis *mg.* W

---

1. Référence aux sens spirituels : vue, odorat, ouïe. Cf. t. III
(*SC* 143), Appendice VI, p. 359.
2. L'antique prologue à l'évangile de Jean cité ci-dessus
(note à 4, 6, 16) dit également : « positus est ad patres suos, tam
extraneus a dolore mortis quam a corruptione carnis invenitur
alienus ». Ce thème se retrouve dans les vies apocryphes de saint

Jésus, ont excité en moi des désirs d'éternité ». De la troisième : « Votre voix, douce comme miel, pleine de suavité, etc. [1]. » La vertu de la présence si douce du Seigneur lui avait en effet comme conféré la vie de l'immortalité ; mais aussi, par la vertu de l'appel de Dieu, il avait reçu l'espérance des consolations les plus suaves, et par ses paroles caressantes, l'allégresse des délices suprêmes.

12. En entendant lire qu'à l'appel du Seigneur, il s'était levé et s'était mis à marcher comme s'il voulait suivre le Seigneur au ciel, elle comprit que le bienheureux Jean avait une confiance immense et assurée en la tendre bonté de son Seigneur et maître, au point de penser qu'il ne dédaignerait pas de venir le prendre en lui épargnant les douleurs de la mort. Et parce que c'était l'amour qui lui avait inspiré l'audace de cette confiance, il obtint de la voir réalisée en fait. Elle se mit alors à s'étonner en elle-même : on lit, en effet, que si Jean s'en alla sans connaître les douleurs de la mort, c'est parce qu'au pied de la croix du Christ il les avait souffertes en son âme, et aussi à cause de l'intégrité de sa chair [2]. Comment donc pouvait-elle maintenant avoir la certitude que c'était la confiance de Jean qui lui avait obtenu cette grâce ? Le Seigneur répondit ainsi à sa question : « J'ai récompensé l'intégrité virginale de mon Élu et sa compassion à ma propre mort par une gloire sublime dans l'éternelle vie. Mais cette confiance absolue en ma bonté sans mesure qui lui faisait tenir pour certain que je ne pouvais rien lui refuser, c'est elle que, dès cette vie, il m'a plu de récompenser en cette manière : je l'ai exempté de toutes les douleurs de la mort, et c'est comme en jubilant que je l'ai fait sortir de son corps ; et ce corps virginal, après l'avoir soustrait à la corruption et en quelque sorte déjà glorifié, je l'ai enlevé par faveur spéciale. »

Jean racontant la mort de l'apôtre. C'est le douzième des privilèges énumérés chez sainte Mechtilde (cf. même note).

CAPUT V

DE SALUTATIONE NOMINIS JESU. IN CIRCUMCISIONE

1. Die denique sancto Circumcisionis obtulit Domino
salutatiunculas dulcissimi nominis Jesu quas quaedam
personae legerant in laudem Domini. Quae statim apparuerunt coram Domino dependere tamquam in quodam
5 firmamento, in specie candidarum rosarum ; et de qualibet rosa dependebat aureum tintinnabulum mirae
sonoritatis, quod sine intermissione commovebat Cor
divinum ineffabili delectatione propriae dulcedinis et
bonitatis caeterarumque quae per adjectiva nominis
10 replicaverat, verbi gratia : Ave, Jesu amantissime, benignissime, desiderantissime, et similia. Hinc desiderabat
tam pertransitive dulcia nomina Jesu adinvenire adjectiva, quae omnes praedictas praecellendo divinum Cor
medullitus penetrando suaviter afficerent. Cumque in
15 horum scrutinio affectuosius laborando jam viribus defi-
ceret, Dominus affectu pietatis allectus, immo, ut ita
dicam, devictus, blande se et quasi in impetu divini
amoris ad eam inclinans, infixit ori ejus osculum vincens
mellis poculum, dicens : « Ecce impressi ori tuo nomen
20 meum dignissimum, quod palam portabis coram omnibus, et quotiescumque ad illud proferendum labia tua
commoveris, melos suavissimi clangoris mihi resonabis. »
2. His dictis, comperit in superiori labio animae suae
aureis et vivis litteris, crebris ictibus, ut astra micantia
rutilantibus, delectabiliter inscriptum : *Jesus* ; in inferiori vero labio, similiter aureis et vivis litteris scrip-

CHAPITRE V

Salutation au nom de Jésus, en la Circoncision

Le nom de Jésus. 1. Le saint jour de la Circoncision, elle offrit au Seigneur de courtes salutations au très doux nom de Jésus que certaines personnes avaient récitées à la louange du Seigneur. Ces salutations apparurent aussitôt sous la forme de roses blanches suspendues pour ainsi dire à la voûte du ciel, en présence du Seigneur ; et de chaque rose pendait une clochette d'or dont le son ravissant ne cessait d'émouvoir le Cœur divin d'une ineffable joie, joie de sa propre douceur et bonté, et de toutes les autres perfections rappelées par les qualificatifs de son nom, par exemple : Salut, Jésus très aimé, très bon, très désiré, et ainsi de suite. Elle se prit alors à souhaiter trouver pour le doux nom de Jésus des qualificatifs qui transperceraient le divin Cœur de leur suavité, l'émouvant plus que tous les précédents en y pénétrant jusqu'au fond. Or tandis qu'elle peinait en cette amoureuse recherche, les forces vinrent à lui manquer. Le Seigneur séduit, que dis-je ? vaincu par l'ardeur de son affection, se pencha tendrement vers elle et, dans l'élan de son amour divin, il imprima sur ses lèvres un baiser plus doux qu'une coupe d'hydromel, en disant : « Voici : j'ai imprimé sur ta bouche mon nom très saint. Tu le porteras ostensiblement devant tous, et chaque fois que tu remueras les lèvres pour le prononcer, tu feras résonner pour moi une mélodie plus suave que celle des cymbales. »

2. Et voici ce qu'elle comprit grâce à ces paroles : sur la lèvre supérieure de son âme était merveilleusement écrit : *Jésus*, en lettres d'or vif, profondément burinées, étincelantes comme de brillantes étoiles, et sur sa lèvre inférieure était écrit, également en lettres d'or vif :

5 tum : *Justus* [a]. Unde per inscriptionem : *Jesus*, quod
habebat in supremo labio, et interpretatur Salvator [b],
intellexit quod omnibus a se audire cupientibus, salutem
et misericordiam divinae pietatis pronuntiare deberet.
Per inscriptionem vero : *Justus*, quod gestabat in infe-
10 riori labio, cognovit quod his qui durioris essent mentis
et blandis monitis non consentientes, divinae justitiae
districtam discussionem proponere deberet, ut vel sic
minis durius terrendo corrigeret quos suavibus monitis
alliciendo ad Deum attrahere non valeret.

3. Post hoc dixit ad Dominum : « O amator dulcissime, dignare congregationi nostrae semper tibi dilectae,
more sponsi amorosi, novum donare annum. » Respondit
Dominus : « *Renovamini spiritu mentis vestrae* [a]. » Et
5 illa : « Nec obliviscatur pietas tua, Pater misericordis-
sime, hoc sanctissimo Circumcisionis tuae die omnium nostrum defectus circumcidere. » Respondit Dominus :
« Circumcidimini per considerationem Regulae vestrae. »
Tunc illa : « O amantissime Domine, cur respondes mihi
10 ad haec tam seriose, ac si nullum nobis ad ea gratiae
tuae auxilium digneris porrigere, sed nosmet proprio
studio in his velis laborare, cum tamen, ut ipse testaris,
sine te nihil possimus facere [b] ? » Ad haec verba placa-
tus, et quasi mellea suavitate Dominus lenitus, animam
15 ipsius in sinum suum reposuit, eamque blande demul-
cens dixit : « Ego ipse indubitanter volo vobis in his
tam evidenter cooperari, quod si quis ad laudem et ob
amorem meum hoc die annuo, hoc est, anni initio, per
veram cordis compunctionem retractare studuerit, quid
20 in quibuslibet Regulae suae articulis deliquerit, et stu-

2, 10 his : hii W ‖ 14 ad deum attrahere : ad eum **attr.**
W attr. ad deum Z ‖ **3,** 2 tibi semper W ‖ 6 tuae *om.* Z ‖
10 haec : hoc W ‖ 13 possumus *p. corr. s.l.* B ‖ 15
reposuit : reponit B ‖ 16 in his *om.* W ‖ 18 *post* anni *add.*
in *s.l.* B²

Le Juste [a]. *Jésus*, qui veut dire : *Sauveur* [b], écrit sur sa lèvre supérieure, signifiait qu'elle devait annoncer le salut, la miséricorde et la bonté divine à tous ceux qui le lui demanderaient. *Le Juste*, inscrit sur sa lèvre inférieure, voulait dire qu'à ceux qui ont le cœur dur et sont insensibles aux douces monitions, elle devait représenter la rigueur des vengeances de la justice divine. Ainsi du moins se corrigeraient par la terreur de sévères menaces ceux qu'elle n'avait pu attirer à Dieu par l'attrait de ses avertissements pleins de douceur.

3. Elle dit alors au Seigneur : « Ô mon très doux ami, daignez, comme un époux amoureux, souhaiter la nouvelle année à notre communauté qui vous demeure si chère. — *Renouvelez votre esprit et votre pensée* [a], répondit le Seigneur. » Mais elle : « Que votre bonté, ô Père très miséricordieux, n'oublie pas en ce jour de votre circoncision de retrancher nos défauts à toutes. » Le Seigneur répondit : « Que l'observance de votre Règle vous serve de circoncision ! » Alors elle dit : « Ô Seigneur très aimé, pourquoi me répondre avec cette sévérité et comme si vous ne daigniez en aucune façon nous accorder le secours de votre grâce, mais que vous nous abandonniez là aux seuls efforts de notre volonté ? N'avez-vous pas dit vous-même que sans vous nous ne pouvions rien faire [b] ? » Touché de ces paroles et comme attendri par leur suave douceur, le Seigneur fit reposer cette âme sur son sein et la caressa tendrement en disant : « Mais oui, bien sûr, je veux moi-même coopérer en cela avec vous, et je le ferai indubitablement. Si quelqu'un, en ce jour de l'an, c'est-à-dire au début de cette année, s'applique pour ma gloire et mon amour à désavouer par une authentique contrition du cœur les manquements commis contre telle ou telle prescription de la Règle, et s'il prend la

V. **2** *a. Act.* 22, 14 ‖ *b.* Cf. *Matth.* 1, 21 ; *Lc* 2, 11 ‖ **3** *a.* *Éphés.* 4, 23 ‖ *b.* Cf. *Jn* 15, 5

dium de caetero cavendi proposuerit, huic ego adesse
volo tamquam magister benignissimus qui praedilecto
sibi et delicato discipulo ad discendas litteras in sinu
suo, indice praeostendens, incorrecta delet et omissa
25 rescribit, omnes ejus defectus misericorditer emen-
dando, et negligentias quasque paterne supplendo. Et
cum ipse more pueruli alias divagando aliqua transilit
inconsiderata, ego interim pro eo diligentissima consideratione sua supplebo neglecta. » Et adjecit Dominus :
30 « Si quis etiam voluntatem suam ab omni quod mihi
novit esse contrarium viriliter retrahere et ad omne
beneplacitum meum studuerit dirigere, huic ego de
splendore divini Cordis mei lumen cognitionis ministrabo, et ad hoc omnes articulos digitorum ejus ordinare
35 volo, ut componere mihi possit laudabilissimum et decentissimum sibique saluberrimum et utilissimum xenium,
quod singulis annis, more sponsae amantis, mihi sponso
suo florido condigne ad instar sponsalis arrhae possit
offerre. »

4. Hinc orans pro quadam persona quae multum
desiderabat ut impetraret sibi a Domino ut, quasi pro
xenio, sicut ad novum annum saeculares solent sibi invicem dare, hoc ipsi praestaret, ut ex integro corde Deo
5 esset fidelis tam in adversis quam in prosperis, Dominus
benigne respondit : « In eo quod voluntatem desiderii
habet talia a me postulandi, ego ab ea recepi xenium
mihi miro modo acceptum. Sed et quia decet me sibi
xenium reddere sicut postulat, hoc idem sit inter me
10 et illam, tam sibi in profectum quam mihi in oblectamentum, ut scilicet pars mea fulgeat in gloriam meam,

24 suo *om.* B¹ Z (*corr. s.l.* B²) ‖ 26 quasque : quaslibet W
‖ 28 inconsiderata : considerata B¹ (*corr. s.l.* B²) ‖ eo *om.*
W ‖ 30-31 novit mihi Z *l* ‖ 32 huic : huc *a. cor. s.l.* B ‖
33 lumen : lucem *a corr.* B¹ ‖ 35 ut *s.l.* B ‖ **4**, 7 ego : eo *a.*
corr. B ‖ recepi : accepi W

résolution de les éviter à l'avenir, moi, je veux être pour
lui comme un maître extrêmement bienveillant qui prend
sur ses genoux son élève préféré, celui qu'il chérit, pour
lui apprendre à lire. Il lui montre les lettres du doigt,
efface ses incorrections et répare ses oublis. Moi, de même,
je corrigerai tous ses manquements dans ma miséricorde
et je suppléerai paternellement à ses négligences. Et si,
comme font les enfants, il laisse par distraction passer
quelque chose sans le remarquer, je suppléerai moi-même
alors à ses négligences avec une attention et un soin
infinis. Et, ajouta le Seigneur, si quelqu'un cherche à
détourner énergiquement sa volonté de tout ce qui m'est
opposé pour la tourner vers tout ce qui me plaît, moi,
c'est du rayonnement de mon Cœur divin que je déver-
serai sur lui la lumière de la connaissance, et je veux
rendre toutes les articulations de ses doigts habiles à me
préparer des étrennes qui soient, d'une part, les plus
conformes à ma gloire, et de l'autre, les plus utiles à son
salut. Chaque année, cette épouse aimante pourra me les
offrir en gage d'amour nuptial, à moi, son époux brillant
de beauté. »

Étrennes. 4. Elle se mit alors à prier pour une personne qui désirait beaucoup qu'elle lui
obtienne de Dieu des étrennes, comme les séculiers ont
coutume de s'en offrir mutuellement au nouvel an.
Quant à elle, voici celles qu'elle désirait : la grâce de
demeurer fidèle à Dieu de tout son cœur, aussi bien dans
l'épreuve que dans la prospérité. Le Seigneur lui fit cette
réponse bienveillante : « Du fait qu'elle a la volonté
et le désir de me demander cela, c'est moi qui reçois
d'elle de merveilleuses étrennes qui me sont très agréables.
Mais comme il est convenable que je lui en donne à mon
tour, ainsi qu'elle le demande, que ces étrennes nous soient
communes à elle et à moi, qu'elles lui soient aussi profi-
tables qu'elles me sont agréables, que ce qui m'en revient
brille à ma gloire, et qu'elle-même embellisse sa part

et ipsa partem suam de hora in horam exornet me
cooperante. Quia sicut mater, filiam docendo, cum manu
filiae componit opus, sed sua scientia, sic ego aeterna
15 sapientia mea, persona illa mediante, componam hoc
xenium. »

5. Intellexit etiam quod margaritae et gemmae quibus xenium debuit exornari erant studia et desideria
sancta et cogitationes variae ad Deum tendentes, sicut
de timore et amore Dei, de spe et gaudio et similibus,
5 quorum unum Deus non negligit, quin operetur de eo
animae salutem aeternam. Tunc ista oravit pro pluribus,
et specialiter pro una quae nuper gravata fuerat aliqua
turbatione, cujus turbationis ista improvide causa
extiterat. Ad quod Dominus respondit : « Ego per prae-
10 cedentem turbationem dilatavi sinum ejus et coaptavi
manum, ut abundantius et decentius suscipere possit
dona mea. » Tunc illa : « Heu ! Domine, quod in purgatione illius amicae tuae, ego misera extiti tibi flagellum. » Et Dominus : « Cur dicis : heu ! nam omnis qui
15 electos meos sic purgat, quod nunquam intendit eis
molestiam inferre, sed ex corde condolet eis, ille est leve
flagellum in manu mea, cujus etiam meritum augetur
alterius purgatione. »

CAPUT VI

DE TRIPLICI OBLATIONE. IN EPIPHANIA DOMINI

1. Solemni festo Epiphaniae, dum exemplo regalium
oblationum offerret Deo quasi pro myrrha corpus Christi
cum omnibus suis passionibus cum omni passione cum
qua ipsa vellet Deo emendasse peccata universorum ab

5, 4 *post* dei *add.* et W ‖ 5 deus unum Z ‖ 13 tibi extiti W ‖
15 sic electos meos B ‖ *post* purgat *add.* sic B ‖ 17 in manu
mg. B² ‖ etiam *om.* Z

VI. 1, 1 dum : cum W ‖ 3 passionibus suis W ‖ omni *s.l.* B²

d'heure en heure, grâce à mon aide. Car c'est finalement par sa propre habileté qu'une mère fait exécuter un travail à sa fille à qui elle l'enseigne. Ainsi moi, par mon éternelle sagesse, je préparerai ces étrennes par l'intermédiaire de cette personne. »

5. Elle comprit aussi que les perles et les pierreries qui devaient orner ces étrennes étaient les efforts et les saints désirs et toutes les pensées qui ont Dieu pour objet, comme sont la crainte et l'amour de Dieu, l'espoir et la joie et autres semblables. Dieu n'en méprise aucune, mais les fait toutes coopérer au salut éternel de l'âme. Elle pria ensuite pour plusieurs personnes, une spécialement qui venait d'être troublée par un incident dont elle-même avait été la cause involontaire. A quoi le Seigneur répondit : « Moi, par ce trouble actuel, j'ai dilaté son cœur et préparé ses mains à recevoir mes dons avec plus d'abondance et de façon plus digne. » Alors elle dit : « Hélas ! Seigneur, pour purifier cette âme qui vous est chère, j'ai joué dans votre main le rôle d'un fouet. » Et le Seigneur : « Pourquoi dis-tu : hélas ? Quiconque en effet purifie ainsi mes élus sans avoir aucunement l'intention de les peiner, mais en les plaignant de tout cœur, celui-là est un fouet léger dans ma main, et son mérite s'accroît tandis qu'il purifie autrui. »

CHAPITRE VI

D'une triple offrande, en l'Épiphanie du Seigneur

A l'exemple des offrandes des Mages.

1. En la fête solennelle de l'Épiphanie, sur le modèle des offrandes des rois, elle offrit à Dieu en guise de myrrhe le corps du Christ avec toutes ses souffrances et toute sa passion, grâce à laquelle elle voulait effacer, pour la gloire de Dieu, les péchés de tous, depuis Adam

5 Adam usque ad novissimum hominem; item pro thure,
devotissimam animam Christi cum omnibus spiritualibus
exercitiis, in suppletionem universarum negligentiarum;
item pro auro, superexcellentissimam divinitatem Christi
cum delectatione fruitionis, in suppletionem defec-
10 tus omnium creaturarum : apparuit Dominus Jesus ipsam
oblationem in similitudine cujusdam dignissimi xenii
semper colendae Trinitati repraesentans. Et cum quasi
per caelum transitum videretur facere, tota caelestis
militia, velut ob reverentiam ipsius oblationis, visa est
15 genua flectendo inclinare caput ad ima, sicut devotiores
solent facere, cum corpus dominicum illis praesentibus
defertur.

2. Hinc recolens quod aliquae causa humilitatis commiserant sibi ut oratiunculas suas quas ante idem festum
Domino persolvere, ob memoriam antedictarum regalium oblationum pro ipsis Deo offerret, et cum hoc
5 qua posset perficeret devotione, apparuit iterum Dominus Jesus, illam etiam oblationem velut ad praesentan-
dam Deo Patri per caelum deferens. Cui occurrens militia
caelestis, oblationem illam velut valde decentia xenia
laudibus extollebat. Unde intellexit, quia quando-
10 cumque aliquis offert Deo orationes suas seu alia studia,
haec tota caeli curia extollit tamquam grata Deo xenia.
Cum vero aliquis, suis non contentus, Filii Dei perfec-
tiora suis addit, hoc, ut praedictum est, sancti eo modo
reverentur, quasi ad dignitatem illius nullum deceat
15 aspirare, nisi tantummodo super omnes solam dignissimam Trinitatem.

8 pro auro *mg.* W ‖ 9 *post* cum *add.* omni W *et s.l.* B² ‖ 14
oblationis *om.* W ‖ 16 cum : quando Z ‖ 2, 2 idem : diem
W ‖ 3 persolvere : persolverant W *l* ‖ 9 quia *om.* B ‖ 11
curia caeli W ‖ 13 hoc *s.l.* W ‖ *post* ut *add.* hic W

jusqu'au dernier des hommes. De même, en place d'encens,
l'âme du Christ, pleine de dévotion, avec tous les actes
de sa vie spirituelle, pour suppléer aux négligences de
tout l'univers. De même encore, en guise d'or, la très
parfaite divinité du Christ, avec les délices dont elle
jouit, pour suppléer aux déficiences de toutes les créatures. Le Seigneur Jésus lui apparut alors présentant
cette offrande comme des étrennes de prix à la toujours
adorable Trinité. Et tandis qu'on le voyait traverser
pour ainsi dire le ciel, toute la cour céleste paraissait
fléchir le genoux par respect pour cette offrande et incliner bien bas la tête comme le font habituellement les
personnes dévotes lorsqu'on porte devant elles le Corps
du Seigneur.

2. Elle se souvint alors que certaines, dans un sentiment d'humilité, lui avaient demandé d'offrir à Dieu,
à leur place et en mémoire de ces présents des Mages,
les petites prières qu'elles avaient adressées au Seigneur
avant cette même fête. Et comme elle s'en acquittait
avec toute la dévotion possible, le Seigneur Jésus lui
apparut de nouveau, portant à travers tout le ciel cette
seconde offrande comme pour la présenter à Dieu le
Père. Et toute l'armée céleste accourait au-devant de
lui et célébrait les louanges de cette offrande comme
s'il se fût agi de magnifiques étrennes. Cela lui fit comprendre que si quelqu'un offre à Dieu ses prières ou
d'autres efforts, tout le sénat du ciel applaudit à ce don,
comme à des étrennes agréables à Dieu. Mais si quelqu'un,
non content d'apporter du sien, ajoute à ses propres
œuvres celles plus parfaites du Fils de Dieu, les saints
alors témoignent pour cette offrande — ainsi qu'on l'a
dit plus haut — une telle révérence que rien ne saurait
prétendre à une si haute dignité, si ce n'est — ce qui est
au-dessus de tout — l'unique et adorable Trinité.

3. Alia vice in festo eodem, dum in evangelio legeretur : *Et procidentes adoraverunt eum et apertis thesau-
ris suis* [a], ista iterum exemplo beatorum Magorum
provocata, in fervore spiritus exurgens, humillima devo-
5 tione coram sanctissimis pedibus Domini Jesu se prostravit, adorans ex parte omnium caelestium, terrestrium
et infernorum [b]. Et cum nihil inveniret quod ipsi digne
posset offerre, anxio coepit desiderio per universum dis-
currere mundum, quaerens in omni creatura si vel aliqua
10 posset investigare unice dilecto suo condigne offerenda.
Cumque sic aestuans et anhelans curreret in siti ferven-
tis desiderii, repperit quaedam abjecta et ab omni creatura digne despicienda, tamquam in laudem et gloriam
Salvatoris non cedentia, quae ipsa sibi avide usurpans,
15 revocare curabat ad illum cui soli servire tenetur omne
creatum.

4. Unde primo intraxit cordi suo per fervens desiderium omnem poenam, timorem et dolorem et anxietatem quam unquam aliqua creatura sustinuit, non pro
laude creatoris, sed ex vitio propriae infirmitatis. Et
5 haec obtulit Domino, quasi pro myrrha probata. Secundo,
intraxit sibi omnem simulatoriam sanctitatem et devotionem ostentativam hypocritarum, pharisaeorum, hae-
reticorum et similium. Et haec similiter obtulit Deo pro
fragrantissimi thuris sacrificio. Tertio, intrahere nite-
10 batur cordi suo universum humanum affectum et amorem falsum et impurum omnium creaturarum. Et hoc
obtulit Domino pro auro pretioso. Quae omnia simul in
corde suo per ardorem amantis desiderii, quo universa
reducere nitebatur in obsequium sui amatoris, tamquam

3, 3 isto Z ‖ 13 despicienda : respuenda W ‖ **4,** 2 et[1] *om.*
B ‖ 5 probata mirra W ‖ 8 haec : hoc W ‖ deo : domino W

---

3 *a. Matth.* 2, 11 ‖ *b.* Cf. *Phil.* 2, 10

**Trouver
un présent
digne du Seigneur.**

3. Une autre fois, tandis qu'en la même fête on lisait dans l'évangile : *et se prosternant, ils l'adorèrent, et ouvrant leurs trésors* [a], stimulée, cette fois encore, par l'exemple des bienheureux Mages, elle se leva dans la ferveur de son esprit et se prosterna avec une très humble dévotion aux pieds très saints du Seigneur Jésus, l'adorant au nom de tout ce qu'il y a au ciel, sur terre et dans les enfers [b]. Et, faute de trouver un présent qu'elle puisse dignement lui offrir, elle se mit à parcourir l'univers entier, dans son désir anxieux, cherchant parmi toutes les créatures si elle pourrait en découvrir quelqu'une digne d'être offerte à son unique aimé. Courant ainsi, brûlante et haletante, dans la soif de son ardente ferveur, elle découvrit des choses méprisables que toute créature aurait sagement rejetées, comme indignes d'être offertes à la louange et à la gloire du Sauveur. Mais elle, s'en emparant avec avidité, s'efforçait de les restituer à Celui que tout le créé devrait servir uniquement.

4. Elle attira donc dans son cœur, grâce à son fervent désir, toute la peine, la crainte et la douleur et l'angoisse qu'une créature ait jamais supportées, non pas pour la gloire du Créateur, mais par sa propre faute et infirmité. Et elle les offrit au Seigneur comme une myrrhe de choix. En deuxième lieu, elle attira à elle toute la sainteté feinte et la dévotion affectée des hypocrites, des pharisiens, des hérétiques et de leurs semblables. Et elle l'offrit de même à Dieu comme un sacrifice d'encens très suave. En troisième lieu, elle s'efforça d'attirer en son cœur toutes les tendresses humaines et l'amour frelaté et impur de toutes les créatures. Et elle l'offrit au Seigneur en guise d'or précieux. Toutes ces choses se trouvaient donc rassemblées en son cœur. Or, l'amoureux désir avec lequel elle s'efforçait d'en faire totalement hommage à son

15 aurum in camino probatum, omni scoria ad plenum
decocta et miro modo nobilitata, videbantur Domino
praesentata.

5. In quorum omnimoda placentia Dominus tamquam
in rarissimis xeniis inaestimabiliter delectatus, recollige-
bat ea in specie gemmarum pretiosarum, imponensque
diademati suo regali dixit : « Ecce has gemmas a te mihi
5 modo oblatas, pro suae raritatis dignitate tam gratanter
et dignanter acceptavi, quod ipsas in memoriale singularis amoris in diademate capitis mei jugiter portabo,
ad gloriandum pro ipsis a te sponsa mea mihi collatis,
coram omni militia mea caelesti : sicut imperator terres-
10 tris lapidem pretiosum, qui vulgari lingua vocatur
wesant, gestat in corona regni pro singularitate sua,
quia non invenitur compar illi in totius amplitudine
mundi. »

6. Tunc memor personae cujusdam quae saepius roga-
verat eam ut ipso die offerret Domino pro se, requisivit
a Domino quid sibi pro ea vellet offerri. Cui Dominus :
« Offer mihi pedes ejus, manus et cor, verbi gratia. Per
5 pedes signantur desideria : unde quia persona haec ferventius desiderat recompensare mihi passionem meam,
studeat omnia gravamina tam cordis quam corporis sui
adversa patienter in unione passionis meae tolerare,
ad laudem et gloriam nominis mei ac totius ecclesiae

5, 5 caritatis W ‖ 11 wesant *codd.* : ein Besant *l* ‖ regni :
regia W regi B[1] (*corr. mg.* B[2]) ‖ **6,** 2 *post* offerret *add.*
aliquid W *l* ‖ 8 *post* tolerare *add.* et B

---

1. Le mot allemand donné par les manuscrits est *Wesant.* Lansperge, suivi par tous les éditeurs, a écrit *ein Besant.* Paquelin
pense que cette pierre unique aurait été appelée « besan » en raison
de sa ressemblance avec la monnaie de ce nom. — En réalité, nous

bien-aimé, tel un feu ardent, les débarrassait de toute
scorie, de même que l'or s'épure dans la fournaise, et
elles apparaissaient comme un noble et merveilleux
présent pour le Seigneur.

5. Le désir de lui plaire en toute manière, témoigné
par ces offrandes, procura au Seigneur d'inestimables
délices, comme s'il se fût agi d'étrennes extrêmement
rares. Il les rassembla comme des pierres précieuses
qu'il fixa sur son diadème royal en disant : « Voici les
pierreries que tu viens de m'offrir. C'est à cause de leur
prix et de leur rare valeur que je les ai reçues avec tant
de reconnaissance et de bienveillance. En souvenir
de ton amour singulier je les porterai toujours sur le
diadème de ma tête, je me glorifierai devant toute ma
milice céleste de les avoir reçues de toi, ô mon épouse.
Ainsi l'empereur de la terre porte-t-il sur sa couronne
royale la pierre précieuse appelée « wesant » (« orphelin »)
en langue vulgaire [1]. Il la porte à cause de sa rareté, car
il ne s'en trouve point de comparable dans toute l'étendue du monde. »

Tout offrir. **6.** Se souvenant alors d'une personne qui,
maintes fois, l'avait priée d'offrir quelque chose
pour elle au Seigneur en ce jour, elle demanda
au Seigneur quelle offrande il désirait qu'elle fît en son
nom. A quoi le Seigneur répondit : « Offre-moi ses pieds,
ses mains et son cœur. Les pieds signifient les désirs. Puisque cette personne voudrait, dans sa ferveur, me dédom-
mager de ma passion, qu'elle s'efforce de supporter avec
patience et en union à ma propre passion toutes les peines
qu'elle éprouvera tant dans son âme que dans son corps,
pour la louange et la gloire de mon nom et l'utilité de

savons que la couronne impériale germanique portait, entre autres,
une pierre unique en son genre que cette singularité avait fait
nommer « l'Orphelin » : *Orphanus* ; en allemand *Waise* (*Weise*, *Wese*,
etc.). Cf. Du Cange, *Glossarium*, au mot « orphanus », 2, etc.

10 sponsae meae utilitatem *a*. Et hoc pro myrrha electa mihi
oblatum acceptabo. Quia vero per manus signatur operatio, studeat etiam omnia opera tam corporalia quam
spiritualia perficere in unione perfectissimorum operum
meae sanctissimae humanitatis : unde miro modo nobi-
15 litata sanctificabuntur universa. Hoc quasi pro immo-
latione thuris suaviter redolentis gratificabo. Similiter
quia per cor significatur voluntas, in omnibus agendis
suis semper ab aliquo homine humiliter meam requirat
voluntatem. Et quidquid tunc ab illo sibi consultum
20 fuerit, hoc confidenter suscipiat pro summo beneplacito
meo, quod pro auri purissimi oblatione ab ipso reputabo,
sciatque quod pro illa humilitate et confidentia, qua
meam voluntatem requirit ab alio, voluntas ipsius in
tantum unita fiet meae divinae voluntati, sicut ex auro
25 argentoque in igne conflato pretiosum fit electrum indis-
solubiliter conglutinatum. »

7. Hinc cum vellet offerre Domino quarumdam personarum orationes sibi devote commissas, conspexit
Dominum in latere sinistro velut sub brachio habere
marsupium quoddam occultum manui suae dextrae con-
5 venientissime adaptatum, in quo videbatur habere orationes ab illis personis sibi persolutas ; unde frequenter
specialibus suis benefaciebat, quandocumque libebat.
Cumque ipsa offerret pro eis, ut rogata erat, apparebant eaedem orationes dispositae coram Domino in specie
10 diversorum xeniorum et ornamentorum, de quibus Dominus omnes ad se venientes minus parati et ornati magnifice decorabat. Et hoc quod Dominus has orationes
duplici modo se habere demonstrabat, intellexit illas
personas obtinuisse per fidelitatem illam, qua tam libe-

11 signatur : significatur W ‖ 14 modo *s.l.* B² ‖ 25 in
om. W

---

6 *a.* Cf. *Orate fratres*

toute l'Église *a*, mon épouse. J'accepterai son offrande comme une myrrhe de choix. Les mains symbolisent l'action. Qu'elle s'efforce d'accomplir parfaitement toutes ses œuvres tant corporelles que spirituelles, en les unissant aux œuvres infiniment parfaites de ma très sainte humanité. Ainsi, toutes les siennes seront merveilleusement ennoblies et sanctifiées. Je les aurai pour aussi agréables qu'un sacrifice d'encens de suave odeur. Enfin, le cœur désigne la volonté. Qu'en toutes ses actions elle ait l'humilité de s'enquérir toujours auprès de quelqu'un de ma volonté. Le conseil qu'elle recevra alors, qu'elle l'accueille en toute confiance comme l'ultime expression de mon bon plaisir, et je tiendrai ceci de sa part pour une offrande d'or très pur ; oui, qu'elle le sache bien, à cause de cette humilité confiante qui l'a poussée à s'enquérir auprès d'autrui de ma volonté, sa volonté à elle se trouve aussi étroitement unie à ma divine volonté que l'or et l'argent, soumis ensemble à l'action du feu, forment un alliage indissoluble. »

7. Puis, voulant offrir au Seigneur les prières que certaines personnes avaient eu la dévotion de lui confier, elle vit le Seigneur porter du côté gauche, et comme dissimulée sous son bras, une bourse garnie que sa main droite pouvait facilement atteindre. Il semblait avoir dans cette bourse les prières que lui avaient adressées ces personnes et il en faisait d'abondantes largesses à ses amis intimes toutes les fois qu'il lui plaisait. Or, lorsqu'elle-même offrit ces prières au nom des personnes qui le lui avaient demandé, les dites prières apparurent, rangées en ordre devant le Seigneur sous l'aspect d'étrennes et de bijoux dont le Seigneur se servait pour parer avec magnificence tous ceux qui venaient à lui moins bien préparés et ornés. Et la double manière dont le Seigneur semblait disposer de ces prières lui fit comprendre que le loyal dévouement des personnes en question était ainsi récompensé. Elles lui avaient en effet confié leurs prières

15 raliter eas sibi commiserant Domino offerendas, quod
pro eodem reputabant, utrum ipsa offerret eadem ex
parte propria sive ex parte earum, dum tantummodo
benignus Dominus illas sibi grate dignaretur acceptare.

CAPUT VII

De reverentia faciei Domini. In dominica *Omnis terra* [a]

1. In dominica *Omnis terra*, dum sero, more fidelium
Romae imaginem amantissimae faciei Domini videre
desiderantium, per confessionem spiritualem se praepararet, et inde ex recordatione peccatorum suorum sibi
5 deformata videretur, processit ad pedes Domini Jesn,
eamdem deformitatem depositura, petens a Domino
remissionem omnium peccatorum. Qui elevata venerabili manu, dedit illi benedictionem in haec verba :
« Indulgentiam et remissionem omnium peccatorum [b]
10 tribuo tibi ex visceribus meae gratuitae pietatis. » Et
adjecit Dominus : « In veram emendationem omnium
delictorum tuorum suscipe a me hanc tibi injunctam
satisfactionem, ut scilicet per circulum totius anni istius,
singulis diebus, semper perficias aliquod opus bonum

7, 15 sibi *s.l.* B² ‖ 17 tantummodo : tantum Z
VII. 1, 3 spiritualem : specialem *a. corr.* W

VII. 1 *a.* 2ᵉ dim. après l'Épiphanie : *Ps.* 65, 4 ‖ *b.* Cf. Absolution au *Confiteor*

1. Intéressante allusion au culte romain de l'image du Saint
Sauveur (la « Véronique ») conservée à Saint-Pierre de Rome,
dont l'ostension avait lieu le 2ᵉ dimanche après l'Épiphanie
(cf. *Enciclopedia Cattolica*, XII, 1299-1303, « Veronica » [A. P. Fru-
taz] ; *DACL*, VII², 2458-2459). Sainte Mechtilde témoigne, elle

avec tant de libéralité qu'il leur paraissait indifférent
qu'elle les offrît de sa part ou de la leur, pourvu que le
Seigneur, dans sa bonté, daignât les accepter et les tenir
pour agréables.

CHAPITRE VII

De la vénération de la face du Seigneur le dimanche *Omnis terra* [a]

Le péché défigure l'âme.
1. Le Dimanche *Omnis terra*, vers le soir,
imitant les fidèles de Rome qui attendent le
moment de vénérer l'image de la très aimable
face du Seigneur, elle s'y préparait comme
eux par une confession spirituelle [1]. Voici qu'au souvenir
de ses péchés, elle se vit elle-même privée de toute beauté
et se prosterna aux pieds du Seigneur Jésus pour y déposer
sa laideur et implorer le pardon de tous ses péchés. Le
Seigneur, levant sa main vénérable, lui donna sa bénédiction en ces termes : « Je t'accorde le pardon et la rémission de tous tes péchés [b] par les entrailles de ma bonté
toute gratuite. Et, ajouta le Seigneur, pour le réel amendement de tous tes péchés, reçois de moi la pénitence
que je t'impose maintenant : chaque jour, durant tout
le cours de cette année, tu accompliras fidèlement quelque

aussi, de l'importance qu'on attachait à Helfta à cette dévotion,
et du lien qu'elle créait entre le monastère et Rome (Mechtilde,
I, 10 : éd. Paquelin, p. 31-33). — Pour sainte Gertrude, cette
vénération de la sainte Face du Seigneur rejoint facilement le thème
patristique de l'*imago Dei*. L'âme prend conscience de l'atteinte
portée en elle, par le péché, à la ressemblance divine. Elle est *deformata* (cf. ligne suivante : *deformitatem*). C'est-à-dire — étymologi-
quement — qu'elle a perdu sa forme, sa beauté ; elle est défigurée.
Et au dernier paragraphe du chapitre, on voit que la ressemblance
avec la Face du Seigneur confère une beauté et un éclat particuliers à ceux qui ont contemplé avec dévotion cette sainte Face.

15 in unione pietatis illius qua ego remisi tibi omnia peccata tua. »

2. Quod cum illa gratanter susciperet, haesitans tamen
aliquantulum ex humana fragilitate dixit : « Et quid
faciam, Domine, si hoc aliquomodo neglexero, cum occasio se praebet ? » Ad quod Dominus : « Quare velles
5 negligere quod tam leviter potes perficere ? Nam beni-
gnitas mea acceptabit, si unum vestigium tali intentione
calcaveris, seu calamum de terra levaveris, vel verbum
unum locuta fueris, vel etiam gestum amicabilem exhibueris, vel etiam si *Requiem aeternam* [a] pro defunctis
10 sive quodcumque pro peccatoribus vel etiam justis dixe-
ris. » Ex his illa nimium consolata orare coepit pro specialibus amicis suis ut ipsi etiam a divina misericordia
talem acciperent consolationem. Cujus precibus Dominus annuens sic ait : « Omnes qui volunt tecum persol-
15 vere satisfactionem tibi injunctam, simul tecum habeant
remissionem omnium peccatorum suorum ex hac mea
benedictione. » Et sic iterum longe extensa venerabili
manu, dedit benedictionem.

3. Deinde subjunxit Dominus : « O quam uberrimae
benedictionis affectu suscipere vellem illum qui post
circulum anni reverteretur ad me, si reportaret mihi
talem fructum, quod per totum annum sic studuisset
5 in operibus caritatis, quod opera illa excederent numerum omnium peccatorum suorum, in quibus hoc anno
deliquit ! » Ad quod cum illa quasi diffidens diceret :
« Quomodo hoc fieri posset, cum sensus hominis sint
proni ad malum [a], in tantum quod homo singulis horis

2, 1 susciperet : acciperet Z ‖ 2 et *om.* W ‖ 3 aliquomodo :
aliquo die W *et per corr.* B² ‖ 5 quod : cum Z ‖ **3**, 3 si : et Z

---

2 *a.* Cf. Liturgie des défunts, inspirée de *IV Esd.* 2, 34 ‖
3 *a.* Cf. *Gen.* 8, 21

bonne œuvre pour t'unir à la clémence qui m'a fait te remettre tous tes péchés. »

Réparation. 2. C'est avec gratitude qu'elle reçut cette pénitence, pourtant la fragilité humaine la faisant quelque peu hésiter, elle dit : « Et que ferai-je Seigneur, si je viens à négliger une fois ou l'autre de faire cette bonne œuvre lorsque l'occasion s'en présente ? » Mais le Seigneur : « Pourquoi voudrais-tu négliger ce qu'il t'est si facile d'accomplir ? Oui, ma bienveillance se contentera d'un seul pas fait dans cette intention, ou d'un fétu ramassé à terre, ou d'un seul mot que tu auras dit, ou même d'un geste d'amitié, ou encore d'un *Requiem aeternam* [a] pour les défunts, ou de n'importe quelle prière récitée pour les pécheurs, comme aussi pour les justes. » Très consolée par ces paroles, elle se mit à prier pour ses amis les plus chers afin qu'eux aussi reçoivent de la divine miséricorde pareille consolation. Le Seigneur, acquiesçant à sa demande, lui dit : « Tous ceux qui veulent accomplir avec toi la satisfaction que je t'ai imposée recevront aussi avec toi la rémission de tous leurs péchés par la grâce de cette bénédiction. » Et, de nouveau, il étendit sa main vénérable en un large geste de bénédiction.

3. Puis le Seigneur ajouta : « Oh ! avec quelle affection, quelle abondance de bénédictions serait reçu celui qui, après s'y être appliqué toute l'année, reviendrait vers moi au bout de l'an m'apportant une moisson si considérable d'actes de charité que ceux-ci l'emporteraient en nombre sur celui de tous les péchés qu'il aurait commis durant le même laps de temps. » Elle répondit, légèrement sceptique : « Comment cela pourrait-il se faire ? les sens de l'homme sont si enclins au mal [a]

10 multipliciter delinquat ? », Dominus respondit : « Et
quare videtur tibi hoc tam difficile, cum ego Deus tantum delecter in hoc, quod si homo vellet aliquantulum
studii adhibere, ego Deus omnipotens vellem etiam coo-
perare, et sic mea divina sapientia deberet praevalere ? »
15 Et cum illa diceret : « Quid tunc, Domine, proponis illi
dare qui hoc tuo auxilio perficeret ? », Dominus respondit : « Hoc tibi aliter non possum notificare quam his
verbis : *Quod oculus non vidit, nec auris audivit, nec in
cor hominis ascendit* [b]. » O quam felix esset qui ante
20 exitum suum vel unum perficeret annum in tali studio
pietatis, vel ad minus unum mensem ! Quia certe et ipse
sperare posset se simile de manu benignissimi Domini
accepturum.

4. Sequenti die, orans pro his quae ad monita sua
communicabant, licet per absentiam confessoris impeditae fuissent, videbatur Dominus ipsas vestire veste
quadam candidissima, scilicet sua innocentia, quae
5 ornata undique erat gemmis pretiosis, habentibus tam
formam quam redolentiam violarum : per quas notabatur humilitas illa qua monitis ejus consentiebant. Dehinc
dabatur eis etiam vestis rosea, floribus aureis intexta
per quam figurabatur passio dominica in amore perfecta,
10 per quam quilibet homo obtinet meritum dignitatis. Et
ait Dominus : « Ponantur his sedilia prope me, ut cognos-
cant omnes quod non casu, sed ex industria servata est
eis pars prima, id est, ab aeterno praedestinatum est
eis quod hodie per virtutem humilitatis potiora apud
15 me, sed te interveniente, percipiant dona gratiae. » Illis

11 hoc tibi Z *l* ‖ 13 cooperari Z *l* ‖ 16 respondit dominus W
‖ 21 *post* minus *add.* ad Z ‖ 22 de *s.l.* B² ‖ **4,** 4 innocentia
sua W ‖ 5 undique ornata W ‖ 7 ejus : illis B¹ (*corr. s.l.*
B²) Z ‖ 12 servata : reservata W ‖ 15 *post* percipiant *add.*
vel participent *mg.* W *add.* participent *mg.* B²

b. *I Cor.* 2, 9 ; cf. *Is.* 64, 4

qu'il multiplie les péchés à toute heure ! » Et le Seigneur
de répondre : « Et pourquoi donc cela te semble-t-il
si difficile ? Moi, Dieu, j'y aurai tant de joie que si
l'homme se déterminait à y mettre tant soit peu du sien,
moi, le Dieu Tout-Puissant, j'aurais à cœur de l'aider,
et, de la sorte, ma divine Sagesse aurait indubitablement
le dessus. » Elle demanda alors : « Et que promettez-
vous de donner à celui qui accomplirait cela avec votre
secours ? — Je ne puis, répondit le Seigneur, te le dire
qu'en ces termes : *ce que l'œil n'a point vu, ce que l'oreille
n'a point entendu, ce qui n'est pas venu au cœur de
l'homme* [b]. Oh ! qu'il serait heureux celui qui avant sa
mort aurait accompli un tel exercice d'amour durant
une année seulement, ou même un seul mois ! Oui, il
pourrait espérer recevoir semblable récompense de la
main du Dieu infiniment bon. »

A propos de la communion. 4. Le jour suivant, comme elle priait
pour celles qui, malgré l'absence du
confesseur, avaient cependant, sur son
conseil, reçu la communion, elle vit le Seigneur les revêtir
d'un vêtement éblouissant de blancheur, celui de sa
propre innocence. Ce vêtement était parsemé de pierres
précieuses ayant l'aspect et le parfum de la violette.
Ceci pour symboliser l'humilité avec laquelle elles s'étaient
rangées à son avis. Elles reçurent ensuite un vêtement
rose broché de fleurs d'or. Ainsi était figurée la passion
du Seigneur, merveille d'amour, qui procure à tout homme
ses titres de noblesse. Et le Seigneur dit : « Que l'on dispose
à mes côtés des sièges à leur intention. Ainsi, nul ne pourra
ignorer que ce n'est pas fortuitement, mais bien à dessein
que la première place leur est réservée, autrement dit
que, de toute éternité, il a été décrété qu'aujourd'hui
elles recevraient par la vertu de leur humilité, mais aussi du
fait de ton intervention, les meilleurs dons de ma grâce. »

vero quae non hujus monitis, sed per se gratia Dei sibi
cooperante de bonitate Dei confidentes, licet inconfessae
communicabant, dabatur tantummodo vestis rosea aureis
floribus intexta ; et hae quoque cum Domino ad men-
20 sam consedebant. Illae vero quae cum humilitate et moerore omittebant communionem videbantur stare coram
mensa, et in abundantia deliciarum illius multum delectari.

5. Hinc benignissimus Dominus, propria dulcedine pla-
catus, benedicta manu sua dabat benedictionem cum
his verbis : « Omnes qui desiderio amoris mei attracti
frequentant memoriam visionis faciei meae, illis ego
5 ex virtute humanitatis meae imprimo vivificum splendorem meae divinitatis *a*, cujus claritas eos interius jugiter perlustret et faciat in aeterna gloria prae caeteris
in speciali similitudine faciei meae omnem caelestem
curiam irradiare. »

CAPUT VIII

DE BEATA AGNETE, VIRGINE ET MARTYRE

1. Agnetis Deo dilectae virginis sancta nocte, dum
plurimum delectaretur in eo quod Dominum tanti amoris suavitate gloriari conspexit, in laude illa qua tota
caelestis curia extollebat verba praedictae virginis, quae
5 tunc in ecclesia replicabantur, recolens infirmitatem
suam cum moerore, dixit ad Dominum : « Heu ! Domine,

16 quae : qui Z ‖ 17 inconfessi *codd.* ‖ 20 quae : qui B ‖
5, 5 meae humanitatis Z *l* ‖ humanitatis : *om.* B¹ pietatis
W *et s.l.* B² ‖ 6 interius : insertus B¹ (*corr. mg.* B²) ‖ 9 *post*
irradiare *add.* amen B

5 *a.* Cf. *II Cor.* 4, 4.6

D'autres avaient aussi communié sans pouvoir se confesser, non pas pour suivre ses avis, mais d'elles-mêmes,
le secours de la grâce divine leur donnant confiance en la
bonté de Dieu. Celles-là recevaient seulement le vêtement rose broché de fleurs d'or. Et elles prenaient place
également à table avec le Seigneur. Quant à celles qui,
humblement et à regret, s'abstenaient de la communion,
on les voyait debout devant la table, se délectant de
l'abondance de ses délices.

Imago Dei. **5.** Alors le très miséricordieux Seigneur,
que sa propre douceur rendait propice,
donna sa bénédiction d'un geste de sa main bénie avec
ces mots : « En tous ceux qui, séduits par le désir de
mon amour, gardent le souvenir de ma face qu'ils ont
contemplée, j'imprimerai par la grâce de mon humanité
la splendeur vivifiante de ma divinité[a]. Sa clarté leur
sera à jamais une lumière intérieure et, dans la gloire
éternelle, les fera, plus que les autres, répandre sur toute
la cour céleste le rayonnement d'une ressemblance particulière avec ma face. »

CHAPITRE VIII

De la bienheureuse Agnès, vierge et martyre

**L'amour
adoucit tout.** **1.** En la nuit sainte de la fête d'Agnès,
vierge aimée de Dieu, elle éprouvait beau-
coup de joie à voir le Seigneur trouver
gloire, tendresse et douceur dans cette louange où la cour
céleste tout entière exaltait les paroles de la susdite
vierge, répétées alors par l'Église. Mais reprenant conscience de sa fatigue, elle dit au Seigneur avec regret :
« Hélas, Seigneur, quelles suaves délices auraient pu

quantae delectationis suavitas influxisse posset animam
meam occasione tam dulcium verborum, si infirmitas
mea non impedisset ! » Ad quod Dominus : « Servatum
10 est tibi in memetipso, et adhuc hauries hic vel in futuro,
eo dulcius quanto minus mixtum insipiditate propriae
voluntatis. » Unde intellexit quod nullius hominis salus
minuitur per tale impedimentum quod propria culpa
non incurrit. Et cum in sexta lectione legeretur : « Quia
15 dixit beatam Agnetem ab infantia christianam, et ita
magicis artibus occupatam ut diceret Christum sponsum suum », ista dolenter subjunxit : « Heu ! Domine
Deus, quid tua principalis majestas perfert ab homine ? »
Ad quod Dominus : « Ex voluptuosa delectatione quae
20 me et Agnetem conjungit, majus emendaretur mihi ad
placitum. » Ad quod illa : « Eia, benignissime Deus, da
omnibus electis tuis tibi tantae fidelitatis blanditate
adhaerere, quo levi ponderis reputes omnes injurias tibi
a contradicentibus irrogatas. »

2. In die vero sancti Augustini, dum plurimorum sanctorum merita sibi monstrarentur, desiderabat etiam aliqua
de meritis delicatae istius virgunculae sibique ab infantia
tenere dilectae revelari. Cujus petitioni Dominus mox
5 annuens, elevato brachio demonstravit ei ipsam beatam
Agnetem in specie multum amabili et delicata Cordi suo

VIII. 1, 10 hic : hoc W ‖ 15 beatam *om.* W ‖ 17 subjunxit :
adiunxit Z ‖ 20 et : ad Z ‖ 21 ad quod illa *om.* B W ‖ 2, 2
demonstrarentur Z ‖ 3 istius : huius Z ‖ 4 revelari :
revelare Z ‖ cujus : cui Z

1. Passion de sainte Agnès (mise sous le nom de saint Ambroise),
3 : *PL* 17, 737 A.
2. Nous voyons ici la rédactrice à l'œuvre. Le chapitre sur
sainte Agnès comprend deux parties : la première rapporte des
grâces reçues le jour de sa fête (21 janvier) ; la seconde, d'autres
reçues le jour de saint Augustin (28 août). Le fait sera rappelé

se répandre en mon âme en entendant de si douces paroles,
si ma santé n'y avait mis obstacle ! » A cela le Seigneur
repartit : « Je les garde en réserve pour toi en moi-même.
C'est là que tu pourras les retrouver plus tard, d'autant
plus douces qu'elles seront moins mêlées de la fadeur
de ta volonté propre. » Cela lui fit comprendre que personne ne voit diminuer son mérite du fait d'un obstacle
où sa culpabilité personnelle n'est pas en cause. Et comme
on lisait dans la sixième leçon : « Quelqu'un dit que la
bienheureuse Agnès était chrétienne depuis l'enfance
et tellement adonnée aux arts de la magie qu'elle appelait
le Christ, son époux [1] », elle commenta en gémissant :
« Hélas ! Seigneur mon Dieu, voilà ce que votre souveraine
majesté doit supporter de la part de l'homme ! » A quoi
le Seigneur répondit : « La délicieuse jouissance de mon
union avec Agnès est pour moi le remède qui transforme
cela en chose agréable. » Elle rétorqua : « Ah ! Dieu de
bonté, accordez donc à vos élus d'adhérer à vous avec
une si aimante fidélité que vous trouviez légères toutes
les injures que vous recevrez de vos ennemis. »

Près de Dieu. **2.** Le jour de saint Augustin [2], comme les
mérites de plusieurs saints lui avaient été
révélés, elle désira aussi connaître quelque
chose des mérites de cette délicieuse petite vierge pour
qui elle avait depuis son enfance une tendre affection.
Acquiesçant aussitôt à sa demande, le Seigneur leva
le bras afin qu'elle put voir, sous des traits aimables
et charmants, la bienheureuse Agnès serrée contre son

le 28 août (50, 8, 1-5) : il est dit que les lumières reçues ce jour-là
au sujet des saintes Agnès et Catherine sont consignées à leurs
jours respectifs (21 janvier et 25 novembre). On trouve en effet
au 25 novembre une nouvelle allusion à la date du 28 août (57,
1, 6). Visiblement, c'est lors de la composition finale du livre que
la matière a été ainsi répartie suivant l'ordre du calendrier.

divino applicatam, ad ostendendam et confirmandam
eximiam innocentiam ejus, de qua dicitur : *Incorruptio
proximum facit esse Deo* [a]. Apparuit enim haec inclyta
10 proles Deo tam vicina, quasi vix aliquis in caelo posset
ejus innocentiae simulque delicatae amicabilitati simi-
lari. Intellexitque illa qualiter Dominus singulis momentis intraheret sibi omnem devotionem et delectationem
qua unquam alicujus cor affectum est et adhuc afficitur,
15 et ad amorem Dei ac devotionem excitatur ex melli-
fluis verbis ejusdem beatae virginis, quae adhuc crebrius
in ecclesia recitantur. Et haec omnia in Corde suo miro
modo nobilitata in similitudine suavissimi nectaris cordi
beatae Agnetis tam delicate Cordi suo divino adaptatae
20 instillaret ; et ex hoc eadem sanctissima virgo quasi
diversis novis ornamentis mirifice decorabatur, singulis
horis resplendorem reddens in animas eorum quorum
devotione laetabatur.

CAPUT IX

De purificatione beatae Virginis Mariae

1. Purificationis beatae Virginis festo devoto, dum ad
Matutinas audiret primum signum pulsari, gaudens in
spiritu ait ad Dominum : « Ecce cor meum et anima salu-

13 intraheret : traherct W ‖ 20 sanctissima : beatissima
Z *l*
IX. **1,** 2 pulsari (*cf. cap. II, 1, 5*) : pulsare B W ‖ 3 ad *s.l.* B²
‖ *post* anima *add.* mea Z

VIII. **2** *a. Sag.* 6, 20

---

1. Sainte Agnès reçoit, du fait de la dévotion de ceux qui enten-
dent souvent ses paroles dans la liturgie, une gloire et une joie
de surcroît. Idée chère à Gertrude et que l'on retrouve sous sa
plume à propos d'autres saints. Cette gloire spéciale est symbolisée,
dans l'imagerie des Révélations, par une nouvelle parure, diffé-

divin Cœur, en preuve visible de cette innocence exquise
dont il est dit : *L'incorruption rapproche de Dieu* [a]. Cette
admirable enfant lui apparut en effet si près de Dieu
qu'il semblait difficile qu'un autre habitant des cieux
put égaler son innocence et sa délicate tendresse. Et elle
comprit comment à chaque instant le Seigneur attirait
à lui toute la dévotion et la délectation dont jamais
cœur fut, dans le passé et le présent, touché et excité
à l'amour de Dieu et à la dévotion, grâce aux paroles
de cette bienheureuse vierge, paroles melliflues que
l'Église, encore aujourd'hui, redit si fréquemment. Tout
cela, le Seigneur l'ennoblissait merveilleusement en son
Cœur, et le répandait comme un nectar infiniment suave
dans le cœur de la bienheureuse Agnès, uni si tendrement
à son divin Cœur ; cette vierge bienheureuse semblait
alors merveilleusement parée de joyaux tout neufs et
non pareils [1], et répandait à chaque instant les reflets
de sa gloire sur les âmes dont la dévotion lui causait ce
bonheur.

CHAPITRE IX

La Purification de la bienheureuse Vierge Marie

**Saluts
réciproques.**
1. En la dévote fête de la Purification
de la bienheureuse Vierge, entendant son-
ner le premier coup de Matines [2], son âme
fut dans la joie et elle dit au Seigneur : « Voici que mon

rente de celle qu'Agnès pouvait avoir reçue auparavant. Les bijoux
sont donc neufs et distincts des précédents : *diversis novis ornamentis.*
2. Comme elle l'avait déjà fait en la vigile de Noël (2, 1, 5),
sainte Gertrude profite des sons successifs annonçant l'office
de nuit pour adresser au Seigneur sa salutation. Il y a ici insis-
tance sur le mot et l'idée de frapper, *pulsare* avec le jeu de mots,
difficilement traduisible, des sentiments affectueux du Seigneur
frappant (*pulsant*) à la porte de la miséricorde divine, tandis
que résonnent les coups de la cloche (*pulsari-pulsationem*).

tant te amantissimum Dominum meum in sonitu signi
5 istius quo praenuntiatur festum Purificationis tuae castissimae Matris. » Cui Dominus dignantissime respondit :
« Et omnia viscera pietatis meae pulsant pro te ad
januam divinae misericordiae meae, obtinentes tibi plenam remissionem omnium peccatorum. » Ad compulsa-
10 tionem vero Matutinarum, Dominus animae vicem prioris salutationis recompensans milleplicatam, dixit ei :
« Tota divinitas mea salutat te, delectamentum animae
meae, mittens tibi in obviam omnem fructum sanctissimae humanitatis quo placitissimo mihi modo praepa-
15 reris in festo praesenti. »

2. Post moram vero, dum audire desideraret quid
cantaretur in choro, sed lecto decumbens nequiret intel-
ligere, moesta dixit ad Dominum : « O si nunc, Domine
mi, locorum distantia non impedirer, posset cor meum
5 saltem per aliqua verba cantus ad delectandum in te
provocari ! » Ad quod Dominus : « Si ignoras, carissima,
quid modo cantetur in choro, convertere ad me, et diligentius considera quid agatur in me, qui sum conten-
tivus omnium quae unquam possunt delectare te. » Et
10 statim illa cognovit in spiritu quod, quemadmodum aliquis ex nimia lassitudine concito anhelitu hiat, sic singula membra Domini sine intermissione, velut anhelando,
intrahunt sibi omnia opera bona quae a quoquam
homine peraguntur in ecclesia, et illa in se purificata et
15 nobilitata offert semper venerandae Trinitati in laudem
aeternam. Sed illa opera quae fiunt cum intentione ad
laudem Dei, illa intrahit sibi Cor divinum miro et ineffabili quodam modo, ea in se nobilitando et perficiendo.

---

10 matutinorum B Z ‖ 2, 4 impediret B ‖ 7 *post* convertere *add.* te W ‖ et : *hic desinit imperfectus codex* Z ‖
15 offerret W

cœur et mon âme vous saluent, vous, mon très aimé
Seigneur, au son de ce signal qui annonce la fête de la
purification de votre Mère très chaste. » Le Seigneur
daigna lui répondre : « Et toute la tendresse de mes
entrailles frappe pour toi à la porte de ma divine miséricorde pour obtenir une entière rémission de tous tes
péchés. » Durant les coups de Matines, le Seigneur,
voulant payer mille fois à l'âme sa première salutation,
lui dit : « Ma divinité tout entière te salue, ô joie de mon
âme, elle envoie à ta rencontre tout le prix de ma très
sainte humanité pour te préparer à la fête d'aujourd'hui
de la manière qui me soit la plus agréable. »

**Le Cœur
du Seigneur.**
2. Après un instant, désirant entendre
ce qu'on chantait au chœur, sans pouvoir
y parvenir, du lit où elle se trouvait
étendue, elle dit, toute triste, au Seigneur : « Ô mon
Seigneur, si la distance n'y mettait maintenant obstacle,
mon cœur aurait pu du moins être incité à trouver en
vous ses délices par quelques-uns des mots qui sont
chantés ! » A quoi, le Seigneur : « Si tu ignores, ô ma très
chère, ce qu'on chante actuellement au chœur, tourne-
toi vers moi et considère avec attention ce qui se passe
en moi, car là se trouve contenu tout ce qui pourra jamais
faire tes délices. » Et aussitôt elle eut, en esprit, cette révélation : de même qu'une personne, essoufflée à la suite
d'un trop grand effort, aspire l'air à la hâte, ainsi chacun
des membres du Seigneur ne cesse d'attirer à lui, comme
par une sorte d'aspiration, toutes les œuvres bonnes
accomplies par un chacun dans l'Église ; et le Seigneur
offre à la toujours adorable Trinité, en louange éternelle,
ces œuvres qui, en lui, s'épurent et s'ennoblissent.
Quant aux œuvres faites expressément à la louange de
Dieu, c'est le Cœur divin lui-même qui les attire à lui,
d'une manière si admirable que cela dépasse les mots.
En lui, elles acquièrent noblesse et perfection. Toute

Et quamvis quaelibet operatio bona ex intractu sanc-
20 tissimorum membrorum Domini inaestimabilem et omnem humanam capacitatem supergredientem operentur
salutem animae, illa tamen opera, quae Cor deificum
suo attractu dignatur nobilitare et ad summam perfectionem in unione sui perducere, tanto sunt digniora, et
25 per consequens etiam salubriora, quanto homo sive animal vivens mortuo cadavere dignior et acceptior repu-
tatur.

3. Post haec, dum audiret cantari secundum responsorium, et doleret se primum, scilicet *Adorna* [a], non audi-
visse, dixit ad Dominum : « Doce me, amantissime
Domine, qualiter thalamum cordis mei tibi placitissime
5 debeam exornare. » Cui Dominus : « Expande cor tuum,
sicut olim aperiebantur tabulae deauratae in templo
idolorum ad provocationem populi ad sacrificandum in
diebus festis paganorum, et fac me videre imagines
depictas in eo, in quibus delectatur anima mea miro et
10 ineffabili modo. » In quibus verbis Domini intellexit
quod Dominus inaestimabiliter delectatur in corde illius
qui sibi hoc expandit per jugem commemorationem malo-
rum suorum et Dei beneficiorum gratuitorum. Cum vero
in secundo nocturno cantaretur antiphona *Post partum*
15 *Virgo* [b], in illo verbo, scilicet : *Intercede pro nobis*, vidit
beatam Virginem pallio suo maculas cordis et animae
totius congregationis detergere, et quasi in angulo quodam reponere, seque eisdem praeponere, ne coram oculis
divinae justitiae comparerent. Et cum cantaretur anti-
20 phona *Beata Mater* [c], iterum in illo verbo : *Intercede*,

---

3, 1 haec : hoc B ‖ 11 illius : ipsius W

IX. **3** *a*. 1er répons (*CAO* 6051) ‖ *b*. Antienne (*CAO* 4332)
‖ *c*. Antienne (*CAO* 1570)

bonne action, il est vrai, attirée par les membres infiniment saints du Seigneur, sert à procurer le salut de l'âme
à un degré inestimable et qui dépasse tout ce que l'homme
peut en saisir. Mais cependant, ces œuvres que le Cœur
déifique veut bien ennoblir en les absorbant en lui,
et conduire à la plus haute perfection en vertu de cette
union avec lui, ces œuvres-là ont plus de valeur et sont
donc plus utiles au salut, dans la proportion même où
un homme ou un animal vivant a plus de valeur et de
prix qu'un cadavre inanimé.

Plaire à Dieu. **3.** Puis, entendant chanter le deuxième
répons et regrettant de n'avoir pas entendu
le premier, c'est-à-dire : *Adorna* [a][1], elle dit
au Seigneur : « Apprenez-moi, ô Seigneur très aimé,
comment je dois orner le lit nuptial de mon cœur pour
vous plaire parfaitement. — Déploie ton cœur, lui dit
le Seigneur, comme autrefois on étalait des tables dorées
dans le temple des idoles pour inviter le peuple à venir
sacrifier aux jours de fête des païens ; et montre-moi,
peintes sur ce cœur, des images où mon âme puisse goûter
de merveilleuses et ineffables délices. » Ces mots du Seigneur lui firent comprendre que le Seigneur trouve d'inestimables délices dans le cœur de celui qui s'efforce
de le déployer par le souvenir constant de ses propres
misères et des bienfaits gratuits de Dieu. Au second
Nocturne, comme on chantait l'antienne : *Post partum
Virgo* [b], aux mots : *Intercede pro nobis*, elle vit la bienheureuse Vierge balayer de son manteau les souillures
du cœur et de l'âme de toute la communauté, puis les
déposer en quelque sorte dans un coin et se placer elle-
même devant, comme pour les dérober aux regards de la
justice divine. Et tandis qu'on chantait l'antienne :
Beata Mater [c], aux mêmes mots : *Intercede*, la Vierge

---

1. C'est en réalité le 1er répons, *Adorna thalamum tuum, Sion,*
que Gertrude commente en écoutant le second.

videbatur Virgo gratiosa Regi regum Filio suo, cui honorifice sublimata consedere videbatur in gloria, per quoddam osculum suavissimum totius conventus devotionem
in unione suae purissimae devotionis miro modo grati-
25 ficatam offerre.

4. Illa rursus impedimenta sua causante, dixit illi
Dominus : « Si, inquam, impediunt te Simeon et Anna
in templo, hoc est infirmitatis defectus, a divino officio,
egredere ad me in montem Calvariae, ubi invenies juve-
5 nem adultum formosum amatorem extensum. » Quo cum
pervenisset in spiritu, et per moram in suaviflua memoria dominicae passionis multiplici delectatione affectata
fuisset, videbatur sibi progredi per portam quamdam
in parte septentrionis et venire in templum gloriosum,
10 in quo vidit beatum senem Simeonem secus altare stantem et haec verba devote orantem : « Quando veniet ?
Quando videbo ? Putas durabo ? Putas me hic inveniet ? »

5. Haec et his similia cum multiplicaret verba, exhila-
ratus spiritu et quasi in impetu conversus, vidit beatam
Virginem coram altari stantem et puerum Jesum prae
omnibus filiis hominum forma speciosum[a] suis ulnis ges-
5 tantem. Quem cum aspexit, statim Spiritu Sancto illus-
tratus recognovit ipsum esse Redemptorem saeculi.
Unde cum ingenti gaudio suscipiens eum in ulnas suas

4, 13 *post* inveniet *add.* ista nativitas W

---

5 *a.* Cf. *Ps.* 44, 3

---

1. L'enchaînement des images et des pensées n'apparaît pas
très cohérent au premier abord. Il le devient davantage si l'on
songe aux réalités profondes du mystère de la Purification. Sainte
Gertrude s'irrite et se désole de ne pouvoir, à cause de sa faiblesse
physique, participer effectivement à la célébration liturgique de
la fête. Le Seigneur la renvoie au mystère de sa propre Passion,
dont la fête de la Purification est déjà l'annonce. C'est là que
Gertrude, participant elle-même aux souffrances du Seigneur par

de grâce parut offrir par un très suave baiser au Roi
des rois, son Fils — auprès de qui elle avait l'honneur
de siéger, dans l'élévation de la gloire —, la dévotion
de la communauté tout entière qui, unie à sa propre
dévotion parfaitement pure, était devenue un présent
merveilleusement agréable.

Siméon.   **4.** Tandis qu'elle se plaignait à nouveau
des obstacles qui la retenaient [1], le Seigneur
lui dit : « Puisque Siméon et Anne dans le temple, c'est-
à-dire la faiblesse et la maladie, te tiennent éloignée de
l'office divin, viens donc vers moi au mont Calvaire :
là tu trouveras un homme jeune, un bel amant, tout
distendu [2]. Elle s'y rendit en esprit et s'attardant au
souvenir de la passion du Seigneur, source de tendresse,
elle se sentit comme envahie de délices. Il lui sembla
alors entrer par une porte du côté septentrional et parvenir à un temple magnifique dans lequel elle vit le
bienheureux vieillard Siméon, debout près de l'autel,
récitant avec dévotion cette prière : « Quand viendra-
t-il ? Quand le verrai-je ? Crois-tu que j'irai jusque-là ?
Crois-tu qu'il me trouvera encore ici-bas ? »
    5. Tandis qu'il répétait ces mots et d'autres semblables,
son esprit fut rempli de joie et, se retournant avec une
sorte de brusquerie, il vit la bienheureuse Vierge, debout
devant l'autel, portant dans ses bras l'Enfant-Jésus,
le plus beau de tous les fils d'homme [a]. Dès qu'il l'aperçut,
éclairé par l'Esprit-Saint, il le reconnut aussitôt pour le
Rédempteur du monde. C'est pourquoi, le prenant dans

ses infirmités personnelles, trouvera l'intelligence de la solennité
du jour.
2. *Extensum* : Sainte Gertrude paraît avoir été particulièrement
sensibilisée à cet aspect de la souffrance du Christ en croix. Voir
par exemple : 26, 5, 19 : ... *extensionem qua hora sexta in cruce
acriter distentus sum* ; l. III, 41, 3, 5 : ... *necnon per singula membra
distentus.*

exclamavit et dixit [b] : *Nunc dimittis servum tuum in pace* [c].
Sicque in illo verbo : *Quia viderunt oculi mei salutare*
10   *tuum* [d], ipsum suaviter osculabatur. In illo quoque verbo :
Quod parasti [e], etc., elevavit eum coram arca altaris, offerens eum Deo Patri in salutem veram populorum. Tunc
arca tamquam speculum perlucidum illico resplenduit,
et in ea cum luce se involvens imago delicatissimi et
15   amabilissimi pueri Jesu comparuit, significans ac palam
protestans ipsum esse per quem omnis oblatio veteris
ac novi testamenti est perfecta. Quod videns Simeon
ardentissimo affectu exclamavit : *Lumen ad revela-*
tionem gentium [f]. Sicque reddidit eum matri dicens :
20   *Et tuam ipsius animam pertransibit gladius* [g]. Mater
vero virginea imponens eum altari obtulit pro eo duos
pullos columbarum [h] candidissimos, quos puer regius
manu tenera quasi ultra produxit. Per quas colum-
bas significabatur simplex et innocens fidelium con-
25   versatio, quae tamen continue more columbino dis-
creta consideratione remurmurat omni malo et colligit
grana pura, id est, exempla sanctorum probabiliora studet imitari. Et hi quodammodo, si licet dici, videntur
redimere Dominum Jesum, dum ipsi sua conversatione
30   sancta ex parte supplent aliqua quae Dominus dispen-
sative perficere praetermisit in doctrina sua perfectissima.

5, 15 *post* Jesu *add.* nusquam W ‖ 24 conversatio : conser-
vatio B[1] (*corr. mg.* B[2])

---

b. Cf. *Lc* 2, 27-28 ‖ *c. Lc* 2, 29 ‖ *d. Lc* 2, 30 ‖ *e. Lc* 2, 31 ‖ *f.*
Lc 2, 32 ‖ *g. Lc* 2, 35 ‖ *h.* Cf. *Lc* 2, 24 ; *Lév.* 12, 3

---

1. La pensée est ici obscure à force d'être ramassée. Les fidèles
qui accomplissent des œuvres conformes à la doctrine du Christ,
mais que lui-même n'a pas réalisées concrètement dans sa vie,

ses bras avec une immense joie, il s'exclama disant [b] :
Maintenant, laissez aller en paix votre serviteur [c]. Puis,
à ces mots : *Parce que mes yeux ont vu votre salut* [d], il
le baisa tendrement. Et aux mots : *que vous avez préparé* [e],
etc., il l'éleva devant l'arche de l'autel, l'offrant à Dieu
le Père pour que les nations soient véritablement sauvées.
Alors l'arche devint tout à coup resplendissante comme
un miroir très clair et, en elle, s'enveloppant de lumière,
apparut l'image de l'Enfant-Jésus, plein de charme
et d'amabilité, montrant et déclarant ouvertement qu'il
est lui-même Celui par qui toutes les oblations de l'Ancien
et du Nouveau Testament atteignent leur perfection.
A cette vue, Siméon s'écria, tout enflammé d'amour :
Lumière pour éclairer les nations [f]. Puis il rendit l'Enfant
à sa Mère, en disant : *Voici qu'un glaive transpercera
ton âme* [g]. La Mère virginale le déposa sur l'autel et offrit
pour lui deux petites colombes [h] d'une blancheur éclatante, que le royal Enfant poussa en avant comme par
un geste volontaire de sa petite main. Ces colombes
symbolisaient la conduite simple et innocente des fidèles
qui, toutefois — toujours à la manière des colombes —,
avec un sage discernement, rejettent tout mal et choisis-
sent le bon grain, c'est-à-dire s'étudient à imiter les plus
beaux exemples des saints. Ceux-là, si l'on ose dire,
semblent en quelque manière racheter le Seigneur Jésus [1]
en réalisant, quant à eux, par la sainteté de leur vie, une
partie de ce que le Seigneur a, dans sa sagesse, omis
d'accomplir par lui-même, de sa doctrine très parfaite.

sont symbolisés par les deux colombeaux qui ont servi au rachat
de l'Enfant, car ils apportent pour leur part ce qui semblerait
manquer à la vie mortelle du Seigneur. Ainsi saint Paul, *Col.* 1, 24,

6. Cumque cantaretur versus octavi responsorii, scilicet *Ora pro nobis* [a], etc., procedens virginum Regina, flexis reverenter genibus se mediatricem Dei et congregationis exhibuit, devotissime orans pro singulis. Quam
5 Filius imperialis reverentissime sublevans et penes se in throno gloriae suae collocans, potestatem ipsi tribuit liberalem quaecumque vellet imperandi. At illa protinus mandavit ordini Potestatum ut velocius circumdantes conventum manu forti a mille millenis antiqui hostis fraudi-
10 bus defensarent. Qui protinus jussu Reginae caelorum parentes, scutis suis singulis alterutrum junctis, undique conventum circumvallabant. Tunc ista dixit ad beatam Virginem : « Numquid, Mater misericordiae, hac firmissima tutela non proteguntur quae modo non sunt in
15 choro ? » Respondit pia Virgo : « Hac protectione non munitur congregatio quae apparet in choro, sed per illam designatur congregatio omnium qui toto cordis desiderio exoptant religionem veram in loco isto vel ubicumque perpetuo conservari et augeri, et ad hoc con-
20 sequendum ipsi summo studio pro posse suo laborant. Si qui vero minus curant de religionis conservatione, nec studium adhibent eam in semetipsis tenendi sive in aliis promovendi, hi nimirum hac sanctorum angelorum protectione minime fulciuntur. »

7. Hinc adjecit Dominus : « Si quis desiderat tali munimine defendi, studeat ad modum scutorum istorum inferius, id est, in semetipso, esse parvus humilitate,

---

6, 2 nobis : populo W ǁ virginum : virgo W ǁ 12 circumvall. conventum W ǁ 15 virgo : mater W ǁ 17 qui : quae B ǁ 18 isto loco W ǁ 20 suo *s.l.* B² ǁ **7**, 3 *post* parvus *add.* in W

---

6 *a.* Répons *Félix namque es* (*CAO* 6725)

Marie médiatrice. 6. Au huitième répons, durant le chant du verset : *Ora pro nobis* [a], etc., la Reine des vierges s'avança et, fléchissant les genoux avec respect, se présenta comme la médiatrice entre Dieu et la communauté, priant très dévotement pour chacune. L'Empereur, son Fils, la releva avec une extrême révérence et, la plaçant à ses côtés sur son trône de gloire, lui conféra le pouvoir d'exprimer librement toutes ses volontés. Aussitôt elle commanda à l'ordre des Puissances d'entourer le convent d'une troupe armée pour le défendre des embûches sans nombre de l'antique ennemi. Obéissant aussitôt à l'injonction de la Reine des cieux, ils rapprochèrent leurs boucliers l'un de l'autre et se mirent à protéger le convent de tous côtés. Elle dit alors à la bienheureuse Vierge : « Ô Mère de miséricorde, ne sont-elles pas sous le couvert de cette protection très sûre, celles qui, actuellement, ne sont pas présentes au chœur ? » La douce Vierge répondit : « Ce n'est pas à la communauté visible dans le chœur que cette protection sert de défense, mais celle-ci représente la communauté de tous ceux qui ont vraiment à cœur de garder toujours et de faire grandir une vie religieuse authentique, en ce lieu comme partout ailleurs, et travaillent dans ce but avec tout le zèle possible. Par contre, si certains, dans un moindre souci de conserver la vie religieuse, négligent de la maintenir en eux-mêmes et de la promouvoir chez autrui, ceux-là assurément n'ont aucune part à cette protection tutélaire des saints anges. »

7. « Et, ajouta le Seigneur, si quelqu'un désire être ainsi protégé et défendu, qu'il s'efforce d'imiter la forme de ces boucliers : en bas, c'est-à-dire en lui-même, qu'il soit petit par l'humilité ; en haut, c'est-à-dire en moi,

et superius, id est, in me, latus esse secura confidentia,
5 de mea praesumendo largiflua pietate. »

8. Cumque ad processionem in capella cantaretur versus *Ora pro nobis*, etc., videbatur Mater gloriosa deponere Filium delicatum super altare et se coram illo devote prosternere, quasi pro congregatione supplica-
5 tura. Cui regalis puer se versa vice prosternens in signum quod non solum preces ejus benigne susciperet, sed etiam se ad omnem voluntatem tam dilectae matris libens acclinaret.

CAPUT X

De sancto Gregorio papa

1. Celsi meriti, scilicet beatissimi, Papae Gregorii die praeclaro, dum inter Missam intenderet venerationi illius, apparuit ei idem Deo dignus pontifex inaestimabili gloria et honore caelesti circumfultus. Nam videbatur omnium
5 sanctorum meritis pro sui dignitate singulariter adaequatus. Par siquidem erat patriarchis in paterna provisione et diligenti cura qua nocte dieque sollicitabatur pro utilitate ecclesiae sibi commissae. Compar etiam videbatur prophetis esse, eo quod ipse in scriptis suis saluberrimis
10 diversas machinationes inimici quibus infestaturus erat genus humanum praenuntiavit, et ad resistendum illi utilia monita et cautelas adjunxit. Ex quibus ipse majori gloria laetabatur dotatus quam aliquis

4 id : hoc B ‖ 5 praesumenda B ‖ **8, 1** versus *om.* W
X. 1, 1 beatissimi scilicet W ‖ 11 ad *s.l.* B ‖ 12 illi *s.l.*
B² ‖ cautelas : causas W

---

1. Amusante application spirituelle tirée de la forme de l'écu des chevaliers (une ogive renversée).

qu'il se dilate, en se confiant, avec une absolue sécurité, à ma généreuse bonté [1] ».

8. A la procession dans la chapelle, comme on chantait le verset : *Ora pro nobis*, etc., on vit la Mère glorieuse déposer sur l'autel son tendre Fils et se prosterner devant lui, comme pour le supplier en faveur de la communauté. L'Enfant royal se prosterna à son tour devant elle pour bien montrer que, non seulement il accueillait ses prières avec bienveillance, mais même qu'il s'inclinait volontiers devant toutes les volontés de sa Mère chérie.

CHAPITRE X

Saint Grégoire, Pape

Grégoire émule de tous les saints. **1.** Au jour de la solennité du très saint Pape Grégoire, si grand par ses mérites [2], tandis qu'elle s'appliquait durant la Messe à lui témoigner sa vénération, ce digne pontife de Dieu lui apparut, enveloppé d'une gloire extraordinaire et d'honneurs célestes. On le voyait, en effet, égaler par sa valeur personnelle les mérites de tous les saints. Oui, il était l'émule des patriarches par sa prévoyance paternelle et le zèle diligent avec lequel, nuit et jour, il portait le souci du bien de l'Église à lui confiée. On le voyait comparable aux prophètes pour avoir lui-même, dans ses écrits salutaires, annoncé les diverses machinations dont l'ennemi se sert pour ravager le genre humain, et avoir aussi ajouté d'utiles conseils de prudence pour lui résister. C'est pourquoi il avait la joie de recevoir, pour ses écrits, une gloire plus

---

2. A qui s'étonnerait de la place de saint Grégoire dans la dévotion de sainte Gertrude, on pourrait rappeler (outre la très grande popularité du saint Docteur au moyen-âge) que Grégoire fut le disciple et le biographe de saint Benoît, ce qui justifie, de la part de la moniale, une estime et une vénération particulières.

sanctorum prophetarum pro sua prophetia. Aequipolle-
15 bat quoque meritis sanctorum apostolorum in fideli
adhaesione, qui tota devotione tam in adversis quam
in prosperis Domino fideliter adhaerebat, et verbi Dei
semina universae ecclesiae liberaliter distribuebat. Assi-
milabatur insuper meritis martyrum et confessorum, pro
20 districta corporis castigatione, devota religione et totius
sanctitatis perfectione. Praepollebat insuper in eo virginalis castitatis dignitas, et pro qualibet cogitatione,
verbo et opere quo unquam pro conservanda integritate
cordis vel corporis invigilaverit, sive alios scriptis sive
25 monitis suis invigilare docuit, inaestimabilis dignitatis
gloria laetabatur.

2. Tunc ait Dominus ad animam : « Perpende nunc
quam pulchre competat huic electo meo illud psalmisticum quo dicitur quod *secundum multitudinem dolorum
in corde* hominis, *consolationes* divinae *laetificent ani-*
5 *mam* [a] fidelem, cum pro quolibet verbo, facto, vel etiam
cogitatione se gravante tam inaestimabilibus deliciis sit
remuneratus. Nam instante die transitus sui natalis, qui
hodie recolitur, nequaquam ita laetabatur corpore,
utpote qui torrentem mortis pertransiens, in corporali
10 erat angustia constitutus. Omnes etiam circumstantes,
immo tota ecclesia tanto talique patre ac provisore desti-
tuta, diem illum lugubri dolore plangebat, quem nunc

19 pro : in W ‖ 23 conservanda : servanda W ‖ 24
invigilavit W ‖ **2,** 2 psalmisticum : psalmiste W

X. **2** *a. Ps.* 93, 19

---

1. *Illud psalmisticum* : tel est le mot donné par B mais écarté
par les éditeurs (Lansperge : *illud psalmi* ; Paquelin : *illud psal-
mistae*, avec W) ; il a été signalé par A. BLAISE, *Lexicon latinitatis
medii aevi*, chez RUPERT DE DEUTZ, *De Victoria Verbi Dei*, 5,

grande que n'importe lequel des saints prophètes pour
sa prophétie. Ses mérites pouvaient se comparer à ceux
des apôtres : comme eux, il s'était tenu fidèlement attaché
à Dieu, avec un entier dévouement, dans l'épreuve
comme dans la prospérité, en une fidèle adhésion, et
avait répandu à pleines mains dans l'Église universelle
la semence de la parole de Dieu. Ses mérites l'assimilaient
en outre aux martyrs et aux confesseurs par l'austérité
de sa mortification corporelle, la ferveur de sa piété et
sa parfaite sainteté en toutes choses. Il se distinguait
de plus par la qualité de sa chasteté virginale. Toutes
les pensées, paroles et actions par lesquelles il avait jamais
veillé à garder l'intégrité de son cœur et de son corps,
et enseigné aux autres, par ses avis ou ses écrits, semblable
vigilance, le faisaient jouir d'un honneur et d'une gloire
suréminents.

Récompense de Grégoire. 2. Alors Dieu dit à cette âme : « Considère maintenant comme il convient bien à mon élu ce mot du psalmiste [1] : C'est *en proportion de la multitude des douleurs du cœur* de l'homme que *les consolations* divines *réjouissent l'âme* [a] fidèle. Car pour chaque mot, chaque action, et même chaque pensée qui lui furent à charge, il est dédommagé par des délices absolument extraordinaires. En effet, alors qu'approchait le jour de son trépas — dont on fête aujourd'hui l'anniversaire —, il ne pouvait éprouver aucun plaisir en son corps, car, traversant ce torrent qu'est la mort, il était physiquement en proie à l'angoisse. Et, de même, tout son entourage, bien plus, l'Église entière, privée d'un tel père et protecteur, pleurait ce jour dans le deuil et la douleur. Mais maintenant,

26 (éd. Hacke, p. 183, l. 16) ; cf., ci-dessous, 23, 10, 9 : *illud evangelicum.*

annua revolutione insigni veneratione et praeconio laudum recolit sollemnem et jucundum. »

3. Tunc ista dixit ad Dominum : « Et quid, Domine
mi, ex hoc secutus est, quod tam saluberrimis scriptis
ecclesiam ditavit et illuminavit ? » Respondit Dominus : « Hoc, inquam, quod tota divinitas mea in singulis
5 scriptis suis miro modo delectatur, et omnes sensus
humanitatis meae suavi fruitione in eisdem scriptorum
et dictorum ejus deliciis pascuntur ; ipse quoque jucunde
fruitur mecum, quotiescumque aliqua de dictis ipsius
recitantur in ecclesia, seu quisquam ex eorum lectione
10 vel audientia salubriter compungitur, seu ad devotionem
incitatur, aut inflammatur ad amorem. Et ex hoc ipse
coram omni militia caelesti tantum consequitur dignitatis et honoris, quantum princeps vel miles terrenus
ex hoc consequitur quod domino suo regi consimili
15 veste amictus honoratur, sive quod ad mensam regis
sedens, de exquisitissimis ferculis, quibus rex ipse vescitur,
quotidie cum ipso pascitur. » Et adjecit Dominus : « Hac
speciali praerogativa dignitatis dotantur etiam tibi specialiter dilecti, scilicet Augustinus et Bernardus, caete-
20 rique alii doctores ecclesiae, quilibet secundum multi-
plicitatem et utilitatem doctrinae suae. »

4. Dum vero cantaretur XII^m responsorium, scilicet
O Pastor [a], exurgens beatus Gregorius flexis genibus ele-
vatisque manibus videbatur pro ecclesia Domino devote
supplicare. Cui Dominus cum mirae serenitatis blandi-
5 tate Cor suum deificum totum exposuit, ad hoc ut ex
ipso quodcumque ecclesiae necessarium cognosceret, exci-
peret libere largeque dispartiret. Cumque beatus Gregorius velut ambabus manibus gratiam divinae consolatio-

---

3, 2 saluberrimis : salubribus W ‖ 7 quoque *om.* B ‖ 16
de *om.* W ‖ exquisitis W

lorsqu'il revient sur le cycle annuel, elle le célèbre, comme un jour de fête et de jubilation, avec une immense vénération et des concerts de louange. »

3. Elle dit alors au Seigneur : « Et que lui est-il advenu, ô mon Seigneur, pour avoir enrichi et illuminé l'Église par des écrits d'une telle utilité ? — Ceci, je l'affirme, répondit le Seigneur : ma divinité tout entière se complaît merveilleusement en chacun de ses écrits. Leur charme joint à celui de ses discours rassasie d'une jouissance suave tous les sens de mon humanité. Lui-même partage avec moi cette jouissance chaque fois qu'un passage de ses écrits est lu dans l'Église ou que quelqu'un, en les lisant ou en les entendant, est touché d'une componction salutaire, ou excité à la dévotion, ou enflammé d'amour. Et lui-même, devant toute la cour céleste, en reçoit autant de gloire et d'honneur qu'un chevalier ou un soldat en reçoit sur la terre s'il a le privilège de revêtir des habits pareils à ceux du roi, son maître, ou si, siégeant à la table royale, il est chaque jour nourri des mets très recherchés dont le roi lui-même fait sa nourriture. » Et le Seigneur ajouta : « Cette prérogative et cet honneur particulier sont également accordés à Augustin et Bernard qui te sont particulièrement chers et aux autres docteurs de l'Église, chacun selon l'importance et l'utilité de son enseignement. »

4. Pendant le chant du douzième répons, c'est-à-dire *O Pastor* [a], le bienheureux Grégoire parut se lever, fléchir les genoux et, les mains levées, supplier Dieu avec dévotion pour l'Église. Le Seigneur avec tendresse et merveilleuse bienveillance lui ouvrit tout grand son Cœur déifique, afin qu'il y prît avec libéralité tout ce qu'il savait être nécessaire à l'Église et qu'il le distribuât largement. Mais au moment où le bienheureux Grégoire, puisant, pour ainsi dire, à deux mains dans le Cœur

---

4 *a.* Répons (*CAO* 7279) ; texte dans Paquelin, p. 330, n.1

nis de Corde dominico haustam in totam terrae latitudi-
10 nem diffundere vellet, videbatur Dominus eum circumcin-
gere quasi zona quadam splendida ex auro purissimo.
Per quod notabatur divina justitia, quae eum continuit
ne dimitteretur plane usque ad terram, sed velut in aere
detineretur, id est, ne gratiam usque ad indignos vel
15 ingratos diffunderet, sed si quis eam obtinere vellet,
desiderio cordis sursum nitens accipere mereretur.

CAPUT XI

De beato Benedicto Patre nostro.
Quam beati sint qui regularem vitam bene servant

1. Benedicti Patris nostri sanctissimi festo praeclaro,
dum inter Matutinas intenderet Deo devotius ob honorem et reverentiam tanti Patris, vidit in spiritu ipsum
Patrem gloriosum in conspectu fulgidae semperque tran-
5 quillae Trinitatis honorabiliter stantem, venustum forma,
decorumque aspectu. Ex cujus singulis articulis membrorum videbantur mirabiliter germinando prodire rosae pulcherrimae, mirae virtutis et vernantiae, fragrantiaeque
singularis ; sic quod quodlibet membrum ipsius verna-
10 bat velut quoddam amoenissimum rosetum, quia quaelibet rosa de medio sui producebat aliam rosam, et illa
ultra aliam, sicque plurimae prodibant de qualibet ;
quarum quaelibet alteri venustate, virtute et vernantia
sua praepollebat, et diversae diversas amoenitatis suae
15 odorifero virore praecellebant ; sicque totus floridus et

4, 9 totam *om.* W ‖ **16** nitens : videns B¹ (*corr. mg.* B²)
XI. 1, 8 mirae *mg.* B² ‖ **10** quod dum *mg.* B² ‖ **12** quolibet
W ‖ **15** praecellebat W

du Seigneur les grâces et les consolations divines, s'apprê-
tait à les répandre sur toute la surface de la terre, le
Seigneur sembla l'environner d'une sorte de cercle
resplendissant, d'un or très pur. C'est ainsi qu'était
figurée la justice divine qui l'empêchait de faire parvenir
complètement ces grâces jusqu'à terre, mais les retenait
en quelque sorte en l'air pour qu'elles ne se répandent
pas sur les indignes et les ingrats. Si quelqu'un voulait
les obtenir, il devait mériter de les recevoir en s'efforçant
de s'élever par le désir de son cœur.

CHAPITRE XI

Notre bienheureux Père Benoît.
Bonheur de ceux qui gardent la vie régulière

**Le rosier
de S. Benoît.** **1.** En la fête solennelle de Benoît,
notre Père très saint, tandis que, durant
les Matines, elle s'appliquait à Dieu avec
dévotion pour l'honneur et révérence d'un Père si illustre,
elle vit en esprit ce glorieux Père lui-même. Il se tenait
debout avec dignité, en présence de la resplendissante
et toujours tranquille Trinité. Il avait belle apparence
et c'était une joie que de le contempler. A chaque arti-
culation de ses membres on voyait éclore et s'épanouir
d'admirables roses, les plus belles qui soient, d'une vigueur
et d'un éclat merveilleux, d'un parfum incomparable.
Et chacun de ses membres produisait donc, pour ainsi
dire, un rosier magnifique : du cœur de chaque rose
jaillissait en effet une autre rose, et de celle-ci une autre
encore ; ainsi, d'une seule rose en sortaient un grand
nombre, la dernière l'emportant toujours sur la précédente en beauté, en vigueur et en éclat, tandis qu'elles
se surpassaient les unes les autres par la fraîcheur de leur
parfum délicieux. Couvert ainsi de fleurs riantes, le

amoenus sanctissimus Pater, *gratia et nomine benedictus* [a],
semper venerandae Trinitati omnique militiae caelesti
mirae et inaestimabilis delectationis incitamentum ministrabat, et ad tantae beatitudinis suae congratulatio-
20 nem provocabat. Itaque per flores rosarum quae de singulis membris ipsius efflorebant, notabantur singula
exercitia quibus ipse carnem suam domando spiritui
subjugaverat, et omnia opera virtutum quae peregerat
per omnem conversationem suam sanctissimam, et etiam
25 opera omnium imitatorum suorum qui ejus exemplo
et doctrina provocati, saeculo abrenuntiantes, sub regularis discretionis tramite, via regia ipsum sequentes, jam
ad portum patriae caelestis pervenerunt, et adhuc usque
ad consummationem saeculi perventuri sunt. De quibus
30 singulis idem venerabilis Pater singularem obtinet dignitatem, pro qua universitas sanctorum omnium ipsius
claritati et felicitati congaudens, Dominum sine fine
collaudat.

2. Gestabat quoque beatus Benedictus velut pro
baculo sceptrum quoddam decentissimum, gemmis pre-
tiosissimis mire coruscantibus ex utraque parte mirabiliter perornatum. Quod manu tenens, ex parte ad se
5 versa ex gemmis sceptri arridebat ei felicitas omnium
qui per regularem districtionem ordinis sui unquam sunt
correcti et emendati ; ex qua etiam inaestimabili delectatione divinae pietatis afficiebatur. Ex parte vero altera,
quae scilicet versa videbatur coram Domino, resplende-
10 bat decor divinae justitiae qua unquam aliquem illorum
quos ad tanti ordinis dignitatem gratuita sublimaverat
dignatione, culpis suis exigentibus, justo judicio con-

2, 10 quae W

XI. 1 *a.* S. Grégoire, *Dialogues*, l. II, prologue

Père très saint, *Béni de grâce et de nom* [a], offrait à la toujours adorable Trinité et à toute la milice céleste un sujet de joie merveilleuse et incomparable, et son grand bonheur ne pouvait qu'attirer les félicitations. Les roses épanouies qui fleurissaient de chacun de ses membres signifiaient chacun des exercices par lesquels il avait soumis sa chair au joug de l'esprit, ainsi que toutes les actions vertueuses accomplies durant le cours de sa vie très sainte. Elles signifiaient aussi les œuvres de tous ceux qui, stimulés par son exemple et son enseignement, renonçant comme lui au siècle et marchant à sa suite dans la voie royale [1], par le sentier de sa règle très sage, ont déjà gagné le port de la céleste patrie ou doivent y parvenir d'ici la fin du monde. Pour chacun d'eux le vénérable Père reçoit une marque d'honneur particulière. C'est pourquoi l'assemblée des saints tout entière, se réjouissant de sa gloire et de sa joie, en loue sans fin le Seigneur.

2. De plus, le bienheureux Benoît portait, en guise de crosse, un sceptre de toute beauté, merveilleusement orné, sur les deux faces, de pierres très précieuses d'un éclat extraordinaire. Tandis qu'il le tenait en main, les pierres placées sur la partie du sceptre tournée de son côté faisaient rayonner vers lui la félicité de tous ceux qui furent jamais corrigés et amendés par la règle austère de son ordre. Il faisait ainsi, avec une joie extrême, l'expérience de la bonté divine. L'autre face, celle par conséquent qui était tournée vers le Seigneur, reflétait l'éclat de la justice divine : celle-ci avait, en effet, par un juste jugement, envoyé aux supplices éternels l'un ou l'autre de ces moines qui, après avoir été gratuitement appelés à une vocation sublime dans ce grand ordre,

---

1. Sur le thème de la « voie royale » (cf. *Nombr.* 21, 22), expression de la discrétion religieuse, voir J. LECLERCQ, dans *Supplément à la Vie spirituelle*, nov. 1948, p. 339-352.

demnando suppliciis deputavit aeternis. Quia quanto
quis ad digniorem ordinem a Domino sublimatur, eo
15 justius indigne vivens condemnatur.

3. Cum vero offerret ipsi beato Patri ex parte congregationis psalterium unum in honore ipsius completum,
exurgens hilari vultu obtulit Domino vernantiam omnium
membrorum suorum, qua, ut praedictum est, videbatur
5 efflorere pro salute omnium suum patrocinium devoto
corde invocantium, ac etiam omnium qui vestigia ejus
sequi per regimen regulae suae sanctae praeoptarent.

4. Dum vero cantaretur responsorium *Grandi Pater*
fiducia morte stetit pretiosa [a], etc., ista dixit ad eum :
« Quid, Pater sancte, obtines dignitatis, quod tam glorioso fine ab hoc transisti saeculo ? » Respondit : « Hoc,
5 inquam, quod adhuc ex eo quod ultimum spiritum inter
verba orationis efflavi [b], tam suaviter spiro prae aliis sanctis, quod omnes in afflatu meo mirifice delectantur. »
Tunc orabat ut propter gloriam pretiosae mortis suae
dignaretur cuilibet de congregatione in hora mortis suae
10 fideliter adesse. Cui venerabilis Pater respondit : « Quicumque me admonere studuerit illius dignitatis qua me
Dominus meus tam glorioso fine dignatus est honorare
ac beatificare, huic ego in hora mortis suae tali fidelitate volo adesse, quod certe opponam me illi, ex omni
15 parte qua videbo insidias inimici nocivas contra ipsum
saevire, ut mea praesentia munitus, laqueos inimici eva-
dat securus, ac caeli gaudia petat sine fine beatus. »

3, 4 qua : quia W ‖ 6 ac etiam : et W ‖ **4,** 15 video W *l*

---

4 *a.* Ancien répons ; texte dans Paquelin, p. 332, n. 1 ‖

avaient par leurs fautes mérité cette condamnation.
Oui, plus grande est la dignité de l'ordre auquel on a été
appelé par Dieu, plus justement est-on condamné,
si l'on mène une vie indigne.

3. Comme elle offrait à ce bienheureux Père, au nom
de la communauté, un psautier récité en son honneur,
il se leva, le visage radieux, et présenta au Seigneur le
bouquet des fleurs qui, comme on l'a dit, ornaient tous
ses membres, pour le salut de tous ceux qui, d'un cœur
dévot, invoqueraient sa protection, de tous ceux aussi
qui choisiraient de suivre ses traces en se soumettant
à sa sainte règle.

Mort précieuse. **4.** Tandis qu'on chantait le répons :
Grandi Pater fiducia morte pretiosa [a], etc.,
elle lui dit : « Quelle marque d'honneur avez-
vous obtenue, ô Père saint, pour avoir quitté ce monde
par une mort si glorieuse ? » Il répondit : « Parce qu'en
exhalant mon dernier soupir je murmurais des prières [b],
mon souffle est si suave, comparé à celui des autres saints,
que mon haleine est pour eux tous d'une merveilleuse
douceur. » Elle se mit alors à le prier, en l'honneur de sa
mort précieuse, de daigner assister fidèlement chaque
membre de la communauté à l'heure de sa propre mort,
et le vénérable Père lui répondit : « Quiconque aime à me
rappeler la faveur dont mon Seigneur a daigné me
faire l'honneur et la joie par un trépas si glorieux, moi,
j'aurai à cœur de l'assister à l'heure de sa mort avec une
telle fidélité que je lui servirai de rempart, quel que soit
le côté par où apparaîtra, surgissant contre lui, l'ennemi
perfide et malfaisant. Défendu ainsi par ma présence,
il échappera, sain et sauf, aux filets de l'ennemi et gagnera
les joies célestes dans une béatitude sans fin. »

b. S. Grégoire, *Dialogues*, l. II, c. 37 ; cf. antienne du *Magnificat*, 2e Vêpres

CAPUT XII

De annuntiatione dominica

1. In vigilia Annuntiationis dominicae, dum pulsaretur ad Capitulum, et ista intendere studeret Domino, recognovit in spiritu Dominum Jesum una cum Matre sua virginea in capitolio in loco superiori sedentem, et
5 quasi cum magna tranquillitate adventum congregationis praestolantem, advenientesque cum inenarrabili blanditatis serenitate suscipientem. Et cum in kalendario legeretur Annuntiatio dominica, conversus Jesus ad Matrem blandissima capitis inclinatione ipsam saluta-
10 vit, et quodam modo in hoc per ea in ea illam inaestimabilem suavitatem et delectationem innovavit, quam persenserat, quando in utero virginali incomprehensibilis divinitas carnem ab ea sumens dignata est se humanae nostrae counire naturae.

2. Cum autem conventus dedisset se in orationem legendo psalmum *Miserere mei Deus* [a], Dominus obtulit omnia verba in manus suae virgineae Matris in specie margaritarum diversi coloris. Videbaturque regia Virgo
5 habere diversa olfactoriola in sinu suo congregata, quae exornabat cum margaritis, id est, cum orationibus congregationis sibi a Filio suo ad hoc porrectis. Intellexitque per olfactoriola designari gravamen congrega-

---

XII. 1, 10 ea[1] : eam W ‖ 14 counire : convenire B[1] (*corr. mg.* B[2]) ‖ **2,** 3 omnia verba *mg.* B[2]

XII. **2** *a. Ps.* 50

---

1. *In capitolio* : « au chapitre », « à la salle du chapitre ». Les éditeurs ont remplacé ce mot, dont l'usage n'est pourtant pas

CHAPITRE XII

L'Annonciation du Seigneur

**Annonce
de la fête.**
1. En la vigile de l'Annonciation du
Seigneur, comme on sonnait le Chapitre
et qu'elle concentrait toute son attention
sur le Seigneur, elle vit en esprit le Seigneur Jésus siégeant
au Chapitre [1] à la première place, avec la Vierge, sa Mère. Il
semblait attendre très paisiblement l'arrivée de la communauté, et il accueillait celles qui entraient avec une bonté
et une douceur que l'on ne peut décrire. Et lorsqu'on
lut dans le martyrologe l'Annonciation du Seigneur,
Jésus, se tournant vers sa Mère, la salua avec beaucoup
de tendresse d'une inclination de tête, et renouvela
ainsi en elle, d'une certaine manière, cette joie suave
ressentie le jour où la divinité que rien ne peut contenir,
prenant chair en elle, daigna s'unir à notre nature
humaine dans son sein virginal.

**Offrande
d'une épreuve.**
2. Le convent s'étant mis en prière,
par la récitation du *Miserere mei Deus* [a],
le Seigneur déposa tous les mots de
ce psaume dans la main de sa Mère virginale comme
autant de perles de diverses couleurs. La Vierge royale
paraissait avoir, accumulés sur ses genoux, divers sachets
de parfum qu'elle ornait de ces perles, c'est-à-dire des
prières de la communauté offertes par son Fils à cet effet.
Elle comprit alors que ces sachets de parfum symboli-

rare, par *in capitulo*. Le mot *capitolium* figurait déjà au l. III,
28, 1, 17 (t. III [*SC* 143], p. 128).

tionis quod praecedenti die de quadam insperata pro-
10 venerat causa, quod et Matri misericordiae commiserant.
Cumque miraretur et perquireret qualiter hoc gravamen
in specie olfactoriolorum ostenderetur, Dominus respondit : « Idcirco, inquam, quia sicut delicatae feminae
magis delectantur penes se gestare olfactoriola delecta-
15 bilia, quam alia xenia, quod in eorum fragrantia delectantur ; sic etiam ego magis delector in cordibus illorum
qui gravamina sua cum humilitate, patientia et gratitudine fiducialiter committunt meae paternae pietati, quae
diligentibus se universa, tam prospera quam adversa,
20 commutat in bonum [b]. »

3. Illa vero cogitante cur eam Dominus tam corporea
visione illa vice et etiam saepius instrueret, proposuit
ei Dominus illud, quod in eodem festo canitur, de porta
clausa quam quondam in spiritu praeviderat propheta
5 Ezechiel [a], et ait ad eam : « Sicut olim incarnationis,
passionis et resurrectionis meae modus et ordo a prophetis
per mysticas rerum species et similitudines est praesigna-
tus, sic et modo spiritualia et invisibilia non aliter quam
per rerum cognitarum similitudines possunt ad intellec-
10 tum hominum exprimi. Et ideo a nullo debet vilipendi
quidquid per imaginationes rerum corporalium demons-
tratur, sed studere debet quilibet ut per corporalium
rerum similitudinem spiritualium delectationum suaves
intellectus degustare mereatur. »

---

16 etiam : et W ǁ magis : valde W ǁ **3,** 4 praeviderat :
viderat W ǁ 6 et[1] *s.l.* B ǁ 7 rerum : res W

---

b. Cf. *Rom.* 8, 28 ǁ **3** *a.* Cf. *Éz.* 44, 1 et 2

---

1. Il peut être intéressant de remarquer que ce titre de *Mater
misericordiae*, usité dès le milieu du xie siècle, se retrouve dans

saient une épreuve arrivée la veille à la communauté
de façon impromptue et qu'on avait confiée à la Mère
de miséricorde [1]. Pleine d'étonnement, elle s'enquit du
motif pour lequel cette épreuve était ainsi présentée
sous forme de sachets de parfum, et le Seigneur lui fit
cette réponse : « Les femmes élégantes, tu le sais, pren-
nent plaisir à porter sur elles des sachets de parfum
délicat plutôt que n'importe quel autre petit présent, car
cette odeur suave leur est agréable ; ainsi moi, j'éprouve
plus de complaisance dans les cœurs qui confient en
toute assurance leurs épreuves avec humilité, patience et
gratitude, à ma bonté paternelle. Pour ceux qui l'aiment,
heur ou malheur, elle change tout en bien [b]. »

Symboles. **3.** Mais comme elle se demandait pourquoi
le Seigneur, cette fois et tant d'autres,
l'instruisait par une vision si matérielle, le Seigneur
lui remit en mémoire ce qu'on chante, en la fête du jour,
au sujet de la porte fermée que vit d'avance en esprit
le prophète Ézéchiel [a], et il lui dit : « De même qu'autrefois le mode et l'économie de ma passion, de mon incarnation et de ma résurrection furent signifiés d'avance
aux prophètes par les symboles mystiques et les images
de la réalité, ainsi, aujourd'hui encore, les choses spirituelles et invisibles ne peuvent être exprimées à l'entendement humain que par des figures empruntées
au monde sensible. Voilà pourquoi nul ne doit mépriser
ce qui lui est révélé par le symbole de réalités matérielles,
mais plutôt chacun doit-il faire effort pour mériter de
percevoir et de goûter, par le truchement des images
matérielles, la saveur des délices spirituelles. »

plusieurs compositions liturgiques du xiiie (v.g. prose *Salve Mater
misericordiae*). Il avait même été déjà introduit à cette époque
dans le *Salve Regina* qui, originairement, portait seulement :
Regina misericordiae.

4. Inter Matutinas vero, dum cantaretur *Ave Maria* [a],
vidit tres rivulos efficacissimos procedentes a Patre
et Filio et Spiritu Sancto cor virginis Matris suavissimo impetu penetrare, et de corde ipsius rursus effi-
5 caci impetuositate suam originem repetere, et ex illo
influxu sanctae Trinitatis hoc beatae Virgini dona-
tum fore, quod ipsa est potentissima post Patrem,
sapientissima post Filium, et benignissima post Spiritum Sanctum. Cognovit etiam quod quotiescumque illa
10 salutatio angelica, scilicet : *Ave Maria*, cum devotione
recitatur a fidelibus in terris, praedicti rivuli efficaciori
impetu superabundantes circumfluunt beatissimam Virginem, et ex altero latere reinfluunt cor ipsius sanctissimum, sicque cum mira delectatione repetunt fontem
15 suum, et ex illa redundatione venae quaedam gaudii,
delectationis et aeternae salutis resperguntur in omnes
personas sanctorum et angelorum, et insuper illorum qui
in terris commemorant eamdem salutationem, per quas
renovatur in singulis omne bonum quod unquam per
20 salutiferam incarnationem Filii Dei sunt adepti.

5. Quandocumque etiam aliqua recitabantur de beatae
Virginis castitate, ut : *Haec est quae nescivit torum* [a],
Domus pudici [b], *Clausa parentis* [c], etc., omnes sancti
Dei assurgentes speciali reverentia imperialem Virgi-
5 nem et dominam suam venerabantur, gratias devotas

4, 1 *post* cantaretur *add.* invitatorium W ‖ 15 et *s.l.* B[2]

---

4 *a.* Invitatoire (*CAO* 1042) : *Lc* 1, 28 ‖ **5** *a.* 3e antienne du
1er nocturne (*CAO* 3001) ‖ *b* 5e antienne de Laudes (*CAO*
2429) ‖ *c.* 4e antienne de Laudes (*CAO* 1776)

---

1. Sainte Gertrude est-elle influencée, dans sa vision de la liturgie céleste, par le cérémonial monastique ? Saint Benoît dit en

Le cœur de Marie.

4. Pendant les Matines, durant le chant de l'*Ave Maria* [a], elle vit trois ruisseaux impétueux jaillir du Père et du Fils et de l'Esprit-Saint ; ils pénétraient avec l'élan d'une infinie douceur dans le cœur de la Vierge Marie, et, de ce cœur, rebondissaient de nouveau vers leur source avec une fougueuse impétuosité. Or, sous ce flot ruisselant de la Sainte Trinité, il était donné à la bienheureuse Vierge d'être la plus puissante après le Père, la plus sage après le Fils, la plus bénigne après l'Esprit. Elle apprit encore que toutes les fois où les fidèles récitent dévotement sur la terre cette salutation angélique, c'est-à-dire : *Ave Maria*, ces ruisseaux, avec une impétuosité renouvelée, venaient cerner de toute part la bienheureuse Vierge de l'abondance de leurs flots, et, avec une nouvelle force, pénétrer en son cœur très saint, pour rebondir ensuite vers leur source en une délectation merveilleuse. Et de ce jaillissement, des flots de joie, de délices et d'éternel salut inondent chacun des saints et des anges et, de plus, tous ceux qui, sur terre, font mémoire de cette salutation. Ainsi en chacun est renouvelé tout le bien qui leur est jamais venu par l'incarnation du Fils de Dieu, porteuse de salut.

Notre-Dame.

5. Toutes les fois qu'on récitait quelque texte concernant la chasteté de la bienheureuse Vierge, comme par exemple : *Haec est quae nescivit torum* [a], *Domus pudici* [b], *Clausa parentis* [c], etc., tous les saints de Dieu se levaient avec une particulière révérence [1], présentaient leurs respects à la Vierge sou-

---

effet (*RB*, 9) que lorsque le chantre entonne le *Gloria Patri* : *mox omnes de sedilibus surgant ob honorem et reverentiam sanctissimae Trinitatis.* On retrouve ici, et presque dans les mêmes termes, un geste identique en l'honneur de la Vierge.

Domino referentes pro omnibus beneficiis beatissimae
Matri unquam ad salutem universitatis impensis. Sanctus quoque Gabriel archangelus toties novo splendore
divini luminis visus est irradiari quoties recitabatur
10 annuntiatio facta per ipsum. Et cum nominabatur beatus Joseph, cui desponsata erat Mater virginea *d*, omnes
sancti capita sua reverenter ob honorem ejusdem inclina-
bant, et nutu oculorum amicabiliter blandiebantur,
ipsius dignitati congaudentes.

6. Inter Missam vero qua erat communicatura, vidit
matrem Domini gloriosam omnium virtutum decore
mirabiliter adornatam, ad cujus pedes anima humiliter
procidens, orabat ut eam ad perceptionem corporis et
5 sanguinis sacratissimi Filii sui dignaretur praeparare.
Tunc beata Virgo imposuit pectori ejus monile quoddam
splendidissimum, quod habebat quasi cornua septem, et
in quolibet cornu gemmam quamdam pretiosissimam :
per quae significabantur praecipuae virtutes in quibus
10 beata Virgo Domino complacuerat. Per primam itaque
gemmam figurabatur alliciens puritas ; per secundam,
fructificans humilitas ; per tertiam, fervens desiderium ;
per quartam, luminosa cognitio ; per quintam, inextinguibilis amor ; per sextam, eminens delectatio ; per sep-
15 timam, pacata tranquillitas. Cumque anima hoc monili
decorata divinis conspectibus appareret, Dominus in
ornatu virtutum illarum tantopere delectatus et allectus est, quod velut amore captus, se cum tota virtute
divinitatis suae ad eam inclinans, ipsam totam mirabi-
20 liter sibi intraxit, et in sinu suo delicate confovens, amicabiliter ipsi blandiebatur.

5, 9 divini *s.l.* B² ‖ 11 mater *s.l.* B² ‖ 12 ejusdem : ipsius W ‖
6, 4-5 sacratiss. corp. et sang. W

veraine, leur dame, rendant au Seigneur de dévotes
actions de grâces pour tous les dons jamais accordés
à la bienheureuse Mère pour le salut de l'univers. Et l'on
voyait l'archange saint Gabriel illuminé d'un nouveau
rayon de lumière divine chaque fois que l'on répétait
l'annonce faite par son ministère. Lorsqu'on nommait
aussi le bienheureux Joseph à qui la Mère virginale [d]
avait été fiancée, tous les saints inclinaient révéremment
la tête en son honneur, tandis que leurs regards affectueux lui souriaient, pleins de joie pour sa dignité.

Vertus de Marie. 6. Durant la Messe où elle devait communier, elle vit la glorieuse Mère du Seigneur
merveilleusement ornée de l'éclat de toutes
les vertus. Se jetant humblement à ses pieds, l'âme se
mit à la prier de daigner la préparer à recevoir le corps
et le sang très saints de son Fils. La bienheureuse Vierge
lui mit alors sur la poitrine un collier de toute beauté
qui avait comme sept pointes, et sur chacune une sorte
de pierrerie extrêmement précieuse. Cela symbolisait
les principales vertus par lesquelles la Vierge avait plu
au Seigneur. La première des pierreries figurait sa pureté
attrayante ; la seconde, son humilité féconde ; la troisième,
ses fervents désirs ; la quatrième, sa lumineuse connaissance ; la cinquième, son amour inextinguible ; la
sixième, sa joie souveraine ; la septième, sa paix inal-
térable. Or, lorsque l'âme se présenta aux regards de
Dieu, ornée de ce collier, le Seigneur fut tellement charmé
et captivé par la beauté de ces vertus, que, comme ravi
d'amour, il s'inclina vers elle avec la toute-puissance de
sa divinité, l'attira — ô merveille ! — tout entière à lui et,
la pressant tendrement sur son Cœur, lui prodigua ses
affectueuses caresses.

d. Cf. *Lc* 1, 27

7. Dum vero ad Tertiam cantaretur antiphona *Arte mira*, Spiritus Sanctus tamquam auster lenissimus efflare videbatur de Corde Domini, qui suo praesuavissimo spiramine septem gemmas monilis illius quod anima
5 gestabat coram se dulciter circumvolvens, per eas quasi per musicum instrumentum ipsam antiphonam decantabat in laudem summae Trinitatis.

8. Hinc dum in evangelio legeretur : *Ecce ancilla Domini* *a*, ista devota mentis intentione salutabat matrem Dei, admonens eam illius ineffabilis gaudii, quod persensit quando in verbo illo se totam et omnia circa
5 se agenda cum plena fiducia divinae voluntati commisit. Cui beata Virgo blandissima serenitate respondit : « Quicumque me istius gaudii devote admonuerit, huic veraciter ego demonstrabo illud quod petitur in hymno praesentis festi, scilicet : *Monstra te esse matrem* *b*, exhi-
10 bendo me revera matrem Regis et supplicantis : Regis, per potentiam ; supplicantis, per viscerum misericordiae affluentiam sibi salutarem. »

9. Dum vero ad Vesperas in antiphona *Haec est dies* *a* cantaretur : *Hodie Deus homo factus*, et conventus ob reverentiam dignissimae incarnationis Domini prosterneretur in terram, quasi commotus in verbo illo Filius
5 Dei regis summi reduceret ad memoriam quo cogente

7, 6 *post* per *add.* quoddam W *et s.l.* B² ‖ **8**, 8 ego *om.* W ‖ 9 festi praesentis W

---

8 *a. Lc* 1, 38 ‖ *b.* Hymne *Ave maris stella*, 4ᵉ strophe ‖ **9** *a.* Antienne du *Magnificat*, 2ᵉ Vêpres (*CAO* 2997) ; texte dans Paquelin, p. 337, n. 1

---

1. Sainte Gertrude a très bien saisi le sens profond du *Monstra te esse Matrem.* Notre-Dame est, à la fois, Mère de Dieu et Mère des hommes. Ce sont les deux aspects de sa maternité dont elle

7. A Tierce, tandis qu'on chantait l'antienne : *Arte mira*, l'Esprit-Saint, tel une brise infiniment légère, semblait venir du Cœur du Seigneur, et, de son souffle plein de suavité, faire avec douceur le tour des sept pierreries du collier porté par l'âme. Elles lui servaient comme d'instrument de musique pour chanter cette antienne à la louange de la Trinité suprême.

**Servante du Seigneur,
Mère de Dieu
et des hommes.**

8. Puis, comme on lisait dans l'Évangile : *Ecce ancilla Domini* [a], elle se mit à saluer la Mère de Dieu d'une âme dévote et fervente, lui rappelant cette joie au-delà de toute expression qu'elle avait ressentie, lorsque, en disant cette parole, elle avait, en pleine confiance, entièrement livré sa personne et tout ce qui devait s'accomplir en elle à la divine volonté. La bienheureuse Vierge lui répondit alors, avec beaucoup d'affectueuse douceur : « Celui qui avec dévotion me rappellera cette joie, moi, je lui ferai vraiment expérimenter ce qui est demandé dans l'hymne de la fête d'aujourd'hui, c'est-à-dire : *Monstra te esse Matrem* [b] [1] ; je me montrerai en vérité la Mère du Roi et de son suppliant : du Roi, par ma puissance ; du suppliant, par la profusion de ma tendre et salutaire miséricorde. »

**Le Christ, frère
des hommes.**

9. Aux Vêpres, lorsque, chantant l'antienne : *Haec est dies* [a], on en vint à ces mots : *Hodie Deus homo factus est*, le convent se prosterna à terre par révérence pour la glorieuse incarnation du Seigneur. Comme ému à ces paroles, le Fils de Dieu, le Roi suprême, se remit en mémoire que son amour pour nous l'avait obligé à se

est invitée à donner des preuves, par sa puissance d'une part, par sa miséricorde d'autre part.

amore pro nobis foret homo factus, concite de solio suo
regali surrexit, et coram Deo Patre reverenter stans ait
illi : « *Fratres mei venerunt ad me* [b]. » O quam longe suaviori affectu creditur esse commotus Deus Pater ex illo
10 verbo Filii sui praedilecti, in quo sibi complacuit [c], ad
praestandum in infinitum potiora bona confratribus unigeniti sui, quam Pharao, qui congratulando Joseph ad se
venientibus fratribus suis beneficia larga impendit [d], ut
dicitur in Genesi !

    10. Desiderans vero investigare quid orationis beata
Virgo acceptaret specialius in festo illo, edocta est ab
ea quod si quis per octavam quotidie legeret quadraginta quinque *Ave Maria* cum devotione, in memoriam
5 dierum illorum quibus Dominus Jesus crevit in utero
suo, ille tam acceptum sibi famulatum exhiberet, sicut
si eo die quo Dominum concepit, sibi affuisset, et per
singulos dies usque ad partum diligentissima sibi obsequia impendisset ; et tam indebite sicut illi denegasset
10 quidquid ab ea desiderasset, tam invita vellet isti denegare.

    11. *Ave Maria* sic intellexit legenda, quod scilicet ad
illud verbum *Ave* desideraret alleviari omnes gravatos ;
per *Maria*, quod interpretatur amarum mare, paenitentibus in bonis permanere ; per illud *gratia plena*, omni-
5 bus quibus non sapit gratia, praestari saporem ; per
Dominus tecum, omnibus peccatoribus indulgentiam ;
per *benedicta tu in mulieribus*, omnibus incipientibus perficere bonam voluntatem ; per *benedictus fructus ven-*

    9, 8 illi *om.* W ‖ **10**, 2 illo : isto W ‖ **11**, 3-4 per maria —
permanere : *mg.* B[1] *om. l* ‖ 7-8 perficere : proficere per W

---

    b. Gen. 46, 31 ‖ *c.* Cf. *Matth.* 3, 17 ‖ *d.* Cf. *Gen.* 47, 5-12

---

    1. Nous savons que la durée de la grossesse était estimée à
276 jours (cf. ci-dessous, 51, 1, 3 et la note). Si 45 *Ave* récités

faire homme et, debout, plein de respect, en présence de
son Père, il lui dit : *Mes frères sont venus à moi* [b]. Oh !
ne faut-il pas croire que Dieu le Père, à ces paroles de son
Fils bien-aimé en qui il se complaît [c], fut remué d'un
sentiment beaucoup plus tendre, et poussé à donner aux
frères de son Fils unique des biens infiniment plus opu-
lents que ces faveurs et ces largesses que, selon le récit
de la Genèse, Pharaon accorda, avec des félicitations,
aux frères de Joseph venus à lui [d] ?

Ave Maria. **10.** Comme elle cherchait à découvrir
quelle prière la bienheureuse Vierge accep-
terait le plus volontiers en cette fête, elle apprit d'elle que
si, chaque jour de l'octave, on récitait avec dévotion qua-
rante-cinq *Ave Maria* en mémoire des jours que le Seigneur Jésus mit à croître en son sein [1], elle accepterait cet
hommage aussi favorablement que si on l'avait assistée
quotidiennement depuis le jour où elle conçut le Seigneur,
et si on lui avait prodigué quotidiennement les soins les plus
empressés jusqu'à son enfantement. Et de même qu'elle
n'aurait pu refuser alors sans injustice ce qu'on désirait
d'elle, de même ce ne pourrait être qu'à contrecœur
qu'elle n'exaucerait pas cette prière.

11. Elle comprit de quelle manière il convenait de
réciter l'*Ave Maria* : au mot *Ave*, il faut désirer le soulagement de tous les affligés ; à *Maria* — qui signifie
« mer d'amertume » —, la persévérance dans le bien
de tous les pénitents ; à *gratia plena*, la saveur de la grâce
pour ceux qui ne la goûtent pas ; à *Dominus tecum*, le
pardon de tous les pécheurs ; à *benedicta tu in mulieribus*,
une bonne volonté efficace chez tous les débutants ;
à *benedictus fructus ventris tui*, la perfection pour tous

---

durant l'octave de l'Assomption honorent les jours vécus par
Jésus dans le sein de Marie, c'est donc sans doute que « l'octave »
ne désigne que les 6 jours intermédiaires : $45 \times 6 = 270$.

tris tui, omnibus electis perfectionem ; per *Jesus,*
10 *splendor paternae claritatis*, veram cognitionem ; per
et figura substantiae ejus [a], divinum amorem. Ad quodlibet
enim *Ave Maria*, ista verba, scilicet *Jesus, splendor
paternae claritatis et figura substantiae ejus*, debent
adjungi in fine.

CAPUT XIII

DE INTENTIONIBUS PRO ECCLESIA OFFERENDIS.
IN DOMINICA *Circumdederunt* [a]

1. In dominica *Circumdederunt*, dum adhuc valde
esset debilis, et multum desideraret divina percipere
sacramenta, et quamvis se ad hoc pro posse suo studuisset praeparare, tamen ad complacitum matris spiritualis
5 propter bonum discretionis intermittere consentiret com-

---

9 *post* Jesus *add.* qui est W ǁ 10 caritatis *codd.* ǁ *post* per
add. Christus B² W ǁ 13 caritatis *codd.* ǁ *post* substantiae
ejus *add.* et medulla paterni cordis B² W *postea add.* W
pusillanimis magnanimitatem ad bona aggredienda, *quae
verba lineis inclusa sunt, adjuncta nota mg.* : vacant haec ǁ
debent : debet W ǁ 14 in fine *mg.* W *manu quae praeced.
notam scr.*

XIII. 1, 1 valde adhuc W ǁ 4 placitum W

---

11 *a.* *Hébr.* 1, 3
XIII. 1 *a.* Septuagésime : *Ps.* 17, 5

---

1. Cette fin de chapitre présente, dans les manuscrits, différentes
additions peu faciles à interpréter. Elles permettraient d'établir
approximativement le texte suivant des lignes 9-14 : « per *Jesus,*

les consacrés ; à *Jesus, splendor paternae claritatis*, la science véritable ; à *et figura substantiae ejus* [a], l'amour divin pour ceux qui sont froids. Car à la fin de chaque *Ave Maria* on doit ajouter les mots : *Jesus, splendor paternae claritatis et figura substantiae ejus* [1].

CHAPITRE XIII

QUELLE INTENTION IL FAUT AVOIR
POUR L'ÉGLISE
DIMANCHE *Circumdederunt* [a]

Renoncer à communier. **1.** Le Dimanche *Circumdederunt*, se sentant encore extrêmement faible, mais désirant vivement recevoir le divin sacrement, elle s'était efforcée de s'y préparer du mieux qu'elle pouvait. Néanmoins, sur le désir de sa Mère spirituelle et pour ne pas manquer à la discrétion, elle consentit à s'abstenir

---

splendor paternae claritatis, [........] veram cognitionem ; per *et figura substantiae ejus*, frigidis divinum amorem ; per *et medulla paterni cordis*, pusillanimis magnitudinem. Ad quodlibet enim *Ave Maria*, ista verba, scilicet *Jesus, splendor paternae claritatis et figura substantiae ejus et medulla paterni cordis*, debent adjungi in fine. » — La tradition manuscrite est plus favorable à la leçon brève, adoptée ici, qui ne connaît que la citation de *Hébr.* 1, 3 : *splendor paternae claritatis et figura substantiae ejus*. Il faut pourtant reconnaître que l'addition : *et medulla paterni cordis*, s'il s'agit bien d'une addition, appartient tout à fait au milieu spirituel d'Helfta. Si l'expression ne se retrouve pas chez Gertrude, elle figure chez MECHTILDE, *Liber specialis gratiae*, I, 5 : « Salve, *paterni cordis medulla* dulcissima... Intellexit... qualiter Filius est *medulla paterni cordis...* » (éd. Paquelin, p. 16). — Noter par ailleurs que la citation de *Hébr.* 1, 3 porte dans les manuscrits : *splendor paternae caritatis* ; les éditeurs ont, à bon droit, écrit *claritatis*, correspondant du mot *gloriae*, seul connu des versions latines de *Hébr.* 1, 3.

munionem, et hoc Domino in laudem aeternam offerret, videbatur sibi stare coram Domino ; et Dominus
benigne se acclinans suscepit eam in sinum paternae
benignitatis suae, dulciterque quasi mater unico blan-
10 diens infantulo dixit : « Ex quo deliberasti me omittere
pure propter me, ego in gremio meo confovebo te, ne
forte aliquo post me fatigeris exteriori labore. »

2. Cumque sic in sinu Domini deliciaretur, dixit ad
eum : « O amator dulcissime, cum mundus qui *totus in*
maligno positus est [a] tempore isto magis *crapula et*
ebrietate [b] gloriae tuae soleat adversari, ego ex toto corde
5 desidero e converso in emendationem illius tuam laudem in nostra congregatione promovere. Unde si dignareris me ancillam tuam, licet heu ! indignissimam, tuo
servitio mancipare, et ad nuntiam acceptare, ego libentissime propter amorem tuum caeteris vellem annun-
10 tiare, in quo frequenter tibi tempore isto speciali devotione obsequendo super diversis mundanorum infestationi-
bus te complacando possent lenire. » Cui Dominus : « Si
quis est nuntius meus, illum tali remunero praemio, ut
omne quod ipse mihi acquisierit, totaliter cedat suae
15 ditioni. » Per quod intellexit, quod quandocumque aliquis
scribit vel alios docet ea intentione quo laus Dei per hoc
promoveatur et profectus animarum, tunc omnis profectus quem aliquis unquam ex illa scriptura sive doc-

---

7 stare : adstare W ‖ **2**, 13 nuntius meus est B ‖ 14 suae
cedat W ‖ 16 quo : quod W ‖ per hoc *om.* W

---

2 *a. I Jn* 5, 19 ‖ *b. Lc* 21, 34

---

1. S'agit-il déjà des réjouissances du carnaval ? Dans les chapitres suivants (en particulier 14,8 et 15), sainte Gertrude reviendra

de communier, et elle offrit cela au Seigneur en louange
éternelle. Il lui sembla alors se tenir debout devant le
Seigneur, et le Seigneur, s'inclinant vers elle avec bonté,
la reçut dans le sein de sa bonté paternelle et, doucement,
comme une mère caresse son petit enfant chéri, il lui
dit : « Puisque c'est uniquement à cause de moi que tu
as consenti à te priver de moi, je veux te réchauffer
sur mon sein ; sinon, peut-être t'épuiserais-tu à me
chercher en quelque labeur extérieur. »

**Réparation
pour les pécheurs.**
2. Tandis qu'elle goûtait ainsi ces
délices sur le sein du Seigneur, elle
lui dit : « Ô mon très doux amant,
le monde, qui *est tout entier plongé dans le mal* [a], offense
davantage encore ces jours-ci [1] votre gloire *par la débauche
et l'ivrognerie* [b] ; moi, je désire au contraire de tout mon
cœur, en réparation de ce mal, promouvoir votre honneur en notre communauté. Dès lors, si vous voulez
bien me prendre à vos ordres, moi, votre servante,
tout indigne que je sois, hélas ! et m'accepter pour votre
héraut, alors, de tout mon cœur, j'enseignerai aux autres
pour votre amour quelque exercice particulier de dévotion qu'ils pourraient accomplir fréquemment en ces
jours pour apaiser votre colère en face de l'hostilité
et des insultes des mondains. » Le Seigneur lui répondit :
« Celui qui sera mon héraut, voici de quel prix je le récompenserai : tous les biens qu'il aura acquis pour moi seront
versés intégralement à son compte. » Cela lui fit comprendre que si l'on écrit ou que l'on enseigne les autres, dans
l'intention de promouvoir ainsi la gloire de Dieu et le
profit des âmes, tout le profit que quelqu'un retire de
cet écrit ou de cet enseignement, au cours même de milliers

à maintes reprises sur les péchés de ces jours-là. Les fêtes s'éten-
daient, semble-t-il, sur toute la semaine précédant le Mercredi
des Cendres. Voir t. III (*SC* 143), Appendice VI, p. 356.

trina etiam per mille annorum millia consequitur, tota-
20 liter cedit in salutem illius qui sua intentione hoc Domino
primitus praelibavit.

3. Post hoc adjecit Dominus : « Quicumque studuerit
singula commoda sua sive in bibendo, sive in comedendo,
dormiendo et similibus quae ex natura cogitur suscipere,
ea sumit intentione, ut dicat corde vel ore : Domine,
5 hunc cibum, vel aliud quodcumque, suscipio in illo amore
quo tu ipsum mihi ab aeterno sumendum praeordinasti
ad salutem, etiam et in illo amore quo tu sanctificasti
eumdem, cum in tua sanctissima humanitate consimili
utereris ad laudem Dei Patris et salutem generis humani
10 totius, orans ut in unione divini amoris tui cedat in
augmentum salutis omnibus caelestibus, terrestribus et
purgandis : ille singulis vicibus, quando tali intentione
aliquod suscipit commodum, praetendit coram me quasi
scutum quoddam firmissimum, unde contra diversas infes-
15 tationes quibus a mundanis molestor protectus defendor. »

4. Hinc inter Missam, dum conventus communicaret,
reclinavit eam Dominus mira blanditate ad vulnus amatorium sanctissimi lateris sui, dicens : « Ex quo hodie
causa discretionis me corporaliter in sacramento altaris
5 suscipere omittis, bibe nunc de Corde meo spiritualiter
suavissimae divinitatis meae efficacem influxum. »
Cumque de torrente voluptatis divinae suaviter potata [a],
Domino devotas gratias offerret, conspexit in spiritu
omnes qui illo die communicabant stantes in conspectu
10 Domini [b]. Quibus singulis Dominus, de praeparatione illa
qua ipsa se praeparare studuerat ad communionem, dona-
bat quasi singulas vestes miri decoris, ad quarum quam-

3, 2 in² *om.* W ‖ 3 suscipere cogitur W ‖ 4 corde vel
ore : ore et corde W ‖ 7 et *om.* W ‖ 7-8 eumdem sanctificasti W ‖ 9-10 totius hum. gen. W ‖ 11 et *om.* W

4 *a.* Cf. *Ps.* 35, 9 ‖ *b.* Cf. *Apoc.* 7, 9

d'années, passe intégralement au bénéfice de celui
qui, à l'origine, a eu le dessein de l'offrir au Seigneur.

3. Et le Seigneur ajouta ensuite : « Que celui qui satis-
fera à quelqu'une de ses nécessités : boisson, nourriture,
sommeil et autres besoins auxquels le contraint la nature,
qu'il le fasse de manière à pouvoir dire de cœur et de bouche : ' Seigneur, je prends ce repas — ou tout autre soulagement —, uni à cet amour qui, de toute éternité, vous l'a
fait préparer pour mon bien, uni aussi à l'amour par lequel
vous l'avez sanctifié, lorsque, en votre sainte humanité,
vous en avez pareillement usé pour la gloire de Dieu
le Père et le salut de tout le genre humain. Je vous
demande qu'en union à votre amour divin, il serve à
accroître le salut de tous les habitants du ciel, de la terre
et du purgatoire. ' Chaque fois qu'une personne prend,
dans cette intention, un soulagement quelconque, elle
place devant moi comme un bouclier très résistant
qui me protège et me défend contre les insultes et l'hostilité dont me harcèlent les mondains. »

**Communion
spirituelle.**
4. Pendant la Messe, tandis que le
convent communiait, le Seigneur la fit
reposer avec une merveilleuse tendresse
sur la plaie d'amour de son côté très saint, en lui disant :
« Puisque, par discrétion, tu t'abstiens aujourd'hui
de recevoir mon corps, viens maintenant te désaltérer
mystiquement à mon Cœur d'où ruisselle avec abondance
le flot très suave de ma divinité. » Délicieusement abreuvée
au torrent de la volupté divine [a], comme elle en rendait
au Seigneur de dévotes actions de grâce, elle vit en esprit
tous ceux qui communiaient ce jour-là debout en présence du Seigneur [b]. A chacun, le Seigneur faisait don,
sous la forme d'un vêtement de grande beauté, de ce
qu'elle avait fait pour se préparer elle-même à la communion, et à ce vêtement, correspondait un don spécial

libet pertinebat donum quoddam speciale pietatis divinae, quo digne praeparentur omnes ad communicandum.
15 Cumque omnes essent consimili beneficio meritis istius
a divina liberalitate ditati, accedentes omnes communiter obtulerunt Domino vice versa omnia sibi ex meritis
electae suae donata in laudem aeternam, ad cumulum
meritorum ac beatitudinem illius sempiternam. Unde per
20 hoc intellexit quod quandocumque aliquis se praeparat
ad communionem specialibus orationibus, devotione et
similibus, et tamen omittit communionem causa discretionis vel humilitatis aut obedientiae, tunc Dominus
eumdem satiat ex torrente sui divini influxus, et ex
25 praeparatione illius alios participando, magis paratos
reddit ad communicandum. Et omne bonum quod quilibet ex hoc consequitur totaliter cedit in meritum ejus
qui licet non communicans, tamen pro posse suo se studuerit praeparare.

5. Tunc ista dixit : « O Domine, si tantum consequitur bonum qui omittit communionem, ergone melius est
omittere quam communicare ? » Ad quod Dominus :
« Nequaquam, inquit, nam qui amore laudis meae divina
5 percipit sacramenta habet profecto cibum saluberrimum
deificati corporis mei cum nectare balsami deliciosissimae divinitatis, et insuper incomparabilem splendorem
ornamentorum virtutum divinarum. » Tunc illa : « Quid
tunc, Domine mi, consequentur hi qui, dum pro suis
10 negligentiis omittunt communionem, liberius ipso die
levitatibus et negligentiis inserviunt ? » Dominus respondit : « Si quis negligit se ad communionem praeparare, et dum communionem omittit, liberius suam
perficit voluntatem, ille se magis indignum efficit, et

4, 18 *post* aeternam *add.* et W ‖ 19 beatitudinis W ‖
21-22 specialibus — communionem *mg.* B¹ ‖ **5,** 8 illa :
om. B¹ ista *mg.* B² ‖ 10 *post* communionem *add.* ut W ‖ 11

de la bonté divine qui les préparait tous à communier dignement. Après que la libéralité divine leur eut accordé à tous un même bienfait, grâce à ses mérites, ils s'approchèrent et, en retour, offrirent ensemble au Seigneur tout ce qu'ils avaient reçu par les mérites de son élue, en louange éternelle, pour l'accroissement des mérites et le bonheur sans fin de celle-ci. Cela lui fit comprendre que, lorsqu'une personne s'est préparée à la communion par des prières spéciales, des pratiques de dévotion et autres exercices, si cependant elle s'abstient de communier par discrétion, humilité ou obéissance, le Seigneur la désaltère au torrent qui ruisselle de sa divinité, et, faisant participer les autres à la préparation de cette personne, il les rend plus aptes à recevoir la communion. Or, tout le bien que ceux-ci en retirent passe intégralement au bénéfice de celle qui, sans avoir communié, s'y était cependant préparée de son mieux.

5. « Ô Seigneur, dit-elle alors, s'il advient tant de biens à celui qui s'abstient de la communion, ne serait-il pas préférable de s'en passer que de la recevoir ? — Aucunement, répondit le Seigneur. Celui qui reçoit les divins sacrements avec le désir de me glorifier, possède véritablement, en effet, la nourriture très salutaire de mon corps déifié, avec le nectar embaumé de ma divinité pleine de délices, et, de plus, il est orné de l'éclat incomparable des vertus divines. — Qu'en est-il donc dit-elle, ô mon Seigneur, de ceux qui, lorsqu'ils omettent la communion à cause de leurs négligences, suivent ce jour-là, sans contrainte, leur caprice et leur sans-gêne ? » Le Seigneur fit cette réponse : « Si quelqu'un néglige de se préparer à la communion et, lorsqu'il s'abstient de communier, prend plus de liberté pour accomplir sa volonté propre, celui-là s'en rend plus indigne encore,

inserviant W ‖ resp. dominus W ‖ 13 *post* omittit *add.* ut W ‖ 14 perficiat W

15 quodam modo se privat fructu tanti sacramenti, quod
eo die per totam ecclesiam communicatur. » Et illa :
« Eia, mi Domine, unde est hoc quod quidam, quamvis sibi videantur indigni, et etiam minus studeant prae-
parationi, tanto tamen desiderio attrahuntur ad perci-
20 piendum tuum salutiferum sacramentum, quod nunquam sine gravamine statutis diebus abstinent ? » Respondit Dominus : « Hoc revera provenit ex eo quod
speciali gratia ditati, suaviori spiritu meo aguntur :
sicut rex qui assuetus est regalibus, naturaliter magis
25 delectatur in assueta sibi gloria deliciari, quam more
garcionis vicos et plateas pervagare. »

CAPUT XIV

De arca facienda.
In dominica *Exurge quare*[a]

1. Hinc in dominica *Exurge*, iterum lecto decumbens, dum ad Matutinas audiret cantari *Benedicens ergo*[b],
etc., memor delectationis et devotionis quam saepius in
eodem habuerat responsorio, dixit ad Dominum : « Eia,
5 Domine, cum ego saepius responsorium istud et etiam
alia cum tanto fervore decantaverim, ut viderer mihi
assumpta stare ante thronum gloriae tuae, et in Cor

15 quod *s.l.* B
XIV. 1, 6 cantaverim W

XIV. **1** *a*. Sexagésime : *Ps.* 43, 24 ‖ *b*. Ancien répons ; texte
dans Paquelin, p. 341, n. 1. Cf. l. III, c. 30, 17, 1

---

1. Le point de vue de la sainte est ici remarquablement intéressant. Il dépasse largement la dévotion privée et prend un carac-

et se prive, pour ainsi dire, du fruit de ce grand sacrement, communiqué, ce jour-là, à l'Église tout entière [1]. » Elle dit encore : « Ah ! mon Seigneur ! Comment se fait-il donc que certains, tout indignes qu'ils s'estiment et en dépit d'une préparation médiocre à la réception de votre sacrement de salut, en ressentent pourtant un tel attrait et un tel désir que, aux jours fixés, ils ne s'en abstiennent jamais sans le regretter beaucoup ? » Le Seigneur répondit : « Cela vient en réalité du fait que, dotés d'une grâce particulière, ils sont mus par mon esprit avec plus de délicatesse : de même, le roi, avec ses habitudes royales, trouve plus de plaisir à jouir de ses honneurs accoutumés qu'à errer à travers rues et places, comme un garnement aimerait à le faire. »

CHAPITRE XIV

LA CONSTRUCTION DE L'ARCHE
DIMANCHE *Exurge quare* [a]

A propos du serment fait à Noé. 1. Le dimanche *Exurge*, se trouvant de nouveau alitée, elle entendait chanter à Matines : *Benedicens ergo* [b], etc., et, se rappelant les délices et la dévotion que lui avait souvent procurées ce répons, elle dit au Seigneur : « Ah ! Seigneur, combien de fois ai-je chanté ce répons et d'autres encore avec une telle ferveur que je me voyais là-haut, debout devant le trône de votre gloire, et c'est

---

tère ecclésial très marqué. Le mystère eucharistique est communiqué chaque jour à l'Église entière, *in globo*. Sainte Gertrude semble sous-entendre que ceux qui, pour des raisons valables, ne communient pas ce jour-là, y participent cependant d'une certaine manière (voir t. III [*SC* 143], Appendice V, p. 357). Mais ceux qui, par négligence, s'abstiennent de la communion, sont privés, de ce fait, du fruit de cette eucharistie quotidienne.

tuum quasi in organum quoddam dulcissimum singula
verba et notas intonare, heu ! nunc infirmitate praepe-
10 dita, multa negligo. » Cui Dominus : « Ex quo, dilecta
mea, dicis, et ego verum esse attestor, te saepius per
organum Cordis mei divini suavisone decantasse, ergo
vicem condignam tibi recompensando ipse tibi modo
suaviter decantabo. » Et adjecit : « Sicut per memetip-
15 sum quondam juravi servo meo Noe quod non addu-
cerem ultra aquas diluvii super terram ad delendam
eam *c*, sic juro tibi per divinitatem meam quod nullus
eorum qui audit verba tua cum humilitate et dirigitur
secundum ea pia intentione unquam poterit perire,
20 sed via tuta directoque tramite absque omni errore securus perveniet ad me, qui *sum via, veritas et vita d*. Et
hoc juramentum meum confirmo cum sigillo meae
sanctissimae humanitatis, quo tunc carui eo quod nondum essem homo factus. »

2. Et illa : « Cum tu, inquit, aeterna sapientia praes-
cires omnia, quibus te mundus infestaturus esset, mala
tamquam praeterita et praesentia, ut quid voluisti, benignissime, hoc pactum tuum juramento stabilire, quod
5 non ultra deleres universum orbem aquis diluvii ? » Respondit Dominus : « Ad exemplum hominum perutile
hoc feci, ut per hoc discant tempore tranquillitatis
sic componere et pacto confirmare quaelibet sibi utilia, ut in tempore adversitatis cogantur, saltem propter
10 honorem suum, liberum arbitrium cohibere. »

9-10 impedita W ‖ 15-16 adicerem W ‖ 19 errare poterit **W**
‖ **2,** 4 *post* stabilire *add.* et W ‖ 7 *post* tranquillitatis
add. se W ‖ 8 *post* confirmare *add.* ad W

c. Cf. *Gen.* 9, 11 ‖ *d. Jn* 14, 6

sur votre Cœur que j'entonnais, comme sur un instrument d'une douceur infinie, chaque mot et chaque note ! Hélas ! aujourd'hui, retenue par la maladie, je laisse passer beaucoup de choses. » Le Seigneur lui dit : « Tu affirmes, ô mon aimée, et c'est vrai, j'en suis témoin, avoir souvent chanté suavement, mon Cœur divin te servant d'instrument ; eh bien pour t'en récompenser dignement, je veux maintenant t'offrir moi-même, en retour, un chant suave. Et, ajouta-t-il, de même que j'ai juré par moi-même à Noé, mon serviteur, de ne plus amener désormais les eaux du déluge pour détruire la terre [c], de même, je te le jure par ma divinité, si quelqu'un écoute avec humilité tes paroles et s'y conforme dans une intention bonne, il ne pourra jamais périr [1], mais par une voie sûre et un chemin direct, sans erreur et en toute sécurité, il parviendra jusqu'à moi qui *suis Voie, Vérité et Vie* [d]. Ce serment, je le confirme du sceau de ma très sainte humanité que je ne possédais pas en ce temps-là, ne m'étant pas encore fait homme. »

2. Elle reprit : « Alors que vous, Sagesse éternelle, vous connaissiez d'avance, comme s'il était passé ou présent, tout le mal par lequel le monde devait vous offenser, pourquoi donc, ô très Clément, avoir décidé de sceller cette alliance par le serment de ne plus faire disparaître le monde entier sous les eaux d'un déluge ? — J'ai agi de la sorte, répondit le Seigneur, pour donner aux hommes un exemple très utile et leur apprendre ainsi à disposer toutes choses à leur avantage au temps de la tranquillité, et à confirmer par une promesse leurs dispositions, en sorte que, au temps de l'adversité, ils soient comme obligés, ne fût-ce que pour le point d'honneur, à maîtriser leur libre volonté. »

---

1. Sur cette assurance, cf. l. I, 16 (t. II [*SC* 139], p. 209).

3. Tunc illa : « O Domine Deus, multum acceptarem si modo dignareris me ancillam tuam instruere, qualiter per septimanam hanc fabricando tibi arcam possem digne deservire. » Respondit Dominus : « Arcam mihi accep-
5 tabilissimam in corde tuo fabricabis. Sed hoc summopere pensare stude, quod arca Noe dicitur tricamerata [a] fuisse, ita quod in summo ejus habitabant volucres, in medio homines, et in infimo pecora. Ad cujus similitudinem distingue et tu singulos dies hoc modo, ut scili-
10 cet a primo mane usque ad nonam ex parte totius ecclesiae persolvas laudes et gratiarum actiones ex intimo cordis affectu pro universis beneficiis ab initio saeculi usque in praesens ulli unquam homini impensis, et specialiter pro illo digne colendo beneficio quo quotidie ab
15 ortu diei usque ad nonam sine intermissione immolor Deo Patri in altari pro salute humana. Quod tamen homines parvipendentes, gulae et ebrietati inserviunt, quasi omnino beneficiis meis ingrati. Pro quorum defectu, dum tuam gratitudinem cum affectu quasi ex parte
20 eorum offerre studueris, quasi aves in superiori parte arcae mihi videris congregare. »

4. « Hinc ab hora diei nona usque ad vesperam, quotidie studeas in bonis operibus te devote exercere in unione illa sanctissima qua ego omnia opera humanitatis meae perfeci in suppletionem negligentiae illius universa-
5 lis, qua totus mundus pro tantis beneficiis sibi a me impensis debitis bonorum operum obsequiis mihi negligit respondere. Et hoc cum feceris, homines mihi congregare

---

3, 3 arcam possem digne tibi W ‖ 6 tricam. dicitur W ‖
4, 2 devote *om.* W ‖ 5 qua : quo W ‖ a me sibi W ‖
6 operum *om.* W

---

3 *a.* Cf. *Gen.* 6, 16

Construire une arche.

3. Elle dit alors : « Ô Seigneur Dieu, ce serait pour moi une grande faveur, si vous daigniez m'apprendre, à moi votre servante, comment durant cette semaine je pourrais me dévouer efficacement, en vous construisant une arche. » Le Seigneur lui fit cette réponse : « Tu vas me construire en ton cœur une arche qui me plaira beaucoup. Mais applique-toi, tout d'abord, à considérer que l'arche de Noé avait, est-il dit, trois étages [a] : en haut, habitaient les oiseaux ; au milieu, les hommes ; en bas, les animaux. A cet exemple, partage, toi aussi, chacune de tes journées de la manière suivante : depuis le début de la matinée jusqu'à none, tu t'acquitteras, du fond du cœur, au nom de toute l'Église, de louanges et d'actions de grâces pour tous les bienfaits jamais accordés à un homme quelconque, depuis le commencement du monde jusqu'à présent, et, en particulier, pour honorer comme il se doit cette faveur que je vous fais de m'immoler chaque jour sur l'autel à Dieu le Père, depuis le lever du jour jusqu'à none, sans trêve, pour le salut du genre humain. Et pourtant les hommes n'en font que peu de cas et s'adonnent à la gloutonnerie et à l'ivresse, comme de parfaits ingrats en face de mes bienfaits. Si tu t'appliques à m'offrir en leur nom, pour compenser leurs manquements, ta gratitude et ton amour, il me semblera que tu réunis les oiseaux à l'étage supérieur de l'arche. »

4. « Puis, depuis l'heure de none jusqu'au soir, exerce-toi chaque jour avec soin et dévotion aux œuvres bonnes, en union avec la manière très sainte dont j'ai moi-même accompli toutes les actions de mon humanité. Fais-le pour suppléer à la négligence générale : le monde entier en effet néglige de m'offrir l'hommage de ses bonnes actions, comme il devrait le faire pour répondre à tous les bienfaits dont je l'ai comblé. Si tu agis ainsi, bien certainement tu rassembleras pour moi les hommes au

in medio arcae comprobaris. Ad vesperam autem, in amaritudine cordis retracta impietatem humani generis
10 qua non solum negligunt homines pro infinitis acceptis a me beneficiis debitum restituere pensum servitutis [a], quin insuper adjiciant diversis peccatorum generibus quotidie ad iracundiam me provocare. Pro quorum emendatione offeras mihi poenas et amaritudines meae
15 innocentissimae passionis et mortis. Et sic pecora mihi in extrema parte arcae concludis. »

5. Tunc ista dixit ad Dominum : « Cum ego hanc instructionem desideraverim a te studio sensuum meorum obtinere, non praesumo secure affirmare quod tu, doctorum optime, eadem docueris me. » Ad quod Dominus :
5 « Cur, inquit, ob hoc debet donum meum parvipendi, si cum sensibus tuis, quos ad serviendum mihi creavi, diligentiori studio illud perfeci, cum tamen magis commendetur et acceptetur quod facturus hominem consilio deliberato dixi : *Faciamus hominem ad imaginem et*
10 *similitudinem nostram* [a], quam quod alia creando dixi : *Fiat lux* [b], *fiat firmamentum* [c], etc. » Et illa : « Si ego hanc introducerem auctoritatem, possent et alii sensu proprio laborando adinventiones diversas introducere et eas quasi pro auctoritate defendere, quamvis ea non per-
15 cepissent per efficacem gratiae tuae influxum. » Ad quod Dominus : « Adjunge hanc discretionem. Si quis homo finaliter in corde suo experitur quod voluntas ejus ita per omnia meae divinae sit unita voluntati, quod nullo in minimo unquam prospero sive adverso possit a meo

---

9 generis *om.* B ‖ 12 adiciunt W ‖ 13 me *om.* B ‖ **5,** 2 studio sens. meorum : studiose *a. corr.* W ‖ 18 divinae meae W

---

4 *a.* Cf. *RB*, 49, 3 ‖ **5** *a. Gen.* 1, 26 ‖ *b. Gen.* 1, 3 ‖ *c. Gen.* 1, 6

centre de l'arche. Le soir, dans l'amertume de ton cœur,
regrette l'impiété du genre humain, car, non seulement
les hommes négligent de s'acquitter du devoir de leur
service [a] pour me payer des bienfaits sans nombre qu'ils
ont reçus de moi, mais ils renchérissent encore, provo-
quant chaque jour ma colère par des péchés de tous
genres. Pour leur amendement, offre-moi donc les peines
et amertumes de ma passion très imméritée et de ma
mort. C'est ainsi que tu enfermeras pour moi les animaux
à l'étage inférieur de l'arche. »

**Critères
de l'authenticité
des révélations.**

5. Elle dit alors au Seigneur :
« Étant donné que c'est poussée par
mon sentiment personnel que j'ai
désiré obtenir de vous cette instruc-
tion, comment oserai-je affirmer que c'est vous, le plus
excellent des maîtres, qui me l'avez enseignée ? —
Pourquoi donc, lui répondit le Seigneur, faudrait-il
faire peu de cas de cette faveur que, avec le concours
de ton propre sentiment, je t'ai accordée dans ma sollicitude pleine d'empressement ? N'ai-je pas moi-même
créé en toi ces sentiments pour me servir ? et d'ailleurs
n'a-t-on pas relevé avec grande admiration que, au
moment de créer l'homme, j'ai dit de propos délibéré :
Faisons l'homme à notre image et à notre ressemblance [a],
plutôt que de dire comme pour les autres créatures :
Que la lumière soit [b]. *Que le firmament soit* [c], etc. ? »
Mais elle : « Si je faisais intervenir ce critère, d'autres
peut-être travailleraient selon leur sens propre à mettre
en avant des élucubrations venues d'on ne sait où, et
à les défendre comme avec une sorte d'autorité, sans les
avoir reçues sous l'effet de l'influx de votre grâce. »
Ce à quoi le Seigneur répliqua : « Ajoute cette condition :
si quelqu'un éprouve finalement en son cœur que sa
volonté est unie en tout à ma divine volonté, au point de
ne pouvoir, ni dans la bonne ni dans la mauvaise fortune,

20 complacito aliquatenus discordare, et insuper in omni
quod agit vel patitur ita pure laudem vel gloriam mei
solius desiderat, quod in omnibus propriae totaliter abdicit utilitati et mercedi, ille secure potest affirmare quodcumque boni sensuum suorum exercitio apprehenderit
25 cum interno sapore, quod tamen Scripturae sacrae tes-
timonio non videatur carere, ac proximorum possit utilitati congruere. »

6. Rursumque Dominus mira blanditatis exhibitione
adstans coram anima dixit : « Eia, domina regina, blan-
dire mihi nunc, sicut ego saepius tibi blanditus sum. »
Sicque cum his verbis Dominus omnipotens, fidelis ani-
5 mae ambitiosus amator, ultra modum delicate nimis
se inclinabat tamquam osculum ab ea accepturus. Tunc
anima, ad tam inauditae exquisitionis Domini propositionem stupefacta, cum humillima devotione respondit,
quasi ex intimis cordis medullis proferens haec verba :
10 « Eia tu, Deus Creator, et ego creatura. » In quibus verbis mox mira dispensatione anima divina virtute Dei
intracta, videbatur Domino suo feliciter jucundari.
Tunc dixit ad Dominum : « Dignare nunc, Pater mise-
ricordissime, mihi ancillae tuae saltem parvam somni
15 quietem praestare post sumpta propter nimium cordis
defectum aromata, ut possim hodie tua vivifica percipere sacramenta. » Ad quod Dominus : « Ista unio
qua modo anima tua est mihi unita, multo magis te
reddidit sobriam quam ullus somnus corporalis efficere
posset. »

7. Hinc inter Missam qua erat communicatura, videbatur sibi adstare Domino, querulans quod propter infir-

---

6, 3 tibi saepius W ‖ 6 inclin. se W ‖ 7 propositionem
B[1] W[1] *l* : propitiationem B[2] W[2] ‖ 12 *post* videbatur *add.*
cum *l* ‖ feliciter : fideliter B ‖ 14 parvam : presencia B[1] (*corr.*
mg. B[2])

s'écarter, même par un détail, de mon bon plaisir ; si,
de plus, en tout ce qu'il fait ou supporte, il ne recherche
que ma seule louange et gloire, renonçant toujours absolument à son propre avantage et intérêt ; celui-là peut
vraiment affirmer sans crainte tout le bien que, par
l'exercice de ses facultés, il lui arrivera de connaître et
de savourer au fond de lui-même, du moment que n'y
fait pas défaut l'argument de l'Écriture sainte, et que
cela peut être profitable au prochain. »

Union mystique. **6.** Puis, de nouveau, le Seigneur,
en une surprenante manifestation
de tendresse, se tint debout devant l'âme et lui dit :
« Oh ! ma dame et reine, prodigue-moi maintenant tes
caresses, comme je t'ai moi-même si souvent prodigué
les miennes. » Et ce disant, le Seigneur tout-puissant,
sollicitant amoureusement l'âme fidèle, s'inclinait très
bas avec une extrême délicatesse, comme pour recevoir
d'elle un baiser. L'âme alors, stupéfaite devant l'expression de cette requête inouïe du Seigneur, y répondit avec
une dévotion remplie d'humilité et, des plus intimes profondeurs de son cœur, fit jaillir ces mots : « Oh ! vous,
le Dieu Créateur, et moi, une créature ! » A ces mots,
l'âme, saisie aussitôt par une admirable opération de la
vertu divine, se vit jouir avec bonheur de son Seigneur.
Elle dit alors au Seigneur : « Daignez maintenant, ô
Père très miséricordieux, m'accorder, à moi votre servante, un peu de repos et de sommeil, après que j'aurai
pris, pour soutenir mon cœur défaillant, des essences
aromatisées. Ainsi pourrai-je, aujourd'hui, recevoir votre
sacrement qui donne la vie. — Cette union, dit le Seigneur,
qui, actuellement, unit à moi ton âme, te rendra beaucoup
plus maîtresse de toi qu'aucun sommeil corporel ne pourrait le faire. »

7. Après cela, pendant la Messe où elle devait communier, il lui sembla se tenir devant le Seigneur, gémissant

mitatem oporteret eam missa carere. Cui Dominus ait :
« Lege *Confiteor*. » Quod dum illa humili devotione
5 complesset, adjunxit Dominus : « Misereatur vestri divinitas mea, et dimittat vobis omnia peccata vestra. »
Extensaque venerabili dextera sua, dedit illi benedictionem suam. Ad quam dum anima inclinaretur, suscepit
eam Dominus in sinum suum, sicque inter strictos
10 amplexus suaviter illi blandiens, decantabat : Ad imaginem quippe Dei factus est homo [a]. Sicque oculos
ipsius et aures, os quoque et cor, manus ac pedes exosculans, et ad singula dulciter decantando eadem verba
repetens, per ipsa in anima divinam suam imaginem
15 et similitudinem dignissime innovabat.

8. Hinc feria quinta, qua mundani magis *in crapula
et ebrietate* [a] solent saevire, dum mane post Matutinas
in coquina pulsaretur servis laboraturis ad praelibandum,
ista ingemiscens dixit ad Dominum : « Heu me ! mi
5 Domine, quam mane insurgunt homines ad infestandum te
cibo ! » Ad quod Dominus blande quasi subridens dixit :
« Noli ingemiscere, carissima, quia hi quibus modo pulsa-
tur, non sunt de numero contra me crapula saevientium,
quia per hanc praelibationem ipsi vocantur et incitan-
10 tur ad laborem. Unde et ego delector in eorum cibo,
quemamodum quis delectatur in refectione sui jumenti,
quod pabulo pascit ad ministrandum sibi. »

7, 3 oportet B ‖ 8 dum *mg.* B[1] ‖ 13 *post* singula *add.* verba
B ‖ 14 ipsam W ‖ **8,** 2 et *s.l.* B ‖ 4 me *om.* W

---

7 *a.* Cf. *Gen.* 1, 26 ‖ **8** *a. Lc* 21, 34

de ne pouvoir assister à cette Messe en raison de sa mauvaise santé. Et le Seigneur lui dit : « Récite le *Confiteor*. » Lorsqu'elle l'eut achevé avec humilité et dévotion, le Seigneur ajouta : « Que ma divinité ait pitié de vous et vous remette tous vos péchés. » Puis il étendit sa main vénérable et lui donna sa bénédiction. Et comme l'âme s'inclinait pour la recevoir, il la prit sur son Cœur, et, la tenant serrée dans la douce étreinte de ses caresses, il chantait : L'homme a été fait à l'image de Dieu *a*. Ses yeux et ses oreilles, sa bouche et son cœur, ses mains et ses pieds, il les couvrait de baisers et, à chaque fois, son doux chant redisait les mêmes paroles et renouvelait dans l'âme, de façon parfaite, son image et sa ressemblance divines.

A propos d'un repas 8. Le matin du jeudi suivant, jour où, chaque année, les mondains s'adonnent davantage encore *à la débauche et à l'ivrognerie* *a*, comme après les Matines, on sonnait à la cuisine le déjeuner des serviteurs avant leur travail, elle dit, toute chagrine, au Seigneur : « Hélas ! mon Seigneur, les hommes se lèvent bien matin pour vous offenser par leurs festins ! » A quoi le Seigneur répondit, comme avec un sourire amusé : « Ne t'attriste pas, bien-aimée, ceux pour qui la cloche sonne maintenant ne sont pas de ceux qui m'offensent par leurs excès ; par ce repas, en effet, ils sont invités à travailler de meilleur cœur. Je me réjouis donc de leur réfection comme quelqu'un se réjouirait en voyant sa jument manger le fourrage qu'il lui donne, pour qu'elle le serve bien. »

CAPUT XV

De alleviatione gravationis.
In dominica *Esto mihi* [a]

1. Sabbato praecedente dominicam *Esto mihi*, dum
se ab omnibus exterioribus abstractam in interioribus recollegisset, suscepta est in sinum divinae benignitatis, ubi
in tanta spiritus tranquillitate fruebatur influxionibus
5 divinarum delectationum, quod videbatur cum Domino
quasi disponere omnia regna caeli et terrae. Cumque sic
totam diem illam gaudio spirituali duxisset sollemnem,
accidit ad vesperum, ut ex quodam eventu in tantum
gravata turbaretur quod ex hoc impedimentum incur-
10 reret praecedentium fruitionum. Pro quo removendo dum
multum laborasset, et luce clarius cognosceret illud gravamen nullius esse valoris, nec tamen omnino mentem
suam devincere posset, ac per hoc quodam modo serenitate prioris tranquillitatis privaretur, tandem ante
15 Matutinas, cum pene totam noctem tali labore duxisset
insomnem, exorabat Dominum ut tale impedimentum a
corde suo dignaretur removere, quatenus ad laudem et
gloriam nominis sui in priorum delectationum fruitione
mereretur gaudere. Cui respondit Dominus : « Si deside-

XV. 1, 9 gravata turbaretur : turbata gravaretur W

XV. 1 *a.* Quinquagésime : *Ps.* 30, 3

---

1. N'y a-t-il pas une pointe d'humour dans cette confession ?
Sainte Gertrude est élevée si haut qu'elle s'imagine régner sur le

CHAPITRE XV

DE L'ALLÉGEMENT DES PEINES.
DIMANCHE *Esto mihi* [a]

Trouble. **1.** Le samedi qui précède le dimanche *Esto mihi*, après avoir fait abstraction de tout ce qui est au dehors pour se recueillir au dedans d'elle-même, elle fut accueillie dans le sein de la divine bénignité, et là, elle jouissait du flot délectable des réalités divines avec une âme si tranquille qu'il lui semblait, en quelque sorte, gouverner avec le Seigneur tous les royaumes du ciel et de la terre. C'est ainsi que, dans la joie spirituelle, toute cette journée s'écoula pour elle comme un jour de fête. Mais, par malheur, vers le soir, un incident banal lui causa un si grand trouble que tout le bonheur goûté précédemment s'en trouva compromis [1]. Elle se donna beaucoup de peine pour faire diversion. Cet ennui n'avait au fond aucune importance, c'était pour elle plus clair que le jour, et cependant elle n'arrivait pas à triompher de son impression, ce qui, dans une certaine mesure, la privait de sa joie et de sa sérénité premières. Enfin, avant Matines, après avoir passé, ou peu s'en faut, une nuit blanche, à cause de cette peine, elle supplia le Seigneur de daigner libérer son cœur de telles entraves, en sorte qu'elle obtienne, pour l'honneur et la gloire de son nom, de goûter le bonheur savouré naguère. Le Seigneur lui répondit : « Si tu désires me soulager de mon fardeau,

---

ciel et la terre. Hélas ! il suffit d'un banal incident pour troubler cette paix parfaite, ce bonheur merveilleux. La sainte ne sourit-elle pas d'elle-même en nous le racontant ? En tout cas, elle se montre ainsi vraiment notre sœur et sujette aux mêmes réactions de la faiblesse humaine.

20 ras mihi gravamen meum alleviare, tunc oportet te gravamen habere, et stare ad sinistram meam, ut ego pau-
sem super pectus tuum, quia cum me reclino ad sinistram, repauso super Cor meum, quod gratissimum est
fessis, et sic directe respicio in cor tuum, et in clangore
25 delector suavisonorum desideriorum tuorum quibus me
continue demulces, et arridet mihi grata amoenitas
variarum affectionum tuarum, quibus erga me afficeris,
et aspirat mihi secura confidentia, qua in omnibus motibus cordis tui ad me anhelas, et dulciter afficit me
30 effluxus pietatis cordis tui, qua universis bonum exoptas
aeternae salutis. Et insuper patet mihi thesaurarium
nobilissimum cordis tui, unde sufficienter distribuere
potero universis de tua bona voluntate, qua omnibus
indigentibus benefacis. Nam si astares mihi ad dextram,
35 scilicet prosperitatis, tunc utique his variis delectationibus privari viderer, quia quidquid est sub aure, nec
arridet oculis, nec aspirat naribus, nec porrigi potest
manibus absque labore. »

2. Tunc desideravit aliqua sibi donari a Domino quibus, per tres dies illos continuos quibus mundani inso-
lentius delinquunt, gratius ipsi obsequium posset exhibere. Cui respondit Dominus : « In nullo mihi poteris
5 gratius obsequi quam in eo quod patienter in memoriam
meae passionis sufferas quaecumque tibi eveniunt gravamina, sive interiora, sive exteriora, et cohibeas te ad
ea facienda quae tibi magis sunt contraria. Et hoc salu-

26 grata amoenitas : gratia amoenitatis W ‖ 28 aspirat :
spirat W ‖ 34 astares : stares W ‖ 2, 4-5 gratius obsequi
poteris W

---

1. Cf. un passage, très voisin, du *Liber specialis gratiae* de sainte
MECHTILDE (l. II, 32 : éd. Paquelin, p. 177).
2. Noter dans tout ce passage la mention très claire des sens
spirituels. Nous avons ici l'ouïe, la vue, l'odorat, le toucher. L'énu-

il te faut nécessairement porter le tien et te placer à
ma gauche pour que je puisse reposer sur ta poitrine.
Oui, lorsque je me penche vers la gauche, je repose sur
mon Cœur, ce qui est un grand soulagement dans la
fatigue [1], et je puis ainsi regarder droit dans ton cœur
et jouir de l'appel mélodieux de tes désirs qui m'est
perpétuelle douceur ; de plus, ils m'enchantent, comme
un riant paysage, les divers sentiments que tu éprouves
à mon égard, et c'est pour moi un parfum que cette
confiance assurée qui, à chaque battement de ton cœur,
te fait aspirer vers moi ; mais aussi, je suis doucement
ému de la bonté qui jaillit de ton cœur et qui te fait
désirer pour tous le bien du salut éternel [2]. Enfin, ton
cœur s'ouvre tout grand devant moi, tel un très noble
trésor où je trouve matière à de larges distributions en
puisant à cette bonne volonté qui fait de toi la bienfai-
trice de tous les indigents. Si au contraire tu te tenais
à ma droite, c'est-à-dire dans la prospérité, je me verrais
alors privé de toutes ces douceurs : ce qui est en effet
placé sous l'oreille, les yeux ne peuvent aisément s'en
réjouir, ni les narines le humer, ni les mains le saisir. »

Supporter. **2.** Elle désira alors recevoir du Seigneur
quelque chose qu'elle pût lui offrir comme
un hommage agréable durant ces trois jours consécutifs
où les mondains pèchent avec plus d'insolence. Le Seigneur fit cette réponse : « Tu ne peux m'offrir un hommage
plus agréable qu'en supportant avec patience, en souvenir
de ma passion, toutes les peines intérieures ou extérieures
qui pourront t'advenir et en prenant sur toi de faire
ce qui te contrarie davantage. Et c'est en gardant et

mération revient à la fin du paragraphe. Ce qui sert d'oreiller est
pratiquement hors de portée pour l'œil, les narines et les mains.
Noter aussi la place très grande donnée au « cœur », nommé quatre
fois dans ce paragraphe 1.

berrime in custodia sensuum exteriorum et refraena-
10 tione ipsorum perficere potes. Nam quicumque se in
memoriam meae passionis in his studuerit exercere,
absque dubio largam remunerationem a pietate mea se
accepturum secure sperabit. »

3. Hinc ista dixit : « Vellem, doctor amantissime,
etiam nunc edoceri a tua benignitate quibus orationibus specialiter his tribus diebus te a mundanis ad iracundiam provocatum blandius possem complacando le-
5 nire. » Respondit Dominus : « Non mediocriter acceptarem si quisquam, legendo tria *Pater noster* vel *Laudate Dominum omnes gentes* [a], ad primum offerat Deo
Patri omne exercitium sanctissimi Cordis mei, quo
unquam lacessitus sum in terris pro salute humani generis
10 in laude, gratiarum actione, querimonia, oratione, desiderio et amore, in emendationem omnium terrenarum
et carnalium delectationum ac perversarum voluntatum
quibus nunc aliquod cor implicatur humanum. Ad secundum, offerat Deo Patri omne exercitium innocentissimi
15 oris mei in abstinentia, temperantia tam ciborum quam
verborum, praedicatione et oratione continua, quibus pro salute humana insudavi, in emendationem
omnium peccatorum in universa ecclesia commissorum
in gula et ebrietate ac nocivorum inutiliumque verbo-
20 rum multiplicitate. Ad tertium vero, Patri meo caelesti
offerat omne exercitium sanctissimi corporis mei, cum
omnibus motibus singulorum membrorum ac totam se-
riem meae perfectissimae conversationis, cum omni amaritudine meae innocentissimae passionis et mortis quam
25 pertuli pro redemptione generis humani, in emendatio-

---

11 exercere *om.* B ‖ **3,** 7 dominum omnes gentes *om.* B ‖
8 cordis : corporis W ‖ 13 humanum implicatur W ‖ 21
corporis : cordis W

---

3 *a. Ps.* 116

maîtrisant tes sens extérieurs que tu pourras réaliser cela avec le plus de profit. Oui, sans aucun doute, celui qui s'appliquera à cet exercice en souvenir de ma passion, peut espérer, en toute confiance, recevoir de ma bonté une large récompense. »

Offrir au Père les actions de son Fils. **3.** Elle ajouta : « Je voudrais, Maître très aimant, apprendre maintenant de votre bénignité par quelles prières je pourrais vous apaiser avec le plus de tendresse et calmer votre colère, durant ces trois jours où les mondains la provoquent particulièrement. » Le Seigneur répondit : « J'accepterai volontiers que l'on récite trois fois *Pater noster* ou *Laudate Dominum omnes gentes* [a], en offrant la première fois à Dieu le Père tout ce qu'a fait mon Cœur très saint, lorsque, pour le salut des hommes, je me suis épuisé sur la terre en louanges, actions de grâces, supplications, prières, désirs et amour ; que ce soit pour l'expiation de toutes les voluptés terrestres et charnelles, ainsi que des vouloirs pervers qui peuvent entraver le cœur d'un homme ici-bas. La deuxième fois, qu'on offre à Dieu le Père toutes les œuvres de ma bouche très pure : abstinence et modération dans la nourriture comme dans les paroles, prédication et prière continuelle, car j'ai ainsi répandu mes sueurs pour le salut des hommes. Que cela serve à l'expiation de tous les péchés commis dans l'Église entière par gourmandise et ivrognerie, et aussi de la multitude des paroles nuisibles ou inutiles. La troisième fois, qu'on offre à Dieu le Père tout ce qu'a fait mon corps très saint, tous les mouvements de chacun de mes membres et tout le cours de ma vie très parfaite, y compris l'amertume de ma passion si imméritée et de la mort que j'ai soufferte pour la rédemption du genre humain ; oui, qu'on l'offre

nem omnium peccatorum quae tempore isto quocumque
motu vel modo singulorum membrorum mundus contra
salutem propriam saeviendo committit. »

4. Hinc circa Tertiam apparuit ei Dominus Jesus tali
dispositione qua ad statuam est flagellatus, stans inter
duos vinctus, quorum unus videbatur eum caedere spinis,
5 alter vero flagello nodoso. Uterque vero caedebat eum in
faciem ; unde faciei ejus tam miserabilis praetendebatur
aspectus, quod corde liquefacto omnia interiora viscera
conspicientis eum commovebantur ad compassionem, in
tantum quod per diem illum, quoties illi in memoriam
venit forma illa, lacrymas continere non potuit, quia
10 nunquam aestimaverat in corde quod homo tam miserabilis aspectus visus esset in terris, sicut illa hora Dominus apparuit. Nam pars illa faciei quae spinis caedi
videbatur, in tantum apparuit dilacerata quod etiam
pupilla oculi interius erat vulnerata, et insuper livida
15 ex tumore flagelli nodosi. Videbatur etiam ex amaritudine passionis subtrahere faciem, et dum uni subtrahe-
ret, alter acrius insurgebat in illum.

5. Tunc conversus ad istam dixit : « Nonne legisti
scriptum de me : *Vidimus eum tamquam leprosum* [a],
etc. » ? Ad quod illa : « Eia, Domine, unde nunc leniri
posset tam acerbus dolor tenerrimae faciei tuae ? » Tunc
5 Dominus : « Si quis pertractans passionem meam devoto
corde, per amorem compungeretur, et in tali caritate
oraret pro peccatoribus, illius cor esset mihi emplas-
trum suavissimum, quo omnis dolor iste leniretur. » Per
duos etiam caedentes intellexit notari laicos, qui aperte

5, 1 istam : illam B *l* ‖ 2 de me : diuine B

---

5 *a. Is.* 53, 2 et 4

pour l'expiation de tous les péchés que, en ces jours, les mondains commettent en chacun de leurs membres, par tant de démarches et de manières d'être si opposées à leur salut. »

Flagellation. 4. Ensuite, vers l'heure de Tierce, le Seigneur Jésus lui apparut tel qu'il était lorsqu'il fut flagellé, lié à la colonne. Il était debout entre deux hommes dont l'un semblait le frapper avec des épines, l'autre avec un fouet noueux. L'un et l'autre le frappaient au visage. Et ce visage présentait un aspect si pitoyable que cela fendait le cœur. A le contempler, elle se sentait émue de compassion jusqu'au fond des entrailles, tellement, que, durant toute cette journée, chaque fois que cette vision lui revenait en mémoire, elle ne pouvait retenir ses larmes. Non, son cœur n'aurait jamais soupçonné que, sur terre, on pût voir un homme d'aspect aussi misérable que le Seigneur tel qu'elle le considérait à cette heure : le côté du visage frappé par les épines semblait tellement déchiré que même l'intérieur de la prunelle de l'œil était atteint ; quant à l'autre côté, les coups du fouet noueux l'avaient tuméfié et rendu noirâtre. On le voyait même détourner son visage sous l'excès de la douleur, mais quand il se dérobait à l'un, l'autre le frappait plus violemment encore.

5. Se retournant alors vers elle, il lui dit : « N'as-tu pas lu qu'il est écrit de moi : *Nous l'avons vu comme un lépreux* [a], etc. ? » A quoi elle répondit : « Ah ! Seigneur, comment serait-il possible d'adoucir les douleurs si violentes de votre visage infiniment doux ? » Alors le Seigneur : « Si quelqu'un, méditant ma passion d'un cœur dévot, en est touché d'une amoureuse componction, et si, plein de cette charité, il prie pour les pécheurs, son cœur sera pour moi un onguent absolument délicieux qui adoucira toutes mes douleurs. » Elle comprit que les deux bourreaux signifiaient les laïcs qui, par leurs péchés

10 delinquentes, velut spinis Dominum caedunt, et aliquos religiosos, qui tanto magis contra religionem delinquunt, eo quasi nodosioribus flagellis Dominum caedunt.
Sed uterque in faciem quia quantum in se est, regnantis
in caelo intuitum non verentur dehonestare. Hinc etiam
15 intellexit quod ideo in evangelio passio Domini tunc recitatur, ut a specialibus electis Christi ipsa passio tunc devotius recolatur, tam in honorem Domini quam etiam in
emendationem pro ecclesia. Sed specialiter de flagellatione bis memoratur, quae illo die sibi tam miserabilis
20 figurabatur.

6. In epistola [a] etiam magis caritas commendatur, ut
in caritate tam Dei quam proximi magis exerceamur,
Deo scilicet toto corde compatiendo pro indebita contumelia, proximisque compatiamur pro eo quod tam dis-
5 trictum judicem contra se provocant. Unde pro utrisque
emendandis sit pro nobis praecipue memoria dominicae
passionis, pro qua Domino devote dicamus gratiarum
actiones, et oremus ut parcat ipsis miseratus, pro quibus
est passus.

7. Ad Missam vero, dum per introitum [a] invocaret
Dominum, hoc sibi Dominus usurpans, eo quod quasi
propter instantis temporis exacerbationes hoc sibi magis
congruere videretur, dixit ad eam : « Sis mihi tu, dilecta,
5 in protectricem, proponendo quod si tu praevaleres,

---

11 tanto : quo W quanto *l* ‖ 14 etiam *om.* W ‖ 16 specialibus : spiritualibus B ‖ 17 in² *om.* B ‖ 19 illo die sibi : sibi
ipso die W ‖ **6,** 1 commendabatur W ‖ 8 ipsis : illis W ‖
7, 1 vero : autem W ‖ 4 congrue W ‖ 5 protectricem :
protectione B

---

6 *a. I Cor.* 13, 1-13 ‖ **7** *a. Ps.* 30, 3-4

---

1. « De flagellatione *bis* memoratur ». Allusion à ce que dans

publics, frappent le Seigneur comme avec des épines,
et certains religieux qui frappent le Seigneur avec des
fouets d'autant plus noueux qu'ils pèchent davantage
contre leur règle. Mais les uns et les autres le frappent
au visage, parce que, autant qu'il est en eux, ils n'ont
pas honte d'offenser les regards de Celui qui règne dans
les cieux. Cela lui fit comprendre également que si la
passion du Seigneur est mentionnée alors dans l'Évangile,
c'est pour que les amis choisis du Christ se remémorent
alors avec une dévotion accrue cette passion, autant pour
honorer le Seigneur que pour expier aussi au nom de
l'Église. Mais c'est particulièrement la flagellation qui
est deux fois rappelée [1], cette flagellation qui lui apparut,
ce jour-là, tellement pitoyable !

Réparation.   **6.** De plus, dans l'épître [a], la charité est
vivement recommandée pour que nous nous
exercions toujours plus à l'amour, tant de Dieu que du
prochain, compatissant de tout notre cœur aux outrages
immérités subis par Dieu et déplorant de voir le prochain
provoquer contre lui-même la rigueur d'un tel juge.
Ce double aspect de la réparation, nous l'assurerons prin-
cipalement par le souvenir de la passion du Seigneur.
Nous en rendrons au Seigneur de dévotes actions de
grâces et nous le prierons de pardonner dans sa miséricorde
à ceux pour lesquels il a souffert.

7. A la Messe, tandis qu'elle invoquait le Seigneur dans
l'introït [a], le Seigneur, empruntant lui-même ces paroles
comme si, dans les outrages des jours présents, c'est à
lui qu'elles eussent d'abord convenu : « Sois pour moi,
dit-il, ô mon aimée, une protectrice en te proposant

---

l'évangile de la Quinquagésime, où Jésus annonce aux disciples
sa passion (*Lc* 18, 31-43), seule la flagellation est deux fois mentionnée : « ... et flagellabitur ..., et postquam flagellaverint, occident
eum... »

libenter me praemunire velles ab injuriis, quibus specialiter tempore isto infestor, quia nunc, propulsus a
caeteris, pausare desiderans ad te confugi. » Tunc illa,
circumplectens illum totis viribus, nitebatur ipsum ad
10 intima sua perducere. Et ecce subito in tantum corporalibus abstrahitur sensibus ac Deo unitur interius, quod
et in sedendo et stando conventui negligeret conformari.
Unde commonita a quadam, intellexit se aliis dissimi-
liter facere, precabaturque Dominum quatenus sic cor-
15 pus suo juvamine regere posset, ne aliqua singularitate
notaretur. Cui Dominus respondit : « Dimitte mecum
illam affectionem tuam quae dicitur amor, ut vicem
tui suppleat penes me, et tu regimini corporis
intende. » Ad quod illa : « O amantissime Deus, si aliqua
20 affectionum mearum potest supplere vicem meam, magis
exopto ut rationi regimen corporis committatur, ut ego
tibi tota liberius vacem. » Quod ex tunc dono accepit :
quod nunquam sic fuit Deo unita interius, quin recto
moderamine exterius facienda sequeretur.

CAPUT XVI

DE NOTATIONE BONORUM OPERUM, ET QUALITER
IN UNIONE PASSIONIS CHRISTI SINT PERAGENDA

1. Sequenti vero nocte apparuit Dominus Jesus sedens
in throno gloriae suae. Et sanctus Joannes evangelista
apparuit sedens secus pedes Domini et scribens. Tunc
ista interrogavit eum quid scriberet ; cui respondens

6-7 ab injuriis — propulsus *om.* B¹ *mg.* B²

---

1. Remarquer au passage que sainte Gertrude n'est pas conti-
nuellement sur un lit de malade, ni même dans un coin de l'église,
dispensée des mouvements du chœur. De toute évidence, elle
se trouve ici au milieu de ses sœurs, dans sa stalle, soumise aux
prescriptions du cérémonial conventuel.

de me défendre de bon cœur, si tu en avais la force, contre les insultes dont je suis particulièrement assailli en ce temps, car maintenant, repoussé de tous et aspirant au repos, je me réfugie vers toi. » L'étreignant de toutes ses forces, elle cherchait à le faire pénétrer jusqu'au fond d'elle-même. Or voici que, soudain, elle fut tellement soustraite aux sens de son corps et unie à Dieu si intimement, qu'elle en oubliait de s'asseoir et de se lever en même temps que la communauté [1]. Quelqu'une l'en avertit. S'apercevant qu'elle ne faisait pas comme les autres, elle pria le Seigneur de l'aider à être si maîtresse de son corps qu'on ne remarquât plus en elle aucune singularité. Le Seigneur lui répondit : « Dépêche vers moi ce sentiment qui s'appelle l'amour. Il te remplacera auprès de moi, et toi, tu veilleras à la conduite de ton corps. » Mais elle : « Ô Dieu très aimant, si l'un de mes sentiments peut agir à ma place, que ne puis-je laisser mon corps à la tutelle de ma raison, et moi, vaquer à vous en toute liberté ! » De ce jour, lui fut donnée la grâce d'être intimement unie à Dieu, mais sans perdre jamais cependant un parfait contrôle dans l'accomplissement de ses devoirs extérieurs.

CHAPITRE XVI

LES BONNES ŒUVRES SONT COMPTÉES.
DU DEVOIR DE LES ACCOMPLIR EN UNION AVEC LA PASSION DU CHRIST

Comment sont récompensées toutes les bonnes œuvres...

1. La nuit suivante, elle vit le Seigneur Jésus siégeant sur le trône de sa gloire. Et saint Jean l'Évangéliste se trouvait là, assis aux pieds du Seigneur, occupé à écrire. Elle lui demanda alors ce qu'il écrivait. Le Seigneur

5 Dominus ait : « Ego singula obsequia hesterna die a
congregatione ista mihi impensa, et adhuc per duos dies
subsequentes impendenda, in hac facio charta diligenter
denotari, ad hoc ut, cum post mortem, secundum quod
Pater meus omne judicium dedit mihi *ᵃ*, cuiquam fideliter
10 reddidero mensuram bonam pro singulis laboribus operum
suorum bonorum, et insuper addidero mensuram con-
fertam ex omni fructu meae saluberrimae passionis et
mortis, unde omne humanum meritum mirifice nobilita-
tur, ducam eas cum hac charta ad Patrem, ut et ipse
15 ex omnipotentia paternae benignitatis suae superad-
dat eis *mensuram coagitatam et supereffluentem* *ᵇ* pro
beneficiis istis mihi in hac persecutione, qua nunc a
mundanis infestor, benigne impensis ; quia cum ego sim
fidelissimus omnium, multo minus possum omittere
20 quin recompensem benefactoribus meis bona quam rex
David qui, quamvis omni tempore vitae suae non praetermisit benefacientibus sibi congruis beneficiis respondere, cum tamen appropinquasset dies mortis ejus et
commisisset regnum in manu filii sui Salomonis, dixit
25 ei : *Filiis Berzelai Galaaditis reddas gratiam, eruntque*
comedentes in mensa tua; occurrerunt enim mihi cum
fugerem a facie fratris tui Absalon *ᶜ*. Quia sicut a quolibet magis acceptatur beneficium exhibitum in adversitate quam in prosperitate, sic et ego magis accepto
30 fidelitatem illam quae mihi exhibetur tempore isto, quo
mundus plus peccando me infestat. »

2. Beatus itaque Joannes sedens et scribens videbatur quandoque calamum intingere cornu quod manu
tenebat, et ex eo litteras nigras conscribere, quandoque
vero intingens calamum suum in vulnus amatorium late-

XVI. 1, 8 cum *om*. W ‖ 9 cuiquam : unicuique W ‖ 14
ducamque W ‖ 18-19 : ego cum fidelissimus omnium sim
W ‖ 23 appropinquassent W ‖ 25 bersellay *codd*. ‖ galaa-
tidis B ‖ reddes W

lui répondit : « Tous les hommages que la communauté m'a offerts hier et ceux qu'elle m'offrira encore pendant deux jours, je les fais noter avec soin sur cette feuille. Ainsi, après la mort, puisque *mon Père m'a remis tout jugement* [a], une fois que j'aurai rendu fidèlement à chacune une bonne mesure pour toutes ses peines et ses bonnes œuvres et que j'y aurai ajouté par surcroît une mesure bien tassée, en vertu de ma passion salvifique et de ma mort qui ennoblit merveilleusement tout mérite humain, je pourrai les conduire au Père avec ce compte. Lui-même, dans sa toute-puissante et paternelle bonté, y ajoutera encore *une mesure secouée et débordante* [b], pour les bons offices dont j'ai été l'objet en ces jours où les mondains me poursuivaient de leurs offenses. Car moi, qui suis plus fidèle que quiconque, je ne puis négliger de récompenser ceux qui m'ont fait du bien. Puis-je faire moins que le roi David ? Durant tout le cours de sa vie, il avait toujours reconnu dignement les services qu'on lui rendait, et pourtant, à l'approche du jour de sa mort, après avoir remis le royaume aux mains de son fils Salomon, il lui dit : *Sois reconnaissant aux fils de Berzelaï de Galaad : qu'ils soient de ceux qui mangent à ta table, parce qu'ils sont venus à ma rencontre lorsque je fuyais devant ton frère Absalon* [c]. D'ordinaire, il est encore plus agréable de recevoir un service dans les mauvais jours que dans les bons. Ainsi moi-même, c'est plus volontiers que j'agrée les marques de fidélité que l'on me donne en un temps où le monde m'insulte en multipliant ses péchés. »

2. Le bienheureux Jean était donc assis et écrivait. On le voyait parfois tremper sa plume dans une corne qu'il tenait à la main et former ainsi des lettres noires, parfois la tremper dans la plaie d'amour du côté de Jésus,

---

XVI. 1 *a. Jn* 5, 22 ‖ *b. Lc* 6, 38 ‖ *c. III Rois* 2, 7

5 ris Jesu, quod coram se apertum patebat, et exinde rosase
litteras faciebat, distinguens eadem rubea scripta partim
nigro colore, partim vero aureo. Intellexitque ista per ea
quae nigro colore erant scripta designari opera illa quae
ex usu faciunt quique religiosi, ut est jejunium quod ab
10 omnibus religiosis communiter in hac secunda feria inchoatur, et similia ; per illa vero quae roseo colore erant
conscripta, designari opera illa quae fiunt in memoriam
passionis Jesu Christi pro emendatione ecclesiae affectu
speciali. Per hoc vero quod eadem rosea scripta partim
15 erant nigro colore, partim aureo distincta, intellexit quod
illa quae in memoriam passionis dominicae fiunt tali
intentione quod ille qui ea facit desiderat per ea gratiam Dei obtinere, vel similia quae propriae cedunt
saluti, distinguuntur nigro colore. Illa quoque quae fiunt
20 ita pure ad laudem Dei in unione passionis Christi et
ad salutem universitatis, quod omnino abdicit quis omni
merito, praemio et gratia, quo tantummodo possit Deo
laudem et amoris exhibitionem offerre, distinguuntur
aureo colore, quia quamvis praedicta copiosam apud
25 Deum obtineant remunerationem, illa tamen quae pure
fiunt pro amore laudis Dei multo majoris sunt meriti ac
dignitatis, et insuper conferunt homini infinitum majus
augmentum salutis aeternae.

3. Recognovit quoque post binas distinctiones ubique
locum vacantem ; et cum perquireret a Domino quid
per hoc notaretur, respondit : « Cum moris sit apud
vos mihi tempore isto devotis semper desideriis et ora-

2, 11 erant colore W ‖ 19 *post* disting. *add.* in B ‖ 27
et : ac W

---

1. A cette époque et dans cette région, les religieux avaient
donc l'habitude de commencer le jeûne du Carême dès le lundi

béante devant lui, pour tracer des lettres rouges, les
relevant ensuite de noir ou d'or. Elle comprit que l'écriture noire symbolisait les œuvres accomplies par les
religieux selon leurs coutumes, comme par exemple le
jeûne conventuel qui pour tous les religieux commence à
partir de ce lundi [1], ainsi que d'autres observances
semblables. L'écriture rouge symbolisait les œuvres
accomplies en souvenir de la passion de Jésus-Christ,
avec le désir spécial de satisfaire pour l'Église. Quant à
ces mêmes lettres rouges, relevées en partie de noir,
en partie d'or, les premières signifiaient, elle le comprit,
les œuvres accomplies en souvenir de la passion du
Seigneur avec l'intention, chez celui qui les fait, d'obtenir
une grâce de Dieu ou quelque chose d'analogue. Celles
qui ont trait au salut personnel sont relevées de noir.
Mais celles qui sont faites à la louange de Dieu, en union
à la passion du Christ et pour le salut de l'univers, avec
une telle pureté d'intention que l'on renonce à tout
mérite, récompense ou faveur, afin d'offrir à Dieu un pur
hommage de louange et d'amour, celles-là sont relevées
d'or. Les précédentes, il est vrai, obtiennent de Dieu
une large récompense ; pourtant, celles qui sont purement
accomplies pour l'amour et la gloire de Dieu l'emportent
beaucoup en mérite et en valeur et, de plus, confèrent
à l'homme, en une proportion infinie, un accroissement
de bonheur éternel.

... unies à la passion du Seigneur.

3. Elle remarqua encore, en
plus de ces deux couleurs, des
espaces vides un peu partout,
et comme elle interrogeait le Seigneur sur la signification de ceci, il lui répondit : « C'est votre habitude, ces
jours-ci, de m'adresser avec dévotion vos désirs et vos

de la Quinquagésime, en réparation des désordres du Carnaval.
Voir ci-dessus la note au ch. 13, 2.

5 tionibus in memoriam passionis meae adesse, singulas
cogitationes et verba quibus mihi deservitis diligenter
feci conscribi. Locus vero vacans designat quod opera
in memoriam passionis meae facienda non habetis in
usu. » Tunc illa : « Et quomodo, inquit, amantissime Deus,
10 hoc possemus tibi laudabiliter perficere ? » Respondit
Dominus : « Ut omnia quae facitis in jejuniis, vigiliis
caeterisque regularibus disciplinis, faceretis in unione
meae passionis. Et quandocumque in aliquo abstineretis
sive visu, auditu, verbo et similibus, semper offerretis
15 mihi in unione illius amoris quo ego omnes sensus meos
continui in passione ; cum enim uno visu terruisse possem
omnes mihi adversantes, et unico verbo convicisse possem
omnes mihi contradicentes, ego *tamquam ovis quae portatur ad victimam*, inclinato humiliter capite oculisque
20 depressis in terram *a*, coram judice *non aperui os meum b*
ad respondendum vel unicum excusationis verbum contra
tot falsas querimonias mihi objectas. »

4. Tunc ista : « Eia, doce me, doctor optime, unum
saltem factum quod specialiter in memoriam passionis
tuae possimus perficere. » Respondit Dominus : « Hoc,
inquam, ut orantes expansis manibus formam meae pas-
5 sionis Deo Patri praetendatis, pro emendatione univer-
salis ecclesiae, in unione illius amoris qua ego in Cruce
expandi. » Et illa : « Si quis hoc facere vellet, oporteret
eum angulos quaerere, eo quod non habetur in usu. »
Ad quod Dominus : « Hoc ipsum studium quaerendi
10 angulos mihi complaceret, et opus illud exornaret velut

3, 5 memoria B ‖ meae passionis W *l* ‖ 9 et *om.* W ‖ **4**, 2-3
tuae passionis W

3 *a*. Cf. *RB*, 7 (12e degré d'humilité) ‖ *b*. Cf. *Is*. 53, 7

1. Le Seigneur réalise en perfection la prescription que saint

prières en souvenir de ma passion, aussi ai-je fait noter
soigneusement chacune des pensées et des paroles que
vous consacrez à mon service. Mais les espaces vides
montrent que vous n'accomplissez pas toujours vos actions
en souvenir de ma passion. » Elle dit alors : « Et comment
donc, ô Dieu infiniment aimé, pouvons-nous faire ceci
de manière à vous plaire ? » Le Seigneur répondit :
« Tout ce que vous accomplirez en fait de jeûnes, de
veilles et autres pratiques de la Règle, faites-le en union
avec ma passion. Et chaque fois que vous vous retiendrez
de regarder, d'écouter, de parler, et ainsi de suite,
offrez-le-moi toujours en union avec cet amour qui m'a
fait, durant ma passion, garder tous mes sens. Ah !
d'un seul regard j'aurais pu terrasser tous mes adversaires,
d'un seul mot réfuter tous mes accusateurs. Mais moi,
comme une brebis menée à l'abattoir, la tête humblement
inclinée [1], les yeux fixés à terre [a], *je n'ai pas ouvert la
bouche* [b] devant le juge pour rétorquer ne fût-ce qu'un
seul mot d'excuse, en face de tant de fausses accusations
lancées contre moi. »

**Prier les bras
en croix.**
4. Elle dit alors : « Ô le plus parfait
des docteurs, enseignez-moi seulement
une pratique particulière pour commé-
morer votre passion. » Le Seigneur répondit : « En voici
une : Priez les mains étendues pour présenter à Dieu le
Père l'image de ma passion, en expiation pour l'Église
tout entière, unis à cet amour qui m'a fait étendre les
mains sur la croix. » Mais elle : « Si quelqu'un voulait
faire ainsi, il lui faudrait pour cela chercher un recoin,
car ce n'est pas la coutume. » A quoi le Seigneur répondit :
« Ce souci de rechercher un recoin me serait très agréable
et augmenterait la beauté de cette pratique, comme des

Benoît donne à son moine au chapitre « De l'humilité » : *inclinato
sit semper capite, defixis in terram aspectibus...* (*RB*, 7).

gemmae monile perornant. » Et adjecit Dominus : « Si
quis hoc in usum adduceret, quod palam expansis manibus orans nullius in hoc contradictionem expavesceret,
ille tantum mihi honoris exhiberet, quantum ille regi
15 defert honoris, qui ipsum sollemniter inthronizat. »

5. Ad quaelibet etiam scripta intentionum sive orationum videbatur annotata etiam illa persona quae
facientem admonitionibus sive exemplis instigaverat.
Per quod clare patebat supereffluens bonitas divinae
5 liberalitatis, quae etiam gaudens exoptat dupliciter remunerare, si quid sibi parvitas conditionis humanae sim-
pliciter conatur offerre. Hinc ista dixit : « O Domine,
cur ad ista describenda non potius beatum Benedictum,
cujus ordinis est coenobium nostrum, elegisti, aut quem-
10 cumque alium quam beatum Joannem ? » Respondit
Dominus : « Quoniam ipse electus discipulus meus
maxime conscripsit de dilectione Dei et proximi, ergo
ipsum in hoc ministerium deputavi ; quia justissime con-
fidendum est de eo, quod taliter conscribat qualiter per-
15 solvere deceat meam divinam imperialemque liberalitatem, et etiam secundum quod magis vestrae congruat
utilitati. »

6. Post haec, feria quarta, dum in persona ecclesiae
quasi cum ea et pro ea veniret ad Dominum praebens
se ad emendationem quadragesimalem, in tantae serenitatis blanditate ab ipso inter jucundos amplexus sus-
5 cepta est, quod in ambigue per propriam experientiam
didicit Christum sponsum vere pro nimio affectu duci
erga sponsam illam, scilicet ecclesiam, in cujus persona
ipsa tunc eum adire nitebatur.

14-15 defert regi W ‖ **5**, 4 clare : praeclare B ‖ 5 quae :
qua B ‖ 8 **beatum** *om.* B

---

1. C'est le Mercredi des Cendres.

perles ornent un collier. Mais, ajouta le Seigneur, si quelqu'un faisait passer dans la coutume l'usage de prier ainsi devant tout le monde les mains étendues, sans avoir à craindre les objections de qui que ce soit, celui-là me donnerait autant de marques d'honneur qu'en donne à un roi celui qui procède à son intronisation solennelle. »

Libéralité divine. 5. A toutes les intentions et prières qui avaient été notées, se trouvait aussi ajouté le nom de la personne qui, par ses avis et ses exemples, avait engagé les autres à les réciter. C'était une manifestation évidente de la surabondante bonté et libéralité de Dieu, qui se réjouit de récompenser deux fois le peu que notre condition humaine s'efforce de lui offrir avec simplicité. Elle dit alors : « Ô Seigneur, pourquoi donc n'avoir pas choisi pour consigner tout cela le bienheureux Benoît, à l'ordre duquel appartient notre monastère, ou n'importe quel autre, plutôt que le bienheureux Jean ? » Le Seigneur fit cette réponse : « C'est lui, mon disciple choisi, qui a le plus écrit au sujet de l'amour de Dieu et du prochain. C'est pour cela que je lui ai confié cette fonction. On peut lui faire absolument confiance : il écrira exactement ce qu'il sied à ma libéralité divine et royale de vous accorder en retour, et ceci, en outre, de la manière la plus conforme à votre bien. »

Au nom de l'Église. 6. Puis, le Mercredi[3], alors qu'elle se présentait devant le Seigneur au nom de l'Église, c'est-à-dire avec elle et comme en sa place, pour s'offrir à l'expiation quadragésimale, elle fut admise par lui avec tant de bienveillante tendresse à de si délicieuses étreintes, qu'elle fit, à l'occasion de cette substitution, l'expérience personnelle de l'amour immense que porte le Christ-Époux à l'Église son épouse dont elle s'efforçait, à cet instant, de tenir la place en s'avançant vers lui.

CAPUT XVII

De oblatione Domini pro anima Drudis,
et tribus victoriis. Dominica *Invocavit*[a]

1. In dominica *Invocavit*, dum se minus paratam
sentiret ad sumendum corpus dominicum, exorabat Dominum devoto corde ut jejunium suum sanctissimum,
quo *quadraginta diebus et* totidem *noctibus*[b] se pro
5 salute nostra maceravit in terris, sibi conferre dignaretur in suppletionem illius quo ipsa, corporali infirmitate detenta, quadragesimale jejunium solvere cogere-
tur. Ad cujus petitionem Filius Dei, alacri vultu festinus
consurgens et coram Deo Patre reverenter genua flec-
10 tens, ait : « Secundum quod ego, unicus tuus tibi coae-
ternus et consubstantialis, ex inscrutabili sapientia mea
perspicacius cognosco defectum humanae fragilitatis,
quam vel ista vel quisquam hominum cognoscere possit,
secundum hoc ipsius multiplici fragilitati multipli-
15 citer compassus, universalem ipsius desiderans supplere
defectum, offero tibi, Pater sancte, dignissimam abstinentiam sanctissimi oris mei in veram emendationem et
suppletionem omnium quae unquam per inutilem ser-
mocinationem deliquit aut omisit. Offero etiam tibi,
20 Pater juste, abstinentiam sanctissimarum aurium mearum pro omnibus delictis aurium ipsius. Abstinentiam
quoque oculorum meorum offero tibi pro cunctis maculis
quae aliquo illicito visu contraxit. Necnon abstinentiam
manuum pedumque meorum pro omnibus delictis ope-
25 rum gressuumque suorum. Postremo majestati tuae,

XVII. 1, 4 quo : qua W ‖ 14 hoc : quod W ‖ *post* hoc
add. quod *mg.* B²

XVII. 1 *a.* 1ᵉʳ dim. de carême : *Ps.* 90, 15 ‖ *b. Matth.* 4, 2

CHAPITRE XVII

Offrande du Seigneur pour l'âme de Gertrude.
Les trois victoires du Seigneur.
Dimanche *Invocavit* [a]

Offrir le jeûne du Fils de Dieu.

1. Le Dimanche *Invocavit*, se sentant insuffisamment préparée à recevoir le corps du Seigneur, elle suppliait le Seigneur, d'un cœur dévot, de daigner lui attribuer ce jeûne très saint qu'il avait supporté sur la terre *durant quarante jours et* autant de *nuits* [b] pour notre salut, afin de suppléer au jeûne du Carême que, retenue par ses infirmités physiques, elle se voyait obligée de rompre. A cette demande, le Fils de Dieu, le visage radieux, se leva avec empressement et, fléchissant les genoux avec révérence devant Dieu le Père, il dit : « Puisque je suis votre Fils unique, coéternel et consubstantiel, j'ai, dans mon inscrutable sagesse, une connaissance plus profonde des lassitudes de la faiblesse humaine que celle-ci ou n'importe quel homme peut en avoir ; aussi je compatis de mille manières à ses multiples faiblesses, et, dans le désir de suppléer à toutes ses déficiences, je vous offre, Père saint, la mortification si précieuse de ma bouche très sainte, en parfaite expiation et suppléance de tout ce qu'elle a commis ou omis du fait de paroles inutiles. Je vous offre aussi, Père juste, la mortification de mes oreilles très saintes pour toutes les fautes de ses oreilles. Je vous offre également la mortification de mes yeux pour toutes les souillures qu'elle a contractées par des regards défendus. Je vous offre de plus la mortification de mes mains et de mes pieds pour toutes les fautes commises en ses actions ou démarches. Enfin, j'offre

Pater amantissime, offero deificatum Cor meum pro universis delictis quae unquam cogitatione, desiderio sive voluntate commisit. »

2. Tunc anima, stans coram Deo Patre, videbatur indumentis candidis rubeisque vestita diversisque ornamentis, velut inclyta proles, mirabiliter decorata. Per candidam vestem figurabatur innocentia quae per abstinen-
5 tiam Christi animae donatur ; per rubeam vero labor abstinentiae ; per ornamenta quoque multiplices exercitationes singulorum membrorum Domini, quibus nobis salutem mercatus est sempiternam. Hinc Deus Pater, assumens animam sic ex ornamentis Filii sui dilecti sibi
10 satis placite perornatam, statuit eam inter se et Unigenitum suum, quasi ad mensam quamdam deliciosam. Circumfulsitque eam ex una parte splendor divinae omnipotentiae Dei Patris, ut eam ad tantae dignitatis excellentiam sublimaret ; ex altera vero parte, lux inscruta-
15 bilis sapientiae Filii Dei, quae tam praecipua ornamenta perfectissimorum operum virtutumque suarum animae novit adaptare. In medio quoque diversorum splendorum quibus a dextris et a sinistris anima videbatur ornata, apparebat quasi tenuis quaedam rima ipsos
20 splendores ab invicem secernens, per quam animae propriae vilitatis enormitas interpatebat, unde humiliata, ex rubore gratae verecundiae magis complacens, animum Regis in sui concupiscentiam efficacius inflammaret.

3. Tunc Filius Dei apposuit coram ea, in specie trium ferculorum, tres victorias suas quae ipso die in evangelio recitabantur ; de quibus tamquam quoddam saluberrimum antidotum sumeret contra illa tria vitia qui-
5 bus omne genus humanum magis delinquit, scilicet delectatione, consensu et concupiscentia. Et primo, ut

26 *post* offero *add.* tibi *s.l.* B² ‖ **2,** 5 donabatur W ‖ 9 ex *om.* B ‖ 19 ornata : perornata W

à votre majesté, Père très aimé, mon Cœur déifié, pour toutes les fautes qu'elle a commises en pensées, désirs et vouloirs. »

2. L'âme se vit alors debout devant Dieu le Père, portant des vêtements blancs et rouges et des ornements variés, comme une fille de haut rang admirablement parée. Le vêtement blanc signifiait l'innocence donnée à l'âme par la mortification du Christ ; le rouge, le labeur de cette mortification ; les ornements enfin, les diverses opérations de chacun des membres du Seigneur, concourant à payer notre salut éternel. Puis, Dieu le Père prit cette âme, parée, de manière à lui plaire, des ornements de son Fils bien-aimé, et la plaça entre lui et ce Fils unique, comme à une table délicieuse. D'un côté, c'était la splendeur de la divine toute-puissance de Dieu le Père qui l'enveloppait pour l'élever au rang d'une pareille dignité ; de l'autre, la lumière de l'inscrutable sagesse du Fils de Dieu qui avait réussi à la revêtir des ornements princiers de ses œuvres et de ses vertus très parfaites. Au milieu de cette double splendeur dont, à droite et à gauche, l'âme semblait ornée, apparaissait comme un étroit couloir séparant l'une et l'autre splendeur ; il faisait voir à l'âme l'immensité de son propre néant. Elle en fut humiliée, mais l'aimable rougeur de sa confusion la rendit plus agréable encore à Dieu et enflamma le cœur du Roi d'une passion plus ardente pour elle.

Les trois victoires du Christ.

3. Le Fils de Dieu plaça alors devant elle, sous la forme de trois mets différents, les trois victoires proclamées dans l'évangile de ce jour. Elle devait les prendre, à titre d'antidote très efficace contre les trois principaux vices qui font pécher le genre humain tout entier, c'est-à-dire la délectation, le consentement et la convoitise. Premièrement, lorsque le diable pour exciter

de illa gloriosa victoria qua suggerenti diabolo cibi delectationem et dicenti : *Dic ut lapides isti panes fiant*[a],
sapienter rebellavit dicens : *Non in solo pane vivit homo*[b],
10 etc., sumeret emendationem omnium quibus unquam
humane delectando deliquit et vires de caetero resistendi cuilibet delectationi ; verbi gratia, cum quis impu-
gnatur aliqua delectatione, quanto magis sequitur impe-
tum delectationis, tanto invalidior efficitur ad resisten-
15 dum ; unde quilibet potest eamdem victoriam Filii Dei
offerre Deo Patri, in emendationem omnium quibus
unquam in aliqua creatura humane vel carnaliter delectando peccavit, orans ut donentur sibi vires ulterius
omnibus resistendi. De secunda vero victoria Domini
20 datum est animae ut sumeret indulgentiam omnium
quae unquam per consensum contraxit et vires de caetero resistendi ; quam victoriam etiam quilibet offerre
potest Deo Patri pro emendatione omnium cogitationum,
verborum et operum quibus conscientiam laesit, et impe-
25 trare vires postmodum resistendi. De tertia vero victoria Domini dabatur animae ut sumeret veram emendationem omnium quae contraxit ex concupiscentia eorum
quae non habens affectasset habere, et vires omni con-
cupiscentiae resistendi : quod etiam quilibet studeat obti-
35 nere.

4. Inter Missam intendens epistolae[a], ut ex virtutibus quae in ea recitantur aliquas utiliores colligeret ad
imitandum aliosque docendum, dum nullo super hoc
spirituali intellectu donaretur, dixit ad Dominum :
5 « Doce me, amator benignissime, in quibus praecipue
harum virtutum tibi possim placite deservire, quia heu !

3, 7 suggerente W ‖ 20 *post* est *add.* homini B

---

3 *a. Matth.* 4, 3 ‖ *b. Matth.* 4, 4 ; *Lc* 4 4 ; cf. *Deut.* 8, 3
‖ **4** *a. II Cor.* 6, 1-10

la délectation du goût lui eut dit : *Ordonne que ces pierres deviennent des pains* [a], il le repoussa dans sa sagesse en disant : *L'homme ne vit pas seulement de pain* [b], etc. Glorieuse victoire d'où elle tira le remède [1] à toutes les fautes où elle fût jamais tombée par délectation trop humaine, comme aussi la force de résister à l'avenir à toute délectation de ce genre. Car, si l'on subit l'assaut de quelque délectation, plus on se laisse entraîner par le mouvement de cette délectation, plus on perd aussi le pouvoir de lui résister. C'est pourquoi chacun peut offrir à Dieu le Père la susdite victoire du Fils de Dieu, comme remède à toutes les fautes qu'il a pu jamais commettre dans la délectation humaine ou charnelle d'une créature quelconque, et en priant que lui soient données les forces pour résister toujours à l'avenir. Dans la deuxième victoire du Seigneur, fut donné à l'âme le pardon de toutes les fautes commises par son consentement, et la force d'y résister désormais. Cette victoire, chacun peut aussi l'offrir à Dieu le Père comme remède à toutes les pensées, paroles et actions qui blessent la conscience, et pour obtenir la force de résister dans la suite. Grâce à la troisième victoire du Seigneur, fut donné à l'âme de recevoir le véritable remède à toutes les fautes contractées par convoitise, en désirant posséder ce qu'elle n'avait pas, et aussi la force de résister à toute convoitise. Que chacun donc s'applique à l'obtenir de même.

L'Esprit-Saint. 4. Pendant la Messe, elle écouta attentivement l'épître [a] pour choisir, parmi les vertus énumérées, les plus utiles à imiter et à enseigner aux autres. Et comme elle ne recevait à ce sujet aucune lumière en son esprit, elle dit au Seigneur : « Apprenez-moi, ô mon très doux amant, quelles sont, parmi

---

1. On a traduit ici *emendatio* par « remède », afin de rester dans la ligne de la petite parabole de la table où le Seigneur sert à sainte Gertrude des antidotes contre tous les poisons.

nequeo singulis quotidie notabiliter insudare. » Respondit Dominus : « Perpende quod in medio caeterarum
virtutum inseritur *in Spiritu Sancto* [b] : et quia Spiritus
10 Sanctus est bona voluntas, studeas super omnia ut
habeas bonam voluntatem, et sic omnium virtutum
specialem poteris habere decorem et profectum, quia sola
voluntas plus lucratur quam unquam aliquis perficere posset in operibus aut obtinere. Qui enim habet integram
15 voluntatem quod libentissime supra omnem creaturam
me vellet laudare, gratias agere, amare, condolere, et in
omni virtute se perfectissimo modo exercere, si posset,
ille indubitanter a divina liberalitate mea remunerabitur
copiose pro infinitis quae unquam ullus hominum opere
20 posset perfecisse. » Hinc Spiritus Sanctus Paraclitus,
procedens in medium et stans coram anima, splendore suo
divino medietatem animae per quam ipsi propriae vilitatis
enormitas patebat, ut praescriptum est, mirabiliter per-
lustrando irradiabat ; sicque ex virtute divinae clarita-
25 tis, anima illa, omni sua vilitate totaliter exuta, ipsi
vivo fonti luminis sempiterni feliciter est immersa.

CAPUT XVIII

De operibus misericordiae spiritualibus.
Feria secunda

1. Sequenti autem feria secunda, dum legeretur in
evangelio : *Venite, benedicti Patris mei*, etc. *Esurivi
enim,* [a] etc., ista dixit ad Dominum : « Eia, mi Domine,

4, 7 singulis *s.l.* B ‖ **12** specialem *om.* W ‖ **14** in operibus
om. W ‖ integram habet W ‖ **19** ullus : nullus *a. corr.* B ‖
20 perficere W ‖ **24** irradicabat B ‖ **25** ipso W

---

b. II Cor. 6, 6
XVIII. 1 *a. Matth.* 25, 34-35

celles-ci, les vertus grâce auxquelles je puis vous servir
de manière à vous plaire particulièrement, puisque, hélas !
je ne puis chaque jour m'appliquer à chacune par un
effort extraordinaire. » Le Seigneur répondit : « Remarque
bien que, au milieu des autres vertus, se trouvent insérés
ces mots : *dans l'Esprit-Saint* [b], et parce que l'Esprit
est volonté bonne, veille par-dessus tout à posséder
une volonté bonne. C'est ainsi que tu pourras avoir
l'éclat et la perfection spécifique de toutes les vertus,
parce que la volonté, à elle seule, gagne plus que tout
ce qu'on pourrait réaliser ou acquérir par des actes.
Celui dont la volonté entière cherche à surpasser la
louange de toute créature, à me rendre grâces, à m'aimer,
à compatir à mes douleurs, à s'exercer à toute vertu
de la manière la plus parfaite possible, celui-là, indubitablement, ma divine libéralité lui paiera largement le
prix des innombrables choses que jamais homme aurait
pu réaliser par ses œuvres. » Alors, l'Esprit-Saint, le
Paraclet, s'avançant au milieu et se tenant en face de
l'âme, se mit à inonder du merveilleux éclat de sa splendeur divine cette partie médiane dont il a été parlé
et où l'âme pouvait voir à découvert l'énormité de sa
propre vileté. Ainsi, par l'action de la clarté divine,
cette âme, totalement dépouillée de toute sa vileté,
eut le bonheur d'être immergée dans la fontaine vive
de la lumière qui ne s'éteint pas.

CHAPITRE XVIII

Les œuvres de miséricorde spirituelle.
Le lundi

Les œuvres de miséricorde. 1. Le lundi suivant, comme on lisait
dans l'évangile : *Venez les bénis de mon
Père*, etc., *car j'ai eu faim*, etc. [a], elle
dit au Seigneur : « Ah ! mon Seigneur ! Il ne nous con-

cum nobis non congruat corporaliter esurientes cibare,
5 sitientes potare, et caetera opera misericordiae perficere,
eo quod, te ordinante sub regulari professione conver-
santes *b*, nihil nobis proprii liceat possidere *c*, doce me quo
studio possimus et nos illam dulcissimam benedictionis
tuae vocem consequi, quam pro operibus misericordiae
10 hoc loco evangelii promisisti. » Respondit Dominus :
« Cum ego vera salus et vita animae, sine intermissione,
in quolibet homine esuriam et sitiam sui ipsius salutem,
si quis omni die studeret aliqua aedificatoria sacrae
Scripturae recitare, ille certe meam esuriem suavissima
15 refectione relevaret. Si vero lectioni etiam hanc intentionem adjungeret, quod scilicet ex ea compunctionis
vel devotionis gratiam obtinere desideraret, tunc etiam
sitim meam dulcissimo poculo refocillaret. Si quis etiam
saltem una hora quotidie mihi vacare studeret, tota
20 mentis intentione, ille valde gratum mihi hospitium
exhiberet. Et qui singulis diebus in aliqua virtute exercitari studeret, ab illo me decenter coopertum acceptarem. Similiter, qui alicui vitio vel tentationi viriliter
resistendo devinceret, ab illo me infirmum diligenti cura
25 visitatum reputarem. Qui autem pro peccatoribus et animabus purgandis devote oraverit, hoc tam dignanter acceptabo ac si, ad me incarceratum crebrius veniendo, blandis consolationibus suis desolationem meam sublevas-
set. » Adjecitque Dominus : « Si quis in praedictis se quo-
30 tidie pro amore meo exercitaverit, et specialiter tempore
quadragesimali, hunc indubitanter, cum tota divina suavitate mea regali gloria necnon amicabili fidelitate, tam
dignanter remunerabo, sicut hoc incomprehensibilem

---

b. Cf. *RB*, 1 ‖ *c.* Cf. *RB*, 33

vient pas de rassasier la faim corporelle, ni de désaltérer les assoiffés, ni d'exercer les autres œuvres de miséricorde, puisque vous avez voulu que nous vivions sous
la discipline d'une règle [b], et qu'il ne nous est pas licite
de posséder quelque chose en propre [c]. Enseignez-moi
donc par quel exercice nous pourrions obtenir que cette
très douce parole de votre bénédiction, promise, en cet
endroit de l'évangile, pour prix des œuvres de miséricorde, nous soit adressée, à nous aussi. » Le Seigneur
répondit : « Comme je suis le salut et la vie des âmes,
en tout homme je suis toujours affamé et assoiffé de son
salut. Si quelqu'un, chaque jour, s'applique à lire quelques
paroles de la sainte Écriture pour s'édifier, celui-là, sans
aucun doute, apaisera ma faim par une réfection extrêmement suave. Que si, à cette lecture, il ajoute encore
l'intention et le désir d'obtenir par là une grâce de componction et de dévotion, alors, il soulagera également ma
soif par un breuvage aromatisé. De plus, si quelqu'un
cherche à s'occuper de moi, une heure au moins chaque
jour, avec toute l'attention de son âme, celui-là m'offrira
une très agréable hospitalité. Et celui qui, chaque jour,
s'appliquera à l'exercice de quelque vertu, je considérerai qu'il m'a vêtu avec goût. Pareillement, celui qui
remporte la victoire, après avoir lutté énergiquement,
contre tel vice ou tentation, je me regarderai comme un
malade visité par lui avec de délicates attentions. Quant
à celui qui priera dévotement pour les pécheurs et les
âmes du purgatoire, je le considérerai avec autant de
bienveillance que s'il était souvent venu à moi dans ma
prison et avait soulagé ma détresse par ses douces et
consolantes paroles. Et, ajouta le Seigneur, si quelqu'un,
pour mon amour, pratiquait chaque jour les œuvres
susdites, et spécialement durant le temps du Carême, je
lui donnerai pour récompense, c'est indubitable, ma gloire
royale avec toute ma divine douceur et mon affectueuse
fidélité, et cela, de la manière magnifique dont il convient

13

omnipotentiam et inscrutabilem sapientiam dulcissi-
35 mamque benevolentiam meam unquam liberalius decet
adimplere. »

CAPUT XIX

DE OBLATIONE PRO ECCLESIA.
IN DOMINICA *Reminiscere* [a]

1. Post haec, in dominica *Reminiscere*, dum quasi
introducta in thalamum sponsi potioribus bonis illius
potiori modo frueretur, et miro modo delectaretur in
superabundantibus deliciis divinae dulcedinis et pieta-
5 tis, de quibus tamen nihil ad humanam exprimere potuit
capacitatem, exorabat Dominum ut aliqua sibi donare
dignaretur, in quibus homines per septimanam illam
possent utiliter exerceri. Cui respondit Dominus : « *Affer
mihi duos haedos optimos* [b], id est, corpus et animam
10 totius generis humani. » In quibus verbis intellexit quod
Dominus exigeret ab ea emendationem pro universitate
totius ecclesiae. Tunc Spiritu Sancto instigante legit
quinque *Pater noster*, in honorem quinque vulnerum
Domini, pro emendatione omnium peccatorum quinque
15 sensuum totius generis humani commissorum, et tria
Pater noster in emendationem omnium peccatorum tribus viribus animae, scilicet rationabili, irascibili et concu-

XIX. 1, 1 haec : hoc W ‖ 8 exercere W

XIX. **1** *a*. 2e dim. de carême : *Ps.* 24, 6 ‖ *b*. *Gen.* 27, 9

---

1. Noter le schéma trinitaire, comme au ch. 19, 1 et ailleurs.
2. On ne peut comprendre ce chapitre qu'en se référant au récit
de la bénédiction d'Isaac par Jacob, lu aux Matines de ce jour
(les chevreaux, la large bénédiction du Seigneur, son étreinte
et plusieurs autres détails ou expressions caractéristiques). Au

à mon incompréhensible toute-puissance, à mon insondable sagesse et à ma très douce bienveillance [1] de s'acquitter de tout ceci. »

CHAPITRE XIX

Offrande pour l'Église [2].
Dimanche *Reminiscere* [a]

Expier les péchés de tous les hommes. **1.** Plus tard, le dimanche *Reminiscere,* introduite, pour ainsi dire, dans la chambre nuptiale de l'époux, elle y goûtait d'une manière exceptionnelle des faveurs exceptionnelles et se délectait merveilleusement dans la délicieuse surabondance de la douceur et de la bonté divines, dont il est impossible de traduire quelque chose qui puisse être accessible à l'homme. C'est alors qu'elle pria le Seigneur de daigner l'instruire de quelque pratique que les hommes puissent accomplir avec profit durant cette semaine.

Le Seigneur lui répondit : « *Apporte-moi deux beaux chevreaux* [b], c'est-à-dire le corps et l'âme de tout le genre humain. » Elle comprit par ces mots que le Seigneur réclamait d'elle une expiation pour tout l'ensemble de l'Église. Alors, sous l'impulsion de l'Esprit-Saint, elle récita cinq *Pater noster* en l'honneur des cinq plaies du Seigneur, pour expier tous les péchés que le genre humain a commis par ses cinq sens, et trois *Pater noster* en expiation de tous les péchés que l'univers entier a commis, par action ou par omission, au moyen des trois puissances de l'âme, c'est-à-dire le raisonnable, l'irascible et le

chapitre suivant, c'est aussi le thème de la lecture de l'Office qui inspire la méditation de sainte Gertrude (histoire de Joseph). Par contre, au chapitre 21, c'est celui de l'évangile du jour, et il en va de même pour le dimanche de la Passion et celui des Rameaux.

piscibili, totius universitatis commissorum, vel omisso-
rum ; offerens ea Domino in unione illius perfectissimae
20 intentionis qua eadem oratio, in Corde ipsius dulcissimo
sanctificata, ad nostram salutem est edita, in emendationem omnium commissorum et suppletionem negligentiarum quae unquam ex humana fragilitate ignorantia seu malitia sunt contracta contra suam insuperabilem
25 omnipotentiam, inscrutabilem sapientiam ac superef-
fluentiam gratuitae bonitatis.

2. Haec cum offerret, benignus Dominus quasi in
eorum complacentia ultra quam dici possit complacatus, extendens manum suam, a vertice capitis usque ad
plantam pedis *a* signum crucis ducens, eam satis affectuose
5 benedixit, sicque inter suaves amplexus amicabiliter ad
Deum Patrem gratiosius benedicendam deduxit. Qui eam
benigne respiciens et dignantissime suscipiens, ineffabiliter ipsam benedixit, donans illi benedictionem totius
generis humani, tali modo quod eam solam tot benedic-
10 tionibus superadditis beatificavit, quot universitati totius
mundi deberentur, si quilibet se simili modo divinae
gratiae adaptasset. Unde quilibet per hanc septimanam
studeat per quinque *Pater noster* emendare Domino delicta totius humani corporis, et per tria *Pater noster*
15 commissa animarum totius ecclesiae Dei sanctae, ut et
ipse tam saluberrimae benedictionis effectum mereatur
obtinere per Iesum Christum Filium Dei, qui se caput
et sponsum ecclesiae dignatur exhibere.

2, 2 complacentiam W

concupiscible. Elle les offrit au Seigneur, unie à cette intention absolument parfaite qui sanctifia cette même prière dans son Cœur infiniment doux et la fit jaillir pour notre salut ; elle les offrit pour expier tous les péchés et suppléer à toutes les négligences qui furent jamais commises par la fragilité, l'ignorance ou la malice des hommes, contre sa toute-puissance souveraine, son inscrutable sagesse et l'abondance toute gratuite de sa bonté.

2. Comme elle faisait cette offrande, le Seigneur, dans sa bénignité, y trouva sa complaisance, il en fut plus apaisé qu'on ne peut le dire et il étendit la main pour tracer sur elle un signe de croix depuis le sommet de sa tête jusqu'à la plante de ses pieds *a*, en la bénissant avec beaucoup de tendresse. Et, dans une douce étreinte, il la conduisit affectueusement à Dieu le Père pour recevoir une bénédiction plus exquise encore. Celui-ci la regarda avec complaisance, l'accueillit très favorablement et la bénit d'une manière ineffable, lui accordant la bénédiction du genre humain tout entier, en sorte qu'elle reçut, à elle seule, la somme de toutes les bénédictions destinées au monde et à tout l'univers, si chacun s'était disposé à la grâce divine comme elle l'avait fait. Que chacun donc, durant toute cette semaine, s'efforce par cinq *Pater noster* d'expier devant le Seigneur les fautes que tous les hommes commettent par leur corps, et par trois *Pater noster*, les péchés des âmes dans toute la sainte Église de Dieu, afin de mériter d'obtenir l'effet d'une bénédiction très salutaire par Jésus-Christ, le Fils de Dieu, qui daigne se montrer la tête et l'Époux de l'Église.

2 *a*. Cf. *Is.* 1, 6

CAPUT XX

De emptione conversationis Christi.
In dominica *Oculi* [a]

1. Et ut devotio ipsius cum officiis ecclesiae concorda-
ret, in dominica *Oculi mei*, more sibi solito, desideravit edoceri a Domino, in quo per illam deberet hebdomadam specialius exerceri. Cui respondit Dominus :
5 « Quoniam nunc in officiis ecclesiae recitatur quod Joseph pro triginta denariis [b] est venditus, tali exemplo
provocata, legendo XXXIII *Pater noster*, eme a me
conversationem meam sanctissimam, qua triginta tribus annis [c] *operatus sum salutem in medio terrae* [d]. Et
10 hunc fructum communica toti ecclesiae in veram salutem
ad laudem meam aeternam. » Quod cum fecisset, recognovit ipsam in spiritu totam ecclesiam, velut sponsam
ornatam et compositam, ex fructu perfectissimae conversationis Christi mirifice decoratam.

CAPUT XXI

De convivio Domini.
In dominica *Laetare* [a]

1. In dominica vero *Laetare*, dum iterum peteret
instrui a Domino, in quo sibi laudabilius in illa hebdo-

XX. 1, 2 sibi *om.* W ‖ 4 dominus respondit W ‖ 8 *ante*
conversationem *iteravit* sanctissimam *mg.* B² ‖ sanctissimam
convers. meam W

XX. **1** *a.* 3e dim. de carême : *Ps.* 24, 15 ‖ *b.* 4e leçon des
Matines : cf. *Gen.* 37, 28 ‖ *c.* Cf. *Lc* 3, 23 ‖ *d. Ps.* 73, 12
XXI. **1** *a.* 4e dim. de carême : cf. *Is.* 66, 10

CHAPITRE XX

Acheter la vie du Christ.
Dimanche *Oculi* [a]

Acheter la vie du Christ. **1.** Afin de mettre sa dévotion en accord avec la liturgie de l'Église, le dimanche *Oculi mei*, elle désira, à son ordinaire, apprendre du Seigneur à quoi elle devait plus particulièrement s'exercer en cette semaine, et le Seigneur lui répondit : « On lit aujourd'hui dans les offices de l'Église que Joseph a été vendu pour trente deniers [b][1]. Que cet exemple t'engage à m'acheter, par la récitation de trente-trois *Pater noster*, la vie très sainte que j'ai menée *au milieu du monde* durant trente-trois années [c], *pour opérer son salut* [d]. Et fais participer toute l'Église à ce profit, afin qu'elle soit véritablement sauvée, pour ma louange éternelle. » Lorsqu'elle eut ainsi fait, elle vit en esprit cette Église tout entière, telle une épouse parée avec art, merveilleusement embellie du fruit de la vie très parfaite du Christ.

CHAPITRE XXI

Le banquet du Seigneur.
Dimanche *Laetare* [a]

1. Le dimanche *Laetare*, comme elle demandait de nouveau au Seigneur en quoi elle pouvait s'exercer

---

1. Joseph vendu par ses frères évoque si vivement pour Gertrude — comme pour toute la tradition — Jésus vendu par Judas, qu'elle confond les deux sommes versées : Joseph n'est pas vendu pour 20 deniers (*Gen.* 37, 28), mais pour 30, comme Jésus.

mada posset exercitari, respondit Dominus : « Intro-
duc mihi illos quos ante septem dies conversationis meae
5 decore praeparasti, quia comesturi sunt mecum. » Ad
quod illa : « Et quomodo hoc perficere valeo ? Nam
certe ut et ego indigna possem tibi Domino meo introducere omnes cum quibus dignaris delicias tuas habere, ob
hoc a die isto usque in diem judicii libentissime vellem
10 nudis pedibus circuire totum mundum, et quemlibet
eorum, in quibus tu dulcor animae meae deliciando
dignaris delectari, ulnis meis gestando praesentare, ut
vel sic aviditati insatiabilis dulcedinis tui divini amoris
aliqualiter satisfacere possem. Insuper, si possibile esset,
15 cor meum in tot partes dividere vellem, ut exinde universis partiri possem bonam voluntatem, ad obsequen-
dum tibi secundum tui divini Cordis summum oblectamentum. » Ad quod Dominus : « Talis voluntas tua
beneplacens et perfecta [b] per omnia sufficit. » Et statim
20 cognovit universam ecclesiam, miro modo decoratam,
ante conspectum Domini praesentatam. Et ait Dominus :
« Huic multitudini tu hodie ministrabis. »

2. At illa mox divinitus inspirata procidit ad pedes
Domini et vulnus sinistri pedis Domini deosculabatur in
emendationem omnium peccatorum ab universali ecclesia
unquam cogitationibus, desideriis seu voluntatibus per-
5 versis commissorum, orans Dominum ut dignissimam
emendationem, qua ipse totius mundi peccata purgavit,
ipsi donaret in veram emendationem. Et ecce statim
dabatur animae effectus orationis suae in similitudine
panis unius, quem ipsa statim cum gratitudine porrexit
10 Domino ; Dominus autem ipsum benigne suscipiens, et

XXI. 1, 7 et *om.* W ‖ 9 a die : audire B ‖ 13 aviditati :
adiudicati W ‖ insatiabili dulcedine W ‖ amoris divini B ‖
17 oblectamentum : delectamentum W ‖ 2, 5 commissis W

b. Cf. *Rom.* 12, 2

durant cette semaine avec le plus de mérites, le Seigneur lui répondit : « Introduis auprès de moi ceux que, la semaine dernière, tu as revêtus de la beauté de ma vie, car ils doivent prendre leur repas avec moi. » A cela, elle répondit : « Et comment pourrai-je le faire ? Ah certes ! si, malgré mon indignité, je pouvais introduire auprès de vous, mon Seigneur, tous ceux avec qui vous daigneriez prendre vos délices, j'irais bien volontiers nu-pieds, de par le monde entier, depuis ce jour jusqu'à celui du jugement, et chacun de ceux en qui vous daigneriez trouver vos délices et votre joie, ô douceur de mon âme, je les prendrais dans mes bras pour vous les présenter. Ils deviendraient ainsi vôtres, et je pourrais satisfaire quelque peu l'avide et insatiable tendresse de votre divin amour. De plus, si la chose était réalisable, je voudrais diviser mon cœur en autant de parties qu'il faudrait pour distribuer à tous les hommes la bonne volonté de vous servir de la manière la plus agréable à votre divin Cœur. » A quoi le Seigneur répondit : « Cette volonté parfaite que tu possèdes et qui me plaît tant [b] suffit à tout. » Et elle vit aussitôt l'Église universelle, admirablement parée, conduite en présence du Seigneur. Et le Seigneur dit : « C'est cette multitude que tu serviras aujourd'hui. »

Les pains... 2. Alors, sous une soudaine inspiration de Dieu, elle se prosterna aux pieds du Seigneur et baisa la plaie de son pied gauche en expiation de tous les péchés jamais commis dans l'Église par pensées, désirs ou volontés perverses, priant le Seigneur de lui faire don, pour les expier bien réellement, de cette expiation parfaite grâce à laquelle il a lui-même purifié le monde entier de ses péchés. Et voici qu'aussitôt l'âme reçut l'effet de sa prière sous la forme d'un pain qu'aussitôt elle offrit au Seigneur avec gratitude. Le Seigneur l'accepta avec bonté et, levant les yeux, il

sublevatis oculis, Deo Patri gratias devotas agens [a], benedixit [b], ac deinde reddidit illi ad distribuendum toti ecclesiae. Hinc illa vulnus dextri pedis Domini deosculans,
in suppletionem omnium quae tota ecclesia omisit in
15 exercitatione utilium cogitationum, desideriorum sanctorum ac bonarum voluntatum, orabat Dominum ut
dignissimam suppletionem illam, qua ipse universum debitum humani generis persolvit, toti donaret ecclesiae
in negligentiae suae supplementum. Hinc vulnus sinis-
20 trae manus Domini devotissima intentione exosculans
in emendationem omnium peccatorum tam verbis quam
factis totius mundi commissorum, deprecabatur Dominum ut illam dignissimam emendationem, qua omnium
nostrum tam verborum quam operum delicta expiavit,
25 ecclesiae largiretur in veram emendationem. Dehinc
etiam vulnus Domini dextrae manus exosculans pro suppletione negligentiarum totius ecclesiae, quae ex omissione
utilium verborum operumque bonorum contraxit, roga-
bat Dominum ut suam dignissimam perfectionem largiri
30 dignaretur ecclesiae in totius negligentiae supplementum.

3. Cum vero ad singula haec vulnera accepisset singulos panes, eosque Domino porrigens, ab eo benedic-
tiones recepisset ad distribuendum ecclesiae, postremo
accessit ad vulnus amatorium lateris Jesu Christi,
5 illudque ex intimo corde deosculans, exorabat Dominum ut ex abundantia divinae pietatis suae, post dignam
peccatorum emendationem et sufficientem negligentiarum suppletionem, et nunc merita sanctissimae conversationis suae, quibus in seipso dignissime resplendet in
10 conspectu Dei Patris, ad cumulum beatitudinis aeternae
dignaretur superaddere ecclesiae sponsae suae sanc-

3, 4 Christi Jesu B ‖ 11 dignaretur : dignetur aliquid
W

rendit à Dieu le Père de dévotes actions de grâces [a], puis, ayant béni le pain [b], il le lui rendit afin qu'elle le distribuât à toute l'Église. Elle baisa ensuite la plaie du pied droit du Seigneur pour suppléer à tout ce qui avait été omis par l'Église entière dans l'exercice des bonnes pensées, des saints désirs et des volontés droites, et pria le Seigneur de faire don à toute l'Église, pour compenser ses négligences, de cette suppléance parfaite qui lui a permis de payer entièrement les dettes du genre humain. Puis elle baisa avec une extrême dévotion et application la plaie de la main gauche du Seigneur pour l'expiation de tous les péchés commis dans le monde entier, tant en paroles qu'en actes, et supplia le Seigneur d'accorder avec largesse à l'Église, pour les expier en toute vérité, cette parfaite expiation par laquelle il a racheté toutes les fautes tant de nos paroles que de nos actes. Ensuite elle baisa la plaie de la main droite du Seigneur pour suppléer aux négligences commises dans toute l'Église par l'omission de paroles utiles et d'œuvres bonnes, et demanda au Seigneur de daigner accorder avec largesse à l'Église son infinie perfection pour compenser toutes ses négligences.

3. Or, à chacune de ces plaies, elle recevait un pain et l'offrait au Seigneur qui le bénissait pour qu'elle le distribuât à l'Église. En dernier lieu, elle s'approcha de la plaie d'amour du côté de Jésus-Christ, et, la baisant du plus profond de son cœur, elle priait avec instance le Seigneur qu'après cette digne expiation des péchés et cette entière compensation des négligences, il daignât maintenant, dans l'abondance de sa divine bonté, accorder, de surcroît, à la sainte Église, son épouse, pour mettre le comble à sa béatitude éternelle, les mérites de sa propre vie infiniment sainte, mérites qui, en présence de Dieu le Père, le font lui-même resplendir d'une majesté incom-

2 *a.* Cf. *Jn* 6, 11 ‖ *b.* Cf. *Matth.* 14, 19

tae. Quod cum se ex benignissima liberalitate Dei gauderet obtinuisse, quasi pro quinto pane distribuit et
illum gaudens, sicut solent nobilibus jam diversis ferculis
15 abunde satiatis aromata vel poma aut alia palatum
delectantia pro solo appetitu postremo superaddi.

4. Et dixit ad Dominum : « Eia, mi Domine, quid pro
piscibus, qui etiam hodie recitantur in evangelio, dignaris mihi ad ministrandum ecclesiae sponsae tuae donare ? »
Respondit Dominus : « Sanctissimam exercitationem
5 omnium membrorum immaculati corporis mei do tibi,
ad ministrandum eis pro omni negligentia qua neglexerunt totis mihi viribus et sensibus corporis sui famulari ;
et exercitationem nobilissimae animae meae, pro omni
negligentia qua ex omnibus virtutibus et affectionibus
10 animae sine intermissione, laudare, amare et gratias
agere mihi pro singulis beneficiis neglexerunt. » Per hoc
quod, ut supra dictum est, videbatur Dominus panes
accipiens gratias agere Deo Patri *a*, intellexit quod
quandocumque aliquis ad laudem Dei perficit ali-
15 quod opus bonum, quantumvis parvum, vel legit saltem
unum Pater noster vel Ave Maria, vel aliam quam-
cumque orationem vel psalmum, ex parte sive pro
salute totius ecclesiae, Filius Dei mox illud tamquam
fructum suae sanctissimae humanitatis gratissime accep-
20 tans, pro ipso gratias agens Deo Patri, benedicit et ex
illa benedictione multiplicatum distribuitur universae
ecclesiae ad profectum salutis aeternae.

---

14 *post* gaudens *add.* et W ‖ nobilibus : nobiliores W ‖ 15
aut : sive W ‖ 4, 9 *post* qua *add.* me W ‖ 12 quod *om.* W ‖
post est *add.* quod W ‖ 13 agere deo patri : deo patri offerre
W ‖ 17 *post* parte *add.* sua W

parable. Lorsqu'elle eut la joie d'avoir obtenu cette grâce de la très bénigne libéralité de Dieu, elle la distribua aussi, toute joyeuse, comme elle eût fait d'un cinquième pain. C'est ainsi que l'on fait, pour de nobles convives, déjà abondamment rassasiés de mets variés, à qui l'on donne par surcroît, en dernier lieu, des friandises, des fruits ou autres douceurs pour amuser leur appétit.

... et les poissons. **4.** Elle dit ensuite au Seigneur : « Ah mon Seigneur ! que daignerez-vous me donner en guise de poissons à distribuer à l'Église, votre épouse, comme on le lit aussi dans l'évangile d'aujourd'hui ? » Le Seigneur répondit : « Je te donne l'exercice très saint de tous les membres de mon corps immaculé, à leur distribuer en compensation de toute la négligence avec laquelle ils ont négligé de me servir de toutes leurs forces et avec toutes les facultés de leur corps. Et l'exercice de mon âme infiniment noble, en compensation de toute la négligence avec laquelle ils ont négligé de louer sans cesse, d'aimer, de me rendre grâces pour chaque bienfait, de tout leur pouvoir et avec tous les sentiments de leur âme. » Quant à ce qui a été dit plus haut de cette vision du Seigneur prenant les pains et rendant grâces à Dieu le Père [a], elle en comprit la signification : chaque fois que quelqu'un accomplit à la louange de Dieu quelque œuvre bonne, même de peu d'importance, ou récite seulement un *Pater noster*, ou un *Ave Maria*, ou telle autre prière, ou un psaume, au nom ou pour le salut de l'Église entière, aussitôt le Fils de Dieu le reçoit très favorablement comme le fruit de sa propre humanité, en rend grâces à Dieu le Père, le bénit et, l'ayant multiplié par cette bénédiction, le distribue à l'Église entière pour l'accroissement de son salut éternel.

---

4 *a.* Cf. *Jn* 6, 11

5. Quilibet etiam per hanc septimanam legere potest quinque *Pater noster* in honorem suavifluorum vulnerum Domini, et quodlibet devotius osculando orare, ut praescriptum est, pro emendatione peccatorum totius eccle-
5 siae et negligentiarum ejus suppletione, et confidere quod similem per Dei misericordiam profectum consequi mereatur.

CAPUT XXII

DE UTILITATE MEMORIAE DOMINICAE PASSIONIS.
IN DOMINICA *Judica* [a]

1. Dominica vero *Judica*, dum in honorem passionis dominicae, quod specialius ipso die recolenda inchoatur, se totam cum anima et corpore Domino exhibuisset, ad tolerandum et perficiendum tam corpore quam spi-
5 ritu quodcumque suae divinae complaceret voluntati, pius Dominus talem ipsius voluntatem ineffabili gratitudine videbatur acceptare. Ipsa vero divinitus inspirata intimo cordis affectu salutare coepit singillatim singula membra Domini, pro salute nostra diversis poenis in
10 passione cruciata. Unde quandocumque aliquod membrum salutabat, statim ex illo membro Domini splendor quidam divinus procedens animam ipsius irradiabat. Et in illo splendore dabatur ei illa innocentia quam per passionem ejusdem membri Dominus acquisierat eccle-
15 siae. Cumque ex singulis membris Domini anima fuisset mirabiliter irradiata, et innocentia dignissima decorata, dixit ad Dominum :

5, 4 pro : prae B
XXII. 1, 13 *post* per *add.* se W

XXII. **1** *a.* 5e dim. de carême : *Ps.* 42, 1

5. Chacun, durant cette semaine, peut donc réciter cinq *Pater noster* en l'honneur des plaies du Seigneur ruisselantes de suavité, et, en les baisant dévotement l'une après l'autre, prier, ainsi qu'on l'a écrit, pour l'expiation des péchés de toute l'Église et la compensation de ses négligences, et avoir alors confiance que, par la miséricorde de Dieu, il méritera d'obtenir une grâce analogue.

CHAPITRE XXII

UTILITÉ DU SOUVENIR DE LA PASSION DU SEIGNEUR.
DIMANCHE *Judica* [a]

Mémoire de la passion.

1. Le dimanche *Judica*, jour où l'on commence à rappeler de façon spéciale la passion du Seigneur, comme elle venait de s'offrir tout entière, corps et âme, pour supporter et accomplir, tant dans son corps que dans son esprit, tout ce qu'il plairait à la divine volonté, elle vit le Seigneur accepter avec tendresse cette sienne volonté avec une ineffable reconnaissance. Mais elle, sous une inspiration divine, se mit à saluer, du plus intime sentiment de son cœur, chacun des membres du Seigneur, diversement torturés et soumis, pour notre salut, au supplice de la croix durant la passion. Et il advint que lorsqu'elle saluait un des membres du Seigneur, aussitôt, de ce membre, jaillissait une sorte de clarté divine qui rayonnait sur sa propre âme. Et dans cette clarté, elle recevait l'innocence que le Seigneur avait acquise pour son Église par la souffrance de ce membre. Et lorsque, par chaque membre du Seigneur, son âme eut été merveilleusement inondée de lumière et parée d'une parfaite innocence, elle dit au Seigneur :

2. « Eia, Domine, nunc doce me qualiter, cum hac innocentia mihi a gratuita pietate tua collata, possim tibi
laudabiliter passionem tuam colendam percolere. » Respondit Dominus : « Ut scilicet frequentius mente revolvas
5 cum gratitudine et compassione anxietatem illam qua
ego Creator tuus et Dominus in agonia constitutus pro-
lixius oravi *a*, dum prae nimietate anxietatis desiderii et amoris, sanguineo sudore faciem terrae irri-
gavi *b* ; et omnia opera tua omniaque circa te agenda
10 mihi commendes in unione subjectionis illius qua ego
in eadem oratione dixi ad Patrem : *Pater, non mea sed
tua voluntas fiat* *c*. Et sic omnia prospera et adversa
suscipias in illo amore quo ego tibi omnia immitto ad
salutem. Prospera igitur suscipias cum gratitudine, in
15 unione illius amoris quo ego amator tuus fragilitati tuae
condescendens ea tibi procuro, ut per ea discas aeternam prosperitatem cogitando sperare ; adversa vero suscipias in unione illius amoris quo ex affectu paternae
fidelitatis ea tibi immitto ad obtinendum tibi bonum
20 aeternale. » Hinc ista proposuit per hebdomadam illam
legere orationem quamdam per quam singula membra
salutaret, scilicet : *Salvete delicata membra*, etc. Quod
Domino multum persensit complacere. Unde et nos idem
facere non pigeat, ut consimilem beatitudinem consequi
25 mereamur.

3. Hinc inter Missam, dum legeretur in evangelio :
Daemonium habes *a*, ista medullitus super contumelia
Domini sui commota, nec sufferens dilectum animae

2, 1 nunc *om.* W *l* ‖ 4 frequenter W ‖ 15 quo : qua *codd.* ‖
18 quo : qua W ‖ 22 scilicet : videlicet W

---

2 *a.* Cf. *Lc* 22, 43 ‖ *b.* Cf. *Lc* 22, 44 ‖ *c.* *Lc* 22, 42 ‖ **3** *a.* *Jn*
8, 48 et 52

---

1. Cette oraison *Salvete delicata membra* ne nous est pas donnée.
Elle était bien connue des sœurs de Gertrude, puisque la rédac-

2. « Ah ! Seigneur, enseignez-moi maintenant comment, revêtue de cette innocence dont votre bonté m'a fait le don gratuit, je pourrais célébrer la mémoire de votre passion de manière à vous louer ». Le Seigneur répondit : « Voici : il te faut repasser plus fréquemment en ton esprit, avec reconnaissance et compassion, cette angoisse dans laquelle, en proie à l'agonie, moi ton Créateur et Sauveur, j'ai prié instamment [a], lorsque, à cause de l'extrême anxiété de mon désir et de mon amour, j'ai inondé d'une sueur de sang la surface de la terre [b] ; il te faut me confier toutes tes actions et tous les événements qui te concernent, en union avec cette obéissance qui m'a fait dire au Père, en cette même prière : *Père, non pas ma volonté, mais la tienne* [c] ! Et tu recevras ainsi heur et malheur avec le même amour qui m'a fait te les envoyer pour ton salut. Le bonheur, reçois-le avec gratitude, en union avec cet amour qui me fait moi, ton amant, te l'accorder, par condescendance pour ta fragilité, afin que, par lui, tu apprennes à espérer en esprit le bonheur éternel. Le malheur, reçois-le en union avec cet amour qui me fait te l'envoyer, dans la fidélité de mes sentiments paternels, pour te faire mériter le bien éternel. » C'est pourquoi, elle décida de réciter durant cette semaine, pour saluer chaque membre du Seigneur, la prière que voici : *Salut, ô membres délicats*, etc. Et elle fut consciente que cela plaisait beaucoup au Seigneur. N'hésitons pas à l'imiter, afin de mériter d'obtenir une joie semblable [1].

Réparation des blasphèmes.

3. Ensuite, à la Messe, comme on lisait dans l'évangile : *Tu as un démon* [a], émue jusqu'au fond des entrailles de l'injure faite à son Seigneur, et ne pouvant supporter que le bien-aimé de son âme entende des

trice, parlant pour une fois en son nom, les exhorte à en user, elles aussi.

suae tam indebite sibi objecta advertere, ex intimo cor-
5 dis affectu his verbis vice versa ipsi blandiebatur dicens :
« Ave, vivificans gemma divinae nobilitatis. Ave, immarcessibilis flos humanae dignitatis, Jesu amantissime. Tu
mea vera, summa et unica salus. » Cui benignus amator
more solito vicem dignantissimam recompensans, manu
10 sua benedicta mentum ejus apprehendens, seque ad
ipsam blande inclinans, auri animae ejus haec uerba suavissimo susurrio instillavit dicens : « Ego Creator, Redemptor et amator tuus ; per angustias mortis, cum omni beatitudine mea quaesivi te. » Tunc omnes sancti, quasi in
15 admirationem provocati ex tam mira dignatione Dei,
cum ingenti gaudio benedicebant Dominum pro tam
dignantissima sui ad animam illam inclinatione.

4. Hinc Dominus ait : « Quicumque contra blasphe-
mias et contumelias mihi in terris illatas me salutaverit
illo affectu quo tu me modo salutasti, huic ego me in
judicio illo districto, quo in morte judicaturus accusa-
5 tionibus daemonum praegravatur, eadem blanditate exhibebo, qua me modo exhibui tibi, et eisdem verbis ipsum
consolabor dicens : Ego Creator, Redemptor et amator tuus, etc. Unde si nunc ad illa verba sancti in caelo
sic sunt admirati, quanto magis putas obstupescent et
10 territi fugient omnes adversarii animae illius, quae hoc
donum consolationis in judicio meretur accipere a pietate mea divina ? »

5. Ergo totis affectibus cordis et animae studeamus
Domino blandiri quotiescumque recitatur aliqua contumelia sibi a quoquam illata. Et si non possumus simili
affectu, saltem offeramus ipsi voluntatem et desiderium
5 habendi omnem affectum, desiderium et amorem totius

3, 8 summa et *mg.* W ‖ 17 illam animam B ‖ inclinatio-
nem W ‖ **4,** 3 illo : eo W ‖ 7 *post* dicens *add.* et W ‖ 12 mea
s.l. W ‖ **5,** 3-4 simili affectu *mg.* W

outrages si immérités, du plus profond sentiment de son cœur, elle lui disait en compensation ces paroles de tendresse : « Salut, perle vivifiante de divine noblesse ! Salut, fleur jamais fanée d'humaine beauté ! Jésus très aimé ! Ô toi, mon suprême et unique salut ! » Et son amant voulant, dans sa bonté, la récompenser, comme de coutume, d'une manière surabondante, lui prenant le menton de sa main bénie, s'inclina vers elle avec tendresse, et laissa tomber dans l'oreille de son âme, en un murmure infiniment suave, ces mots : « Moi, ton Créateur, ton Rédempteur et ton amant, à travers les angoisses de la mort, je t'ai recherchée au prix de toute ma béatitude. » A ce moment, tous les saints, comme saisis d'admiration pour une si merveilleuse condescendance de la part de Dieu, bénissaient avec une immense joie le Seigneur d'avoir daigné s'incliner ainsi vers cette âme.

4. Alors le Seigneur dit : « Quiconque, en réponse aux blasphèmes et aux injures dont on m'accable sur terre, m'aura salué avec les mêmes sentiments que tu viens de le faire, lorsqu'au jugement rigoureux qu'il doit subir à la mort il sera accablé par les accusations des démons, je lui montrerai une tendresse égale à celle que je viens de te manifester et je le réconforterai par ces mêmes paroles en lui disant : Moi, ton Créateur, ton Rédempteur et ton amant, etc. Et si maintenant ces mots plongent dans l'admiration les saints du ciel, ne penses-tu pas qu'ils frapperont de stupeur et de crainte, et mettront en fuite tous les ennemis de l'âme qui, au jour du jugement, aura mérité de recevoir de ma divine tendresse cette grâce de consolation ? »

5. Efforçons-nous donc, de toute l'ardeur de notre cœur et de notre âme, d'offrir au Seigneur nos témoignages d'amour toutes les fois que nous entendons qu'on lui adresse une injure. Et si nous ne pouvons le faire avec la même ferveur, offrons-lui du moins la volonté et le désir de cette ferveur, le désir et l'amour de toute créature

creaturae ad Deum, et confidamus de largiflua pietate
ipsius, quod non spernat munuscula pauperum suorum
sed potius illa secundum divitias misericordiae et dulcedinis suae acceptet simul et remuneret longe supra con-
10 dignum.

CAPUT XXIII

De observatione et hospitio Domini.
In dominica Palmarum

1. Palmarum die sancto, dum in divinae fruitionis
jucunditate suavius delectaretur, dixit ad Dominum :
« Doce me, amantissime, qualiter hodie tibi Domino Deo,
amatori meo, causa salutis meae ad passionem venienti,
5 possim digne et laudabiliter obviare. » Respondit Dominus : « Exhibe mihi jumentum cui insideam, turbam
gaudendo obviantem, turbam laudando sequentem [a], et
turbam ministrando consequentem. Verbi gratia, primo
exhibebis mihi jumentum in contritione cordis, confi-
10 tendo quod saepius neglexisti sequi rationem, et velut
jumentum non intendisti singulis quae pietas mea sine
intermissione circa te ad salutem tuam operabatur ; cum
qua negligentia perdidisti serenam tranquillitatem meam,
ut quandoque cum in te delectarer spiritualiter jucun-
15 dari, exigente justitia oporteret me per interiora sive per
exteriora gravamina te purgare ; et sic ego quodammodo
in te pati compellebar, quia incontinens amor divinae
pietatis meae cogit me in omni adversitate medullitus

XXIII. 1, 9 *post* cordis *add.* et B ǁ 11 singula W

XXIII. 1 *a.* Cf. *Matth.* 21, 9 et hymne *Gloria, laus* (*RH*
7282)

---

1. Il y a peut-être en filigrane, derrière la vague référence

pour Dieu, et ayons confiance en sa généreuse bonté :
il ne méprisera pas la modeste offrande de ses pauvres [1],
mais plutôt, selon les richesses de sa miséricorde et de sa
douceur, les acceptera-t-il, en les récompensant bien
au-delà de nos mérites.

CHAPITRE XXIII

Hommage et accueil du Seigneur.
Dimanche des Rameaux

**Une monture
et des foules.**
1. Le saint jour des Rameaux, comme
elle goûtait suavement le charme des
divines jouissances, elle dit au Seigneur :
« Ô, le plus tendre des amants, donnez-moi une leçon :
vous Seigneur Dieu, mon bien-aimé, pour mon salut
vous marchez vers votre passion ; comment pourrai-je,
moi, aller à votre rencontre d'une manière digne de vous
honorer ? » Le Seigneur répondit : « Donne-moi une
monture pour m'asseoir, une foule venant joyeuse
au-devant de moi, une foule pour me suivre en chantant
des louanges [a], et une foule pour m'accompagner et
me servir. Je m'explique : donne-moi une monture dans
la contrition de ton cœur, en confessant que souvent
tu as négligé de suivre la raison et que, pas plus qu'un
animal, tu n'as prêté attention à chacune des choses
que ma bonté n'a cessé de faire pour toi en vue de ton
salut. Du fait de cette négligence, tu n'as plus rencontré
la paix de ma sérénité, car, alors que je me faisais une
joie de trouver en toi des délices spirituelles, il m'a fallu,
contraint par ma justice, te purifier par des épreuves
intérieures et extérieures, et ainsi j'ai été en quelque
sorte forcé de souffrir en toi ; l'amour sans bornes de ma
bonté divine m'oblige en effet à souffrir profondément

au *Ps.* 21, 35, une allusion à l'obole de la veuve (*Lc* 21, 2).

compati tibi. Tale jumentum cum te mihi exhibueris,
20 satis commodosam mihi praebes sessionem. Secundo,
exhibebis mihi turbam cum gaudio obviantem, susci-
piendo me ex affectu totius universitatis, in unione amoris illius quo ego Creator omnium et Dominus pro salute
totius mundi hodie Jerosolymis adveni, in suppletionem
25 omnium qui unquam neglexerunt mihi pro hoc condigna laude gratiarum actione, amore et obsequio respondere. Tertio, exhibe mihi turbam laudando consequentem,
confitendo quod nunquam debito modo exempla perfectissimae conversationis meae studueris imitari, et offe-
30 rendo mihi talis affectus voluntatem, quod si tu posses
omnes homines promovere ad imitandum exempla perfectissimae conversationis et passionis meae perfectissimo
modo, hoc ad laudem meam libentissime totis viribus
elaborares ; orans ut donetur tibi specialiter per veram
35 humilitatem, patientiam et caritatem, in quibus virtutibus tempore passionis meae magis exercitavi me, quantum possibile est homini, ardenti me desiderio imitari.
Quarto, exhibe mihi turbam ministrando consequentem,
confitendo quod nunquam debita fidelitate pro defen-
40 sione veritatis et justitiae mihi adstitisti ; proponendo
et desiderando, ut de caetero in omnibus quae mihi pla-
cuerint studeas causas justitiae et veritatis tam verbis
quam factis promovere, et eamdem etiam voluntatem
desideres omnibus horis ad laudem meam obtinere. » Et
45 adjecit Dominus : « Si quis mihi ex parte universitatis
his quatuor modis se exhibuerit, ad ipsum certe tam
dignanter veniam, quod ex hoc fructum percipiet salutis aeternae. »

31 perfectissimae : sanctissimae W ‖ 46 *post* se *add.*
ipsum W

avec toi en toute adversité. Lorsque tu m'auras procuré pareille monture, je serai, grâce à toi, bien à l'aise pour m'y asseoir. Secondement, tu me donneras une foule venant joyeuse au-devant de moi, lorsque tu me recevras avec les sentiments d'affection de tout l'univers, en union avec cet amour qui m'amena aujourd'hui à Jérusalem pour le salut du monde entier, moi le Créateur et le Sauveur de tous. Tu suppléeras ainsi à toutes les louanges et actions de grâces, à l'amour et aux hommages qu'on a négligé de me rendre pour ce bienfait. En troisième lieu, donne-moi une foule pour me suivre en chantant des louanges. Pour cela, confesse que tu n'as jamais fait un effort suffisant pour imiter les exemples de ma vie si parfaite, et offre-moi une volonté tellement aimante que si tu pouvais inciter tous les hommes à imiter parfaitement les exemples de ma vie très parfaite et de ma passion, tu y emploierais de grand cœur toutes tes forces pour ma gloire. Et, brûlante de désir, demande de recevoir la grâce de m'imiter, autant qu'il est possible à l'homme, en particulier par une authentique humilité, patience et charité, vertus que j'ai pratiquées davantage au temps de ma passion. Quatrièmement, donne-moi une foule pour me suivre et me servir. Pour cela, confesse que jamais tu n'as été à mes côtés avec la fidélité requise lorsqu'il fallait défendre la vérité et la justice. Propose-toi, désire avec ardeur, efforce-toi de promouvoir désormais, en tout ce qui peut me plaire, la cause de la justice et de la vérité, et cela en paroles comme en actes, et désire, pour ma gloire, garder à toute heure cette même disposition. Et, ajouta le Seigneur, si quelqu'un, au nom de l'univers, se donne à moi de ces quatre manières, sans nul doute, je viendrai à lui avec tant de condescendance qu'il en recevra le fruit du salut éternel. »

2. Hinc communicatura, cum ex intimo affectu offerret Domino cor suum, videbatur ipsum cor ejus velut in
latitudine caritatis expandi, tamquam si tota civitas
Jerusalem patefieret in susceptionem Domini. Quod in-
5 grediens Dominus in similitudine juvenis valde delicati,
visus est facere flagellum quoddam de tribus funiculis.
Per quod flagellum figurabatur opus nostrae redemptionis. Per primum funiculum, studiosum exercitium sui
innocentissimi corporis ; per secundum, devota intentio
10 suae sanctissimae animae ; per tertium autem, virtuosa
nobilitas suae excellentissimae divinitatis : quae tria
semper in quolibet opere Jesu Christi cooperabantur.
Hoc autem flagello Dominus omnia interiora ejus lenis-
sime contingens, omnem pulverem humanae fragilitatis
15 et negligentiae ab ea penitus extersit. Quo facto depo-
suit idem flagellum in medio cordis ejus ; et ecce tres
funiculi illi videbantur quasi thronum quietissimum
Domino exhibere. Super quem dum consedisset, emittebat quilibet funiculus florem quemdam vernantissimum ;
20 quorum unus, scilicet virtuosa nobilitas divinitatis, velut
a tergo Domini consurgens, et desuper caput ejus reflexus,
videbatur gratissimae aurae umbram suavem Domino
exhibere. Alii vero duo flores a dextris et a sinistris
praebebant aspectui Domini vernantis amoenitatis fra-
25 grantiam gloriosam.

3. Cum vero ad Tertiam in hymno cantaretur versus
O Crux ave, spes unica [a], ista obtulit Domino devotionem omnium, quae illo versu ipso die per septem horas
canonicas ipsum salutare studerent. Tunc apprehendens

2, 20 divinitatis : dignitatis B[1] (*corr. mg.* B[2]) ‖ 23 a[2] *om.* B
‖ **3,** 1 versus *om.* W

---

3 *a.* Avant-dernière strophe de l'hymne *Vexilla regis*

**Entrée
à Jérusalem.** 2. Puis, comme au moment de la communion, elle offrait son cœur au Seigneur
avec un amour profond, ce cœur parut
en quelque sorte se dilater aux dimensions de la charité,
un peu comme la cité de Jérusalem s'ouvrant sans réserve
pour recevoir le Seigneur. Le Seigneur y fit son entrée sous
les dehors d'un jeune homme plein de charme. On le vit
faire un fouet à trois cordes. Ce fouet symbolisait l'œuvre
de notre rédemption : la première corde, les labeurs
et les travaux de son corps très innocent ; la deuxième,
l'intense dévotion de son âme très sainte ; et la troisième,
la puissance et la noblesse de sa divinité souveraine.
Car, dans toutes les actions de Jésus-Christ, ces trois
facteurs sont associés. Le Seigneur, la touchant très
légèrement de ce fouet dans l'intime de son être, en
fit complètement disparaître toute poussière de fragilité humaine et de négligence. Après quoi, il déposa
ce fouet au milieu de son cœur. Or voici que les trois
cordes semblaient former une sorte de trône où le Seigneur
pourrait se reposer. Lorsqu'il s'y fut assis, chacune des
cordes fit éclore une fleur pleine de vie. Parmi celles-ci,
la noble puissance de la divinité s'élevait derrière le
Seigneur et se recourbait au-dessus de sa tête, comme
pour procurer au Seigneur l'agréable fraîcheur d'une
ombre délicieuse. Les deux autres fleurs, à droite et à
gauche, offraient aux yeux du Seigneur leur charme
printanier et leur beauté odorante.

Les trois fleurs. 3. A l'hymne de Tierce, comme on
chantait la strophe : *O Crux, ave,
spes unica* [a] [1] elle offrit au Seigneur la dévotion de toutes
celles qui, à ce verset, s'appliqueraient à le louer aux
sept heures canoniales. Alors le Seigneur, prenant la

---

1. Il ressort de là que c'était alors l'usage de chanter l'hymne
Vexilla Regis à chacune des Heures de l'Office canonial.

5 Dominus florem egredientem de funiculo devotae intentionis sanctissimae animae suae, ipsum omnibus praebebat, quarum sibi devotionem illa obtulerat. Ex cujus
applicatu singulae sumebant quemdam spiritualem splendorem, simul et recreationem. Tunc ista dixit ad Domi-
10 num : « Domine mi, si per hanc devotionem tantum hae
consequuntur profectum, quid eis daturus es, quando
post processionem cum majori affectu et devotione se
tibi impendent, ferventiori te desiderio salutantes ? »
Respondit Dominus : « Singulorum florum istorum ipsis
15 exhibebo amoenitatem, quia triplicis devotionis modos
mihi tunc praesentaturae sunt. Quaedam enim devotionem habere desiderantes, sed carentes, praesentabunt
mihi studium laboris et exercitationis exterioris. Et has
ex flore qui progreditur de studioso exercitio innocen-
20 tissimi corporis mei recreabo. Quaedam vero, dulcedine
devotionis abundantes, praesentabunt mihi affectum desideriorum suorum. Et illas reficiam de flore egrediente de
intentione devota animae meae sanctissimae. Quaedam
etiam, quarum voluntas in omnibus meae divinae unita
25 est voluntati, et per hoc unus spiritus mecum sunt
effectae [b], offerent mihi seipsas totas ad omne beneplacitum meum. Et istas ex flore nobilissimae divinitatis
meae aspirabo ad salutem. » Post processionem vero,
dum conventus faceret inclinationes ad *Gloria, laus* [c], et
30 prosterneretur ad *Fulgentibus palmis* [d], ad talia singula
praetendebat ipsis Dominus florem studiosi exercitii corporis sui ad recreandum, confortandum et conservandum eas in servitio suo, per hoc insinuans, quod tales
labores nobilitaret cum sanctissimis laboribus suis.

---

10 hae : hic W ‖ 13 te *s.l.* B ‖ 16 tunc mihi W ‖ 23 sanctiss.
animae meae W ‖ 25 per : propter B

fleur éclose sur la tige de l'intense dévotion de son âme très sainte, la présenta à toutes celles dont elle lui avait offert la dévote prière, et, à ce contact, chacune recevait à la fois une illumination surnaturelle et une nouvelle vigueur. Elle dit alors au Seigneur : « Mon Seigneur, si cet acte de piété leur a procuré un tel profit, que leur donnerez-vous donc lorsque, après la procession, elles s'offriront à vous avec un amour plus dévot encore par l'hommage de leurs désirs plus fervents ? » Le Seigneur répondit : « Je leur montrerai le charme de chacune de ces fleurs, car à ce moment, elles me feront présent de leur dévotion selon un triple mode. Certaines personnes qui la désirent, mais s'en trouvent dépourvues, me présenteront l'effort de leurs travaux et de leurs exercices extérieurs, et celles-là, je les referai, grâce à la fleur issue des labeurs et des travaux de mon corps très innocent. D'autres, jouissant en abondance des douceurs de la dévotion, me présenteront la tendresse de leurs désirs, et je les rafraîchirai de la fleur éclose sur l'intense dévotion de mon âme très sainte. D'autres enfin, dont la volonté est unie en tout à ma divine volonté et qui sont ainsi devenues un seul esprit avec moi [b], s'offriront elles-mêmes totalement à mon bon plaisir et je leur accorderai ma faveur, pour leur salut, grâce à la fleur de ma très noble divinité. » Après la procession, tandis que le convent s'inclinait au *Gloria laus* [c], et se prosternait aux mots : *Fulgentibus palmis* [d], le Seigneur, à chacun de ces gestes, leur tendait la fleur des labeurs et des travaux de son corps pour les refaire, les réconforter et les garder à son service, donnant ainsi à entendre qu'il ennoblissait ces exercices laborieux par ses propres labeurs très saints.

b. Cf. *I Cor.* 6, 17 ‖ *c.* Hymne *Gloria, laus* ‖ *d.* Antienne (*CAO* 2909)

4. Post hoc, dum rogaretur a quadam ut se recrea-
ret, quia valde debilis erat, ipsa abhorrens prius come-
dere quam audiret passionem Domini, more sibi solito
requisivit a Domino quid factura esset. Cui Domi-
5 nus respondit : « Reficere, dilecta, in unione amoris
illius quo ego amator tuus in cruce vinum myrrhatum
cum felle mixtum cum gustassem, nolui bibere. » Ad
quod cum illa cum gratiarum actione voluntatem suam
deflexisset, praebuit illi Dominus Cor suum, dicens :
10 « Ecce in vasculo memoriae verbi illius, scilicet : *cum
gustasset noluit bibere* [a], praesento tibi desiderium illud
quod me retraxit ne ego illud biberem, sed tibi biben-
dum reservarem. Tu ergo bibe secure quod ego medicus
probatissimus praegustavi, et per hoc tibi saluberrime
15 potandum contemperavi. Mihi quidem ad hoc oblatum
erat vinum myrrhatum cum felle mixtum quo citius
morerer ; unde desiderium multa pro homine patiendi
retraxit me ne biberem. Tu vero e contra in eodem
amore sume omnia necessaria et commoda, ut per ea in
20 servitio meo diutius conserveris.

5. Per poculum denique mihi oblatum, tria considera :
erat itaque vinum myrrhatum cum felle mixtum. Ad
cujus similitudinem et tu in quolibet commodo triplici
stude intentioni : primo, ut omnia cum gaudio spiritus
5 ad laudem meam facias ; quod notatur per vinum.
Secundo, ut ea intentione quaeque commoda admittas,
quo diutius pro amore meo possis pati ; et hoc ad signi-
ficationem myrrhae, quae conservat a putredine et corruptione. Tertio, ut pro amore meo libenter velis,

---

4, 1 *post* quadam *add.* persona W ‖ 8 cum illa *l* : tamen
illa B ‖ illa tamen W ‖ 13 quod : quia W ‖ 19 ut *s.l.* B ‖ **5,** 1
post poculum *add. et del.* miratum W

---

4 *a. Matth.* 27, 34

J'ai refusé de boire.

4. Une personne l'ayant invitée ensuite, vu son extrême faiblesse, à refaire ses forces, elle n'acceptait pas sans répugnance l'idée de rompre le jeûne avant d'avoir entendu la passion du Seigneur, et elle demanda au Seigneur, selon son habitude, ce qu'il convenait de faire. Le Seigneur lui répondit : « Prends cette réfection, mon aimée, en union avec l'amour par lequel, moi, ton amant, j'ai refusé sur la croix de boire, après l'avoir goûté, le vin mêlé de fiel. » Et comme elle soumettait sa volonté à ce conseil avec action de grâces, le Seigneur lui présenta son Cœur : « Voici, dit-il, qu'en cette coupe où se garde le souvenir de la parole : *après avoir goûté, il refusa de boire* [a], je te présente le désir qui m'a empêché de boire ce breuvage, mais me l'a fait réserver pour toi. Bois donc en toute sécurité, ce que moi, médecin expérimenté, j'ai goûté avant toi et que j'ai ainsi dosé pour en faire, à ton usage, un breuvage très salutaire. On me présentait ce vin aromatisé mêlé de fiel pour hâter ma mort, mais le désir de beaucoup souffrir pour les hommes m'a retenu d'en boire. Toi, au contraire, animée d'un amour semblable, prends tout ce qui t'est nécessaire et profitable pour te garder plus longtemps à mon service.

La coupe offerte.

5. « En cette coupe qui me fut offerte, considère trois choses : il y avait en effet du vin et de la myrrhe, mêlés de fiel. Prends modèle et, toi aussi, en tout ce qui est fait pour ton soulagement, poursuis ce triple but : premièrement, fais tout pour ma gloire avec joie spirituelle, et ceci est symbolisé par le vin. Deuxièmement, aie l'intention, quelque soulagement que tu acceptes, de pouvoir ainsi souffrir plus longtemps pour mon amour. C'est en effet le sens de la myrrhe, qui préserve de la pourriture et de la corruption. Troisièmement, consens volontiers pour mon

10 quousque mihi placeat, frustrari gaudio jucundissimae
praesentiae meae quae habetur in caelis, et esse in hac
valle miseriae ; quae per fel significatur. Quotiescumque
aliquod commodum tali intentione admiseris, hoc ego
acceptabo taliter, sicut amicus ab amico suo acceptaret,
15 si ipse fel illi oblatum penitus ebiberet, et pro eo sibi
nectar suavissimum propinaret. »

6. Cum vero ista comedendo, ad singulas offas hunc
versiculum corde ruminaret, dicens : « Virtus tui divini
amoris incorporet me totam tibi, amantissime Jesu »,
et similiter ad singulos haustus diceret hunc versicu-
5 lum : « Effectum caritatis qui tam praevalenter in intimis tuis praevaluit, ut non sumeres potum tibi praepa-
ratum in cruce ut cito morereris, sed distulisti hunc
propter nos ut multa patereris pro nobis, eumdem effectum caritatis, amantissime Jesu, transfunde et conserva
10 in intimis meis, qui penetrando totam substantiam meam
jugiter distillet per omnes motus, vires et sensus corporis
et animae meae, ad laudem tuam aeternam », perquisivit
a Domino qualiter similem devotionem a quibuslibet
acceptaret. Respondit Dominus : « Quoties tali devotione
15 comeditur a quoquam una offa, ego me fatebor cum
illo comedisse, et ex hoc cum ipso quasi impotiona-
tum esse, ac si tot pocula amoris incentiva cum eo
bibissem, quae in alterutrum nostros affectus arden-
tissime inflammassent ; et secundum divinam omni-
20 potentiam meam, affectum amoris illius tempore con-
gruo satis dignanter manifestabo. »

6, 2 corde ruminaret : commemoraret B[1] (*corr. mg.* B[2])
‖ 6-9 ut non sumeres — caritatis *om.* B[1] *l mg.* B[2] ‖ 7 moreres
codd. ‖ 12 perquaesivitque W ‖ 13 quibuslibet : quolibet W ‖
15-16 cum illo fatebor B ‖ 19 inflammasset *codd.*

1. Il ne s'agit pas seulement ici d'une boisson enivrante et
excitante, mais bien d'un vrai philtre magique dont l'effet est de

amour, et aussi longtemps qu'il me plaira, à être privée
des joies de ma présence béatifiante, telle qu'on la possède au ciel, et à demeurer en cette vallée de misère. Voilà
ce que signifie le fiel. Chaque fois que tu accepteras
quelque soulagement avec cette intention, je l'agréerai
comme un ami saurait gré à son ami de boire jusqu'à
la dernière goutte le fiel qui lui a été offert à lui-
même, et de lui présenter en échange le nectar le plus
exquis. »

6. Or, à chaque bouchée de son repas, elle repassait
en son cœur ce verset : « Que la vertu de votre divin amour
m'incorpore totalement à vous, Jésus très aimé » ; et
de même, à chaque gorgée, elle disait ce verset : « Répan-
dez et conservez en mon cœur, ô Jésus très aimé, l'effet
de cette charité qui dominait si puissamment dans le
vôtre que vous n'avez pas voulu du breuvage préparé
pour vous sur la croix afin de hâter votre mort, mais
l'avez, à cause de nous, écarté, dans le but de souffrir
davantage pour nous. Que l'effet de cette charité pénètre
toute ma substance et qu'il s'insinue perpétuellement
dans tous les mouvements, les facultés, les sens de mon
corps et de mon âme, pour votre éternelle louange. »
Elle s'enquit auprès du Seigneur de quelle manière il
agréerait qu'on s'adonnât à cette pratique de dévotion.
Le Seigneur répondit : « A chaque bouchée prise par
quelqu'un avec une semblable dévotion, je m'estimerai
l'avoir mangée avec lui, et aussi avoir été désaltéré par
lui, comme si j'avais bu en même temps que lui autant
de coupes brûlantes d'un philtre d'amour qui exciterait
la flamme ardente de notre mutuelle tendresse [1], et
quand le temps sera venu, je daignerai lui faire sentir
ce tendre amour, de toute ma divine puissance. »

---

provoquer l'amour. On pense à Tristan et Yseult. — Noter
le mot rare *impotionatus*, dont le sens normal est « empoi-
sonné ».

7. Hinc cum in passione legeretur : *Emisit spiritum* [a], ista ex nimio affectu prostrata corpore in terra, dixit : « Ecce, Domine mi, in honorem pretiosae mortis tuae toto prostrato corpore, peto per amorem illum qui te
5 vivificatorem omnium creaturarum mori coegit, ut mortifices in anima mea omnia tibi displicentia. » Cui respondit Dominus : « Expira modo omnia vitia et defectus quos in te mori desideras, et intrahe tibi ex spiritu meo omne quod ex virtutibus et perfectione mea habere
10 optas, sciasque indubitanter quod omnium quae modo expiraveris plenam apud me indulgentiam, et omnium quae ex spiritu meo tibi intraxeris, effectum salutarem obtinebis. Et quotiescumque de caetero pro devincendis defectibus jam expiratis sive pro obtinendis virtutibus jam
15 a me tibi intractis laborare studueris, duplicem semper fructum, scilicet meae passionis et tuae victoriae, reportabis. »

8. Hinc post prandium, dum nimium lassata membra repausatura lectulo se reposuisset, non tamen ut dormiret, sed ut se a tumultibus crebrius se visitantium abstraheret, ait ad Dominum : « Ecce, Domine, in memoriam
5 saluberrimae praedicationis qua tu sicut hodie laborasti in templo tota die, averto me ab omni creatura, et tibi soli amatori meo intendens, desidero ut tu loquaris animae meae [a]. » Cui Dominus : « Sicut divinitas requievit in humanitate mea, sic delectatio divinitatis meae pau-
10 sat in tua lassitudine. » Et cum ista adverteret quod homines parcerent ne eam inquietarent, putantes eam dormire, requisivit a Domino utrum ipsis dicere deberet

---

7, 11 apud me *om.* B *l* ‖ 14 pro *om.* W ‖ **8,** 5-6 in templo laborasti W ‖ 7 intendere W ‖ 9 mea humanitate W

---

7 *a. Matth.* 27, 50 ‖ **8** *a.* Cf. *Os.* 2, 14

Mort mystique. **7.** Ensuite, comme on lisait dans la passion : *Emisit spiritum* [a], sous l'impulsion d'un sentiment très vif, elle se jeta à terre en disant : « Ô mon Seigneur, me voici prosternée de tout le corps, en l'honneur de votre mort précieuse. Je vous demande par cet amour qui vous a poussé à mourir, vous, la vie de toute créature, de faire mourir en mon âme tout ce qui peut vous déplaire. » Le Seigneur lui répondit : « Expulse en ce moment tous les vices et tous les défauts dont tu souhaites la mort en toi, et aspire en toi, de par mon souffle, tout ce que tu désires posséder de mes vertus et de mes perfections. Sache que tu obtiendras indubitablement de moi le pardon plénier de tout ce que tu viens d'expirer, et, pour ton salut, l'efficacité de toutes les vertus que mon souffle aura fait pénétrer en toi. Et désormais chaque fois que tu appliqueras tes efforts à vaincre les défauts déjà expirés ou à acquérir les vertus que j'ai déjà fait pénétrer en toi, tu obtiendras toujours un double fruit : celui de ma passion et celui de ta propre victoire. »

Repos. **8.** Ensuite, après le dîner, comme elle était étendue sur sa couche pour reposer ses membres par trop las, moins d'ailleurs pour dormir que pour échapper au tracas de plusieurs visites, elle dit au Seigneur : « Seigneur, en me rappelant cette prédication que vous avez pris la peine de faire dans le temple aujourd'hui, pour notre salut, voici que je m'éloigne de toute créature et que, attentive à vous seul, mon amant, je désire que vous me parliez au cœur [a]. » Alors le Seigneur : « Comme la divinité s'est reposée en mon humanité, ainsi les délices de ma divinité reposent en ta lassitude. » Or, s'apercevant que, la croyant endormie, on prenait des précautions pour ne pas troubler son repos, elle demanda au Seigneur si elle devait faire savoir qu'elle

quod non dormiret, ne impedirentur facere quidquid vellent. Respondit Dominus : « Non. Sed permitte eas cari-
15 tativis exercitationibus promereri remunerationem caritatis, quam ego tantopere delector persolvere. » Et adjecit Dominus : « Ecce modo proposui tibi duo themata,
in quibus per meditationem te exercendo promovearis
ad majora consequenda ; perpende quod nihil utilius
20 possit homo in hac vita perficere, quam quod in talibus laboribus lassetur, in quibus divinitas delectetur
pausare, et sic se extendat erga proximum in operibus
caritatis. »

9. Vespere autem facto, in memoriam illius qua Dominus ipso die sero dicitur ivisse ad Mariam et Martham
in Bethaniam [a], ista desiderio hospitandi Dominum vehe-
menter succensa, accessit ad quamdam imaginem crucifixi,
5 et intimo affectu vulnus sanctissimi lateris deosculans,
intraxit sibi omne desiderium amantissimi Cordis Filii
Dei, orans cum effectu omnium orationum quae unquam
de eodem Corde dulcissimo profluxerunt, ut ad hospitio-
lum indignissimi cordis sui dignaretur declinare. Cui beni-
10 gnus Dominus, qui semper praesto est omnibus invocantibus eum [b], desideratam praesentiam suam exhibens, serena blanditate ait : « Ecce adsum. Quid mihi datura
es ? » Et illa : « Optime veniat unica salus mea, et totum,
immo solum verum bonum meum. » Et adjecit : « Heu !
15 Domine mi, ego indigna nihil quod tuam divinam possit condecere magnificentiam praeparavi ; sed totam
substantiam meam offero pietati tuae, desiderans et
orans ut tu ipse tibimet digneris in me praeparare quidquid tuam divinam in me summe delectare possit beni-

---

18-19 promovearis — consequenda *om.* B *l* ‖ 21 *post*
divinitas *add.* mea W ‖ **9,** 7 affectu W ‖ 8 de : ex W

---

9 *a.* Cf. *Mc* 11, 11 ‖ *b.* Cf. *Ps.* 144, 18

ne dormait pas, en sorte que l'on pût agir avec plus de
liberté. Le Seigneur répondit : « Non, laisse-leur mériter
par cet exercice de charité la récompense de la charité
que je serai si heureux de leur accorder. » Et le Seigneur
ajouta : « Voici maintenant deux thèmes que je propose
à ta méditation. En t'y exerçant, tu seras amenée à
obtenir des choses plus grandes. Réfléchis à ceci : l'homme
ne peut rien accomplir de plus utile en cette vie que de
se fatiguer en des labeurs où la divinité puisse avoir
plaisir à se reposer, et de sortir ainsi de soi pour des
œuvres de charité envers le prochain. »

**La petite
hôtellerie
de mon cœur.**

9. Le soir venu, au souvenir de la
condescendance du Seigneur qui à la
fin de ce jour alla, est-il dit, à Béthanie [a],
chez Marie et Marthe, elle fut enflam-
mée d'un vif désir de donner l'hospitalité au Seigneur.
Elle s'approcha donc d'une image du crucifié et, baisant
avec un sentiment profond la plaie de son côté très saint,
elle fit totalement pénétrer en elle le désir du Cœur
plein d'amour du Fils de Dieu, et le supplia, grâce à la
puissance de toutes les prières qui purent jamais jaillir
de ce Cœur infiniment doux, de daigner descendre dans
la toute petite et très indigne hôtellerie de son cœur.
Dans sa bénignité, le Seigneur, toujours proche de ceux
qui l'invoquent [b], lui fit sentir sa présence si désirée et
lui dit avec une douce tendresse : « Me voici ! Que vas-
tu donc m'offrir ? » Et elle : « Qu'il soit le bienvenu,
celui qui est mon unique salut et tout mon bien, que
dis-je ? mon seul bien. » Et elle ajouta : « Hélas ! mon
Seigneur, dans mon indignité je n'ai rien préparé qui
puisse convenir à votre divine magnificence ; mais
j'offre tout mon être à votre bonté. Pleine de désirs,
je vous prie de daigner préparer vous-même en moi ce
qui peut agréer davantage à votre divine bénignité. »

20 gnitatem. » Cui Dominus : « Si faves mihi, inquit, hanc
in te habere libertatem, da mihi clavem ad omnia, quo
libere possim accipere et reponere quaecumque mihi
tam ad commodum quam ad refectionem placent. »
Ad quod illa : « Et quae haec clavis ? » Respondit Dominus :
25 « Voluntas tua propria. »

10. In quo verbo intellexit quod si quis desiderat
Dominum hospitio recipere, debet ipsi clavem propriae
voluntatis suae consignare, se plene laudabilissimo beneplacito ipsius commendando, et indubitanter de beni-
5 gnissima pietate sua confidendo quod in omnibus operetur suam salutem. Tunc Dominus intrat et perficit in
corde et anima ejus omnem divinae delectationis suae
voluntatem. Tunc divinitus inspirata, legit vice omnium
membrorum suorum CCXXV vicibus illud evangelicum :
10 « *Non mea sed tua voluntas fiat*[a], amantissime Jesu. » Quod
Domino multum persensit complacere. Hinc requisivit a
Domino qualiter acceptaret a quolibet, qui festum instans celebraret ea devotione, sicut ipsa conscripserat
percelebrandum, sumens materiam de Hester, et ser-
15 monem sic incipiens : *Egredimini, filiae Jerusalem*[b],
etc. Respondit Dominus : « Ego celebrationem illam sic in
Corde meo divino gratifico et accepto, quod si quis devota
intentione ipsam percolere studuerit, huic ego in aeterna
vita, post omnem remunerationem quam ipsi persolvam
20 pro singulis operibus suis bonis, praeparabo etiam con-

20 inquit mihi W ǁ 21 habere *om.* W ǁ 24 ad quod : at W
ǁ **10,** 9 CCXXV : CCCLXV B *l* ǁ 11 persensit : sensit W ǁ
16 dominus *om.* W

10 *a. Lc* 22, 42 ǁ *b. Cant.* 3, 11

1. Là où les éditeurs écrivent *CCCLXV*, ce qui rejoint la leçon
du manuscrit de Munich, le manuscrit de Vienne donne *CCXXV*.

Le Seigneur lui dit : « Si tu m'accordes d'avoir en toi cette liberté, donne-moi la clef qui me permette de prendre et de remettre sans difficulté tout ce qu'il me plaira tant pour mon bien-être que pour ma réfection. » A quoi elle ajouta : « Et quelle est donc cette clef ? » Réponse du Seigneur : « Ta volonté propre. »

10. Ces mots lui firent comprendre que si quelqu'un désire recevoir le Seigneur comme hôte, il doit lui consigner la clef de sa propre volonté, s'en remettant complètement à son parfait bon plaisir et faisant une confiance absolue à sa douce bénignité pour opérer son salut en toutes choses. Le Seigneur entre alors en ce cœur et en cette âme pour y accomplir tout ce que peut exiger son divin plaisir. Sous une inspiration divine, elle récita alors, au nom de tous ses membres, deux cent vingt-cinq fois [1] cette parole de l'évangile : *Non pas ma volonté, mais la tienne* [a], ô Jésus très aimé. Et elle eut conscience que cela plaisait beaucoup au Seigneur. Elle demanda ensuite au Seigneur de quelle manière il recevrait la dévotion de quelqu'un qui célébrerait la présente fête comme elle-même l'avait indiqué, en s'inspirant du livre d'Esther et du poème qui commence ainsi : *Sortez, filles de Jérusalem* [b] [2], etc. Le Seigneur répondit : « En mon divin Cœur, j'accepte avec tant de plaisir cette célébration que si quelqu'un s'applique à l'accomplir avec une dévotion attentive, dans la vie éternelle, en sus de la récompense que je lui aurais accordée pour chacune de ses bonnes œuvres, je lui préparerai un festin

Ce dernier chiffre coïncide avec celui précisé par Gertrude aux ch. 2, 7, 17 et 35, 10, 2 de ce même l. IV, à propos de la même dévotion. Le chiffre *CCCLXV*, qui pouvait facilement être écrit par distraction, doit résulter d'une erreur ancienne. Ce chiffre, d'ailleurs, a servi aussi à compter les prières : cf. l. III, 9, 6, 9 (t. III [*SC* 143], p. 42).

2. Allusion, dit Paquelin, p. 373, n. 2, à un poème composé par Gertrude elle-même.

vivium nuptiarum, secundum regalis munificentiae meae
liberalitatem ; unde ipse tantum habebit dignitatis, gaudii et delectationis prae aliis, sicut sponsa in convivio
nuptiarum suarum habet prae caeteris quibus rex ob
25 honorem et amorem ipsius pro liberalitate sua largitur
munera larga. »

CAPUT XXIV

DE ACCEPTATIONE GENUFLEXIONUM. QUARTA FERIA

1. Feria deinde quarta, dum imponeretur Missa *In
nomine Domini* [a], ista ex intimo affectu cordis in
honorem nominis ipsius dignissimi genua flectebat, in
suppletionem omnium quae unquam neglexerat in reve-
5 rentia Dei. Quod cum persensisset Dominum multum
acceptare, flexit secundo genua in illo verbo : *caelestium*,
pro suppletione omnium quae sancti jam in caelo Domino
conregnantes unquam neglexerunt in laude Dei. Tunc
omnes sancti, surgentes cum maxima gratitudine, lau-
10 dabant Dominum pro eo quod hanc isti gratiam contulit, et orabant pro ea. Tertio, in illo verbo : *terrestrium*,
iterum flexit genua pro suppletione omnium quae univer-
salis ecclesia neglexit et negligit in laude divina. Tunc
Filius Dei cum benigna hilaritate reddidit illi fructum
15 totius devotionis quae sibi ab universa ecclesia offereba-
tur. Quarto, in illo verbo : *et infernorum*, similiter genua
flexit pro suppletione omnium quae illi neglexerunt qui
sunt damnati in inferno. Tunc Filius Dei exsurgens, et
stans coram Deo Patre, ait : « Hoc meum est, quia cum,

XXIV. 1, 5 cum : dum W ‖ 8 dei *om.* W ‖ 12 iterum
om. W ‖ 18 dei *s.l.* B² ‖ 19 *post* cum *add.* tu *s.l.* W

XXIV. **1** *a*. Introït du mercredi saint : *Phil.* 2, 10

nuptial, conforme à la libéralité de ma royale munificence. Il recevra là un honneur, une joie et des délices
comparables à ceux que reçoit l'épouse dans le repas
de ses noces, bien au-dessus de tous les autres convives
à qui le roi ne prodigue, dans sa libéralité, ses dons
magnifiques, que pour l'honneur et l'amour qu'il lui
porte à elle-même.

CHAPITRE XXIV

Comment sont agréées nos génuflexions.
Le mercredi

Tout genou fléchit.
1. Le mercredi suivant, comme on enton-
nait la Messe *In nomine Domini* [a], du plus
intime sentiment de son cœur elle fléchissait les genoux en l'honneur de ce Nom très saint pour
suppléer à tout ce qu'elle avait pu négliger dans l'honneur
dû à Dieu. Voyant que cela était agréable au Seigneur,
elle fléchit une seconde fois les genoux au mot *caelestium* pour suppléer à ce que les saints, régnant déjà
au ciel avec le Seigneur, avaient pu négliger en fait
de louange de Dieu. Tous les saints se levèrent alors
avec une très grande reconnaissance ; ils louaient le
Seigneur de lui avoir accordé cette grâce et ils priaient
pour elle. De nouveau au mot *terrestrium*, elle fléchit
une troisième fois les genoux, pour suppléer à tout ce
qui, dans l'Église universelle, a été et est encore négligé
pour louer Dieu. Alors le Fils de Dieu, avec un doux
sourire, lui remit tout le fruit de la dévotion que l'Église
entière lui avait offerte. Au mot *et infernorum*, elle fléchit
de même une quatrième fois les genoux, pour suppléer
à toutes les négligences des damnés qui sont en enfer.
Alors le Fils de Dieu se leva et, se tenant debout devant
Dieu le Père, dit : « Ceci m'appartient en propre, car,

20 Pater, omne judicium mihi dederis *b*, ego eos justo judicio
aequissimae veritatis meae cruciatibus aeternis damna-
tos deputavi. Ideoque et hanc suppletionem tantopere
gratifico ab ista, quod illius remunerationem humanus
non capit intellectus, sed futuro tempori reservetur,
25 donec capax aeternae beatitudinis efficiatur. »

2. Dum vero in passione legeretur : *Pater ignosce illis* ᵃ,
ista intimo affectu exorabat Dominum, ut in illo amore
quo ipse in passione pro crucifixoribus suis oravit, dignaretur dimittere omnibus qui unquam in aliquo contra
5 ipsam deliquissent. Ad quod omnes sancti, cum magna
admiratione exurgentes, orabant Dominum ut indulge-
ret ei quidquid ipsa unquam deliquisset contra quemlibet
eorum, festa ipsorum debita devotione non celebrando,
vel alio modo, eosque satis digne reverendo. Filius
10 etiam Dei procedens coram Deo Patre, obtulit pro ea
fructum totius sanctissimae conversationis suae, in
emendationem dignissimam omnium quibus unquam cogitationibus, verbis et factis contra ipsum deliquisset.

3. Cum autem legeretur : *Hodie mecum eris in para-
diso* ᵃ, intellexit per spiritum quod, sicut nemo consequitur condignum fructum paenitentiae in ultimo suo
fine, nisi ad hoc habilitetur, Deo cooperante, aliqua vir-
5 tute in vita praesenti, latro ille qui tam salubrem adep-
tus est fructum paenitentiae, ut ipso die gauderet cum
Domino in paradisi amoenitate, ad illam fuit habilitatus
per hoc quod, quamvis sceleratus et latrociniis deditus
esset, tamen ubicumque manifestam cognovit injusti-
10 tiam, semper restitit et redarguit. Quod etiam in cruce

2, 1 illis *om.* W ‖ 9 eosque : eos non W *l* ‖ **3,** 5 in vita
praesenti *om.* B *l* ‖ 8 deditus : datus B

---

b. Cf. *Jn* 5, 22 ‖ **2** *a. Lc* 23, 34 ‖ **3** *a. Lc* 23, 43

puisque vous m'avez remis, ô Père, tout jugement [b], moi, je les ai condamnés et envoyés aux supplices éternels, par le juste jugement de la plus équitable vérité. C'est pourquoi cette compensation qu'elle m'offre m'est si agréable que sa récompense dépasse l'entendement humain. Je la lui réserve pour plus tard, lorsqu'elle sera en possession de la béatitude éternelle. »

Pardon des offenses.   **2.** Comme on lisait dans la passion : *Père, pardonnez-leur* [a], elle implorait le Seigneur du plus profond de son cœur, lui qui pria durant sa passion pour ceux qui le crucifiaient, de daigner pardonner avec ce même amour à tous ceux qui avaient pu l'offenser elle-même de quelque manière. A ces mots, tous les saints se levant avec grande admiration prièrent le Seigneur de lui faire miséricorde pour les fautes qu'elle avait jamais pu commettre à l'égard de quelqu'un d'entre eux, ne célébrant pas leur fête avec la dévotion convenable ou négligeant de quelque autre manière l'honneur qu'elle leur devait. A son tour, le Fils de Dieu se présenta devant son Père, offrant pour elle le fruit de toute sa vie très sainte, en réparation de toutes les fautes qu'elle avait jamais pu commettre contre lui en pensées, paroles ou actions.

Le larron.   **3.** Comme on lisait : *Aujourd'hui, tu seras avec moi dans le paradis* [a], elle comprit en esprit que, puisque personne n'obtient le fruit d'une digne pénitence à ses derniers moments s'il ne s'y est préparé avec le secours de Dieu par quelque vertu, en cette vie, ainsi en était-il de ce larron parvenu à un si excellent fruit de pénitence que, le jour même, il participa à la joie de Dieu dans son merveilleux paradis. Il y fut habilité par le fait que, tout en étant scélérat et voleur, il reculait toujours devant une injustice manifeste et la blâmait où qu'il la rencontrât. Ce qu'il fit d'ailleurs sur

fecit, socium de conviciis Domino majestatis irrogatis
arguendo, seque culpabilem et juste damnatum confitendo [b]. Unde et misericordiam consecutus est apud
Deum.

CAPUT XXV

De officio in Caena Domini

1. In festo autem Caenae dominicae, dum ad Matutinas cantarentur Lamentationes, ista coram Deo Patre
stans conquerebatur ipsi in amaritudine cordis ex parte
totius universitatis omnia peccata contra suam divinam
5 omnipotentiam ex humana fragilitate unquam commissa. Ad secundam vero Lamentationem, adstitit
Filio Dei similiter querimoniam movens de omnibus
peccatis contra inscrutabilem sapientiam Dei ex humana
ignorantia commissis. Ad tertiam autem, conquere-
10 batur Spiritui Sancto omnia peccata quae unquam
super benignitatem ipsius malitiose sunt commissa.
Hinc, dum ad versum *Jesu Christe* [a], etc., puellae can-
tarent *Kyrie eleison*, per primum accessit ad Cor Jesu
dulcissimum, illudque devote exosculans, ex parte
15 totius ecclesiae impetravit remissionem omnium peccatorum quae unquam cogitationibus, desideriis et
affectionibus ac voluntatibus perversis sunt contracta.
Per *Christe eleison* vero, deosculans os Domini benedictum, petiit remissionem omnium peccatorum quae
20 unquam ore sunt commissa. Item per *Kyrie eleison*,
venerandas manus Domini deosculans, obtinuit indulgentiam omnium peccatorum a quoquam in ecclesia
per opera commissorum. Deinde per illa quinque *Kyrie*

XXV. 1, 5 ex humana fragilitate *l* (cf. li. 8-9) : ex fragilitate W *om.* B ‖ unquam *om.* W ‖ 10 omnia : universa W ‖
13 *post* Jesu *add.* Christi W ‖ 21 domini deosculans : deo
(*corr.* domini *s.l.* B²) exosculans B

la croix, quand il reprit son compagnon des insultes
lancées au Seigneur de majesté, et se reconnut coupable
et condamné avec justice *b*. Et c'est ainsi qu'il obtint
miséricorde auprès de Dieu.

CHAPITRE XXV

De l'office en la Cène du Seigneur

Contrition. 1. En la fête de la Cène du Seigneur,
tandis qu'à Matines on chantait les Lamentations, elle se tint en présence de Dieu le Père, déplorant devant lui en l'amertume de son cœur, au nom de
l'univers entier, tous les péchés jamais commis par fragilité humaine contre sa toute-puissance divine. A la
deuxième Lamentation, elle se présenta semblablement
devant le Fils de Dieu, exhalant son regret de tous les
péchés commis par l'ignorance des hommes contre l'inscrutable sagesse de Dieu. A la troisième, elle déplora
devant l'Esprit-Saint tous les péchés jamais commis
par malice contre sa bénignité. Puis au verset *Jesu
Christe* *a*, etc., alors que les jeunes chantres entonnaient
Kyrie eleison, elle s'approcha d'abord du Cœur infiniment doux de Jésus et, le baisant dévotement au nom
de toute l'Église, elle implora la rémission de tous les
péchés jamais commis par pensées, désirs ou affections, et
volontés perverses. Puis à *Christe eleison*, baisant la bouche bénie du Seigneur, elle demanda la rémission de tous
les péchés que jamais bouche ait pu commettre. De même
au *Kyrie eleison*, baisant les mains vénérables du Seigneur,
elle obtint le pardon de tous les péchés qui, dans l'Église,
ont pu être commis par actions. Ensuite pendant que

b. Cf. *Lc* 23, 39-41
XXV. 1 *a.* Verset de la litanie chantée à la fin des Ténèbres

eleison, quae populus canebat ad hymnum *Rex Christe* [b],
per singulos versus ipsa quinque vulnera Domini rosea
25 deosculabatur, pro indulgentia omnium peccatorum
quinque sensibus hominum commissorum. Quod dum
faceret, protinus de ipsis quinque vulneribus copioso
impetu emanare coeperunt quinque rivuli gratiae salutaris, qui per totam ecclesiam defluentes ipsam ab omni
30 macula peccatorum emundabant. Sicque persensit se plenum obtinuisse effectum omnium quae tam per Lamentationes quam etiam per *Kyrie eleison* exorarat. Unde
quilibet eisdem intendere potest his tribus noctibus,
confidens de divina bonitate, quod si devote in talibus
35 laboraverit, consimilem mereatur effectum.

2. Cum vero ad Laudes cantaretur antiphona *Oblatus
est* [a], ait illi Dominus : « Si credis me in cruce Deo Patri
oblatum, eo quod ipse volui tali modo sibi offerri, crede
etiam indubitanter quod adhuc quotidie desidero eodem
5 amore pro quolibet peccatore Deo Patri offerri, quo me
in cruce pro salute totius mundi obtuli. Unde quicumque
se quantumvis gravi pondere peccatorum senserit depres-
sum, respiret in spe veniae, offerendo Deo Patri meam
innocentissimam passionem et mortem, et credat se per
10 hoc saluberrimum fructum indulgentiae obtinere, quia nullum tam efficax remedium contra peccata poterit in
terris haberi, quam devota memoria meae passionis, cum
vera paenitentia et fide recta. »

26 dum : cum W ǀǀ 29 qui : quae W ǀǀ 30 persensit : sensit
W ǀǀ 32 exorabat B ǀǀ **2**, 6 obtuli mundi W ǀǀ 7 se *s.l.* B[2] ǀǀ
peccatorum senserit : sentit peccatorum W ǀǀ 8 patri *s.l.* B[2]
ǀǀ 9 innocentissimam : innocentem W ǀǀ 13 et : in B

b. Hymne *Rex Christe factor omnium* (*RH* 17408) ǀǀ **2** *a.* 4[e]
antienne de Laudes (*CAO* 4097) : *Is.* 53, 7

1. Sur cet usage, à la fin de l'office des Ténèbres, de l'hymne

le peuple chantait cinq *Kyrie eleison* à l'hymne *Rex Christe* [b] [1], elle baisa à chaque strophe les cinq plaies vermeilles du Seigneur pour le pardon de tous les péchés que les hommes ont commis par leurs cinq sens. Comme elle faisait ainsi, aussitôt, de ces cinq plaies, se mirent à couler, en flots abondants, cinq ruisseaux de grâce salutaire qui se répandirent dans l'Église pour la purifier de toute souillure de péché. Elle expérimenta ainsi avoir été exaucée en plénitude et avoir obtenu tout ce qu'elle avait demandé, aussi bien dans les Lamentations que dans les *Kyrie eleison*. Chacun peut, en ces trois nuits, s'appliquer aux mêmes prières, avec la confiance d'obtenir de la bonté divine des résultats identiques pourvu qu'il s'y adonne avec une dévotion semblable.

Espoir du pardon. 2. A Laudes, pendant le chant de l'antienne *Oblatus est* [a], le Seigneur lui dit : « Tu crois, n'est-ce pas, que si je fus offert sur la croix à Dieu le Père, c'est parce que j'ai vraiment voulu lui être offert de la sorte ; eh bien ! crois de même, sans l'ombre d'un doute, que chaque jour encore je désire être offert pour n'importe quel pécheur à Dieu le Père, avec ce même amour qui fut celui de mon oblation sur la croix pour le salut du monde entier. Aussi, quel que soit le poids écrasant des péchés qui l'oppresserait, que l'homme reprenne haleine dans l'espoir du pardon, en offrant à Dieu le Père cette passion et cette mort nullement méritées et qu'il ait foi d'obtenir ainsi le fruit du pardon et du salut. Il ne peut, en effet, exister sur terre de remède aussi efficace contre le péché que le souvenir dévot de ma passion accompagné d'une authentique pénitence et d'une foi sincère. »

Rex Christe factor omnium, attribuée à saint Grégoire (texte dans *PL* 78, 850-852), et sur le *Kyrie eleison* chanté à chaque strophe, cf. t. III, p. 204-205 (l. III, 45, 2), n. 1.

3. Et cum in evangelio *Ante diem festum* [a] legeretur :
coepit lavare pedes discipulorum [b], ista dixit ad Dominum : « Eia, Domine, cum ego indigna sim ablui a te,
utinam saltem ab aliquo beatissimorum apostolo-
5 rum tuorum, quos tu Dominus universitatis abluere
dignatus es, mererer ab omni macula peccatorum lavari,
ut hodie digne accederem ad tui sacratissimi corporis
et sanguinis mysterium. » Respondit Dominus : « Ego
certe hodie tuas et etiam omnium maculas ablui et
10 extersi qui secundum doctrinam tuam septem affectiones suas petierunt mundari a me et ordinari. » Tunc
illa : « Heu ! Domine mi, licet ego alios hoc docuerim,
et idem etiam facere proposuerim, tamen aliis intendens,
in his negligens fui. » Respondit Dominus : « Ego bonam
15 voluntatem tuam pro opere suscepi, quia gratuita bonitas mea hoc exigit quod, quicumque integra voluntate
proposuit aliquod bonum opus perficere, aut intendere
alicui devotioni, si ex humana fragilitate vel necessitate
hoc negligit, ego pro facto voluntatem illius respiciam
20 simul et remunerabo copiose.

4. Cum autem esset communicatura, dixit ad Dominum : « Ecce, Domine, offero tibi vota omnium personarum quae se indignis orationibus meis commiserunt. »
Cui Dominus : « Tot facibus amoris Cor meum divinum
5 succendisti pro quot mihi personis adstas. » Tunc illa :

3, 4 saltem *mg.* B² ‖ *post* aliquo *add.* illorum W ‖ **11** a me
mundari W ‖ **13** etiam *om.* W ‖ **19** illius : ipsius W ‖ **4, 2**
ecce : eia W

---

3 *a. Jn* 13, 1-15 ‖ *b. Jn* 13, 5

---

1. La sincère bonne volonté équivaut aux yeux du Seigneur
à l'acte bon, voulu mais empêché. Elle est considérée *pro opere*
(li. 15), *pro facto* (li. 19). L'idée et les termes se retrouvent fréquem-

Lavement des pieds.

3. A l'évangile *Avant la fête* [a], comme on lisait : *il se met à laver les pieds des disciples* [b], elle dit au Seigneur : « Ah Seigneur ! je ne suis pas digne que vous me laviez. Qu'au moins cependant je mérite d'être lavée de toute souillure de péché par l'un de vos saints apôtres que vous, Seigneur de l'univers, avez daigné purifier. Je pourrai ainsi aujourd'hui m'approcher dignement du mystère de votre corps et de votre sang très saints. » Le Seigneur répondit : « Moi-même, aujourd'hui j'ai bien certainement lavé et essuyé tes souillures et celles de toutes les personnes qui, selon tes conseils, m'ont demandé de purifier et d'ordonner les sept affections (de leur âme). — Hélas, mon Seigneur ! dit-elle alors, il est vrai que j'ai enseigné cela aux autres et me suis proposé de l'observer moi-même ; mais, portant ailleurs mon attention, j'ai négligé cette pratique. » Le Seigneur répondit : « J'ai tenu ta bonne volonté à l'égal d'un acte ; car, du fait de ma bonté toute gratuite, lorsque quelqu'un a résolu avec une volonté sincère d'accomplir une œuvre bonne ou de s'adonner à quelque pratique de dévotion, s'il la néglige par la suite, du fait de la fragilité humaine ou d'une impossibilité, moi, je considérerai sa résolution à l'instar d'un acte accompli et je lui en donnerai la même récompense [1]. »

Intercession pour l'Église.

4. Sur le point de communier, elle dit au Seigneur : « Voici, Seigneur, que je vous offre les vœux de toutes les personnes qui se sont recommandées à mes indignes prières. » A quoi le Seigneur répondit : « Tu as embrasé mon divin Cœur d'autant de flammes d'amour que tu représentes de personnes. — Ah ! dit-elle alors, comment

ment, par exemple l. III, 88 : « Quod voluntas acceptatur pro opere » (t. III [*SC* 143], p. 344-345) ; l. IV, 40, 1, 11-12 ; MECHTILDE, IV, 52 (éd. Paquelin, p. 305).

« Eia, inquit, quomodo possem tibi pro personis totius ecclesiae adstare digne, quo tot facibus amoris deificum Cor tuum accenderem quot homines in universa sunt ecclesia ? » Respondit Dominus : « Hoc si desideras per-

10 ficere, his quatuor modis potes : ut scilicet primo laudes me pro creatione eorum omnium quos ad imaginem et similitudinem meam creavi [a]; secundo, ut gratias agas mihi pro omnibus beneficiis eis unquam impensis sive impendendis ; tertio, ut querimoniam moveas pro

15 omnibus modis quibus unquam gratiae meae sunt contrariati ; quarto, ut ores pro omnibus, quo singuli secundum meam divinam ordinationem in omni bono perficiantur ad laudem et gloriam meam. »

5. Item alia vice, dum in festo Caenae Domini se totam recollegisset intra se ad intendendum et vacandum Deo, exhibuit se illi Dominus sub ea forma et modo quo ipse moriturus eodem die se habuerat in terris. Vide-

5 batur enim totam diem illam velut in summa mortis angustia ducere gravissimam, cum ipse aeterna Sapientia Dei Patris omnia quae ventura erant super eum et universa quae passurus erat, tamquam iam praeterita praesciret. Unde cum esset delicatae virginis delicatissi-

10 mus filius, pavens et tremens per singulas horas, tam miserabilissimos et varios praetendebat gestus et colores ac si per singula momenta ipsam mortis retractaret amaritudinem. Quod ista in spiritu persentiens, ad tantam compassionem provocabatur, quod si mille cordium vires

5, 6-7 patris sapientia dei B

---

4 *a.* Cf. *Gen.* 1, 26

---

1. La sensibilité très affinée du Seigneur lui vient de sa Mère. Sainte Gertrude le note avec émotion et respect. Elle suggère même, par l'emploi du superlatif *delicatissimus*, que, chez le

donc pourrai-je représenter devant vous toutes les personnes de l'Église et embraser ainsi votre Cœur déifique
d'autant de flammes qu'il y a d'hommes dans l'Église
universelle ? » Le Seigneur répondit : « Tu peux, si tu
le désires, réaliser ceci de quatre manières : tout d'abord,
loue-moi de les avoir tous créés à mon image et ressemblance *a*, deuxièmement, rends-moi grâce pour tous les
bienfaits qu'ils ont reçus ou recevront encore de moi ;
troisièmement, exhale ton amertume pour tous les pro-
cédés par lesquels ils ont mis obstacle à ma grâce ; quatrièmement, implore pour tous la croissance dans le
bien pour ma louange et ma gloire, selon mes dispositions divines à l'égard de chacun. »

**Le Cœur de Jésus
et le cœur
de Gertrude.**

5. Une autre fois, en cette fête de
la Cène du Seigneur, comme elle
s'était recueillie tout entière en
elle-même pour vaquer à Dieu avec
attention, le Seigneur lui apparut : son aspect et son
comportement étaient ceux qu'il avait eus sur terre
en ce même jour à l'approche de la mort. Elle le voyait
passer toute cette journée lourde d'angoisse, comme s'il
avait été dans les affres suprêmes du trépas. Car lui,
Sagesse éternelle de Dieu le Père, connaissait d'avance
ce qui devait lui arriver tout comme si les souffrances
qu'il allait endurer, sans en excepter aucune, eussent
été déjà choses passées. Et, Fils très délicat de la Vierge
délicate [1], il tremblait d'angoisse ; à toute heure, ses
gestes pitoyables et le changement de son teint accu-
saient la lutte qu'à chaque instant il soutenait contre
l'amertume de la mort. Son âme en fut transpercée et
cela excita en elle une telle compassion que, si elle eût
possédé la puissance de mille cœurs, elle l'eût facilement

Christ, la perfection de sa nature humaine rendait plus intense
encore que chez sa Mère la possibilité de souffrir.

15 habuisset, omnes ipso die ex compassione tam amabilis
et praedulcis amatoris sui consumpsisse potuisset. Persensit itaque pulsus quosdam vehementissimos cordis sui
ex desiderio et amore simulque et anxietate mortis alter-
natis vicibus Cor illud suavifluum et omni beatitudine
20 plenum lacessentes, ex quorum impetu praevalenti ista
pene in se defecerat tota.

6. Et ait Dominus ad eam : « In eodem amore quo
ego tempore mortalitatis meae omnem anxietatem, tri-
bulationem et amaritudinem passionis et mortis pertuli
in corpore meo pro salute humana, etiam nunc cum
5 jam immortalis sim effectus, hodie sustinui in corde tuo,
quod toties ex intima compassione anxietatum et ama-
ritudinum mearum medullitus est commotum et pertran-
situm in salutem veram omnium salvandorum. Unde et
per hanc compassionem qua mihi per diem istum com-
10 passa es, do tibi omnem fructum meae venerandae passionis et pretiosae mortis, in augmentum tuae beatitudinis sempiternae. Et hunc honorem cordi tuo sic mihi
compasso superaddo, quod ubicumque adoratur lignum
crucis quod mihi ad supplicium servivit, simul cum illo
15 anima tua suscipiet fructum intimae compassionis quam
mihi per diem istum exhibuit. Hoc etiam superaddo,
quod pro quacumque causa oraveris, numquam contra
meum beneplacitum permanebit, sed bono fine termi-
nabitur. »

7. Adjecitque Dominus : « Quandocumque pro aliqua
causa orare volueris, Cor meum, quod tibi in signum

20 ex *s.l.* B² ‖ **6,** 7 et *s.l.* B² ‖ 8 et *om.* B ‖ 14 illa B ‖ 15
suscipiat W ‖ **7,** 1 adiecit B

---

1. Le Christ ne peut plus souffrir. Son Cœur baigne désormais
dans la plus douce joie. Mais le cœur de sainte Gertrude qui, lui,
est passible, bat au rythme des sentiments d'angoisse et d'amour
du Christ en sa passion. Ses pulsations répétées vont frapper le

épuisée, en ce jour, dans la compassion de son amant si aimable et si tendre. Ainsi donc elle ressentait, au fond d'elle-même, les violentes pulsations de son propre cœur[1] qui s'en allaient frapper le cœur de son amant, cœur ruisselant de suavité et rempli de toute béatitude. Elles le frappaient tour à tour de désir et d'amour, comme aussi d'angoisse de la mort, tandis qu'elle-même, sous leur violence victorieuse, se sentait presque entièrement défaillir.

6. Et le Seigneur lui dit : « Toute l'angoisse, les tourments et l'amertume de la passion et de la mort que, au temps de ma vie mortelle, j'ai supportés en mon corps pour le salut des hommes, c'est avec le même amour que, aujourd'hui, bien que désormais je ne puisse plus mourir, je les ai éprouvés en ton propre cœur. Tant de fois, en effet, il a été pénétré et comme transpercé en compatissant à mes angoisses et à mes souffrances, afin de sauver effectivement tous ceux qui doivent l'être ! Or, à cause de cette compassion que tu as éprouvée pour moi, en ce jour, je t'attribue tout le prix de ma vénérable passion et de ma précieuse mort, pour l'augmentation de ta béatitude éternelle. Et je donne à ton cœur qui fut pour moi si compatissant une récompense de plus ; oui, partout où l'on adorera le bois de la croix qui a servi à mon supplice, il recevra, et ton âme avec lui, le fruit de la profonde compassion qu'il m'a témoignée en ce jour. J'ajoute encore que si tu me pries à une intention quelconque, elle ne demeurera jamais étrangère à mon bon plaisir, mais trouvera une issue favorable. »

7. Et le Seigneur continua : « Lorsque tu veux me prier à quelque intention, présente-moi mon Cœur

---

Cœur du Seigneur et, par ce moyen, lui permettent de revivre en quelque sorte sa passion, pour le salut des hommes. Image d'une extraordinaire densité spirituelle.

mutuae familiaritatis saepius donavi, applica mihi in
unione amoris illius quo illud humanum suscepi pro
5 salute humana et illud tibi saepius dedi in specialis
amicitiae praerogativam, ut inde benefaciam illis pro
quibus oras : sicut diviti praesentatur arca unde sumat
quo benefaciat suis amicis. » Hinc illa requisivit a Domino,
dicens : « Eia, Domine, quo nomine Patrem orans in
10 agonia invocabas ? » Respondit Dominus : « Ego frequentius hoc nomine invocabam eum, dicens : O inte-
gritas substantiae meae ! »

8. Inter Missam, antequam conventus erat communi-
caturus, inter secretum apparuit ei Dominus Jesus, non
sedens sed jacens, velut in extremo spiramine omnibus
viribus tam penitus destitutus, quod intuentis se viscera
5 omnia commota sunt pene usque ad defectum spiritus.
Et dum sic velut in ultima miseria jaceret usque ad
horam qua congregatio erat communicatura, vidit quadam mirabili visione quod sacerdos ipsum levans multo
majorem se mensura corporis et portabat eum a quo
10 non solum portabatur, verum etiam qui *omnia portat
verbo virtutis suae* [a]. Unde et ista hoc videns, dulcissimo
quodam suavis compassionis affectu, intellexit quod illa
invalitudo praeostensa in Filio Dei omnipotentis expri-
mebat illam supersuavissimi amoris praevalentissimam
15 virtutem, qua noster Benjamin amabilis adolescentulus
in excessu mentis [b] factus est in deliciis expectationum
illarum, qua tam dilectis sibi animabus desiderabat uniri
per communionem : unde et quasi exanimis qui propriis viribus omnino uti non potest, manibus sacerdotis

8, 18 qui : quae B

---

8 *a. Hébr.* 1, 3 ‖ *b. Ps.* 67, 28

---

1. Il s'agit de la prière eucharistique récitée à voix basse.

que si souvent je t'ai donné en gage de notre mutuelle
intimité, présente-le-moi en union avec cet amour qui
m'a fait prendre pour le salut des hommes ce cœur humain
que je t'ai si souvent offert en signe d'affection privi-
légiée, afin que je puisse me montrer généreux envers
ceux pour qui tu me prieras : c'est ainsi qu'on présente
à un homme riche le coffre où il puisera des cadeaux
pour ses amis. » Elle posa ensuite cette question au
Seigneur : « Ah Seigneur ! de quel nom appeliez-vous le
Père lorsque vous l'invoquiez dans la prière de votre
agonie ? » Le Seigneur répondit : « Voici le nom que je
répétais en l'invoquant : Ô vous qui êtes toute ma
substance ! »

Communion. **8.** Pendant la Messe, avant la communion du convent, durant les prières à
voix basse[1], elle vit le Seigneur Jésus, non pas sur un
trône, mais gisant, comme s'il était à son dernier souffle,
et privé si complètement de forces qu'en le contemplant elle fut remuée jusqu'au fond d'elle-même, et pour
un peu le cœur allait lui manquer. Or tandis qu'il gisait
ainsi dans une extrême faiblesse, elle eut une vision
merveilleuse : le prêtre lui sembla soulever ce corps
dont la taille dépassait beaucoup la sienne propre[2],
et porter celui qui, non seulement le portait lui-même,
mais *qui porte toutes choses par la parole de sa puissance*[a].
Ce que voyant, elle comprit, avec le sentiment très doux
d'une tendre compassion, que cette défaillance témoignée
par le Fils du Dieu tout-puissant exprimait la force
invincible d'un amour plus doux que toute douceur.
C'est elle qui *jette en extase* notre *Benjamin*, aimable
adolescent[b], dans l'attente, pleine de délices, et le désir
de s'unir par la communion à des âmes qui lui étaient
si chères. C'est ainsi que, tel un homme inanimé totalement incapable d'user de ses forces, il se laissait faire

2. Cf. Mechtilde, I, 9 fin (éd. Paquelin, p. 31).

20 tractatur atque portatur. Item intellexit alia vice quod
quoties homo cum desiderio et devotione inspexerit hostiam, in qua latet corpus Christi sacramentaliter, toties
meritum suum auget in caelo, quia aeternaliter in futura
visione Dei tot sibi speciales delectationes alludent, quo-
25 ties in terris cum devotione et desiderio inspexit corpus
Christi, vel etiam vellet videre si posset, sed rationabiliter impeditur.

CAPUT XXVI

De sancto Parasceve die

1. Cum ex praescriptis satis evidenter appareat tam
festivis quam feriatis diebus istam Domino studiosa devotione intendisse frequentius, reticendum non arbitror
quod summa devotione dulcissimae passionis Christi me-
5 moriam sic ardenter et velut incontinenter amplexata
est, quod illam ruminare videbatur, ipsi quasi mel
in ore, melos in aure, jubilus in corde. Nam instante
sacratissimo die Parasceve, cum ad Completorium audiret sonitum tabulae, totis viribus cordis medullitus com-

XXVI. 1, 1 ex praescriptis : exscriptis B ‖ 4 quod *om.* B
‖ 8 parasceves *p. corr. s.l.* B²

---

1. On sait combien la dévotion médiévale donnait d'importance
au fait de « voir l'hostie ».
2. Les paragraphes 1-3 qui suivent tranchent sur l'ensemble
du livre en ce qu'ils ne sont pas dictés par sainte Gertrude, mais
que l'éditrice de ses œuvres parle ici en son propre nom. C'est
ce qui peut expliquer le titre de *Nota* donné à ce passage par le
manuscrit de Vienne (*W*) et adopté par l'édition Paquelin. Dans
ce manuscrit et cette édition, le chapitre 26 ne commence qu'avec
les mots *Die enim quodam* (notre § 4). — En réalité, il est normal
d'inclure ces trois paragraphes dans le chapitre 26. C'est ce que
font et le manuscrit de Munich (*B*) et l'édition de Lansperge,
ordinairement préférables. Il y a du reste continuité entre les

entre les mains du prêtre qui le portait. Un autre jour,
elle comprit également que, lorsqu'un homme contemple
avec désir et dévotion l'hostie[1] où se cache sacramen-
tellement le corps du Christ, chaque fois il augmente
ses mérites pour le ciel, car, lorsque plus tard il verra
Dieu dans l'éternité, il goûtera des délices particulières
pour toutes les fois où, sur terre, il aura contemplé le
corps du Christ avec désir et dévotion, ou seulement
même souhaité le voir, tout en ne pouvant, de fait,
y parvenir.

CHAPITRE XXVI

Le saint jour de la Parascève

1. De ce qui précède[2], il ressort avec évidence que,
aussi bien les jours de fête que les jours de féries, elle
s'appliquait sans cesse au Seigneur avec attention et
dévotion. Mais je ne pense pas devoir passer sous silence
avec quelle extrême dévotion elle s'attachait au souvenir de la très douce passion du Christ. Elle y mettait
tant de flamme et, en quelque sorte, d'avidité, qu'elle
semblait en faire sa nourriture, comme si ce fût pour
elle miel à la bouche, mélodie à l'oreille, jubilus au cœur[3].
Oui, la veille du jour sacré de la Parascève, lorsqu'à
Complies elle entendait le son de la tablette[4], émue

§ 3 et 4, reliés par *enim*. Ajoutons que la table des *capitula* ne men-
tionne pas de subdivision intermédiaire entre les chapitres 25
et 26.

3. Cf. S. Bernard, *Super Cantica Sermo* 15, 6 : « Jesus mel
in ore, in aure melos, in corde iubilus » (*EC*, I, 86, li. 18-19).
— Cf. l. I, 1, 2, 29 (t. II [*SC* 139], p. 122) ; l. III, 41, 4, 15 (t. III
[*SC* 143], p. 192).

4. Il s'agit d'une crécelle ou de tablettes de bois frappées l'une
contre l'autre pour donner le signal de l'office des jours saints,
alors qu'on ne sonnait pas les cloches.

10 mota, tamquam si unici, fidelissimi et carissimi amici
sui agonem sibi praesentiret intimari, ad cujus exitum
anhelans festinaret, sic toto conatu ad intima sua se
retrahebat ad recolendam dominicam passionem et per
amatoriam compassionem rependendam dilecto pro se
15 passo amoris fidelissimi vicem. Et sic per moram diei
illius et etiam sacratissimi sabbati sequentis, habebat
animam conglutinatam animae dilecti sui, in tantum
quod difficillimum sibi videbatur ad aliqua per exteriores sensus declinare, excepto ad illa solummodo quae
20 per effectum caritatis potuit perficere, ad quae se sine
omni haesitatione, ubicumque occasio se praebebat,
libere exhibebat, manifeste per hoc insinuans se veraciter in hospitio intimorum suorum illum tenere circum-
plexum, de quo dicit Joannes : *Deus caritas est* [a], etc..
25 *Si diligimus invicem, Deus in nobis manet, et caritas
in nobis perfecta est* [b].

2. Unde cum per maximam partem hujus diei sacratissimae et etiam sabbati sequentis quasi sine humano
sensu pertransiret, etiam saepissime supra hoc rapta sic
permansit, quod nullis imaginationibus ad humanum
5 intellectum pertrahere potuit quidquid sibi intraxit ex
mutua familiaritate dilecti, tam fortissima inhaesione sibi
dulciter conglutinati, et ex amatoria compassione tam
inseparabiliter cum ea liquefacti. Et hoc ergo non esse
imperfectionis sed summae perfectionis testatur Ber-
10 nardus super illud in Canticis : *Murenulas aureas facie-
mus tibi* [a], etc., sic dicens : « Cum divinitus aliquid raptim et

15 amoris *mg.* B² ‖ moram : amorem B¹ (*corr.* B²) ‖ 20 se
om. B ‖ 26 perfecta *s.l.* B² ‖ **2, 1** hujus diei sacratiss. :
sacratiss. diei huius W ‖ 3 pertransisset W ‖ 8 ergo :
igitur W

XXVI. **1** *a. I Jn* 4, 8 ‖ *b. I Jn* 4, 12 ‖ **2** *a. Cant.* 1, 10

jusqu'au fond d'elle-même dans toutes les puissances de son cœur, il lui semblait entendre annoncer l'agonie de son unique ami, le plus fidèle, le plus cher qui soit, au trépas duquel elle serait accourue hors d'haleine. Aussi mettait-elle tous ses soins à se recueillir en elle-même pour vénérer la passion du Seigneur et, dans une amoureuse compassion pour son bien-aimé, payer en retour un amour très fidèle à celui qui avait souffert pour elle. Et ainsi, tout le long de ce jour et même du lendemain, Samedi saint, son âme était si étroitement agglutinée à l'âme de son bien-aimé qu'il lui semblait extrêmement difficile d'appliquer ses sens extérieurs à quelque autre chose, à cette seule exception, cependant, d'une action à accomplir sous la motion de la charité. Car dans ce cas, dès que l'occasion s'en présentait, elle agissait sans hésiter et en toute liberté. Preuve évidente qu'elle tenait vraiment enlacé, comme l'hôte de son intimité, celui dont Jean a dit : *Dieu est charité* [a], etc. *Si nous nous aimons les uns les autres, Dieu demeure en nous et sa charité est parfaite en nous* [b].

2. Ainsi passait-elle la plus grande partie de ce jour très saint et aussi du samedi suivant comme humainement privée de ses sens. Il arrivait même fréquemment qu'elle demeura ravie au-dessus d'eux au point de ne pouvoir, par quelque image que ce soit, communiquer à l'entendement humain ce qu'elle recevait dans cette intimité réciproque avec son bien-aimé. Il l'enlaçait en effet tendrement en une véhémente étreinte et, du fait de l'amoureuse compassion qu'elle avait de lui, il se trouvait comme fondu avec elle sans pouvoir en être dissocié. Aucune imperfection d'ailleurs en cela, mais bien plutôt le sommet de la perfection, comme l'atteste Bernard, commentant ce mot du Cantique : *Nous vous ferons des chaînes d'or* [a], etc. Il dit en effet : « Lorsque, dans l'âme ravie au-dessus d'elle-même, brille comme à la

veluti in velocitate corusci luminis interluxerit menti
spiritu excedenti, continuo ad temperamentum nimii
splendoris, sive ad doctrinae usum, adsunt quaedam
15 imaginatoriae similitudines inferiorum rerum infusis divinitus sensibus convenienter accommodatae, quibus quodam modo adumbratus purissimus ille ac splendidissimus
veritatis radius, et ipsi animae tolerabilior fiat, et quibus communicare illum voluerit capabilior. Aestimo
20 tamen ipsas similitudines formari in nobis suggestioni-
bus angelorum », quibus illud ministerii est. Unde sentia-
mus « Dei esse quod omnino purum est absque omni fantasia corporearum imaginum ; et elegantem quamlibet
similitudinem qua id digne vestitum apparuerit minis-
25 terio deputemus angelico. » Haec Bernardus. Ergo non
est judicandum inferioris meriti, cum Deus per semetipsum dignatur influere animam, et inter ipsam et se solum,
quasi sub sigillo amicitioris familiaritatis, conservat illud
purum absque omni fantasia corporearum imaginum.
30 Nam et simili de causa plura frequentius sunt silentio
tecta, quae magnifica relatione forent digna.

3. Sed tamen ne vacet hoc celeberrimum festum a
profectu devotis illis qui in scriptis illis incalescere
quaerunt, adjungam aliquas scintillulas quae de camino
illo in memoriam passionis Christi fortiter succenso pote-
5 rant eructare.

4. Die enim quodam Parasceve, cum circa Primam
gratias devotas Deo persolveret, pro eo quod judicandus
Sarraceno adstare voluit, vidit ipsum Filium Dei sere-
num in laetitia plena, Deo Patri consedentem in throno
5 imperiali, et pro quibuslibet opprobriis et blasphemiis
pro redemptione nostra perpessis, a Patre mira blandi-

---

12 corusci : spiritu B¹ (*corr. mg.* B²) ‖ *post* interluxerit
add. chorusci B¹ (*del.* B²) ‖ 13 spiritu *s.l.* B² ‖ 14 quaedam :
quidam W ‖ 27 dignabitur W

dérobée et avec la rapidité de l'éclair, une lumière divine, aussitôt, comme pour en tempérer l'éclat trop vif, ou pour permettre d'en communiquer l'enseignement, surgissent des images prises dans les objets inférieurs et adaptées à la portée de nos sens imprégnés des réalités divines. Ainsi, le rayon très pur et resplendissant de la vérité est, en quelque sorte, voilé, et devient plus supportable pour l'âme et plus accessible à ceux à qui elle veut le communiquer. Je pense que ces images sont formées en nous par l'inspiration des anges. » Cela convient à leur ministère. Estimons donc « appartenir à Dieu ce qui est absolument pur et sans aucun phantasme d'images corporelles ; et ces formes élégantes qui en sont comme le noble vêtement, attribuons-les au ministère des anges [1] ». Voilà ce que dit Bernard. Il ne faut donc pas estimer comme une moindre faveur que Dieu daigne pénétrer lui-même dans l'âme et garder pur de tout phantasme d'images corporelles et comme sous le sceau d'une affection plus intime ce qui se passe entre elle et lui seul. C'est pour cette raison que le silence recouvre bien des choses qui auraient mérité un splendide exposé.

3. Mais cependant, pour qu'en cette fête solennelle ne soient pas privés d'un profit spirituel ceux qui cherchent, en ces pages, à ranimer leur ferveur, j'ajouterai quelques étincelles qui pouvaient jaillir de ce brasier brûlant avec ardeur au souvenir de la passion du Christ.

4. Ainsi, un Vendredi saint, vers l'heure de Prime, comme elle rendait à Dieu de ferventes actions de grâces pour avoir consenti à comparaître devant le tribunal d'un Sarrasin [2], elle vit ce Fils de Dieu, plein de sérénité et de joie, assis sur un trône impérial auprès du Père et recevant de lui, en échange de tous les outrages et blasphèmes endurés pour notre rédemption, les douces

---

1. S. Bernard, *Super Cantica Sermo* 41, 3-4 (*EC*, II, 30, li. 21-28 ; 31, li. 3-6).
2. Noter l'amusant anachronisme.

tatis suavitate demulceri, singulosque sanctorum flexis
genibus cum maxima gratitudine reverentiam ipsi Filio
Dei exhibere pro eo quod suo judicio ipsi ab aeterna
10 damnatione essent liberati.

5. Cum vero in Passione legeretur *Sitio* [a], apparuit
Dominus quasi aureum calicem porrigere quasi ad capien-
das lacrymas devotionum. Ista vero, cum sentiret cor
suum velut liquefactum ad fundendas lacrymas, et tamen
5 eas contineret, tum propter discretionem, tum etiam
propter secretum devotionis, requisivit a Domino quomodo hoc acceptaret. Tunc videbatur rivulus purissimus de corde ipsius animae dominicum os influere, et
inter haec suscepit responsum Domini in haec verba :
10 « Sic mihi intraho lacrymas devotionis quae tali puritate causa mei continentur. »

6. Hinc circa tertiam, cum ex memoria illius quod
Dominus hora illa spinis coronatus, ad columnam dire
flagellatus, suis fessis cruentatisque humeris crucem
dignatus est bajulare, vehementius fuisset succensa,
5 dixit ad Dominum : « Ecce, amator mi dulcissime, ad
respondendum amori tuo pro tam indebita amaritudine
tuae innocentissimae passionis, exhibeo tibi cor meum,
desiderans omnem amaritudinem et dolorem dulcissimi
Cordis et immaculati corporis tui perferre ab hora ista
10 usque in horam extremi exitus mei, orans ut quandocumque ex humana fragilitate horum recordatio a mea
labitur memoria, facias me corporalem dolorem cordis
sentire, qui digne respondeat amaritudini tuae passionis. »
Respondit Dominus : « Talis voluntas et fidelitas cordis
15 tui satis sufficienter respondet mihi. Sed ut plenam in

6, 1 quod *l* : quam *codd.* ‖ 11 mea *sup. ras.* B²

---

5 *a. Jn* 19, 28

caresses de sa merveilleuse tendresse, tandis que chacun des saints, fléchissant les genoux avec grande révérence, rendait grâce à ce Fils de Dieu de les avoir, en supportant d'être jugé, libérés eux-mêmes de la damnation éternelle.

Larmes. **5.** Pendant la lecture de la passion, au mot : *Sitio* [a], le Seigneur parut présenter un calice d'or, comme pour y recueillir les larmes de dévotion. Elle sentait son cœur liquéfié pour ainsi dire et prêt à fondre en larmes. Elle les retenait cependant, autant par discrétion que par pudeur de sa dévotion, et demanda au Seigneur ce qu'il en pensait. Elle vit alors un ruisseau très limpide jaillir du fond de son cœur jusque dans la bouche du Seigneur, tandis qu'elle recevait de lui cette réponse : « Voilà comment j'attire les larmes de dévotion qu'avec une intention aussi pure l'on retient à cause de moi. »

Souffrir. **6.** Ensuite, au moment de Tierce, se rappelant qu'à cette heure-là le Seigneur, couronné d'épines, cruellement flagellé à la colonne, avait daigné charger la croix sur ses épaules épuisées et sanglantes, elle se sentit embrasée de ferveur et dit au Seigneur : « Ô mon très doux amant, pour répondre à votre amour, en échange de l'amertume si imméritée de votre passion parfaitement innocente, voici que je vous offre mon cœur, avec le désir de supporter, depuis cette heure jusqu'à l'heure suprême de mon trépas, toute l'amertume et la douleur de votre Cœur très doux et de votre corps immaculé. Je vous demande que toutes les fois où, par suite de la fragilité humaine, ce souvenir sortira de ma mémoire, vous me fassiez ressentir au cœur une douleur physique qui soit le digne écho de l'amertume de votre passion. » Le Seigneur répondit : « Une telle volonté et une telle fidélité de ton cœur suffisent à me payer, mais pour que

corde tuo possim habere delectationem, da mihi libertatem faciendi et continendi in eo quaecumque volo, non
disponens utrum dulcedinem sive amaritudinem sibi
infundam. »

7. Dum vero in passione legeretur quod Joseph *tulit
corpus Jesu* [a], dixit ad Dominum : « Joseph illi beato
datum est sanctissimum corpus tuum, Domine. Quid
autem mihi, licet indignae, dabitur de corpore tuo ? » Cui
5 mox praebuit Dominus Cor suum dulcissimum in specie
cujusdam aurei thuribuli, de quo tot ascensiones quasi
fumi suaveolentium aromatum ascendebant ad Deum
Patrem, pro quot hominum generibus Dominus mortem
sustinuit. Et cum secundum ritum ecclesiae post passio-
10 nem fierent orationes pro singulis ordinibus ecclesiae
cum genuflexionibus, dicente sacerdote : *Oremus, dilectissimi*, etc., videbantur singulae orationes totius ecclesiae immisceri et simul ascendere cum fumo illo fra-
grantissimo qui ascendebat de thuribulo Cordis divini ;
15 ex cujus unione singulae orationes ecclesiae assumebant
splendorem quemdam mirificum ac suavissimum spiramentum. Unde et quilibet studeat ipso die pro ecclesia
devotius exorare, quo passio Christi tam efficaciter
consuevit orationibus nostris apud Deum Patrem
suffragari.

8. Item alia vice, dum in die sancto Parasceve circa
memoriam dominicae passionis suavius afficeretur, vicemque amoris dilecto ex intimo cordis affectu repen-
dere desideraret, dixit ad Dominum : « Eia, doce me,
5 o unica spes et salus animae meae, quomodo tibi pro

8, 3 *post* vicemque *add.* tanti *s.l.* B[2] ‖ 5 unica : amica B[1]
(*corr. s.l.* B[2])

7 *a. Jn* 19, 38

je puisse trouver en ton cœur une plénitude de délectation, laisse-moi entièrement libre de faire en lui n'importe
quoi ou de m'en abstenir, selon qu'il me plaira, sans
régler à l'avance si je lui verserai douceur ou amertume. »

Un encensoir d'or. 7. Lorsqu'on lut dans la passion
que Joseph *prit le corps de Jésus* [a],
elle dit au Seigneur : « On a donné à ce bienheureux
Joseph votre corps infiniment saint, ô Seigneur. Mais à
moi, bien que j'en sois indigne, que me donnera-t-on
de votre corps ? » Le Seigneur lui présenta alors son Cœur
très doux sous la forme d'un encensoir d'or d'où montaient vers Dieu le Père, avec un parfum odoriférant,
autant de volutes de fumée qu'il y a de catégories
d'hommes pour lesquelles le Seigneur souffrit la mort.
Puis, alors que, suivant les rites de l'Église, après la
passion on récitait, en fléchissant les genoux, des oraisons pour chacun des ordres de l'Église, tandis que le
prêtre disait : *Oremus, dilectissimi*, etc., on voyait chacune
des oraisons de l'Église universelle se mêler à cette fumée
odoriférante qui s'élevait de l'encensoir du Cœur divin,
et monter avec elle. Et cette union conférait à chacune
des oraisons de l'Église une splendeur merveilleuse et
un parfum plein de suavité. Que chacun s'efforce donc
de prier avec plus de dévotion pour l'Église, en ce jour
où la passion du Christ est toujours si efficace pour faire
agréer nos prières auprès de Dieu le Père.

**Comment
payer le Seigneur
de sa passion.** 8. Une autre fois, en ce saint
jour de la Parascève, comme elle
était pénétrée avec plus de douceur
du souvenir de la passion du Seigneur,
et que, dans l'intime sentiment de son cœur, elle désirait
payer de retour le bien-aimé pour son amour, elle dit
au Seigneur : « Eh bien ! ô vous, mon unique espérance
et le salut de mon âme, enseignez-moi comment je pour-

tua amarissima mihique saluberrima passione saltem
aliqualiter valeam respondere. » Ad quod Dominus : « Si
quis alienum sensum sequitur et non suum, ille mihi
captivitatem qua hora matutinali captus, ligatus, mul-
10 tisque injuriis affectus sum pro salute humana, rependit.
Qui vero humiliter se culpabilem reddit, judicium quo
hora prima multis falsis testibus accusatus et morti
adjudicatus sum, mihi recompensat. Qui autem sensus
continet a delectabilibus, flagella quae sustinui hora ter-
15 tia mihi rependit. Et qui se subdit dyscolis praelatis,
spineam coronam mihi alleviat. Qui vero laesus, primus
ad pacem humiliatur, crucis mihi bajulationem restituit.
Si quis etiam supra posse se extendit ad opera caritatis
ad proximum, extensionem qua hora sexta in cruce
20 acriter distentus sum mihi rependit. Qui etiam se dat
ad gravamen contumeliae vel tribulationis, ut proximum
retrahat a culpa, mortem meam mihi rependit quam
pertuli hora nona pro salute humana. Qui autem con-
viciatus humiliter respondet, me quasi de cruce deponit.
25 Qui vero proximum sibi praefert, reputans ipsum majori
honore, vel commodo, vel alterius boni se digniorem, ille
sepulturam mihi rependit. »

9. Alio quoque die festo Parasceve, dum communicatura oraret Dominum ut se digne praepararet, tale
accepit responsum : « Ego cum tam magno desiderio
festino ad te, quod me vix possum continere, cum quasi
5 in sinum meum congregaverim universa quae hodie per

12 testibus : testimoniis B

---

1. La communion du Vendredi saint, rétablie aujourd'hui, se
pratiquait au temps de sainte Gertrude et avant elle.

rais, du moins dans une petite mesure, vous payer de
cette passion qui vous fut si amère, et à moi si béné-
fique. » A quoi le Seigneur répondit : « Si quelqu'un se
règle sur le jugement d'autrui et non sur le sien propre,
celui-là me dédommage de la captivité que j'ai supportée,
lorsqu'au matin j'ai été arrêté, attaché et accablé d'injures pour le salut de l'homme. Celui qui, humblement,
se reconnaît coupable, m'apporte une compensation
pour le jugement dans lequel, à la première heure, j'ai
été accusé par beaucoup de faux témoins et condamné
à mort. Celui qui sait refuser à ses sens leur jouissance
me dédommage de la flagellation que j'ai endurée à la
troisième heure. Et celui qui se soumet à des supérieurs
difficiles rend plus légère ma couronne d'épines. Celui
qui, après avoir été offensé, fait humblement les premiers
pas vers la réconciliation me paie du portement de croix.
Si quelqu'un se tend, au-delà même de ses possibilités,
pour exercer la charité envers le prochain, celui-là me
dédommage de l'extension qui m'a étiré douloureusement
sur la croix à la sixième heure. Quant à celui qui s'offre
à l'épreuve des outrages et de la peine pour retirer le
prochain du péché, il me dédommage de la mort que j'ai
subie à la neuvième heure pour le salut des hommes.
Et celui qui répond humblement aux insultes me descend
pour ainsi dire de la croix. Enfin, celui qui préfère le
prochain à lui-même, le trouvant plus digne que lui
de recevoir honneurs, avantages ou autres biens, celui-là
me dédommage de ma sépulture. »

**Viens à moi
vide et prête
à recevoir.**

9. Un autre Vendredi saint, comme
elle allait communier [1], et demandait au
Seigneur de s'y préparer dignement,
elle reçut cette réponse : « Moi, je me hâte
vers toi avec un tel désir que c'est à peine si je puis
me contenir. J'ai en effet recueilli dans mon sein tout
ce qui, aujourd'hui, a été accompli en pensée, en parole

totam ecclesiam in memoriam passionis meae, per cogitationes, verba et opera sunt perfecta, ut omnia simul
tibi in sacramento corporis mei infundam ad aeternam
salutem tuam. » Ad quod illa : « Gratias ago tibi, bene-
10 dicte Domine mi, sed vellem tamen donum illud sic mihi
dari, ut ego ultra possem illud dare pluribus, quibuscumque mihi placeret. » Tunc Dominus tamquam subridens dixit : « Et quid vos mihi datis, dilecta, cum velitis
tale donum vobis a me tam liberaliter donari ? » Ad
15 quod illa : « Heu ! dilecte mi, nil habeo, quod te digne
possit condecere ; sed tamen illam voluntatem habeo,
quod si ego haberem omnia quae tu habes, omnibus
vellem abdicare et tam liberaliter omnia tibi vellem
dare, quod tu ea donare posses cuicumque velles. » Ad
20 quod Dominus benigne respondit : « Si tu hoc invenis
in corde tuo quod sic velles mihi facere, certissime scire
debes quod ego tibi similiter volo facere, et tantum
supra hoc quantum pietas mea et amor meus praepon-
derat tuum. » Et ista : « Et quali dignitate obviabo tibi,
25 cum tam largifluus dignaris venire ad me ? » Respondit
Dominus : « Nihil aliud requiro a te, quam quod evacuata
venias ad recipiendum, quia omne quod placeret mihi
in te, hoc per donum meum totum accipies. » Hinc intellexit quod evacuatio illa fuit humilitas, qua se reputa-
30 vit omnino nihil habere de meritis, nec etiam aliquid
posse, nisi gratuito dono Dei, et insuper omne quod
facere potest, pro nihilo reputare.

9, 7 verba *om.* B ‖ 8 tibi *om.* B ‖ 17 quod : ut B ‖ 19 posses
donare B ‖ 26 quod : ut W ‖ 27 placet B ‖ 29 illa : ista B ‖
30 nec : in nullo W

ou en acte, dans l'Église entière, en mémoire de ma passion, et tout cela, après l'avoir réuni, je veux te le donner pour ton salut éternel, dans le sacrement de mon corps. » Et elle de répondre : « Je vous rends grâce, ô mon béni Seigneur, mais je voudrais que ce don me soit accordé de telle sorte que je puisse, moi aussi, à l'avenir, en faire bénéficier beaucoup d'autres, selon mon bon plaisir ! » Le Seigneur dit alors, comme avec un sourire : « Et que me donnerez-vous, ô bien-aimée, vous qui voulez recevoir de moi un tel don et avec une telle libéralité ? » Et elle : « Hélas, mon bien-aimé, je n'ai rien qui soit digne de vous convenir, mais enfin, je sais bien que si je possédais tout ce que vous possédez, je voudrais renoncer à tout cela et vous le donner avec tant de libéralité que vous puissiez à votre tour en gratifier qui il vous plairait. » A quoi le Seigneur répondit avec bienveillance : « Si toi, tu trouves en ton cœur la disposition à agir ainsi envers moi, tu dois tenir pour très certain que, moi aussi, je désire te traiter de la sorte, et cela dans la proportion même où ma bonté et mon amour l'emportent sur les tiens. » Et elle : « Et quel titre aurai-je à me porter à votre rencontre, lorsque vous daignez venir à moi avec un tel flot de largesses ? — Je ne te demande rien, répondit le Seigneur, sinon de venir à moi toute vide et prête à recevoir, parce que tout ce qui me plaira en toi, tout cela tu l'auras reçu de moi comme un pur don. » Elle comprit alors que ce vide était cette humilité par laquelle elle jugeait n'avoir absolument aucun mérite, ne pouvoir même faire quoi que ce fût sans un don gratuit de Dieu, et enfin estimer comme néant toutes ses possibilités.

CAPUT XXVII

DE RESURRECTIONE DOMINI

1. Gloriosissima ergo nocte praeexcellentissimae Resurrectionis Domini, dum ante Matutinas devotius orationi incumberet, apparuit ei Dominus Jesus, florens et
amoenus, in gloria divinae majestatis et decorae immor-
5 talitatis. Ad cujus pedes ista humiliter procidens devotissime adoravit, et dixit : « Cum tu, floride sponse, decus
angelorum et gloria, me omnium creaturarum tuarum
extremam tibi eligere dignatus sis in sponsam, et ego
tui solius laudem et gloriam ex intimis cordis et animae
10 medullis desiderem et sitiam, et tuos amicos meos pro-
pinquissimos reputem, ergo peto, amantissime, ut hac
hora, ob reverentiam tuae jucundissimae resurrectionis,
absolvere digneris animas omnium specialium tuorum.
Ad quod obtinendum, in unione innocentissimae passio-
15 nis tuae offero tibi omnem tolerantiam cordis et corporis
mei quam pertuli in continuis infirmitatibus meis. »
2. Tunc Dominus cum mira blanditate adduxit illi
multitudinem animarum a poenis absolutam, dicens :
« Ecce pro dote sponsali has omnes assigno tuae dilectioni, quia aeternaliter apparebit in caelis quod tuis
5 sint precibus liberatae, et hoc coram omnibus sanctis
meis cedet tibi jugiter in honorem. » Tunc illa : « Et
quotus est numerus earum ? » Respondit Dominus :
« Numerum earum solius divinitatis meae scientia com-
plectitur. » Cumque ista intelligeret animas illas, quam-

XXVII. 1, 1 ergo : igitur W ‖ 5 procidens humiliter
B ‖ 9 solius tui B ‖ **2**, 7 earum numerus B

CHAPITRE XXVII

La Résurrection du Seigneur

Offrir ses souffrances... **1.** En la nuit très glorieuse de la Résurrection du Seigneur, la fête des fêtes, comme, avant Matines, elle s'appliquait à l'oraison avec plus de dévotion, le Seigneur Jésus lui apparut, plein d'éclat et de charme, en la gloire de sa majesté divine et la splendeur de son immortalité. Se prosternant humblement à ses pieds, elle l'adora avec une intense dévotion et lui dit : « Ô Époux plein de grâce, honneur et gloire des anges, vous avez daigné me choisir pour épouse, moi la dernière de vos créatures, et, dans les profondeurs secrètes de mon cœur et de mon âme, je n'ai d'autre désir et d'autre soif que ceux de votre honneur et de votre gloire, et je considère vos amis comme mes plus proches parents. En cette heure, je vous le demande donc, ô vous que j'aime par-dessus tout, daignez, en l'honneur de votre résurrection pleine d'allégresse, absoudre les âmes de tous ceux qui vous sont particulièrement chers. Pour l'obtenir, je vous offre, en union avec votre passion si imméritée, toute la souffrance de cœur et de corps que j'ai endurée dans mes continuelles infirmités. »

2. Alors le Seigneur lui présenta, avec une merveilleuse tendresse, une foule d'âmes délivrées de leurs peines, en disant : « Voici qu'en guise de dot nuptiale, je les offre toutes à ton amour. Oui, éternellement, on verra dans les cieux qu'elles ont été libérées à ta prière ; et cela sera pour toi gloire à jamais devant tous mes saints. » Alors, elle : « Et quel est leur nombre ? » Le Seigneur répondit : « Seule la science de ma divinité en connaît le nombre. » Mais voyant que ces âmes, bien que délivrées de leurs

10 vis a poenis liberatas, nondum tamen aeternis gaudiis
addictas, praebuit se totam divinae pietati ad tolerandum corde et corpore quaecumque sibi placerent, pro eo
ut animabus illis plenam beatitudinem conferre dignaretur. Tunc complacatus Dominus omnes eadem hora
15 sublevavit ad gaudia caeli. Hinc post moram, dum gra-
vem sentiret laterum dolorem, et coram quadam imagine crucis genua flecteret, Dominus laborem et dolorem
ejus contulit praedictis animabus in augmentum gaudiorum, dicens : « Hoc munus devotionis mihi ex tanto
20 affectu a sponsa mea oblatum exhibeo vobis in cumulum beatitudinis sempiternae, vosque ipsam honore condigno pro hoc rehonorare studete, precum vestrarum
ipsi xenia remittentes. »

3. Post hoc, iterum fervore amoris impellente, ista
exhibuit se Domino dicens : « Ecce, amator unice, ego
indignissima tibi Regi regum Domino cum affectu adsto,
praebens tibi totam substantiam corporis et animae, ad
5 ministrandum tibi quoad vixero pro gloria tuae colendae
resurrectionis. » Respondit Dominus : « Et ego hoc
munere tuae bonae voluntatis utar quasi pro regio
sceptro divinae magnificentiae meae, et in conspectu
sanctae Trinitatis omniumque sanctorum in perpetuum
10 gloriabor pro hoc a te dilecta mihi donato. » Ad quod
illa : « Licet, Domine mi, te donante hanc voluntatem
tibi voverim, vereor tamen quod ex humana instabili-
tate eamdem cito tradam oblivioni. » Cui Dominus :
« Et quid ob hoc, cum ego semel mihi oblatum scep-
15 trum meum nunquam de manu mea dimittam, sed in
repraesentationem et memoriam tuae dilectionis erga me

17-18 eius et dolorem B ‖ 21 condigno : digno W ‖ 23 xenia
(corr. pro fidelitatem) ipsi W ‖ 3, 5 pro s.l. B ‖ 6 respondit
dominus : ad quod dominus respondit W ‖ 14 post ego add.
tamen B

peines, n'étaient pas encore admises aux joies éternelles, elle se livra tout entière à la bonté divine, pour souffrir en son cœur et en son corps tout ce qui lui plairait afin qu'elle daignât conférer à ces âmes la plénitude de la béatitude. Alors le Seigneur, complètement satisfait, les éleva toutes, à l'heure même, jusqu'aux joies célestes. Après un instant, éprouvant une violente douleur au côté, elle fléchit les genoux devant une image de la croix. Le Seigneur appliqua cette peine et cette douleur aux âmes dont on vient de parler, afin d'accroître leur joie, et il leur disait : « Ce don généreux offert par mon épouse avec tant d'amour, je vous le présente pour mettre le comble à votre béatitude éternelle. Mais vous, en retour, appliquez-vous à l'honorer et à la récompenser dignement en offrant pour elle vos prières. »

3. Ensuite, poussée de nouveau par l'ardeur de son amour, elle se présenta au Seigneur en disant : « Me voici, ô mon unique amant, moi, misérable. Je me tiens avec amour en votre présence, vous le Seigneur, le Roi des rois, mettant à votre service, aussi longtemps que je vivrai, toute la substance de mon corps et de mon âme, afin d'honorer la gloire de votre résurrection. » Le Seigneur répondit : « Et moi j'userai de ce bon vouloir, dont tu me fais présent, comme d'un sceptre royal pour ma divine magnificence ; oui, en présence de la sainte Trinité et de tous les saints, je me glorifierai à jamais de l'avoir reçu de toi, ma bien-aimée. » Elle ajouta encore : « Ô mon Seigneur, bien que par votre grâce, je vous aie consacré cette disposition, je crains cependant, du fait de l'inconstance humaine, de la laisser tomber dans l'oubli. » A quoi, le Seigneur répondit : « Et qu'importe, puisque moi, jamais je ne laisserai tomber de ma main ce sceptre qui est mien et que tu m'as offert une fois pour toutes, mais bien plutôt le garderai-je toujours comme un symbole et un mémorial

... et tout soi-même.

jugiter reservabo ? Et quotiescumque tu mihi hanc intentionem renovaveris, toties idem sceptrum amoenissimis
floribus in manu mea efflorebit ac gemmis exornabitur
20 pretiosis. »

4. Dum vero cum hac devotione et intentione omnes
vires et sensus tam interiores quam exteriores extenderet, et se ad cantandum Matutinas in gloriam dominicae
Resurrectionis praepararet, dum imponeretur Invitato-
5 rium *Alleluia*, dixit ad Dominum : « Doce me, instruc-
tor benignissime, quali devotione te laudare possim per
Alleluia, quod toties in festo isto repetitur. » Respondit
Dominus : « Convenientissime poteris me per *Alleluia*
collaudare in unione laudis supercaelestium qui per idem
10 jugiter collaudant in caelis. » Et adjecit Dominus : « Nota
ergo quod in illa dictione : *Alleluia*, omnes vocales inve-
niuntur praeter solam vocalem *O*, quae dolorem signat,
et pro illa duplicatur prima, scilicet vocalis *A*. Unde
per *A*, lauda me in unione illius excellentissimae laudis,
15 qua omnes sancti conjubilando extollunt praesuavissimam delectationem divini influxus in meam deificam
humanitatem, jam immortalitatis gloria sublimatam pro
multimoda amaritudine passionis et mortis quam sustinui causa humanae salutis. Per *E*, lauda amoenissimam
20 delectationem illius gratissimae vernantiae, qua oculi
humanitatis meae delectantur in floridis pascuis totius
summae et individuae Trinitatis. Per *U* quoque, lauda
suavissimam delectationem illam, qua demulcentur aures
meae deificatae humanitatis in suavisonis blanditiis sem-
25 per venerandae Trinitatis, omniumque angelorum et
sanctorum laudibus indefessis. Per *I* etiam extolle deliciosissimam fragrantiam aurae gratioris, qua per suavis-

19 exornabitur : ornabitur B ‖ **4**, 3 matutinos B ‖ 11
ergo : igitur W ‖ 13 illa *mg.* B² ‖ 16 deificatam W ‖ 17 *post*
jam *add.* in W ‖ 20 qua : quo W ‖ 24-25 super B¹ (*corr.*
mg. B²)

de ta dilection à mon égard. Et chaque fois que tu me renouvelleras cette résolution, chaque fois ce même sceptre, en ma main, se couvrira de fleurs exquises, et des pierres précieuses viendront rehausser son éclat. »

Variations sur l'Alleluia.   4. Or tandis qu'avec cette dévotion et cet élan, dans une tension de toutes ses forces et de tous ses sens, tant intérieurs qu'extérieurs, elle se préparait à chanter les Matines, à la gloire de la Résurrection du Seigneur, pendant l'intonation de l'invitatoire *Alleluia*, elle dit au Seigneur : « Enseignez-moi, ô très bon Maître, quelque pratique de dévotion qui me permette de vous louer par cet *Alleluia*, répété si souvent en la fête d'aujourd'hui. » Le Seigneur répondit : « Tu pourras me louer de façon très opportune par l'*Alleluia* en t'unissant à la louange de la cour céleste qui, sans trêve, chante ainsi pour me louer dans les cieux. » Et le Seigneur ajouta : « Remarque que dans ce mot *Alleluia*, on trouve toutes les voyelles, sauf la voyelle *O* qui exprime la douleur, et, à sa place, on redouble la première, c'est-à-dire *A*. Loue-moi donc par cette voyelle *A* en t'unissant à la louange magnifique par laquelle tous les saints, tressaillant d'allégresse, célèbrent la saveur souverainement délectable de l'influx divin en mon humanité déifiée. Elle est, en effet, élevée désormais à la gloire de l'immortalité, pour prix de toute la série d'amertumes de ma passion et de ma mort, subies pour le salut des hommes. Par *E*, loue cette jouissance merveilleuse que procure aux yeux de mon humanité la grâce printanière, dans les prés fleuris de la souveraine et indivisible Trinité. Et par *U*, loue cette jouissance très suave dont sont charmées les oreilles de mon humanité déifiée, dans les harmonies caressantes de la toujours adorable Trinité et la louange jamais lassée de tous les anges et de tous les saints. Par *I*, célèbre également le parfum plein de charme, brise délicieuse

simum sanctae Trinitatis spiramentum nares jam immortalis sanctae humanitatis meae gratissime recreantur.
30 Per *A* deinde, quae pro *O* adjungitur, collaudando magni-
ficum, incomprehensibilem et inaestimabilem totius divinitatis influxum in meam deificatam humanitatem,
quae jam immortalis et impassibilis effecta, pro sensu
tactus corporei, quo caret, duplici fruitur divinae in-
35 fluxionis delectamento. »

5. Post haec dum procederet in cantando Matutinas,
ex singulis psalmis, responsoriis et lectionibus tam sua-
vissimos et convenientissimos spiritualium deliciarum
percepit intellectus aptissime congruentes solemnitati
5 jucundissimae Resurrectionis, simulque mutuae dilectioni ac fruitioni spiritualis Dei cum anima unionis,
quod multum delectare possent animum devoti lectoris ;
quae tamen omnia, sicut et alia plura, causa brevitatis
omitto, ne forte prolixitas fastidium generet, et ea divi-
10 nae gratitudini committo, a quo processerunt haec et
universa beneficia electae suae large impensa.

5, 7 posset B

---

1. La pensée de sainte Gertrude est ici assez subtile. Alors que
pour les autres sens, elle envisageait une simple transposition
des activités sensorielles sur le plan spirituel, elle dit ici que l'humanité glorifiée du Seigneur est privée, en quelque sorte, du sens du
toucher. C'est qu'elle ne semble envisager ce sens que sous l'angle
de la douleur. Or, comme le Seigneur ne peut plus souffrir désormais,
il reçoit, en place de ce sens du toucher (douloureux), un renouvellement de l'épanchement de la divinité en son humanité, épanchement mis en rapport, pour le premier « A », avec le sens du goût
(*praesuavissimam delectationem*), le second « A » répétant et renouvelant l'effet du premier, mais sans cette référence au goût. Il

qui, grâce au souffle très suave de la sainte Trinité, réjouit l'odorat de mon humanité sainte et désormais immortelle. Par *A* enfin, qui tient la place de *O*, c'est la louange de l'épanchement magnifique — qu'on ne peut ni saisir, ni évaluer — de la divinité tout entière en mon humanité déifiée. Devenue immortelle et impassible, en place du sens corporel du toucher qui lui fait désormais défaut [1], elle goûte cette jouissance renouvelée venue de l'influx divin. »

5. Et comme on poursuivait le chant des Matines, à chaque psaume, répons et leçon, elle reçut des lumières d'une extraordinaire suavité, jointes à de grandes délices spirituelles. Elles se trouvaient en complète harmonie d'une part avec la très joyeuse solennité de la Résurrection, et d'autre part avec la mutuelle dilection et la mystique jouissance de l'union de Dieu avec l'âme. Et certes, l'esprit du dévot lecteur eût pu grandement s'y complaire [2]. Cependant, pour faire court, j'omettrai tout ceci et beaucoup d'autres choses, de crainte que la prolixité n'engendre l'ennui. Je les confie plutôt à la bonté de Dieu de qui elles procèdent, ainsi que toutes les faveurs si largement départies à son élue.

ne s'agit pas ici d'un « double » fruit (immortalité et impassibilité par exemple), ni même d'une « double » jouissance (des sens corporels et spirituels à la fois), mais bien d'une répétition, d'un renouvellement de la grâce initiale (voir ci-dessus, 2, 11, 11 et la note).

2. Nouvelle réflexion de l'éditrice de Gertrude, soucieuse de l'utilité et de l'agrément du lecteur, mais consciente des limites de son témoignage sur l'intimité du Seigneur avec « son élue ».

CAPUT XXVIII

1. Feria secunda, dum communicatura exoraret Dominum ut per illud dignissimum sacramentum supplere
dignaretur omne quod ipsa unquam neglexerat in ordine
Religionis, suscipiens eam Filius Dei praesentavit Deo
5 Patri indutam tunica Religionis ; quae tunica videbatur
ex tot partibus distinctim composita, quot annos vixerat in Religione ; ita quod inferior pars tunicae reputa-
batur pro primo anno, secunda pro secundo anno, et
sic deinceps usque ad annum in quo tunc erat. Videba-
10 turque tunica illa ita obpansa et extensa, quod nullius
omnino plicae umbra quidquam in ea contegere poterat,
sed in quolibet anno distinctim apparebant annotati
omnes dies et horae, et insuper singulae cogitationes,
verba et opera, tam bona quam mala, quae illo anno
15 peregerat de die in diem, de hora in horam, de cogitatione in cogitationem, de verbo ad verbum, de opere
ad opus, et quid singulis verbis et factis suis intenderit,
utrum scilicet Dei laudem et animae suae profectum, aut humanum favorem vel alicujus damnum ; quid
20 etiam in quolibet commodo vel abstinentia vel quocumque opere ex pura obedientia, quidve ex propria
deliberatione perfecerit ; ubi autem in aliquo opere sibi
blandita fuerat, quasi ex obedientia fecisset, quod magis
ex propria deliberatione sibi a magistratu obtinuerat
25 licentiari, sive per aliquam callidam occasionem extor-
serat sibi mandari : talia nimirum opera obedientiae

XXVIII 1, 18 laudem : dilectionem W ‖ 21 quidve :
sive *s.l.* B ‖ 22 autem : aut W

———————

1. Il semble que l'usage du monastère d'Helfta était de communier chaque jour de l'octave pascale. Voir aussi 29, 1, 1 et 30, 1, 2.

CHAPITRE XXVIII

Lundi de Pâques.

Examen de la vie religieuse

Rien n'est caché.
1. Le lundi, au moment de communier [1], comme elle priait le Seigneur de daigner suppléer, par ce sacrement très saint, à tout ce qu'elle avait pu négliger en fait d'observance religieuse, le Fils de Dieu l'accueillit et la présenta à Dieu le Père, revêtue de l'habit de la religion. Sa tunique semblait faite d'autant de pièces distinctes qu'elle avait passé d'années en religion. La partie inférieure de la tunique représentait la première année, la deuxième, la deuxième année, et ainsi de suite jusqu'à l'année où elle se trouvait présentement. Cette tunique apparaissait toute droite et bien tirée, en sorte qu'on n'y pouvait voir l'ombre d'un pli ; mais, pour chaque année, on y distinguait, parfaitement marqués, tous les jours et toutes les heures, et, en outre, chaque pensée, parole ou action — les bonnes comme les mauvaises — qu'elle avait accomplies durant cette année, jour après jour, heure après heure, pensée après pensée, parole après parole, action après action. Et, pour chaque parole ou acte, on voyait quelle en avait été l'intention : par exemple la gloire de Dieu et le progrès de son âme, ou, au contraire, la faveur des hommes ou la désapprobation de quelqu'un. On voyait encore ce qu'elle avait réalisé par pure obéissance, soit qu'elle ait usé de soulagements, soit qu'elle s'en fût abstenue, soit en toute autre circonstance. Mais on voyait également les occasions où elle avait agi de son propre mouvement, ou encore s'était flattée, en telle conjoncture, d'agir par obéissance, alors qu'elle s'était plutôt prévalu, pour suivre ses propres goûts, de la permission de l'autorité, ou en avait comme extorqué l'ordre par quelque habile manœuvre. On voyait sur la tunique de tels actes d'obéissance semblables à

apparebant in tunica illa velut quaedam gemmulae luto fragili infixae, quae nutantes tamquam casurae vix continerentur.

2. Orante autem pro ea Filio Dei et suam innocentissimam ac perfectissimam conversationem Deo Patri offerente, videbatur tota tunica illa veluti quadam aurea lamina splendidissima et perspicacissima obtecta : per
5 quam tamen omnia praedicta cogitationum, verborum et operum, necnon intentionum, necessitatum vel simulationum, quae vel scienter vel negligenter, sponte vel coacte, quolibet tempore vel hora peregerat, ita clare micabant et distincte sicut per purum crystallum quilibet
10 color suppositus potest discerni. Nec aliquis saltem minimus pulvis aut punctus latere poterat, qui in luce cognitionis infallibilis veritatis, tam Deo quam etiam omnibus caelicolis, evidentissime non appareret. Unde divinitus intellexit quod cujuslibet hominis status similiter patet
15 Deo et omnibus sanctis per aeterna saecula. Quod autem Dominus dicit per prophetam : *In quacumque hora conversus fuerit peccator* [a], etc., sic intelligendum est, quod non recordabitur Dominus ultra peccatorum condigna paenitentia deletorum ad vindicandum. Verumtamen jugi-
20 ter apparebunt in nobis singulae maculae peccatorum nostrorum ad laudem et gloriam dulcissimae misericor-

2, 7 quae : qui vel quae W ‖ 9 et distincte *om.* W ‖ per purum crystallum : cristallum per aurum B ‖ 19 deletorum : dilutorum B

XXVIII. 2 *a.* Cf. *Éz.* 18, 21-22 et 33, 12

1. D'après le contexte, ce ne sont pas les mots *In quacumque hora conversus fuerit peccator* qui sont importants dans la citation, mais ceux sous-entendus par *etc.*, et ces derniers doivent être approximativement : « peccatorum ejus non recordabor ultra ». Aucun verset des prophètes, dans la Vulgate ou la Vetus Latina, ne répond exactement à ces données, et il s'agit manifestement d'une

de petites pierres enchâssées dans une argile sans con-
sistance où elle avaient grand peine à tenir et à ne pas
tomber.

2. Mais lorsque le Fils de Dieu eut prié pour elle et
offert à Dieu le Père la perfection de sa vie irréprochable,
cette tunique sembla recouverte en son entier comme
d'une lame d'or très brillante et translucide, si bien qu'au
travers apparaissait avec netteté et distinctement ce qui
a été énuméré plus haut en fait de pensées, paroles et
actions, et aussi d'intentions, d'obligations ou d'arti-
fices, en un mot tout ce qu'elle avait pu réaliser, soit
consciemment, soit sans y réfléchir, spontanément ou
par contrainte, à quelque temps ou heure que ce fût,
de même qu'on peut distinguer les couleurs placées
sous un pur cristal. Le moindre grain de poussière, le
plus petit point ne pouvait passer inaperçu, mais il
était clairement visible à Dieu comme à tous les habitants
du ciel dans la lumineuse connaissance de l'infaillible
vérité. Par la grâce divine, elle comprit que l'état de
chaque homme se trouve ainsi à découvert devant Dieu
et tous les saints durant les siècles éternels. Quant à ce
que le Seigneur dit par le prophète : *A quelque heure
que le pécheur se tournera vers moi* [a], etc. [1], il faut l'entendre en ce sens que Dieu ne gardera pas mémoire,
pour les punir, des péchés dûment effacés par la pénitence. Cependant, chacune des traces de nos péchés
apparaîtra toujours en nous pour la louange et la gloire
de la très douce miséricorde avec laquelle il a, dans sa

citation composite. Le texte qui paraît le plus proche est *Éz.* 18, 21-
22, surtout si on le rapproche de 33, 12. Il y a aussi quelque rapport
avec la finale de *Jér.* 31, 34 et ses variantes (cf. *Hébr.* 8, 12 et
10, 17). Un texte liturgique fusionnait-il ces divers éléments ? Ou
s'agit-il de réminiscences ? Cf. chez saint BERNARD : « Quacumque
hora peccator ingemuerit, peccatum suum remittetur ei », *Super
Cantica Sermo* 9, 5 (*EC, I*, 45, li. 23-24 ; non identifié par les éditeurs).

diae ejus, qua tam benigne paenitentibus peccata dimisit et insuper tam multimodis beneficiis suae divinae
pietatis nos circumvenit ac si nunquam contra ipsum
25 in aliquo deliquissemus. Singula etiam opera nostra bona,
cogitationes, verba et voluntates quas unquam pro
amore et laude Dei perfecimus, similiter in sempiternum
efflorebunt in laudem ipsius, cujus dono et cooperatione
omnia perfecimus, et ad cumulum gaudiorum nostrorum;
30 sicque semper pro invicem laudabimus et amabimus
Deum, qui in Trinitate perfecta vivens et regnans *operatur omnia in omnibus* [b] nobis.

CAPUT XXIX

Feria III. De renovatione spiritualis matrimonii

1. Feria quoque tertia, dum iterum communicatura
desideraret a Domino ut per idem sacramentum vivificum renovare dignaretur in anima ejus matrimonium
spirituale, quo ipsi in spiritu esset desponsata per fidem
5 et Religionem, necnon per virginalis pudicitiae integritatem, Dominus blanda serenitate respondit : « Hoc,
inquiens, indubitanter faciam. » Sicque dignantissime
acclinatus ad eam, blandissimo amplexu eam ad se
strinxit et osculum praedulce animae ejus infixit, per
10 osculum renovans in ea interiorem spiritus exercitationem ; per amplexum autem imprimere videbatur pectori
ejus monile quoddam splendidissimum, gemmis pretiosis
miraque vermiculatione exornatum. Per quod reforma-
vit in ea quidquid neglexerat in exercitiis spiritualibus
15 quibus potuisset insudasse.

29 et *om.* W

---

b. *I Cor.* 12, 6

bonté, pardonné aux pécheurs que nous sommes, et nous a de surcroît entourés des bienfaits de son amour divin avec autant de largesse que si nous ne l'avions jamais offensé en quoi que ce soit. De plus, chacune de nos œuvres bonnes, les pensées, paroles et vouloirs que nous aurons eus pour l'amour et la louange de Dieu, fleuriront aussi à jamais, pour louer celui par la grâce et l'aide duquel toutes ces choses ont été réalisées, et pour que notre joie soit à son comble. Ainsi, les uns pour les autres, nous louerons et aimerons [1] sans trêve ce Dieu qui, vivant et régnant dans la Trinité parfaite, *opère toutes choses en nous tous* [b].

CHAPITRE XXIX

Mardi de Pâques.
Renouvellement du mariage spirituel

1. Le mardi de Pâques, comme elle devait encore communier, elle désira que, par ce sacrement de vie, le Seigneur daigne renouveler en son âme le mariage spirituel qui l'unissait à lui en esprit par la foi et l'état religieux, comme par l'intégrité de sa pureté virginale. Le Seigneur répondit avec une douce sérénité : « Oui, certes, je ne manquerai pas de le faire. » Et avec une extrême condescendance il s'inclina vers elle, la serra tendrement contre lui, et donna à son âme un baiser très doux. Par ce baiser, il renouvela en elle l'opération intérieure de l'esprit ; par son étreinte, il parut imprimer sur sa poitrine un joyau splendide, orné de pierres précieuses et d'admirables émaux. C'est ainsi qu'il répara toutes ses négligences au cours d'exercices spirituels qu'elle avait eu beaucoup de peine à pratiquer.

1. Cf. S. Augustin, aux dernières lignes de *La Cité de Dieu* (l. XXII, 30) : « Ibi vacabimus et videbimus, videbimus et amabimus, *amabimus et laudabimus.* »

CAPUT XXX

Feria IV. De fecundatione spirituali

1. Feria deinde quarta, desideravit a Domino ut dignis
eam virtutum fructibus per effectum corporis sui faceret
fecundari. Respondit Dominus : « Certe faciam te in
memetipso fructificare, et per te plurimos mihi attra-
5 ham. » Ad quod illa : « Domine, quomodo poteris tibi
aliquos per me indignam attrahere, cum ego jam ex
magna parte perdiderim gratiam loquendi et alios ins-
truendi, qua ego aliquando abundavi ? » Respondit Dominus : « Si gratiam haberes loquendi, aestimares fortasse
10 quod ex tua eloquentia hoc praevaleres, ut homines ad me
traheres. Ergo tibi hoc ex parte subtraxi, ut non ex te,
sed ex gratia mea speciali, cognoscas te hoc praevalere. »
Aperuitque Dominus sanctissimum os suum et attraxit
spiritum [a], dicens : « Sicut modo attraxi spiramentum
15 meum, sic omnes qui cum devotione et affectu propter
me inclinaverint se tibi, ego revera attraham mihi,
faciamque eos de die in diem proficere ad meliora. »

CAPUT XXXI

Quam utile sit Deo omnia opera sua commendare

1. Feria etiam quinta, dum de beata Maria Magda-
lena legeretur in evangelio : *Inclinavit se et prospexit in*

XXX. 1, 4 mihi *s.l.* B[2] ‖ 6 indignatam B ‖ 10 hoc : haec
W ‖ 14 attraxi : intraxi W
XXXI. 1, 1 dum : cum W ‖ 2 inclinavit se *om.* W

CHAPITRE XXX

Mercredi de Pâques. Fécondité spirituelle

1. Le mercredi, elle désira que le Seigneur, par la vertu de son corps, lui fît produire de dignes fruits de bonnes œuvres. Le Seigneur répondit : « Sans aucun doute, je te ferai porter du fruit en moi-même, et, grâce à toi, j'en attirerai plusieurs à moi. » Elle reprit : « Seigneur, comment donc pourriez-vous, grâce à moi, si indigne, attirer quelqu'un à vous, alors que j'ai désormais perdu en grande partie ce don de parler et d'instruire les autres où j'excellais naguère ? » Le Seigneur répondit : « Si tu avais le don de la parole, peut-être estimerais-tu que c'est ton éloquence qui te vaut d'attirer les hommes à moi. C'est pourquoi je t'en ai partiellement privée. Tu reconnaîtras ainsi que, si tu as ce pouvoir, ce n'est pas de toi-même, mais par une grâce particulière venue de moi. » Et le Seigneur ouvrit sa bouche très sainte et il aspira l'air [a] en disant : « Comme j'ai maintenant aspiré mon souffle, ainsi en vérité attirerai-je à moi tous ceux qui, à cause de moi, se sont portés vers toi avec une affectueuse dévotion, et je les ferai progresser de jour en jour vers la perfection. »

CHAPITRE XXXI

Utilité d'offrir à Dieu toutes ses œuvres

1. Le jeudi, comme on lisait dans l'évangile à propos de la bienheureuse Marie-Madeleine : *Elle se pencha,*

XXX. 1 *a.* Cf. *Ps.* 118, 131

monumentum, et vidit duos angelos [a], etc., dixit ad Dominum : « Ubi est, Domine, monumentum in quod ego pros-
5 piciens invenire possim consolationis delectationem ? »
Tunc Dominus ad vulnus lateris sui ipsam ostendit. Ad
quod dum se inclinaret, deintus quasi vice duorum angelorum intellexit haec duo sibi dicta, quorum primum erat :
« Tu nunquam poteris a mea societate disjungi », secundum
10 vero hoc fuit : « Omnia opera tua mihi perfectissimo
modo placent. » Ad quod illa stupefacta, cum haesitans
perquireret quomodo hoc esse posset, cum ipsa in omnibus sic imperfecta existeret, quod nulli homini in terra
opera ejus omnia placere possent, propter occultum defec-
15 tum quem in eis quandoque deprehenderet, quomodo
tunc perlucidissimae cognitioni suae possent placere,
quae ibi quasi mille defectus recognoscit ubi humana
caecitas vix unum deprehendit, Dominus illi respondit :
« Sicut tu tenens rem aliquam in manu tua, cum leviter
20 posses et bene scires sic eam emendare quod omnibus
placita fieret, si bonam ad hoc voluntatem haberes,
nequaquam negligeres ; sic ego, ex eo quod habes in more
opera tua mihi saepius commendare, ea quasi in manu
mea teneo ; et cum ex omnipotentia praevaleam, et ex
25 inscrutabili sapientia optime sciam, certe ex benignitate
delector omnia opera tua sic emendare, ut tam mihi
quam omnibus caelestibus possint juste complacere. »

---

3 *post* etc. *add.* illa W ‖ 13 existeret : esset W ‖ 14 omnia
opera eius W ‖ 14-16 propter occultum — placere *om.* B[1]
mg. B[2] ‖ 23 saepius mihi W

regarda dans le tombeau et vit deux anges [a], etc., elle dit
au Seigneur : « Où est, Seigneur, ce tombeau où il me
faut regarder afin de trouver la consolation et la joie ? »
Alors le Seigneur lui montra la plaie de son côté. Et comme
elle se penchait à l'intérieur, en place des deux anges,
elle perçut deux paroles dont la première était : « Tu ne
pourras jamais être séparée de ma communion. » Et
l'autre : « Toutes tes œuvres me plaisent de manière
absolument parfaite. » De cela elle fut stupéfaite et,
pleine de doutes, se demandait comment cela pourrait
bien se faire : elle était en effet en tous points si imparfaite
que l'ensemble de ses œuvres n'eussent pu plaire à
aucun homme au monde, à cause des défauts cachés qu'elle
y découvrait quelquefois. Dès lors, comment eussent-
elles pu plaire à cette connaissance infiniment lumineuse
qui trouve, pour ainsi dire, mille défauts là où, pour
l'homme aveuglé, c'est à peine s'il en est un seul. Le
Seigneur lui répondit : « Supposons que tu tiennes en
main un objet. Tu peux facilement l'améliorer pour peu
que tu le veuilles bien, et tu as ainsi la faculté de le rendre
agréable à tous. Comment négligerais-tu de le faire ?
Il en va de même pour moi : du fait que tu as l'habitude
de me confier très souvent tes œuvres, je les tiens, peut-on
dire, en ma main, et, comme ma toute-puissance m'en
donne le pouvoir, et mon inscrutable sagesse, la capacité,
je prends plaisir dans ma bonté à améliorer toutes tes
œuvres, de telle sorte que je peux à juste titre m'y complaire, moi et tous les habitants du ciel. »

XXXI. 1 *a*. *Jn* 20, 11-12

CAPUT XXXII

In octava Resurrectionis dominicae.
Qualiter ipsa accepit Spiritum Sanctum

1. Octavo quoque die dominicae Resurrectionis, cum in evangelio legeretur quod Dominus discipulis suis per insufflationem dedit Spiritum Sanctum ^{a}, ista devota intentione deprecabatur Dominum ut etiam sibi suavifluum
5 Spiritum suum largiri dignaretur. Cui respondit Dominus : « Si desideras Spiritum Sanctum suscipere, oportet te ad modum discipulorum meorum prius latus et manus meas contrectare ^{b}. » In quibus verbis intellexit, quod quicumque Spiritum Sanctum desiderat suscipere debet con-
10 trectare latus Domini, id est, cum gratitudine perpendere amorem Cordis divini quo nos ab aeterno praedestinavit in filios et haeredes regni sui, et quo tam infinitis bonis continue nos indignos praevenit et ingratos subsequitur gratis. Manus etiam Domini debet contrectare,
15 hoc est, cum gratitudine recolere, singula opera redemptionis quibus Dominus triginta tribus annis pro amore nostro laboravit, et specialiter in passione et morte. Cumque ex horum memoria et gratitudine incaluerit, offerat Deo totum cor suum in unione illius amoris quo
20 ipse dixit : *Sicut misit me vivens Pater, et ego mitto vos* ^{c}, ad omne beneplacitum divinae voluntatis ; ita quod homo in nullo quidquam velit vel desideret quam sum-

---

XXXII 1, 1 die *s.l.* B^2 ‖ 7 ad *s.l.* B^2 ‖ 8 quicumque : si quis W ‖ 9 desiderat spiritum sanctum W ‖ 11 amorem cordis divini : cordis divini bonitatem W ‖ 14 gratis *om.* W ‖ 22 *post* homo *add.* omnino W B^2

CHAPITRE XXXII

Octave de la Résurrection.
Comment elle reçut l'Esprit-Saint

1. Le jour octave du dimanche de la Résurrection, tandis qu'on lisait dans l'évangile que le Seigneur a donné à ses disciples l'Esprit-Saint en soufflant sur eux [a], elle supplia le Seigneur avec une instante dévotion de daigner, dans sa libéralité, lui donner, à elle aussi, l'Esprit d'où découle toute douceur. Le Seigneur lui répondit : « Si tu désires recevoir l'Esprit-Saint, il te faut, comme mes disciples, toucher d'abord mon côté et mes mains [b]. » Ces mots lui firent comprendre que si quelqu'un désire recevoir l'Esprit-Saint, il lui faut toucher le côté du Seigneur, c'est-à-dire considérer avec gratitude l'amour du Cœur divin par lequel il nous a prédestinés de toute éternité à être ses fils et les héritiers de son royaume, et considérer aussi comment, par tant de bienfaits infinis, il nous a toujours prévenus, malgré notre indignité, et poursuivis de sa grâce, malgré notre ingratitude. Il lui faut, de plus, toucher les mains du Seigneur, c'est-à-dire se rappeler avec gratitude chacun des actes par lesquels le Seigneur a, pour notre amour, peiné pendant trente-trois ans à notre rédemption, et spécialement dans sa passion et sa mort. Et lorsqu'il sera enflammé de ce souvenir et de cette gratitude, qu'il offre à Dieu tout son cœur pour le bon plaisir de la volonté divine, en union avec cet amour qui a fait dire au Seigneur : *Comme le Père qui est vivant m'a envoyé, moi aussi je vous envoie* [c], en sorte que l'homme ne veuille ni ne désire

XXXII. **1** *a.* Cf. *Jn* 20, 22 ‖ *b. Jn* 20, 27 et *Lc* 24, 39 ‖ *c. Jn* 20, 21

mum beneplacitum Dei, et insuper se ad omnia facienda
et sufferenda praebeat quaecumque Dominus sibi injun-
25 git. Quod cum quis fecerit, indubitanter Spiritum
Sanctum Paraclitum suscipit eo affectu quo discipuli
hac die susceperunt per insufflationem Filii Dei. Hinc
insufflavit Dominus et dedit etiam huic Spiritum Sanctum, dicens : *Accipite Spiritum Sanctum in vobis* :
30 *quorum remiseritis peccata, remittuntur eis* [d]. Ad quod
illa : « Domine, quomodo potest hoc fieri, cum haec
potestas ligandi et solvendi solummodo data sit sacerdo-
tibus ? » Respondit Dominus : « Cujuscumque causam
tu per Spiritum meum discernendo judicaveris non esse
35 culpam, ille certe innoxius apud me reputabitur, et
cujus causam discreveris esse culpam, reus coram me apparebit, quia ego loquar per os tuum. » Ad quod illa :
« Cum saepius dignatio tua, piissime Deus, hoc eodem
dono me certificaverit, quid modo ex hoc consequor
40 quod iterum idem mihi concedis ? » Respondit Dominus :
« Cum quis consecratur in diaconum et post in presby-
terum, non ideo perdit officium diaconatus, sed majorem ex sacerdotio consequitur honorem ; sic etiam cum
animae aliquod donum iteratur, certe per repetitionem
45 firmius in ea stabilitur, et per hoc cumulus beatitudinis
ejus augmentatur. »

---

24 sibi dominus W ‖ 32 solvendi : absolvendi B ‖ 36
discreveris : discernis W *l* ‖ coram me apparebit reus W ‖
37 quia — tuum *om.* B ‖ 39 quid : quam B[1] (*corr. s.l.* B[2])

---

d. Jn 20, 22-23

rien sinon le souverain bon plaisir de Dieu, et, en outre,
s'offre lui-même pour faire et souffrir tout ce que Dieu
lui ordonnera. Si quelqu'un agit de la sorte, il recevra
indubitablement l'Esprit-Saint, le Paraclet, dans les
sentiments mêmes où les apôtres le reçurent par l'in-
sufflation du Fils de Dieu. » Le Seigneur souffla ensuite
sur elle, et lui donna, à elle aussi, l'Esprit-Saint, en
disant : *Recevez en vous l'Esprit-Saint. Ceux à qui vous
remettrez les péchés, ils leur seront remis* [d]. A quoi elle
répondit : « Mais Seigneur, comment cela peut-il se faire,
puisque ce pouvoir de lier et de délier n'est accordé qu'aux
prêtres seuls ? » Le Seigneur répondit : « Si, par le discernement de mon Esprit, tu juges que dans le cas de tel
homme il n'y a pas de faute, celui-là je le réputerai innocent [1] et si tu discernes une faute dans la cause de quelqu'un, il m'apparaîtra comme coupable, car je parlerai
par ta bouche. » A quoi elle répondit : « Étant donné,
ô Dieu très bon, que vous avez très souvent daigné me
donner l'assurance de cette même faveur, qu'obtien-
drai-je maintenant du fait que vous me l'octroyez de
nouveau ? » Le Seigneur répondit : « De même qu'un
diacre, s'il est ordonné prêtre, ne perd pas pour autant
la qualité de diacre, mais revêt, par son sacerdoce, une
dignité plus élevée, ainsi, lorsqu'une âme reçoit à nouveau quelque grâce, celle-ci est alors confirmée en elle
de façon définitive, et la somme de sa béatitude s'en
trouve augmentée. »

---

1. Comparer l. I, 4-5 (t. II [*SC* 139], p. 198-202) ; également
l. I, 16, 1, 41-43 (p. 210), où le Seigneur dit à sainte Mechtilde,
en lui parlant de Gertrude : « ... secundum meam divinam discretionem ipsa singulorum requirentium defectus graviores seu leviores
reputabit et judicabit. » De même l. II, 20, 2 (*ibid.*, p. 310).

CAPUT XXXIII

De majori Letania in die Marci

1. In die sancti Marci evangelistae, dum conventus
processionem faceret cum Letania, apparuit huic Dominus Jesus in throno majestatis suae, exornatus tot
monilibus pretiosis in modum speculorum lucidorum,
5 quot personae sanctorum sibi jam conregnant in caelis.
Cumque in Letania fieret invocatio nominum sanctorum,
quoties nomen alicujus invocabatur, statim ille sanctus
cum ingenti laetitia reverenter exurgens, flexis devote
coram Domino genibus extensisque manibus, videbatur
10 contingere monile illud in veste Domini, per quod ipsemet figurabatur. Quod cum faceret, apparebant sub manibus ejus scripta nomina omnium quae ipsius sancti
auxilium invocabant. Et quae cum intentione et devotione hoc faciebant, earum nomina velut aureis litteris
15 videbantur adscripta. Quae autem tantum ex usu
faciebant, earum nomina nigris litteris apparebant assi-
gnata. Sed quae cum taedio et divagatione cordis hoc
faciebant, illarum nomina ita tenebrosa apparebant quod
vix poterant discerni. Unde per hoc quod nomina per-
20 sonarum auxilium sanctorum invocantium apparuerunt
in veste Domini, intellexit notari quod quandocumque
a nobis invocati sancti orant pro nobis, illa oratio statim
quasi memoriale misericordiae nobis impetratae relu-
cet in Deo, ipsum continue admonens et instigans ad
25 nobis miserendum. Quandocumque etiam aliquis sanctorum speciali affectu et devotione invocabatur ab aliqua, statim ille sanctus recepit in se resplendorem moni-

XXXIII. 1, 12 quae : qui W *l* ‖ 17 hoc : haec W ‖ 18-20
nomina — personarum *om.* B¹ *mg.* B² ‖ 22 statim illa oratio
W ‖ 23 impetratae : in perpetuum W

CHAPITRE XXXIII

Litanie majeure, le jour de saint Marc

1. Le jour de l'évangéliste saint Marc, tandis que le couvent faisait la procession au chant des litanies, le Seigneur Jésus lui apparut sur son trône de majesté, paré d'autant de joyaux précieux, sous forme de miroirs transparents, qu'il y avait de saints régnant alors avec lui dans les cieux. A l'invocation du nom des saints pendant la litanie, chaque fois qu'un nom était invoqué, le saint se levait aussitôt avec respect et grande joie, fléchissait dévotement les genoux devant le Seigneur, et, les mains étendues, semblait toucher, sur le vêtement du Seigneur, le bijou qui le représentait. Or, tandis qu'il faisait ce geste, on voyait apparaître sous ses mains les noms de celles qui invoquaient l'aide de ce saint. Mais celles qui le faisaient avec attention et dévotion voyaient leurs noms inscrits en lettres d'or. Celles qui le faisaient seulement par routine avaient leurs noms écrits en lettres noires. Quant à celles qui le faisaient avec ennui et distraction, leurs noms semblaient si peu distincts que c'est à peine si on pouvait les déchiffrer. Si les noms des personnes invoquant le secours des saints apparaissaient ainsi sur les vêtements du Seigneur, c'était, elle le comprit, pour signifier ceci : chaque fois que les saints invoqués prient pour nous, aussitôt leur prière se réfléchit en Dieu comme un mémorial de la miséricorde implorée en notre faveur. C'est un rappel continuel et une invitation à prendre pitié de nos misères. De la même manière, chaque fois que l'un des saints est invoqué avec un sentiment particulier de dévotion, aussitôt rejaillit sur lui l'éclat du joyau qui le représente sur le vêtement

lis in veste Domini ipsum figurantis, cum adscriptione
personarum ipsum speciali devotione reverentium, ob
30 memoriam sempiternam qua semper provocetur ad obtinendum se invocantibus utriusque vitae salutem.

CAPUT XXXIV

De sancto Joanne ante Portam latinam

1. Festo sancti Joannis ante Portam latinam, apparuit ipsi beatus Joannes, et mira blanditate consolabatur eam, dicens : « Ne graveris, electa sponsa Domini
mei, pro defectu virium corporalium, quia modicum et
5 quasi momentaneum est omne quod in praesenti saeculo *a* toleratur, respectu aeternarum deliciarum illarum,
quibus nos jam beatificati fruimur in caelis, quas et tu
post modicum tempus nobiscum possidebis, facta quasi
una ex nobis : cum scilicet ingressa fueris thalamum
10 sponsi tam amati, tanto tempore expectati, tot desideriorum suspiriis advocati, et tandem pro votis adepti. »
Et subjunxit : « Recordare, inquam, quod ego dilectus
ille discipulus, quem revera *diligebat Jesus b*, multo magis
defeceram tam viribus quam sensibus corporalibus quam
15 tu, cum essem adhuc vivens in terris ; qui tamen modo
in omnium cordibus tam florens appareo et delicatus,
quod etiam vix aliquis fidelium invenitur qui in memoria mei speciali affectu non afficiatur. Unde et memoria
tui similiter post mortem tuam in multorum cordibus
20 reflorebit, ac plurimorum mentes attrahet ad delectandum in Deo. »

XXXIV. 1, 2 ipsi : sibi W ‖ 6 deliciarum aeternarum
B ‖ 16 omnium in B ‖ et *om.* B

du Seigneur et s'imprime le nom de ceux qui l'ont vénéré avec une particulière dévotion. Cela lui remet sans cesse en mémoire qu'il lui faut obtenir, pour ceux qui le prient, le salut en cette vie et en l'autre.

CHAPITRE XXXIV

Saint Jean devant la Porte latine

1. En la fête de saint Jean devant la Porte latine, le bienheureux Jean lui apparut, et il la consolait par des paroles étonnamment affectueuses : « Ô toi, l'élue et l'épouse de mon Seigneur, ne t'afflige pas si les forces physiques te font défaut. Oui, ce que l'on souffre en la vie présente n'est que bien peu de chose et ne dure pour ainsi dire qu'un instant *a* en regard de ces délices éternelles que, déjà béatifiés, nous goûtons dans les cieux. Bientôt, toi aussi, tu les posséderas avec nous ; tu seras comme l'une de nous lorsque tu seras entrée dans la chambre nuptiale de l'époux tant aimé, si longtemps attendu, appelé par tant de vœux et de soupirs, et enfin possédé selon tes désirs ». Et il ajouta : « N'oublie pas que moi-même, *ce disciple* bien-aimé que véritablement *Jésus aimait* *b*, j'avais, beaucoup plus que toi, perdu mes forces et l'usage de mes sens à la fin de ma vie terrestre, et pourtant, aujourd'hui, chacun me voit en son cœur plein de jeunesse et de beauté, au point que c'est à peine s'il se trouve quelque fidèle que mon souvenir n'anime pas d'une dévotion particulière. Ainsi, de même, après ta mort, ton souvenir refleurira dans le cœur d'un grand nombre et attirera beaucoup d'âmes à se délecter en Dieu. »

XXXIV. **1** *a*. Cf. *II Cor.* 4, 17 ‖ *b*. Cf. *Jn* 13, 23 ; 21, 7

2. Tunc ipsa conquerebatur sancto Joanni quod timeret se ex hoc aliquod impedimentum incursuram, quod
quandoque aliqua quamvis parva ex oblivione omitte-
ret confiteri, eo quod interdum copiam confessoris non
5 haberet et ex debilitate retinere nesciret. Super quo beatus
Joannes blande eam consolabatur, dicens : « Noli timere,
filia, quia certe quandocumque tu integram voluntatem
tuam disponis ad confitendum singula peccata tua, et
requirens confessorem, non potes habere ipsius faculta-
10 tem, omnia quae tunc ex oblivione omittis confiteri,
coram pio Domino in anima tua effulgebunt in specie
gemmarum pretiosarum ; unde miro modo gratiosa omnium caelestium civium conspectibus apparebis. »

3. Hinc dum inter Missam retractaret cum aliqua gratitudine conscripta de his quae speciali beneficio familiaritatis a Domino acceperat, et ad sequentiam illam : *Verbum Dei* [a], haec deponeret, ad intendendum verbis illis,
5 quae ad honorem beati Joannis decantabantur, affuit illi
jam dictus beatus evangelista, et quasi assidens ad
dexteram ejus, prohibebat ne praehabita deponeret ; et
obtinuit mirabili modo quod intendens conscriptis nullum impedimentum habebat, quin in singulis versibus
10 sequentiae specialem perciperet intellectum.

4. Cum vero cantaretur : *Audit in gyro sedis* [a], dixit
beato Joanni : « O quali jucunditate tunc fruebaris, cum
taliter esses sublimatus ! » Ad quod ille : « Verum dicis.
Sed hoc scias, quod jam majori delectatione jucundor
5 ex illis quae tu modo retractas, congratulans benignae
dignationi amantissimi Domini mei. » Sicque cum ea

2, 6 eam *om.* W ‖ 7 quandocumque : quando W ‖ 9 ipsius
habere W ‖ 11 pio *s.l.* B[2] ‖ 13 apparebit B ‖ **3**, 1 gratitudine aliqua W

2. Elle exprima alors une plainte au bienheureux Jean : elle craignait, disait-elle, de subir un certain détriment, car il lui arrivait parfois en effet d'oublier quelques accusations, légères il est vrai. Faute d'avoir la facilité de recourir sur-le-champ au confesseur, sa faiblesse l'empêchait de se rappeler ces fautes. Mais le bienheureux Jean l'en consolait doucement : « Ne crains pas, ma fille, disait-il ; puisque tu as la volonté droite de confesser chacun de tes péchés, et que, désirant un confesseur, tu ne peux toujours en trouver un, tout ce que plus tard tu auras oublié de confesser brillera en ton âme comme des pierres précieuses en présence du Seigneur très bon, et tu apparaîtras ainsi pleine de grâce devant tous les citoyens du ciel. »

3. Ensuite, pendant la Messe, comme elle méditait avec gratitude les textes relatant les dons particuliers reçus par le saint, du fait de sa familiarité avec le Seigneur, quand on arriva à la séquence *Verbum Dei* [a], elle suspendit le cours de ses réflexions pour appliquer son attention aux paroles chantées à la gloire du bienheureux Jean. Ce bienheureux évangéliste apparut alors assis à sa droite et lui défendit d'interrompre ce qu'elle méditait. Elle obtint alors d'une manière extraordinaire de ne trouver dans son attention aux textes précédents aucun obstacle pour percevoir une lumière particulière à chaque verset de la séquence.

4. Comme on chantait : *Audit in gyro sedis* [a], elle dit au bienheureux Jean : « Oh ! quelle allégresse n'avez-vous pas goûtée lorsque vous avez été ainsi élevé ! » Et lui : « Tu dis vrai. Mais sache que je jouis maintenant de délices encore plus grandes à te voir méditer ces paroles et rendre grâce à la bonté et condescendance de mon très aimé Seigneur. » Or, il était assis auprès d'elle comme

---

3 *a.* Séquence *Verbum Dei, Deo natum* (*RH* 21353) ‖ **4** *a.* Même séquence

quasi idem sentiens amicabiliter assidebat, donec cantaretur versus *Iste custos Virginis*, inter quem videbatur sublevatus usque ad thronum gloriae, ubi admi-
10 rabili praefulgens decore, ab omnibus caelicolis inaestimabili extollebatur affectu. Unde incredibilibus deliciis
perfruebatur ex praedulcibus verbis quae sequebantur,
scilicet : *Caeli cui palatium*, etc.

CAPUT XXXV

De praeparatione ante festum Ascensionis

1. Ante festum celeberrimae Ascensionis Domini, dum
in salutationem saluberrimorum vulnerum totius corporis Domini Jesu legeret quinque millibus quadragentis
sexaginta sex vicibus hunc versum : « Gloria tibi,
5 suavissima, dulcissima, benignissima, nobilissima, imperialis, excellentissima, fulgida semperque tranquilla Trinitas, pro roseis vulneribus mei unice electi amatoris »,
apparuit ei vice quadam Dominus Jesus, prae vul-
tibus angelorum forma speciosus, super quolibet vul-
10 nere suo habens flores aureo splendore coruscantes,
vultu sereno blandissimoque affatu ipsam resalutans,
et dicens inter alia : « Ecce in hac praerutilanti forma
et gloria qua me modo tibi exhibeo, etiam in hora mortis
tuae, tibi totus florens et amoenus apparebo [a] ; et tali

4, 8 *post* quem *add.* versum W
XXXV. 1, 4 *post* versum *add.* scilicet W ‖ *post* gloria
add. sit W ‖ 6 *post* tranquilla *add.* iucundissima atque gloriosissima W ‖ 7 unici W ‖ 8 ei *om.* W ‖ 9 quolibet : quodam
B[1] (*corr. s.l.* B[2]) ‖ 11 sereno : suo B[1] (*corr. s.l.* B[2]) ‖ resalutans :
salutans W ‖ 13 qua et me gloria modo B

XXXV. 1 *a.* Cf. prière de la recommandation des mourants :
Commendo te

un ami qui partage les mêmes sentiments, et ceci jusqu'au moment où l'on chanta : *Iste custos Virginis*. A cette strophe, en effet, il parut s'élever jusqu'au trône de gloire. Et là, brillant d'un éclat admirable, il reçut de tous les habitants du ciel l'hommage d'une tendresse dont nul ne peut estimer le prix. Puis il goûta d'incroyables délices aux paroles si douces qui font suite, c'est-à-dire : *Caeli cui palatium*, etc.

CHAPITRE XXXV

Préparation à la fête de l'Ascension

Les plaies glorieuses.

1. En préparation à la fête de l'Ascension du Seigneur, fête des plus célèbres, afin d'honorer les plaies que le Seigneur Jésus porta sur tout le corps pour notre salut, elle récitait cinq mille quatre cent soixante-six fois [1] ce verset : « Gloire à vous, ô Trinité très suave, très douce, très bénigne, très noble, impériale, très excellente, resplendissante et toujours tranquille ; gloire à vous pour les plaies vermeilles de l'unique amant que j'ai élu. » Le Seigneur Jésus lui apparut un jour, le visage plus beau que celui des anges. Sur chacune de ses blessures brillaient de splendides fleurs d'or. D'un air serein, il lui rendit son salut, lui adressant parmi d'autres ces paroles très affectueuses : « C'est avec cette même beauté et cette gloire resplendissante dont tu me vois revêtu aujourd'hui qu'à l'heure de la mort je me montrerai à toi, plein de charme et de douceur [a] ; et cette même parure dont tu

---

1. Sainte Mechtilde propose le chiffre de 5460 (IV, 56 ; éd. Paquelin, p. 307) et ailleurs un calcul qui aboutit à ce même chiffre (I, 18 ; p. 59), mais aussi le chiffre de 5490 (VII, 8 ; p. 400). Cf. la note de Paquelin, p. 59.

15 decore quali nunc vulnera mea ex salutationibus orationum tuarum sunt adornata, ego omnes maculas peccatorum et negligentiarum tuarum contegens adornabo,
et etiam omnium qui simili studio et devotione singula
vulnera mea salutant cum eadem vel simili oratione. »

2. Dominica vero proxima ante Ascensionem, dum ad
Matutinas festine consurgens legeret Matutinas, ut post
longiorem moram orandi haberet, et Domino, quem ipsa
per quatuor dies praecedentes Ascensionem in corde suo
5 affectuosius desiderabat hospitari, liberius et suavius posset blandiri, et jam usque ad quintam lectionem Matutinas complesset, videns aliam infirmam non habentem quae coram ea legeret Matutinas, ipsa, ut plena
erat visceribus caritatis, misericordia mota super illam [a],
10 dixit ad Dominum : « Cum tibi Domino modo pateat
quam supra vires meas laboraverim sola legendo has
Matutinas, tamen quia te Dominum caritatis per hos
dies desidero hospitari, et heu ! per hebdomadam me
parum praeparaverim orationum studio ac exercitio vir-
15 tutum ad praebendam tibi dignam mansionem, modo
ad laudem tuam aeternam, et in suppletionem omnium
quae tibi amicabilissimo hospiti meo debebam praepa-
rasse, in caritate quae tu ipse es, legam iterato Matutinas. » Cumque sic reinciperet, Dominus verificans illud :
20 *Infirmus fui, et visitastis me* [b], et item illus : *Quod uni ex
minimis meis fecistis, mihi fecistis* [c], exhibuit se illi in
tantae benignitatis ac blanditatis serenitate quod hoc
nullis verbis explicari, seu etiam humanis sensibus poterit
comprehendi.

16-17 tuarum sunt — negligentiarum *om.* B¹ *mg.* B² ‖
2, 7 complesset (*mg.* B²) : complevisset W ‖ 11 quam :
quod B ‖ has : hoc W ‖ 17 meo *om.* W ‖ deberem W

---

2 *a.* Cf. *Lc* 7, 13 ‖ *b. Matth.* 25, 36 ‖ *c. Matth.* 25, 40

viens d'orner mes plaies par les invocations de ta prière,
moi j'en ornerai, pour les dissimuler, toutes les taches
de tes péchés et de tes négligences ; et j'agirai de même
envers tous ceux qui saluent chacune de mes plaies avec
pareil zèle et dévotion, par des prières identiques ou
semblables aux tiennes. »

L'hôtesse du Seigneur. **2.** Le dimanche précédant l'Ascension,
elle s'était levée promptement, en sorte
qu'après la récitation des Matines elle
pût s'adonner plus à loisir à l'oraison. Elle désirait en
effet, durant ces quatre jours qui précèdent l'Ascension,
recevoir le Seigneur en son cœur tel un hôte très aimé et
pouvoir lui prodiguer de douces marques d'affection.
Et comme elle en arrivait à la cinquième leçon des Matines,
elle aperçut une autre malade qui n'avait personne avec
elle pour réciter les Matines. Remplie de sentiments de
charité, elle fut émue de compassion pour elle [a] et dit
au Seigneur : « Vous voyez, Seigneur, que j'ai été au
delà de mes forces en récitant seule ces Matines. Cependant, puisque je désire, ces jours-ci, vous donner l'hospitalité, à vous, Seigneur de charité, et que, durant cette
semaine, j'ai mis, hélas ! peu d'empressement à vous
prier et à pratiquer la vertu pour me préparer à vous
offrir une demeure digne de vous, eh bien ! pour vous
louer à jamais et pour suppléer à tous les apprêts que
j'aurais dû faire pour vous, ô mon hôte infiniment
aimable, je veux maintenant recommencer à réciter les
Matines, en cette charité qui est vous-même. » Et comme
elle se mettait ainsi à recommencer, le Seigneur, accom-
plissant la parole : *J'ai été malade et vous m'avez visité* [b],
et cette autre : *Ce que vous avez fait aux plus petits des
miens, c'est à moi que vous l'avez fait* [c], lui témoigna tant
de douceur, de tendresse et de bienveillance qu'aucun
mot ne peut le traduire, ni même aucun cœur humain
l'appréhender.

3. Sed tamen dicam pauca de multis : nam videbatur
sibi quod Dominus Jesus, in gloria sublimi tamquam ad
mensam quamdam deliciosissimam sedens, non solum de
singulis verbis, verum etiam quasi de singulis litteris quae
5 legendo Matutinas proferebat, ineffabilia et inaestima-
bilia dona gratiarum, gaudiorum et praemiorum aeter-
norum distribueret omnibus caelestibus, terrestribus ac
animabus purgandis. Interlucebat etiam ei ex singulorum verbis psalmorum lectionum ac responsoriorum
10 inexplicabilis suavitas divinae cognitionis, ac influebat
animam ejus medullitus efficax delectatio intellectuum
spiritualium : de quibus tamen prae multiplicitate vix
pauca retinuit ad enarrandum, licet ad delectandum
in praegustatis abundaret in intimis. Cum enim in psalmo
15 *Ad te, Domine, clamabo* ᵃ, in illo versu : *Salvum fac popu-*
lum tuum, Domine, et benedic hereditati tuae ᵇ, desideraret ut Dominus largam benedictionis gratiam porrigeret
super universam ecclesiam, Dominus respondit : « Quid
vis, dilecta mea, ut faciam ? Nam ego me tam dignanter
20 modo in tuam dedi potestatem, sicut in patibulo crucis
Patris imperio me totaliter mancipavi. Unde sicut tunc
contra placitum ejus nequivi descendere de cruce, ita
et nunc nihil aliud velle possum quam quod tuae placuerit dilectioni. Ergo quaecumque desideras, ex vir-
25 tute divinitatis meae tu cuilibet distribue large. »

4. His et similibus cum per totas Matutinas frueretur
divinae blanditatis delectationibus, tandem cum finitis Matutinis pausaturam se lecto recollegisset, blandissima serenitate ait ad eam Dominus : « Qui lassatur ex operibus

3, 20-21 crucis patris imperio : crucis caritatis imperio
imperio patris W *qui verba* caritatis imperio *del.* (*cf.* crucis
charitatis imperio me patri *l*) ‖ **4,** 1 totos W ‖ 3 pausatam
B ‖ recollocasset W

---

3 *a. Ps.* 27 ‖ *b. Ps.* 27, 9

3. J'en dirai pourtant quelques petites choses, parmi
beaucoup d'autres. Oui, il lui semblait voir le Seigneur
Jésus, au faîte de sa gloire, assis à une table absolument
exquise. Non seulement à chaque mot, mais encore à
chaque syllabe qu'elle prononçait en récitant les Matines,
il semblait distribuer des dons ineffables et sans prix,
des grâces, des joies et des récompenses éternelles à tous
les habitants du ciel et de la terre, et aux âmes du purgatoire. Parmi les mots de chacun des psaumes, des leçons
et des répons, resplendissait en elle avec une douceur
inexprimable la connaissance du divin, tandis que pénétraient dans les profondeurs de son âme les délices sou-
veraines de l'intelligence spirituelle. De toutes ces faveurs
cependant, à cause même de leur multiplicité, elle ne put
retenir et répéter que peu de choses, bien qu'elle en eût
savouré surabondamment en son cœur le goût délicieux.
Ainsi, durant le psaume : *Ad te Domine clamabo* [a],
à ce verset : *Salvum fac populum tuum Domine, et benedic hereditati tuae* [b], elle souhaita que le Seigneur répande
avec largesse une grâce de bénédiction sur l'Église universelle. Le Seigneur répondit : « Que veux-tu que je
fasse, ô ma bien-aimée ? Car je daigne me remettre en
ton pouvoir, comme sur le gibet de la croix je me suis
fait entièrement l'esclave des ordres du Père. A ce
moment-là je n'ai pu descendre de la croix contre sa
volonté ; de même maintenant je ne puis rien vouloir
sinon ce qui plaira à ton amour. Par la puissance de ma
divinité, distribue donc largement à chacun tout ce que
tu désires. »

**Le repos
de l'amour.**
4. Pendant toutes les Matines, elle jouit
délicieusement de ces divines tendresses
et d'autres encore. Puis, comme, les
Matines achevées, elle se remettait au lit pour prendre
du repos, le Seigneur lui dit avec une bonté pleine de
tendresse : « Celui qui s'est fatigué par des œuvres de

5 caritatis, justissime requiescet in tranquillo thalamo caritatis. » Et his dictis, accepit eam inter amplexus suos
Dominus, ac supra pectus suum quasi quemdam quietissimum thalamum reclinavit. Tunc quasi de medio intimorum Cordis divini, ad quod versa jacere videbatur,
10 effloruit arbor caritatis, statura venusta, ramisque ac
fructibus valde decora, habens folia quasi stellas splen-
dentia, quae demittens ac dilatans ramos suos, undique
thalamum in quo requievit anima circumvallabat, ac
per hoc tam frondentium quam fructuum suorum fra-
15 grantia ac sapore animam delectando recreabat. Videbatur etiam quod de radice ejusdem arboris erumperet
vena quaedam purissima quasi aquae salientis, quae in
altum resiliens, ac protinus originem suam repetens, animam illam beatam mirifica suavitate reficiebat. Unde
20 per illam venam intellexit praefigurari excellentissimae
divinitatis suavitatem, cujus plenitudo in humanitate
Jesu Christi corporaliter requievit [a], quae et animas electorum incomprehensibili suavitate delectat.

5. Hinc inter Missam qua erat communicatura, exposuit Deo omnem defectum animae suae, sicut amicus
amico suo, quem sciret profecturum, quo omnibus bonis
abundaret, orans ut in die deliciosissimae Ascensionis
5 suae sibi apud Deum Patrem omnium indigentiarum et
defectuum suorum obtineret emendationem. Ad quod
Dominus tale illi blanditatis dedit responsum : « Tu es
illa amabilis Hester, quae incredibili pulchritudine oculis
meis es gratiosa : pete ergo quod vis, et dabitur tibi [a]. »
10 Tunc illa coepit orare pro sibi commissis, et etiam pro
omnibus qui aliqua sibi impenderent beneficia. Tunc
Dominus, blande acclinans se ad eam et quasi pallio suo
eam contegens [b], occulte impressit fronti ejus osculum.

---

6 accepit : suscepit W ‖ 18 suum W ‖ animam *s.l.* B[2]

charité a bien le droit de dormir en paix sur la couche
nuptiale de l'amour. » Ayant dit ceci, le Seigneur l'attira
à lui, l'étreignit et l'appuya sur sa poitrine, lit nuptial
du parfait repos. Or, du centre le plus intime du Cœur
divin, dans la direction duquel elle paraissait couchée,
jaillit l'arbre de la charité. Sa taille était magnifique,
il était paré de branches et de fruits, ses feuilles étin-
celaient comme des étoiles. Déployant et étendant ses
branches, il couvrait de toute part la chambre où repo-
sait l'âme et, par le parfum de ses frondaisons et la saveur
de ses fruits, lui procurait une réfection délicieuse. Elle
voyait aussi sortir de la racine de cet arbre une source
très pure d'eau jaillissante qui s'élevait en haut puis
retombait vers son point de départ, rafraîchissant cette
âme bienheureuse avec une extraordinaire suavité.
Elle comprit que cette source représentait la suave et
suprême divinité dont la plénitude habite corporellement l'humanité de Jésus-Christ [a] et dont la suavité,
qui dépasse tout entendement, ravit les âmes des élus.

Felix culpa. 5. Puis, durant la Messe où elle devait
communier, elle exposa à Dieu tous les
défauts de son âme comme on le ferait à un ami que l'on
saurait capable de vous aider, parce qu'il possède en abondance toute sorte de biens. Elle le priait de lui obtenir du
Père, au jour de son Ascension pleine de délices, le remède
à toutes ses misères et tous ses défauts. A cela le Seigneur
lui fit cette tendre réponse : « Tu es cette aimable Esther
qui a trouvé grâce à mes yeux par ton incroyable beauté.
Demande-moi ce que tu veux, et cela te sera accordé [a]. »
Elle se mit alors à prier pour ceux qui lui étaient recommandés et aussi pour tous ceux qui lui avaient fait
quelque bien. Alors le Seigneur se pencha tendrement
vers elle et, semblant la couvrir de son manteau [b],

4 *a.* Cf. *Col.* 1, 19 ‖ 5 *a.* Cf. *Esther* 5, 2-3 ‖ *b.* Cf.
Ruth 3, 9

Per quod illa statim recognovit se praecedenti die con-
15 traxisse aliquam maculam, ex hoc quod humanius accep-
taverat quoddam beneficium a quadam persona sibi
impensum.

6. Et dixit ad Dominum : « Eia, cur permittis, Domine
mi, ut aliquis taliter respiciat me aut revereatur, cum
tu Dominus omnium in terris esse volueris novissimus
virorum, et tibi summe sit laudabile quod electi tui des-
5 pecti et vilipensi habeantur in hoc mundo, quia secundum hoc magis coaequantur tibi in gloria, quod contemp-
tibiliores reputantur in terra ? » Respondit Dominus :
« Verbum meum est per prophetam : *Jubilate Deo,
omnis terra* ᵃ, et infra : *Date gloriam laudi ejus* ᵇ. Hoc,
10 inquam, efficacius quidam in spiritu sentientes te affectu praeferunt ac benignius respiciunt, egoque illos per
hoc sanctifico et gratiae meae coapto, necnon mihi magis
gratos efficio. » Ad quod illa : « Domine, quid inde, si
illos per hoc sanctificas per quod ego defectum con-
15 traho ? » Respondit Dominus : « Ego aureum ornatum
tuum, id est, gratiam quam in te posui, delector fusco
nitentique colore vermiculare. » Unde per hoc verbum,
scilicet *fusco*, intellexit significari quod cum homo aliqua sibi impensa beneficia recolit se humanius acceptasse,
20 et inde dolens humiliatur, per talem humilitatem tanto
magis placet Deo, sicut niger color evidentius aurum dis-
tinguit. Per hoc autem quod Dominus ait *ac nitenti*

5, 14-15 aliquam contr. maculam W ‖ 6, 13 grates W ‖
17 nitentique : -que *s.l.* B² uirenti *a. corr.* W ‖ 18-19 sibi
aliqua B ‖ 22 dominus ait : et dominus dixit W ‖ ac *om.* W
‖ nitenti : uirenti *a. corr.* W

---

6 *a. Ps.* 65, 1 ‖ *b. Ps.* 65, 2

---

1. C'est le geste de tendresse du Seigneur qui fait prendre conscience à sainte Gertrude de la faute commise la veille. Ceci est

imprima comme à la dérobée un baiser sur son front [1].
Aussitôt, cela lui fit prendre conscience d'une légère
souillure contractée la veille pour avoir accepté d'une
manière trop humaine un service qu'on lui rendait.

6. Et elle dit au Seigneur : « Ah ! mon Seigneur, pourquoi donc permettez-vous que l'on ait pour moi des égards
et du respect, alors que vous, le Seigneur de l'univers,
avez voulu être sur la terre comme le dernier des hommes,
et que vous jugez suprêmement louable que vos élus soient
regardés de haut en ce monde et comptés pour rien ?
Ils seront en effet d'autant plus dignes de partager votre
gloire qu'on les aura jugés plus méprisables sur la terre. »
Le Seigneur répondit : « J'ai dit par le prophète : *Jubilez
pour Dieu, terre entière* [a], et ensuite : *Donnez de la gloire
à sa louange* [b]. Certains, éprouvant plus vivement ces
sentiments en leur cœur, te donnent la préférence dans
leur affection et te regardent avec plus de bienveillance,
et moi je les sanctifie de cette manière et les dispose
à ma grâce pour me les rendre plus agréables. » A quoi
elle répondit : « Qu'arrivera-t-il, Seigneur, si vous les
sanctifiez par cela même qui m'est occasion de faute ? »
Le Seigneur répondit : « Je me plais, moi, à marqueter
l'or de ta parure, c'est-à-dire la grâce que j'ai déposée
en toi, avec des couleurs sombres ou brillantes. » Elle
comprit ce que symbolisait ce mot « sombre » : lorsqu'un
homme, en effet, se rappelle avoir accepté avec des
sentiments trop humains les services qu'on lui rendait,
et s'en humilie avec regret, cet acte d'humilité le rend
plus agréable à Dieu, de même que la couleur noire
rehausse l'éclat de l'or. Et quand le Seigneur parla de

intéressant à noter et caractéristique de la spiritualité gertrudienne.
L'amour même que le Seigneur lui témoigne lui rend insupportable
le petit mouvement égoïste et trop humain qui vient de lui échapper. Cf., dans la même ligne, 38, 2.

colore, recognovit quod gratitudo illa, qua quis acceptat
beneficia tam a Deo quam ab hominibus propter Deum
25 sibi impensa, magis habilitat animam ad quaelibet dona
Dei suscipienda et conservanda.

7. Feria autem secunda, dum ea devotione, ut praedictum est, intenderet exponere Domino defectum
omnium peccatorum, et ante Matutinas iterum in caritate ad antedictam surgeret infirmam et supra posse
5 suum ministraret ipsi, obtulit etiam hoc Domino in
laudem aeternam pro emendatione omnium peccatorum quae in universo mundo ipsius divinae contrairent
voluntati. Quod cum faceret, videbatur sibi quod infi-
nitam quamdam multitudinem diversi sexus, velut fune
10 quodam aureo, per quem significabatur caritas, circum-
cingeret ac perduceret ad Dominum. Unde misericors et
pius Dominus mira blanditate serenatus, hoc ab ea multum acceptabat : ad similitudinem, sicut rex aliquis
acceptaret a dilecto principe suo, si omnes adversarios
15 suos captivos adduceret ad sibi pacificandum ac pro
placito suo deinceps famulandum.

8. Feria quoque tertia, dum inter Missam simili modo
exponeret Domino defectum et imperfectionem omnium
justorum, orans ut eos dignaretur sibi placitissimo modo
perficere in omni sanctitate, Dominus, extensa manu
5 sua, signo victoriosae crucis omnes pariter consignans
benedixit. Ex cujus salutifera benedictione ros quidam
suavissimus respergebatur in corda omnium justorum,
unde omnes reflorere videbantur, quemadmodum rosae
et flores vigent ad solis splendorem.

9. Feria deinde quarta, cum iterum eodem modo ad
elevationem hostiae Dominum exoraret pro animabus

7, 7 qui B ‖ ipsi B ‖ 11 et *s.l.* B² ‖ **8,** 8-9 flores et rosae W

« couleurs brillantes », elle reconnut que la gratitude avec laquelle on reçoit les bienfaits venus de Dieu ou accordés par les hommes en vue de Dieu, cette gratitude habilite l'âme à mieux recevoir et garder tous les dons de Dieu.

Rémission des péchés. 7. Le lundi, elle s'efforça, avec la dévotion dont on a parlé, de présenter au Seigneur les fautes de tous les pécheurs ; et, avant Matines, dans un mouvement de charité elle vint de nouveau trouver la malade dont il a été question, pour l'assister au-delà même de ses forces. Après quoi, elle offrit cela au Seigneur en louange éternelle pour la rémission de tous les péchés qui, dans le monde entier, iraient à l'encontre de sa divine volonté. Et, ce faisant, il lui sembla qu'avec un lien d'or, symbole de charité, elle enserrait une multitude infinie d'hommes et de femmes pour les conduire au Seigneur. Or, le Seigneur, dans sa miséricordieuse bonté, accueillait avec une merveilleuse tendresse et sérénité la multitude qu'elle lui présentait ainsi. C'était comme un roi qui accepterait volontiers que son officier préféré lui amenât tous ses ennemis prisonniers, décidés à obtenir de lui la paix et à le servir désormais selon son bon plaisir.

8. Le mardi, pendant la Messe, elle présenta de la même manière au Seigneur les fautes et imperfections de tous les justes, le priant de daigner les consommer en sainteté, selon le mode qui lui agréerait le plus. Le Seigneur étendit la main et, les marquant tous ensemble du signe de sa croix victorieuse, les bénit. Or, grâce à cette bénédiction, porteuse de salut, une rosée infiniment suave se répandit dans le cœur de tous les justes et sembla les faire tous refleurir ; ainsi les roses et les autres fleurs s'épanouissent-elles sous les rayons du soleil.

9. Le mercredi, comme à l'élévation de l'hostie elle suppliait à nouveau le Seigneur, de la même manière,

omnium fidelium defunctorum, ut earum miserias etiam
per gaudium suae jucundae Ascensionis dignaretur rele-
5 vare, visus est Dominus demittere quasi virgam quamdam auream in medium purgatorii, habentem tot uncos
quot affectus dirigebantur ad Deum pro animabus ; et per
quemlibet uncum extrahebantur aliquae animae de locis
poenarum ad amoena prata quietis. Unde per hoc intel-
10 lexit quod quandocumque fit oratio communis pro animabus in caritate, tunc maxima pars illarum liberatur
quae viventes in carne magis exercitaverant se in operibus caritatis.

10. Hinc cum vice omnium membrorum suorum salutando Dominum legeret CCXXV vicibus hunc versum :
« Ave, Jesu, sponse floride, in jubilo quo ascendisti saluto
et collaudo te », videbatur quod quilibet versiculus prae-
5 sentaretur Domino in specie cujusdam suavisoni musici
instrumenti, quod delectaret Dominum et collaudaret
ac luderet coram eo, quemadmodum histriones in convivio nobilium ludere solent. Quod et Dominus multum
benigne se exhibuit acceptare. Recognovit etiam illos
10 versiculos quos cum devota legerat intentione, suavis-
simos reddere concentus ; illos vero quos legerat incurate,
maestiores et submissiores voces personare.

9, 7 ad deum : ad eum W *et e corr.* B² ‖ 8 uncum : unctum
B¹ (*corr. mg.* B²) ‖ **10**, 1 suorum *mg.* B²

1. Les âmes qui se sont elles-mêmes exercées davantage aux
œuvres de charité sont les premières bénéficiaires d'une intercession générale faite dans un mouvement de charité. Telle du
moins semble être ici la pensée de la sainte.

pour les âmes de tous les fidèles défunts, afin qu'il daignât aussi les soulager de leurs peines par l'allégresse de sa joyeuse Ascension, elle vit le Seigneur plonger pour ainsi dire au milieu du purgatoire une baguette d'or munie d'autant de crochets qu'elle avait dirigé vers Dieu, en faveur de ces âmes, d'élans affectueux. Chacun de ces crochets retirait quelques âmes du lieu du supplice pour les conduire vers les riants pâturages du repos. Elle comprit par là que, lors d'une prière globale faite dans la charité en faveur des âmes, sont libérées, en très grand nombre, celles qui, durant leur vie mortelle, se sont particulièrement exercées elles-mêmes aux œuvres de charité [1].

10. Pour saluer le Seigneur au nom de tous ses membres, elle récita ensuite deux cent vingt-cinq fois [2] ce verset : « Salut, Jésus, époux plein de charme, je vous salue et je vous loue, en cette joie jubilante de votre Ascension. » Il lui sembla que chacun de ces petits versets étaient présentés au Seigneur sous le symbole d'un instrument de musique au son mélodieux, dans le but de plaire au Seigneur, de le louer et de jouer devant lui comme les ménestrels viennent jouer aux banquets des princes. Ce que le Seigneur témoigna accepter avec beaucoup de bienveillance. Elle remarqua aussi que, parmi ces petits versets, ceux qu'elle avait récités avec une dévote attention étaient pour le Seigneur comme une symphonie très mélodieuse, mais ceux qu'elle avait récités négligemment résonnaient sans joie, sur un ton grave.

2. Cf. note à 2, 7, 17.

CAPUT XXXVI

De die sollemni Ascensionis Domini

1. Die autem sollemni praejucundae Ascensionis, dum
circa mane totam intentionem suam ad hoc dirigere
studeret qualiter in hora Ascensionis dominicae, scilicet
circa nonam, ipsi suavissimo modo blandiretur, Dominus
5 subintulit : « Quidquid mihi blanditatis volueris in hora
praecelsae ascensionis exhibere, hoc totum mihi jam
exhibe, quia jucundissima gaudia ascensionis meae mihi
per hoc renovantur, quod ad te venturus sum per vivificum altaris sacramentum. » Tunc illa : « Eia doce me,
10 amator meus unice, qualiter tibi laudabilem pera-
gere possim processionem ob reverentiam celeberrimae
processionis illius, qua tu ad Patrem iturus discipulos
tuos *eduxisti foras in Bethaniam* [a]. » Respondit Dominus : « Cum Bethania interpretetur domus obedientiae,
15 ille per omnia placitissimam mihi ac laudabilissimam
concelebrat processionem, qui me ducit ad intima sua,
id est offert mihi integram voluntatem suam, perpen-
dens diligentius in quo magis propriam quam meam
divinam perfecerit voluntatem, et pro hoc digne paeni-
20 tens, proponat deinceps in omnibus meam requirere,
desiderare et perficere voluntatem. »

XXXVI. 1, 2 totam *s.l.* B² ‖ 6-7 exhibere — ascensionis *om.* B¹ *mg.* B² ‖ 10 *post* tibi *add.* summe W ‖
16 quae B ‖ 19 perfecerit divinam B ‖ 19-20 proponat
paenitens B

XXXVI. **1** *a.* Lc 24, 50

CHAPITRE XXXVI

Le jour solennel de l'Ascension du Seigneur

Le mystère eucharistique. 1. Le jour solennel de la très joyeuse Ascension du Seigneur, dès le matin, elle s'efforça de diriger toute son attention sur les moyens de prodiguer sa tendresse au Seigneur à l'heure de son Ascension, c'est-à-dire vers l'heure de None, et ceci, de la façon la plus affectueuse possible. Mais le Seigneur par mode de conclusion lui dit : « Toute la tendresse que tu me réserves à l'heure de ma glorieuse Ascension, donne-m'en, dès maintenant, l'entier témoignage, car l'allégresse la plus joyeuse de mon Ascension est renouvelée lorsque je viens à toi dans le sacrement de l'autel pour te donner la vie [1]. » Mais elle : « Ah ! enseignez-moi, vous, mon unique amant, comment je puis organiser une procession qui soit digne de votre louange, en souvenir de cette procession mémorable que vous fîtes au moment de retourner au Père, *pour conduire vos disciples à Béthanie [a]*. » Le Seigneur répondit : « Béthanie s'interprète ' maison d'obéissance '. Il participe à une procession solennelle pour ma satisfaction et ma plus grande gloire, celui qui me conduit jusqu'au fond de lui-même, c'est-à-dire m'offre intégralement sa volonté. Portant un jugement attentif sur les occasions où, de préférence à ma divine volonté, il a accompli la sienne propre et, faisant de cela une juste pénitence, il prend la résolution de rechercher désormais ma volonté, de la désirer, et de l'accomplir en toutes choses. »

---

1. L'Eucharistie renouvelle en son entier le mystère pascal. Le Seigneur revit, pour ainsi dire, les joies de son Ascension dans la rencontre sacramentelle.

2. Cumque deferretur ei communicaturae corpus dominicum, ait ad eam Dominus : « Ecce ad te nunc sponsam
meam venio, non solum quasi tibi valedicturus, immo
etiam te jam mecum assumpturus ac Deo Patri meo
5 praesentaturus. » In quibus verbis intellexit quod Dominus, per sacramentum corporis et sanguinis sui veniens ad
animam, desiderium et bonam voluntatem ejus sibi intrahit, unde sicut cera impressa sigillo ejus imaginem in se
repraesentat, sic ipse similitudinem animae in se Deo
10 Patri repraesentat, ac ipsum illi complacans obtinet beneficia gratiarum. Hinc obtulit Domino oratiunculas suas
et etiam quarumdam aliarum personarum quas persolverant Filio Dei, quasi pro diversis ornamentis, super
vulnera et membra sua sanctissima, quibus praefulge-
15 ret in gloriam suae praeexcellentissimae Ascensionis.
Tunc apparuit Dominus Jesus, velut his omnibus decentissime perornatus, adstare conspectui Dei Patris. Dominus autem Pater caelestis videbatur cum omnipotenti
virtute divinitatis suae intrahere sibi omnem ornatum
20 illum Unigeniti sui ex bona voluntate electorum sibi
oblatum, ac de ipso remittere quemdam splendorem
mirificum ad sedes gloriae his quae easdem orationes
persolverant ab aeterno praeparatas ; ex quo, cum post
hoc exilium pervenirent ad regnum, magnifice glorifi-
25 carentur.

3. Hora vero nona, dum intenderet Domino, tamquam
ea hora cum gloria caelos ascensuro, apparuit iterato
Dominus Jesus *prae natis hominum forma speciosus* [a],

2, 1 differetur B ‖ 2 nunc ad te W ‖ 3-5 immo — praesentaturus *om.* B¹ *mg.* B² (*qui om.* te jam) ‖ 8 sigillo impressa W ‖
10 ipsi B¹ (*corr. s.l.* B²) ‖ 15 suae *mg.* B² ‖ 19 ornatum (orna-
mentum *a. corr.*) omnem B

3 *a. Ps.* 44, 3

2. Comme, au moment de communier, on lui présentait le corps du Seigneur, le Seigneur lui dit : « Voici que je viens à toi, ô mon épouse, non pas tellement pour te faire mes adieux, que pour te prendre dès maintenant avec moi là-haut et te présenter à Dieu, mon Père. » Ces paroles lui firent comprendre que, lorsque le Seigneur vient à l'âme dans le sacrement de son corps et de son sang, il attire à lui son désir et son bon vouloir : de même qu'une cire offre l'image du sceau qui s'est imprimé sur elle, il offre à Dieu le Père l'image de cette âme gravée en lui-même, et, l'apaisant ainsi, obtient pour elle des grâces privilégiées. Elle offrit ensuite au Seigneur de courtes prières qu'elle-même et d'autres personnes avaient adressées au Fils de Dieu, comme une nouvelle parure pour ses blessures et ses membres très saints. Ainsi resplendirait-il dans la gloire de sa très sublime Ascension. Le Seigneur Jésus lui apparut alors. Il semblait se tenir en présence de Dieu le Père, dans la magnificence de tous ces ornements. On voyait le Père céleste, le Seigneur [1], attirer à lui par la vertu toute-puissante de sa divinité toutes ces parures offertes à son Fils unique par le bon vouloir de ses élus. Et, de là, rayonnait une sorte de splendeur merveilleuse sur les trônes glorieux préparés de toute éternité pour ceux qui avaient récité ces prières. Ainsi, lorsqu'après l'exil de cette vie, ils parviendraient au royaume, s'en trouveraient-ils magnifiquement glorifiés.

Je suis avec vous. **3.** A l'heure de None, elle dirigea vers le Seigneur toute son attention, puisqu'il allait, à cette même heure, monter au ciel dans la gloire. Alors le Seigneur Jésus lui apparut de nouveau, *plus beau que tous les fils d'homme* [a], revêtu

---

1. Dans le Héraut, le titre de *Dominus* est plus volontiers réservé au Christ. Ce n'est qu'exceptionnellement qu'il désigne, comme ici, le Père.

amictus tunica viridi et pallio roseo. Et notabatur per
5 tunicam viridem omnium virtutum viror quarum summa
perfectio in sanctissima humanitate Christi pullulavit.
Per pallium vero roseum figurabatur amor ille fortissi-
mus qui instigaverat Dominum ad patientiam tanta
perferendi, ac si nullum habuisse posset meritum, quam
10 quod per patientiam passionis obtinuisset. His indumentis insignitus *Rex gloriae, Dominus virtutum* [b], con-
comitante se infinita multitudine angelorum, processit
per chorum, et quamlibet personam de congregatione
ipso die communicatam dextro brachio suo sancto
15 blande circumplectens, ori cujuslibet osculum praedulce
impressit, cum his verbis : *Ecce ego vobiscum sum usque
ad consummationem saeculi* [c].

4. Quibusdam vero personis videbatur etiam annu-
lum porrigere aureum gemma pretiosissima insignitum,
dicens : *Non relinquam vos orphanos, veniam ad vos iterum* [a]. Quod ista videns et admirans, dixit ad Domi-
5 num : « Et quid, amantissime Deus, istae prae caeteris
meruerunt, quas in signum specialis amicitiae annulis
subarrhasti ? » Respondit Dominus : « Istae, inquam,
inter prandendum memoriam devotam habuerunt illius
dignationis, qua ego ascensurus, cum discipulis edebam
10 et bibebam. Unde quot offas quaelibet earum comedit
cum memoria illius versiculi : ' Virtus tui divini amoris
incorporet me totum tibi, benignissime Jesu ', tot virtutibus viget gemma annuli sui. »

5. Dum vero cantaretur antiphona *Elevatis manibus* [a], virtute sua divina sublevatus Dominus, concomi-
tante se multitudine angelorum cum reverentia sibi mi-

3, 10 passionum W ‖ 14 communicati B ‖ 16 ego *om.* B

---

b. Antienne du *Magnificat* aux 2e Vêpres de l'Ascension :
O Rex gloriae (*CAO* 4079) : cf. *Ps.* 23, 10 ‖ *c. Matth.* 28, 20

d'une   tunique verte et d'un manteau rose. La tunique
verte signifiait la fraîcheur verdoyante de toutes les
vertus dont la perfection suprême s'est épanouie dans
la très sainte humanité du Christ. Le manteau rose
symbolisait cet amour véhément qui avait poussé le
Seigneur à supporter autant de souffrances que si les
seuls mérites en sa possession eussent été ceux qu'il
acquérait en souffrant sa passion. Paré de ces vêtements,
le Roi de gloire, le Seigneur des armées [b], s'avança dans le
chœur, escorté d'une infinie multitude d'anges. Il entoura
affectueusement de son bras droit chacune des personnes
de la communauté qui avait communié en ce jour, et
imprima sur leur bouche un tendre baiser, avec ces
mots : *Voici que je suis avec vous jusqu'à la consommation
des siècles* [c].

4. On le voyait, de plus, offrir à certaines un anneau
d'or orné de pierres très précieuses, en disant : *Je ne
vous laisserai pas orphelins, je reviendrai à vous* [a]. A
cette vue, saisie d'étonnement, elle dit au Seigneur :
« Ô Dieu très aimant, pourquoi ces personnes ont-elles
obtenu, de préférence aux autres, de recevoir de vous
cet anneau, signe et gage de votre spéciale affection ? »
Le Seigneur répondit : « Celles-là, en vérité, pendant
leur repas, se sont souvenues avec dévotion de la condescendance qui m'a fait manger et boire avec mes disciples
avant mon Ascension. Aussi, pour chaque bouchée qu'elles
ont prise en répétant ce verset : ' Que la force de votre
divin amour m'incorpore totalement à vous, ô très bon
Jésus ! ', la pierre de leur anneau resplendit d'un nouvel
éclat. »

5. Au chant de l'antienne *Elevatis manibus* [a], le
Seigneur s'éleva par la propre force de sa divinité, escorté
d'une multitude d'anges qui le servaient avec révérence.

---

4 *a. Jn* 14, 18 ‖ **5** *a.* 3e antienne des Laudes et des Vêpres
de l'Ascension(*CAO* 2635)

nistrantium, quasi in aere desursum signo crucis com-
5 munem congregationem benedixit, dicens : *Pacem meam
do vobis, pacem meam relinquo vobis* [b]. Per quod intellexit
quod per illam benedictionem Dominus tam efficaciter
cordibus omnium speciali devotione diem Ascensionis
celebrantium pacem suam divinam infudisset, quod nun-
10 quam deinceps deberent ita perturbationibus distrahi,
quin semper vestigium pacis illius in cordibus eorum
latere deberet, quemadmodum scintilla ignis sub cinere
latet.

CAPUT XXXVII

De praeparatione ad festum Pentecostes

1. Celebri festo Pentecostes adventuro, dum ante in
dominica communicatura oraret ad susceptionem Spiritus Sancti specialiter his quatuor virtutibus, scilicet
cordis puritate, humilitate, tranquillitate et concordia,
5 digne a Domino praeparari, in illo verbo quo pro cordis
orabat puritate, cognovit protinus cor suum niveo candore dealbatum. Cumque deprecaretur pro virtute humilitatis, videbatur Dominus quasi fundum quemdam
praeparare in anima ejus ad dona sua suscipienda. Dum
10 vero oraret sibi donari tranquillitatem, visus est Dominus cor ejus velut circulo aureo quodam ambire contra
infestationes inimicorum. Tunc ista dixit ad Dominum :
« Heu ! Domine mi, timeo me hoc tranquillitatis muni-
mentum citius disrupturam, eo quod cum aliqua tibi
15 video contraria, nequaquam dissimulare scio quin cum
vehementia contradicam. » Ad quod Dominus : « Per

5, 4 communem : *om.* B[1] omnem *mg.* B[2]
XXXVII. 1, 6 oraret B ‖ 8-9 praeparare quemdam W ‖
11 quodam aureo W ‖ 13 hoc : huius B[2]

Montant dans les airs, il bénit d'un signe de croix la communauté réunie, en disant : *Je vous donne ma paix, je vous laisse ma paix* [b]. Elle comprit alors que, par cette bénédiction, le Seigneur avait répandu sa paix divine avec un grand empire dans le cœur de toutes celles qui célébraient son Ascension avec une particulière dévotion : désormais, aucune vicissitude ne pourrait jamais les troubler au point de les empêcher de garder, dans le secret de leur cœur, les traces de cette paix, telle une étincelle embrasée qui se cache sous la cendre.

CHAPITRE XXXVII

Préparation à la fête de la Pentecôte

1. La fête solennelle de la Pentecôte approchait. Le dimanche précédent, au moment de communier, elle demanda d'être dignement préparée par le Seigneur à recevoir l'Esprit-Saint, particulièrement grâce à ces quatre vertus : la pureté du cœur, l'humilité, la paix et la concorde. En prononçant sa prière pour demander la pureté du cœur, elle prit aussitôt conscience que son cœur était devenu blanc comme neige. Lorsqu'elle implora la vertu d'humilité, elle vit le Seigneur préparer dans son âme une sorte de cavité pour recevoir ses dons. Et quand elle pria pour obtenir la paix, le Seigneur sembla ceindre son cœur d'un cercle d'or contre les attaques des ennemis. Elle dit alors au Seigneur : « Hélas, mon Seigneur ! je crains de faire sauter sans tarder ce rempart de paix : lorsqu'en effet je vois quelque chose qui vous est opposé, je suis incapable de ne pas exprimer mon désaccord avec véhémence. » A quoi, le Seigneur :

b. *Jn* 14, 27

talem commotionem nequaquam distrahitur tranquillitatis bonum, sed potius velut cancellis quibusdam variis
mirabiliter perornatur, per quas inextinguibilis ardor Spi-
20 ritus Sancti efficacius animam aspirando suavius refri-
gerat. »

2. Hinc dum oraret pro concordia caritatis, Dominus
virtute illa, velut quodam opertorio, caetera Spiritus
Sancti dona conservanda in anima ejus contegens, fir-
miter communivit. Cumque ipsa iterum timeret se hoc
5 opertorium concordiae amissuram per duriores contra-
dictiones aliquarum contra Religionem sentientium, Dominus respondit : « Virtus concordiae non distrahitur
per rebellionem injustitiae. Immo ego meipsum impono
scissuris cordis zelo mei distracti, sicque tutius obfirmo
10 et conservo inhabitationem et operationes Spiritus mei
divini. » Intellexitque quod quicumque devote oraret
praedictis virtutibus ad praeparationem Spiritus Sancti
a Domino praeparari, et in ipsis proficere studeret,
similem certe consequeretur effectum.

CAPUT XXXVIII

De mellifluo festo Pentecostes

1. In vigilia vero sacrosancta, dum inter Officium devotius oraret se praeparari adventui Spiritus Sancti, audivit in spiritu Dominum suavissima blanditate sibi dicen-

2, 11-13 intellexitque — praeparari *iteratum et deletum*
(2ᵃ *vice* : pro praedictis) B¹ ‖ 13-14 studeret — effectum
iteratum mg. et deletum B²

---

1. Non sans préciosité, mais avec une poésie très expressive
des réalités profondes qu'elle traduit, la paix est figurée par un
mur que percent de meurtrières les saintes colères de la moniale.

« Pareille émotion ne brise nullement cette paix si précieuse, mais bien plutôt, ô merveille, la garnit-elle de meurtrières par lesquelles l'ardeur inextinguible de l'Esprit-Saint rafraîchit plus efficacement ton âme de son souffle délicieux [1]. »

2. Comme elle demandait la concorde que donne la charité, le Seigneur, grâce à cette vertu, couvrit comme d'un voile les autres dons de l'Esprit-Saint pour les garder en son âme et les protéger avec sécurité. De nouveau, elle s'inquiéta à l'idée de perdre cette concorde dont elle était enveloppée, en s'opposant avec trop de rigueur à certaines personnes hostiles à la vie religieuse. Mais le Seigneur répondit : « La vertu de concorde n'est pas brisée quand on se révolte contre l'injustice, mais bien plutôt suis-je moi-même le ciment sur les fissures d'un cœur qu'a fait éclater mon zèle, et c'est ainsi que je rends plus assurées, plus fermes et plus durables en lui l'habitation et les opérations de mon divin Esprit. » Elle comprit aussi que ceux qui demanderaient dévotement au Seigneur de les préparer à recevoir l'Esprit-Saint grâce aux vertus dont on a parlé, et qui s'efforceraient d'y faire des progrès, obtiendraient certainement des grâces analogues.

CHAPITRE XXXVIII

La fête de Pentecôte, ruisselante de miel

Le baptême de l'Esprit. **1.** En la très sainte vigile, comme elle demandait durant l'office, avec une dévotion accrue, d'être préparée à la venue de l'Esprit-Saint, elle entendit spirituellement le Seigneur

---

[1] Par ces meurtrières, l'Esprit-Saint fait pénétrer ses flammes ardentes, lesquelles sont pour l'âme une brise rafraîchissante et délicieuse ! On voit quel jeu de contrastes est ici mis en œuvre.

tem : *Accipietis virtutem supervenientis Spiritus Sancti*
5 *in vos* [a]. Ex quibus verbis Domini dum miram sentiret
suavitatem, coepit quoque suam cum dejectione retractare indignitatem. Unde videbatur sibi quod per
recordationem indignitatis suae faceret quasi fundum
quemdam in corde suo, tanto profundiorem quanto se
10 reputabat viliorem. Hinc de Corde mellifluo Filii Dei
distillabat vena quaedam purissima in similitudine favi
mellis, quae paulatim fundum cordis ejus instillans,
usque ad summum replebat. Per quod persensit designari suavitatem Spiritus Paracliti, qui per Cor Filii
15 Dei suaviter influit corda electorum. Tunc Filius Dei
manu sua deifica repletionem fundi illius benedixit ad
similitudinem fontis baptismi ut quandocumque anima
illum intraret, ab omni macula purificata sibi reddere-
tur accepta.

2. Hac salubri benedictionis gratia dum se gauderet
donatam, dixit ad Dominum : « Ecce, Domine mi, ego
indigna peccatrix fateor cum dolore, heu ! ex humana
fragilitate me contra tuam divinam omnipotentiam mul-
5 tipliciter deliquisse, ac contra tuam divinam sapientiam
per ignorantiam diversimode peccasse, necnon tuam
inaestimabilem benignitatem me multis modis malitiose irritasse. Ergo, *Pater misericordiarum* [a], miserere mei,
et da mihi de tua omnipotentia vires resistendi omnibus
10 quae tibi sunt contraria ; et de tua inscrutabili sapientia
da mihi caute praevenire omnia quae oculos tuae puritatis in me offendere possent ; atque ex superabundantia
pietatis tuae concede mihi tam stabili fidelitate tibi
adhaerere, ut nunquam vel in minimo a tua voluntate
15 discordem. »

XXXVIII. 1, 11 similitudinem B ‖ 12 qui W ‖ **2**, 2
donatam : dotatam W ‖ 6 *post* necnon *add.* contra W ‖ 8
post malitiose *add.* te W ‖ 12 atque *s.l.* B²

XXXVIII. **1** *a. Act.* 1, 8 ‖ **2** *a. II Cor.* 1, 3

lui dire avec une très grande douceur et tendresse :
Vous recevrez la vertu de l'Esprit-Saint survenant en vous [a].
A ces paroles du Seigneur, éprouvant une étonnante
douceur, elle se prit à se remémorer avec humilité sa
propre indignité. Il lui sembla alors, par ce rappel de
son indignité, creuser une sorte de cavité dans son cœur,
cavité d'autant plus profonde qu'elle-même se jugeait
plus vile. Puis, du cœur melliflue du Fils de Dieu, s'épan-
chait goutte à goutte une veine très pure, semblable
à un rayon de miel, laquelle, se déversant peu à peu
dans la cavité de son cœur, la remplissait à pleins bords.
Elle comprit qu'était par là symbolisée la douceur de
l'Esprit Paraclet qui, à travers le cœur du Fils de Dieu, se
répand dans le cœur des élus. Le Fils de Dieu bénit alors
de sa main déifique le contenu de cette cavité, comme on
bénit les fonts baptismaux ; ainsi, chaque fois que l'âme
s'y plongerait, elle serait purifiée de toute tache et lui
deviendrait agréable.

2. Tout heureuse de recevoir la grâce salutaire de
cette bénédiction, elle dit au Seigneur : « Mon Seigneur,
voici que moi, indigne pécheresse, je confesse avec douleur avoir, hélas ! multiplié les fautes contre votre toute-
puissance divine, avoir aussi offensé par ignorance, de
diverses manières, votre sagesse divine, avoir enfin,
de multiples façons, irrité par ma malice votre bénignité
sans prix. *Ô Père des miséricordes* [a] ! prenez-moi donc
en pitié, et donnez-moi, de par votre toute-puissance,
la force de résister à tout ce qui vous est opposé ; de par
votre sagesse inscrutable, donnez-moi aussi la prudence
d'éviter tout ce qui, en moi, pourrait offenser le regard
de votre pureté ; de par la surabondance de votre bonté [1],
accordez-moi enfin d'adhérer à vous avec une si constante
fidélité que jamais mon cœur ne s'écarte, si peu que ce
soit, de votre volonté. »

---

1. Noter le schéma trinitaire.

3. Et cum haec verba diceret, videbatur per eadem fundo illi velut regeneranda immersa. Indeque post moram rediens, apparuit ab omni macula peccati tamquam super nivem candidata. Sicque conspectui divi-
5 nae majestatis assistens, commendabat se omnium sanctorum patrociniis, sicut baptizati solent commendari patrinis, desiderans et exorans omnes pro se orare. Tunc omnes sancti cum gaudio surgentes, obtulerunt Domino merita sua in suppletionem omnium ne-
10 gligentiarum ejus ac indigentiarum. Ex quibus cum mirabiliter fuisset decorata, Dominus blande assumens eam, statuit ita directe coram se, quod divinus afflatus ipsius animam suaviter aspirabat, ac vice versa efficaciter intrahebat sibi flatum animae. Et ait Dominus
15 ad eam : « Hae sunt deliciae meae, in quibus esse delector cum filiis hominum [a]. » Per flatum enim animae notabatur voluntas ejus bona. Per afflatum vero Domini, dignatio divinae pietatis, qua dignatur bonam voluntatem animae acceptare. Sicque anima inter amplexus
20 Domini suaviter repausans, velut in quadam expectatione, debebat ad susceptionem Spiritus Sancti decentius praeparari.

4. Cum vero per orationes speciales obtinere studeret a Domino septem dona Spiritus Sancti, et oraret primo pro dono timoris, quo retraheretur ab omnibus malis, apparuit illico Dominus quasi in medio cordis sui sta-
5 tuere arborem quamdam elegantis staturae, quae dilatans ramos suos totum habitaculum cordis ipsius contegere videbatur, habebatque quosdam aculeos deflexos, de quibus flores pulcherrimi procedebant sursum erecti. Unde per arborem illam intellexit significari timorem

---

3, 1-2 per eadem — regeneranda : sibi quod eodem fundo velut regenerandi gratior esset W ‖ 3 rediens : regrediens B ‖ 7 *post* commendari *add.* in *s.l.* W ‖ patrinis : matrinis B ‖ 12 *post* statuit *add.* eam W ‖ 15-16 delector esse W ‖ 17 vero :

3. Et, sous l'effet de ces paroles, elle se voyait immergée dans ces fonts, comme pour y être régénérée. Quand elle en sortit, quelques instants plus tard, elle semblait plus blanche que neige, sans aucune trace de péché. Et c'est ainsi que, debout en présence de la divine majesté, elle se recommanda au patronage des saints, comme on a coutume de recommander les baptisés à leurs parrains, souhaitant et demandant que tous prient pour elle. Se levant alors avec joie, tous les saints offrirent au Seigneur leurs propres mérites pour suppléer à toutes ses négligences et déficiences. Ainsi merveilleusement parée, elle fut accueillie avec tendresse par le Seigneur. Il la plaça juste devant lui, en sorte que le souffle divin pénétrait suavement dans son âme et, en retour, attirait à lui le souffle de l'âme. Le Seigneur lui dit alors : « Voici *les délices* qui me font aimer *d'être avec les fils des hommes* [a]. » Par le souffle de l'âme, était symbolisé son bon vouloir ; par le souffle du Seigneur, la condescendance de l'amour de Dieu, grâce à laquelle il daignait accepter le bon vouloir de l'âme. Et reposant ainsi, comme en attente, dans les suaves embrassements du Seigneur, l'âme serait dignement préparée à recevoir l'Esprit-Saint.

Les sept dons. **4**. Or, comme elle s'efforçait par des prières particulières d'obtenir du Seigneur les sept dons de l'Esprit-Saint, et qu'elle demandait en premier lieu le don de crainte qui devait l'éloigner de tout mal, le Seigneur parut aussitôt planter au milieu de son cœur un arbre de belle taille qui, étendant ses rameaux, semblait couvrir toute la demeure de son cœur. Il avait des épines recourbées d'où sortaient des fleurs magnifiques dressées vers le haut. Cet arbre, elle le comprit, symboli-

enim B ‖ domini : dei W ‖ 21 *post* expectatione *add.* qua W

---

3 *a. Prov.* 8, 31

10 Domini sanctum, qui quasi quibusdam aculeis compungit animam et retrahit ab omnibus malis ; per flores
vero, voluntatem illam, qua homo desiderat per timorem Domini ab omni peccato praemuniri. Cumque homo
sic per timorem Domini aliquod bonum opus perficit sive
15 mala dimittit, tunc arbor illa fructus pulcherrimos pro-
ducit. Similiter, cum pro singulis donis Dominum devotius exoraret, apparuerunt singula dona, in specie venus-
tarum arborum florentia, singulos fructus secundum
suas virtutes producere *a*. De arboribus enim scientiae
20 et pietatis videbatur velut ros quidam levissimus distil-
lare : per quod intellexit quod hi qui student in virtutibus scientiae et pietatis, quasi rore quodam suavissimo
respersi florent et vigent. De arboribus consilii et forti-
tudinis visi sunt funiculi quidam aurei dependere : per
25 quod figurabatur quod per Spiritum consilii et fortitu-
dinis anima trahitur ad spiritualia capienda. De arboribus quoque sapientiae et intellectus rivuli quidam nec-
tarei defluebant, significantes quod per Spiritum sapientiae et intellectus animam efficaciter influit et suaviter
30 satiat dulcedo divinae fruitionis.

5. In nocte vero sancta, dum ad Matutinas tantam
sentiret debilitatem, quod ibidem diutius interesse non
posset, dixit ad Dominum : « Et quid tu, Domine mi,
poteris ex hoc habere gloriae et laudis, quod ego indigna
5 divinis officiis tam parva intersum mora ? » Respondit
Dominus : « Ecce, ut per exteriorum similitudinem duca-
ris ad intellectum spiritualem, perpende quid sponsus
consequatur ex hoc, quod per moram noctis unius sponsae suae blanditur pro delectamento cordis sui. Sed

---

4, 10 compungit : pungit B¹ com- *add. mg.* B² ‖ 13 homo
om. W ‖ 18 florentes W ‖ 23-26 de arboribus — capienda
om. B¹ *mg.* B² ‖ **5,** 2-3 sentiret — et quid *om.* B¹ *mg.* B² ‖ 4
poteris : potuit W ‖ 5 mora : hora W *qui add. s.l.* vel
mora

sait la sainte crainte du Seigneur qui transperce l'âme comme avec des épines et la soustrait à tout mal, et les fleurs, cette volonté de l'homme qui désire, par la crainte du Seigneur, être prémuni contre tout péché. Et donc, lorsque, par la crainte du Seigneur, l'homme accomplit quelque bonne action ou repousse le mal, l'arbre produit alors des fruits magnifiques. La même vision se répéta lorsqu'elle demanda avec dévotion chacun des dons au Seigneur. Ils apparurent un à un, couverts de fleurs, sous l'aspect de beaux arbres produisant des fruits, chacun selon son espèce [a]. Ainsi, les arbres de la science et de la piété semblaient distiller une rosée délicate. Elle comprit de la sorte que les personnes qui pratiquent les vertus de science et de piété sont, pour ainsi dire, baignées d'une rosée très suave qui les fait fleurir et prospérer. Aux arbres de conseil et de force semblaient suspendus des cordons d'or. Cela signifiait que l'Esprit de conseil et de force entraîne l'âme à se saisir des biens spirituels. Enfin, des arbres de sagesse et d'intelligence coulaient des ruisseaux de nectar, pour signifier que, grâce à l'Esprit de sagesse et d'intelligence, la douceur de posséder Dieu pénètre profondément dans l'âme et la rassasie de suavité.

5. En la sainte nuit, durant les Matines, elle ressentit une telle faiblesse qu'il lui fut impossible d'y demeurer davantage. Elle dit alors au Seigneur : « Quelle gloire et quelle louange, ô mon Seigneur, pouvez-vous donc recevoir de moi qui ne suis pas même digne d'assister plus longtemps à l'office divin ? » Le Seigneur répondit : « C'est par une comparaison tirée des réalités extérieures que tu vas comprendre les spirituelles : considère ce que ressent l'époux lorsque, durant l'espace d'une seule nuit, il prodigue à son épouse ses caresses pour la plus grande joie de son cœur. Or, jamais époux n'a pu trouver

4 *a*. Cf. *Gen.* 1, 12

10 sponsus nunquam tantum affectum habere potuit in
sponsae suae blanditiis, quantum ego habeo in quanta-
vis brevi hora qua electi mei corda sua mihi praebent
ad delectandum in eis. »

6. Cum vero accederet ad communionem, videbatur
Dominus velut de omnibus membris suis sanctissimis
suavissimo spiramine animam ejus aspirare, unde mirabilem et ineffabilem quamdam persensit delectationem ;
5 et hoc recognovit per hoc meruisse quod studiose oraverat pro donis Spiritus Sancti. Hinc communicata obtulit Deo Patri totam sanctissimam Jesu Christi conversationem pro suppletione illius qua, ab hora qua in bap-
tismo renata Spiritum Sanctum suscepit, nunquam tam
10 dignissimo hospiti condignam in corde et anima sua
exhibuerit mansionem. Ad quam oblationem suavissimus Spiritus provocatus, quemadmodum aquila celeri
volatu petit cadaver, sic velut celerrimo quodam impetu
advolavit in specie columbae *a* super vivificum sacramen-
15 tum, et quasi requirens Cor Jesu dulcissimum, illudque
ingressus, se optime contentum mansione ipsius pectoris sanctissimi demonstravit.

7. Cum vero ad Tertiam cantaretur hymnus *Veni
Creator Spiritus*, apparuit ei Dominus Jesus tamquam
ambabus manibus aperiens versus eam Cor suum omni
dulcedine plenum. Tunc ipsa flexis genibus cecidit in
5 faciem suam, ita quod caput in medio Cordis Domini
reclinabat. Dominus vero caput ejus suscipiens, Cor

10 effectum W ǁ **6**, 3 aspirare : spirare B¹ a- *add. s.l.* B² ǁ
11 suavissimus : suavifluus W ǁ16-17 sanctissimi pectoris W
ǁ **7**, 2 ei *om.* W ǁ 5 medium W

---

6 *a.* Cf. *Lc* 3, 22

---

1. La hardiesse de l'image a gêné Lansperge, qui, dans son édition, écrit seulement : « Dominus vero caput eius suscipiens *sibi-*

si grande douceur aux caresses de son épouse que je n'en ressens moi-même à l'heure, si brève soit-elle, où mes élus m'offrent leur cœur pour y prendre mes délices. »

Le Cœur du Christ demeure de l'Esprit.

6. Comme elle s'avançait pour communier, le Seigneur lui parut exhaler de tous ses membres sacrés et répandre sur son âme un souffle très suave qui lui causa une joie merveilleuse, impossible à décrire, et elle eut conscience d'avoir obtenu cette grâce en demandant avec instance les dons de l'Esprit-Saint. Après la communion, elle offrit à Dieu le Père toute la vie très sainte de Jésus-Christ pour suppléer à son insuffisance : depuis l'heure, en effet, où elle avait reçu l'Esprit-Saint dans la nouvelle naissance baptismale, jamais elle n'avait offert à cet hôte divin, en son cœur et en son âme, une demeure digne de lui. Cette offrande fut une provocation pour l'Esprit très suave. Tel un aigle qui, d'un vol rapide, fond sur un cadavre, il se précipita, sous la forme d'une colombe *a*, d'un coup d'aile très rapide, sur le sacrement de vie, en quête du Cœur très doux de Jésus, et y pénétra pour bien montrer qu'il est lui-même enclos, de manière parfaite, en la très sainte demeure de cette poitrine.

7. A Tierce comme on chantait l'hymne *Veni Creator Spiritus*, il lui sembla que le Seigneur Jésus, de ses deux mains, ouvrait devant elle son Cœur rempli de toute douceur. Fléchissant alors les genoux, elle tomba sur la face, en sorte que sa tête se trouvait reposer au milieu du Cœur du Seigneur. Et le Seigneur, lui prenant la tête, parut refermer sur elle son divin Cœur [1]. C'est

---

que applicans... » De même, il atténue ensuite *manus utrasque* (li. 11), *pedes suos* (li. 15) en « manus animae, id est opera », « pedes animae, id est desideria ». On comparera l. V, 27, 1, 16-23.

suum divinum circa illud concludere videbatur, et per
hoc voluntatem ipsius, quae caput animae dicitur,
uniens sibi, in se sanctificabatur. Hinc per secundum
10 versum : *Qui Paraclitus diceris*, ipsa edocta a Domino,
manus utrasque Cordi dominico imponens, obtinuit divinae consolationis subsidium in omnibus operibus suis,
tamquam universa essent Domino perfectissimo modo
deinceps placitura. Post hoc ad tertium versum :
15 *Tu septiformis gratia*, ipsa pedes suos similiter Cordi
imponens, promeruit omnium desideriorum suorum,
quae per pedes designantur, sanctificationem. Deinde per quartum versum : *Accende lumen sensibus*,
sensus suos Domino commendans, hoc accepit in promis-
20 sis, quod sensus sui sic deberent illuminari quod etiam
alii per eam essent illuminandi in cognitione, et amore
Dei succendendi. Ad quintum autem versum : *Hostem*
repellas, Dominus acclinans se blandissime ad animam,
osculum persuave ipsi indulsit ; per quod quasi quodam
25 firmissimo scuto omnes insidias inimici ab ea potenter
propulsabat. In his autem tantam suavitatem persensit in
anima, quod liquide intellexit hoc esse de quo non imme-
rito praecedenti die praedictum erat sibi illud : *Accipietis*
virtutem supervenientis Spiritus Sancti in vos [a].

CAPUT XXXIX

De suppletione spiritualis habitus

1. Feria secunda, dum ad elevationem hostiae offerret eamdem, pro suppletione omnium quae unquam

---

7-8 et per hoc : per quod W ‖ 10 versum : versiculum B[1]
(*corr. mg.* B[2]) ‖ 15 gratia : spiritus B *om.* W ‖ *post* cordi *add.*
domini B[2] W ‖ 19 sensus *s.l.* B[2] ‖ 23 ad animam *om.* W

ainsi qu'il s'unit sa volonté — qu'on appelle la tête de
l'âme — et la sanctifia en lui. Puis, à la deuxième strophe,
Qui Paraclitus diceris, sur l'ordre du Seigneur, elle appliqua ses deux mains sur le Cœur du Seigneur et obtint
ainsi pour toutes ses actions le secours et l'aide de Dieu,
en sorte que toutes devaient désormais plaire au Seigneur
d'une manière très parfaite. A la troisième strophe,
Tu septiformis gratia, appliquant de même ses pieds
sur le Cœur du Seigneur, elle en mérita la sanctification
de tous ses désirs, symbolisés par les pieds. Alors, à la
quatrième strophe, *Accende lumen sensibus*, elle confia
ses sens au Seigneur et reçut de lui la promesse que ses
sens recevraient assez de lumière pour qu'elle-même
puisse illuminer les autres de la connaissance de Dieu
et les embraser de son amour. Pendant la cinquième
strophe, *Hostem repellas longius*, le Seigneur, s'inclinant tendrement vers son âme, lui accorda un baiser
très suave. Il repoussait ainsi avec force les embûches
de l'ennemi, comme à l'aide d'un bouclier invincible.
Et de tout ceci son âme ressentit une telle douceur qu'elle
comprit clairement que n'était pas vaine la prédiction
de la veille : *Vous recevrez la vertu de l'Esprit-Saint survenant en vous* [a].

CHAPITRE XXXIX

Suppléance aux déficiences
des dispositions spirituelles

1. Le lundi, au moment de l'élévation, elle offrit
l'hostie pour suppléer à toutes les négligences de ses

XXXIX. 1, 1 dum *s.l.* B² ‖ 2 eamdem *s.l.* B²

---

7 *a. Act.* 1, 18

neglexit in habitu spirituali, non sequendo Spiritum, aut
etiam extinguendo, videbatur eadem hostia salutaris
5 ramos pulcherrimos ex omni parte sui producere, quos
Spiritus Sanctus colligens, cum ipsis saepire videbatur
thronum semper venerandae Trinitatis. Unde per hoc
quod hostia ramos emittebat, intellexit significari quod
omnis negligentia ipsius per dignitatem sacramenti ple-
10 nissime foret suppleta. Et ecce facta est vox de throno
dicens [a] : « Confidenter accedat ad thalamum unionis
quae sponsum pascere facit per hos flores delectationis. »
In quibus verbis intellexit quod Dominus per oblationem
illius sacramenti dignaretur eam suscipere, tamquam per-
15 fectam in habitu spirituali.

2. Hinc dum more sibi assueto, ad primum *Agnus Dei*
oraret pro tota ecclesia, ut Dominus eam in omnibus
paterne gubernaret, et ad secundum *Agnus Dei* peteret
pro animabus omnium fidelium defunctorum, ut Domi-
5 nus eas misericorditer a poenis relevaret, ac per tertium
Agnus Dei desideraret ut Dominus merita omnium
sanctorum et electorum jam sibi conregnantium in caelis
adaugeret, Dominus in verbo illo, scilicet : *dona nobis
pacem*, blande acclinatus ad eam, osculum ori ejus tam
10 efficax impressit, quod omnes sancti, efficacia illius dulcedinis medullitus affecti et dulciter pertransiti, exinde
omnium gaudiorum et meritorum suorum grande sump-
serunt augmentum.

12 fecit W ‖ **2**, 5 per : ad W

XXXIX. **1** *a*. Cf. *Apoc.* 21, 33

---

1. Il s'agit à la fois, semble-t-il, de l'offrande proprement dite
du sacrifice eucharistique et de l'acte par lequel sainte Gertrude
présente à Dieu l'hostie au moment de l'élévation, pour suppléer
à ses négligences.

dispositions spirituelles, quand elle n'avait pas été docile à l'Esprit ou l'avait étouffé. Elle vit alors cette même hostie de salut pousser de toute part des rameaux magnifiques. L'Esprit-Saint parut les joindre ensemble et en former une haie autour du trône de la toujours vénérable Trinité. Ces rameaux issus de l'hostie signifiaient, elle le comprit, que toutes ses négligences trouvaient dans l'auguste sacrement une suppléance universelle. Et voici qu'une voix sortit du trône [a]. Elle disait : « Qu'elle entre avec confiance dans la chambre nuptiale, celle qui rassasie l'époux de ces fleurs de délices. » Elle comprit à ces mots que le Seigneur, grâce à l'oblation sacramentelle [1], daignerait l'accueillir comme si ses dispositions spirituelles avaient été parfaites.

2. Ensuite, selon sa coutume, au premier *Agnus Dei* elle pria pour l'Église entière, afin qu'en toutes choses le Seigneur la gouverne comme un père, et au deuxième *Agnus Dei* elle demanda pour les âmes de tous les fidèles défunts que le Seigneur les soulage miséricordieusement de leurs peines, et par le troisième *Agnus Dei* elle exprima le désir que le Seigneur accroisse la récompense [2] de tous les saints et élus régnant déjà avec lui dans le ciel. Aux mots *dona nobis pacem*, le Seigneur s'inclina tendrement vers elle, imprimant sur ses lèvres un baiser dont l'effet fut tel que tous les saints éprouvèrent jusqu'au fond d'eux-mêmes la suave efficacité de sa pénétrante douceur, et ils en reçurent un grand accroissement de joie et de récompense.

---

2. On a traduit ici *merita* par « récompense » afin d'éviter toute ambiguïté doctrinale. Pour sainte Gertrude, comme d'ailleurs pour le latin classique, le mot *meritum* a un sens beaucoup plus large que notre mot français « mérite ». Il signifie à la fois, et un mérite (un droit, un titre), et ce qu'on a fait pour mériter (service rendu, par exemple), et la conséquence de ce mérite, c'est-à-dire récompense ou châtiment. On trouverait dans le *Héraut* des exemples de ces diverses acceptions.

3. Deinde, cum procederet ad communionem, omnes
sancti cum gaudio ipsi assurgebant, quorum omnium
merita de fulgore divinae claritatis irradiata mirifice
refulserunt, quemadmodum clypei aurei militum a solari
5 radio illustrati refulgent *ᵃ*, et ex illo splendore singulorum
sanctorum merita resplendorem amoenum reddebant in
animam ejus. Cumque sic assisteret Domino velut in quadam expectatione, et necdum admitteretur familiari ejus
unioni, tandem cum percepisset vivificum sacramentum,
10 tunc anima ipsius plena fruitione, quantum possibile
est in hac vita, suo amatori est unita. Sicque rami
praedicti, quibus Spiritus Sanctus circumsaepserat thronum beatissimae Trinitatis, repente coeperunt revirere
ac reflorere, sicut herba marcida refloret ad inundan-
15 tiam pluviae salutaris. Et ex hoc sancta semperque tranquilla Trinitas, inaestimabili modo delectata, omnibus
sanctis novae jucunditatis ministrabat delectamenta.

CAPUT XL

DE GRATIA SPIRITUS SANCTI

1. Feria deinde tertia, dum hostiam dominici corporis
offerret pro suppletione illius quod specialis gratia unionis ac familiaritatis, qua eam Dominus prae multis aliis
suavius in spiritu sibi intraxit, nunquam debita grati-
5 tudine usa fuisset, nec se ad vacandum et intendendum
illi, secundum quod dignum fuisset, ab omnibus exterioribus exoccupasset ; et hoc faceret ea fidelitate, ut ipsa
desideraret in se semper penuriam negligentiarum sua-

3, 1 cum : dum W ‖ 4 aurei *om.* W ‖ 7 anima W
XL. 1, 2 specialis : spiritualis B¹ (*corr.* B²) ‖ 4 *post* spiritu
add. eam W ‖ intraxit : attraxit W

3. Puis, comme elle s'avançait pour communier, tous les saints se levèrent avec joie. Leurs mérites, brillant des feux de la clarté divine, resplendirent d'un éclat merveilleux, comme resplendissent les boucliers d'or des soldats frappés d'un rayon de soleil *a*, et, de cette splendeur, les mérites de chacun des saints projetaient sur son âme le reflet délicieux. Elle se tenait ainsi devant le Seigneur, comme en attente, sans être encore admise à l'intimité de l'union. Mais, lorsqu'elle eut reçu le sacrement, son âme fut unie à son amant dans une plénitude de jouissance aussi grande qu'il est possible en cette vie. Les rameaux dont on a parlé, ceux dont l'Esprit avait entouré le trône de la bienheureuse Trinité, se mirent alors soudain à reverdir et à fleurir, comme la plante desséchée refleurit sous l'ondée d'une pluie bienfaisante. La sainte et toujours tranquille Trinité en reçut d'inestimables délices et répandit sur tous les saints une nouvelle et délectable allégresse.

CHAPITRE XL

La grâce de l'Esprit-Saint

1. Le mardi, elle offrit l'hostie, corps du Seigneur, pour suppléer à sa négligence. Jamais, en effet, elle n'avait usé, avec la gratitude requise, de cette grâce d'union particulièrement intime par laquelle le Seigneur, de préférence à beaucoup d'autres, l'avait attirée spirituellement en lui avec une douceur sans égale. Jamais non plus elle ne s'était détachée des réalités extérieures autant qu'il aurait fallu pour vaquer à lui et lui prêter toute son attention. Or, elle mettait dans cet acte tant de sincérité qu'elle exprima le désir de supporter toujours en elle-même la pauvreté due à ses négligences, afin d'offrir

3 *a.* Cf. *I Macc.* 6, 39

rum perferre, quo tantummodo suppleretur Domino, quid-
10 quid sibi subtraxisset condecentis gloriae et honoris per
negligentias suas : benignus Dominus, qui bonam voluntatem hominis acceptat pro facto, videbatur per hostiam illam perfectissimo modo perficere omne desiderium ipsius. Hinc benignissimus Spiritus, recolligens in
15 se omnem perfectionem illam, semet cum ipsa demisit
ad animam, seque per eamdem hostiam sacrosanctam
animae illi beatae veluti quodam tenacissimo glutino
felicissima unione inseparabiliter conglutinavit.

CAPUT XLI

De festo gloriosae Trinitatis

1. Celebri festo fulgidae semperque tranquillae Trinitatis, dum ob reverentiam ipsius legisset hunc versiculum : « Gloria tibi, imperialis, excellentissima, gloriosissima, nobilissima, dulcissima, benignissima sem-
5 perque tranquilla et ineffabilis Trinitas, aequalis, una
Deitas, et ante omnia saecula, et nunc, et in perpetuum ^{a}», et hoc offerret Domino, apparuit Filius in humanitate, in qua minor esse dicitur Patre ^{b}, stans in conspectu Trinitatis venerandae, in florentissimae juventutis
10 grata vernantia, super quolibet membro habens florem

9 quo — domino : perferre tantummodo ut suppleretur a
domino *a. corr.* W
XLI. 1, 3 *post* tibi *add.* sit W ‖ 4 *post* benignissima *add.*
fulgida W ‖ 6-8 et ante — in humanitate *om.* B¹ *mg.* B² ‖
9 venerandae trinitatis W

XLI. **1** *a.* 1re antienne (glosée) des Laudes et des
Vêpres de la fête de la sainte Trinité (*CAO* 2948) ‖ *b.* Symbole

du moins par là au Seigneur une compensation pour toute la gloire et l'honneur dont elle l'avait lésé par ses négligences. Le Seigneur qui, dans sa bénignité, accepte de tenir pour un fait le bon vouloir des hommes, sembla, grâce à cette hostie, réaliser tous ses désirs de façon absolument parfaite. Puis, l'Esprit rempli de bénignité, rassemblant en lui toute cette perfection, la déversa dans l'âme où il descendit lui-même. De plus, par le moyen de cette même hostie très sainte, il cimenta de façon extrêmement étroite une union indissoluble [1] avec cette âme bienheureuse, dans un bonheur parfait.

CHAPITRE XLI

Fête de la glorieuse Trinité

L'humanité du Christ. **1.** En la solennité de la resplendissante et toujours tranquille Trinité, elle récitait ce verset en son honneur : « *Gloire à vous, ô souveraine, très excellente, très glorieuse, très noble, très douce, très bénigne, et toujours tranquille et ineffable Trinité, Déité égale et une, avant tous les siècles, et maintenant, et à jamais [a].* » Et comme elle offrait cette prière au Seigneur, le Fils apparut en son humanité, en laquelle il est dit moindre que le Père [b]. Il se tenait debout, en présence de la Trinité, plein de jeunesse et de grâce, tel un printemps tout fleuri. Sur chacun de ses membres, il portait une fleur d'une telle beauté et d'un

Quicumque : « Aequalis Patri secundum divinitatem, minor Patre secundum humanitatem. » Cf. *Jn* 14, 28

---

1. L'image est celle d'une glu, d'une colle extrêmement adhérante qui agglutine, d'une manière inséparable, l'Esprit-Saint et l'âme ; la traduction ne peut qu'édulcorer.

tantae venustatis ac splendoris quod nulli visibili mate-
riei poterat comparari. Per quod notabatur quod, cum
humana parvitas nostra nequaquam inattingibilem laudem excellentissimae Trinitatis possit saltem vel attin-
15 gere, Christus Jesus in humanitate sua, in qua minor esse
dicitur Patre, exiguum nostrum suscipit studium, et
hoc in se nobilitando dignum efficit holocaustum summae
et individuae Trinitatis.

2. Dum vero imponerentur Vesperae, Filius Dei, Cor
suum benignissimum et dignissimum ambabus manibus
tenens, illud in specie cujusdam citharae conspectui
gloriosae Trinitatis praesentabat. Per quod omnis devo-
5 tio et omnia verba quae cantabantur per totum festum
illud suavissime resonabant. Illorum autem cantus,
qui sine speciali devotione tantum ex usu vel humana
delectatione psallebant, tamquam spissae chordae in
gravibus submurmurabant. Sed qui cum devotione lau-
10 dem venerandae Trinitatis decantare intendebant, hi per
Cor Jesu Christi sanctissimum velut in acutis altisona
modulatione ac suavissimo clangore personabant. Hinc
dum cantaretur antiphona *Osculetur me* [a], facta est vox
de throno dicens : « Accedat *Filius meus dilectus, in quo*
15 *mihi* per omnia optime *complacui* [b], et deliciositati meae
persuavissimum praebeat osculum. » Tunc procedens
Filius Dei in humana forma, praebuit suavissimum osculum incomprehensibili divinitati, cui foedere insepara-
bilis unionis sola ejus humanitas sanctissima felicissime
20 meruit copulari.

3. Post haec, Filius Dei blandissime ad Matrem suam

15 sua *om.* W ‖ 15-16 in qua — patre *om.* B[1] *mg.* B[2] ‖
2, 2 benignissimum et *om.* W ‖ 3, 1 haec : hoc B

---

2 *a. Cant.* 1, 1 ‖ *b. Matth.* 3, 17 ; 17, 5

---

1. Image nuptiale, tout à fait dans la ligne de la tradition

tel éclat que rien de visible ou de matériel ne saurait
en donner une idée. Cela signifiait que, la petitesse de
l'homme ne pouvant même pas accéder à l'inaccessible
louange de la très excellente Trinité, le Christ Jésus,
en son humanité en laquelle il est dit moindre que le
Père, assume notre pauvre ferveur et l'ennoblit ainsi
en lui-même au point d'en faire un holocauste digne de
la suprême et indivisible Trinité.

Baisers.   **2.** Lorsqu'on entonna les Vêpres, le Fils de
Dieu, tenant de ses deux mains son Cœur,
plein de bénignité et de noblesse, le présenta, sous le
symbole d'une cithare, aux yeux de la glorieuse Trinité.
Toute la dévotion et toutes les paroles chantées durant
le cours de la fête y résonnaient suavement. Ceux qui
psalmodiaient sans dévotion particulière, mais seulement
par routine, ou encore avec une satisfaction tout
humaine, ne produisaient qu'un sourd murmure sur les
cordes basses. Mais ceux qui s'appliquaient dévotement
à chanter la louange de la vénérable Trinité, ceux-là
semblaient faire retentir au moyen du Cœur très saint
de Jésus-Christ une mélodie sublime et des sons très
suaves, sur les cordes les plus sonores. Puis, tandis qu'on
chantait l'antienne *Osculetur me* [a], du trône une voix
se fit entendre : « Qu'il s'approche, *mon Fils bien-aimé
en qui je me suis* toujours extrêmement *complu* [b], et
qu'il me donne un baiser infiniment suave, à moi qui
suis l'objet de son amour. » Le Fils de Dieu s'avança
alors sous sa forme humaine et donna ce baiser très
suave à l'insaisissable divinité par qui seule son humanité
très sainte a mérité d'être épousée [1] dans le lien d'une
inséparable union.

3. Puis, le Fils de Dieu, avec beaucoup de douceur,

pour désigner l'incarnation. On trouverait des exemples de l'emploi
du terme dans la liturgie et la littérature patristique.

virgineam, in cujus honorem eadem cantabatur antiphona, dixit : « Accede et tu, mater mea dulcissima, et
sume osculum a me persuave. » Cumque serenissima
5 blanditate matri suae beatissimae osculum suavissimum
Dominus Jesus impressisset, videbatur illico gloriosa
Virgo in singulis membris suis mirabiliter exornata
eorumdem florum venustate, quibus Dominus dignatus
est ex orationibus sibi oblatis apparere decoratus. Et
10 hanc dignitatem Filius Dei contulit Matri suae pro eo
quod ex ipsa sumpserat humanae naturae formam, cujus
membra sanctissima nostrarum devotionum et orationum,
licet exiguarum, oblationibus apparent decorata. Intellexit etiam quod quoties in festo illo nominabatur per-
15 sona Filii, toties Deus Pater ineffabili et inaestimabili
modo ipsi Filio amantissimo blandiebatur ; et ex illa
blanditate humanitas Jesu Christi miro modo clarifica-
batur ; et ex illa clarificatione humanitatis Christi, omnes
sancti percipiebant novam cognitionem incomprehensi-
20 bilis Trinitatis.

4. Inter Matutinas vero, dum ad Laudes cantaretur
antiphona *Te jure laudant*[a], et ista ex totis viribus
per eamdem antiphonam collaudaret semper veneran-
dam Trinitatem, ea intentione quod, si possibile esset
5 quod in agone suo tali devotione ipsam antiphonam
decantare posset quod omnes vires expendendo in laude
Dei vitam amitteret, hoc libentissime perficeret videbatur quod tota fulgida semperque tranquilla Trinitas
benignissima dignatione acclinaretur ad Cor Jesu dignis-
10 simum, quod in modum citharae in conspectu sanctis-

2 eamdem *a. corr.* B ‖ decantabatur B ‖ 3 et² *om.* B ‖ 4 a
me osculum praesuave W ‖ 6 gloriosissima W ‖ 19 sancti :
electi W

4 *a.* 5ᵉ antienne des Laudes (*CAO* 5120) ; texte dans Paquelin, p. 417, n. 1

dit à la Vierge, sa Mère, en l'honneur de qui cette même
antienne était chantée : « Venez, vous aussi, ma très
douce Mère, et recevez de moi un suave baiser. » Et dès
que le Seigneur Jésus eut donné avec grande douceur
et tendresse ce baiser extrêmement suave à sa bienheureuse Mère, aussitôt, en chacun de ses membres, cette
glorieuse Vierge se trouva merveilleusement parée des
mêmes fleurs ravissantes dont le Seigneur, à la suite
des prières qui lui étaient offertes, avait daigné paraître
orné. Et si le Fils de Dieu conféra cet honneur à sa Mère,
c'est qu'il avait reçu d'elle ce corps humain dont les
membres très saints apparaissaient ornés de l'offrande
— si humble soit-elle — de notre dévotion et de nos
prières. Elle comprit également ceci : chaque fois que
la personne du Fils était nommée, en cette fête, chaque
fois Dieu le Père témoignait sa tendresse à son Fils
très aimé, d'une manière que l'on ne peut ni exprimer,
ni même estimer à son juste prix ; or de cette tendresse,
l'humanité de Jésus-Christ était glorifiée d'une admirable manière ; et grâce à cette glorification de l'humanité
du Christ, tous les saints acquéraient une nouvelle connaissance de l'incompréhensible Trinité.

Louange.   4. Pendant l'office du matin, comme on
chantait à Laudes l'antienne *Te jure lau-
dant* [a], elle louait de toutes ses forces, par cette même
antienne, la toujours vénérable Trinité, et elle le faisait
avec beaucoup de joie, souhaitant, si la chose était
possible, pouvoir chanter cette antienne au moment
de son agonie avec une dévotion si grande qu'elle y
consumerait ses forces et perdrait ainsi la vie en louant
Dieu. Il lui sembla alors que la toute resplendissante
et toujours tranquille Trinité daignait s'incliner vers le
très noble Cœur de Jésus. En présence de cette très
sainte Trinité, il était comme une cithare touchée avec

simae Trinitatis mirabiliter volvebatur ac dulciter resonabat, et in illud poneret tres chordas quae sine intermissione, secundum insuperabilem Dei Patris omnipotentiam ac Filii Dei sapientiam necnon Spiritus Sancti
15 benevolentiam, omnem ipsius defectum ad placitum beatissimae Trinitatis persolvere deberent.

5. Cumque totas Matutinas devota intentione persolvisset, secum tractare coepit ne forte per aliquam incuriam suam demeruisset, quod tam excellentes non sus-
cepisset intellectus ut solita erat suscipere ex illis qui-
5 bus tanta devotione intendebat sicut intendere consuevit Matutinis. Unde divinitus edocta est his verbis : « Quamvis, justitia librante, interna suavitate spiritualis intellectus carueris, pro eo quod propriae voluntati consentiens in modulatione sonori cantus es humane
10 delectata, tamen scias tibi meritum futurae retributio-
nis adauctum secundum quod in servitio meo laborem
commodo praetulisti. »

6. Si quid autem, post hoc seu ante, in hoc praeclaro
festo sibi specialius gratissimo gratiae spiritualis sive
consolationis a divina largitate accepit, cum desint verba
quibus ad humanum intellectum possint proferri, sit
5 pro eis, sicut et pro caeteris soli Deo notis, laus et gratiarum actio[a], quae specialius per ecclesiae officia repli-
catur ipso die.

CAPUT XLII

De sancto Joanne Baptista

1. Die sancti Joannis Baptistae, dum interesset Matutinis quanto devotius potuit, apparuit ei idem beatus

---

5, 1 totos *codd.* ‖ 2-3 incuriam suam *om.* B ‖ 5 *post* sicut
add. istis *s.l.* B² ‖ **6,** 6-7 officia ecclesiae replicantur W

un art merveilleux et résonnant avec douceur. Elle
y fixa trois cordes qui, sans trêve, conformément à la
souveraine toute-puissance de Dieu le Père et à la sagesse
de Dieu le Fils, comme à la bienveillance de l'Esprit-
Saint, devaient compenser tous ses manquements, pour
le bon plaisir de la bienheureuse Trinité.

5. Après avoir entièrement achevé les Matines avec
une dévotion soutenue, elle se mit à se demander si
elle n'avait pas, par hasard, démérité par quelque négligence. Elle n'avait pas en effet reçu ces grandes lumières
qu'elle avait coutume de recevoir, et pourtant elle s'était
appliquée aux Matines avec toute la dévotion qu'elle
avait l'habitude d'y apporter. Elle fut alors divinement
instruite en ces termes : « S'il est vrai que, selon la balance
de la justice, tu as été privée de la douceur intérieure
des lumières spirituelles, pour avoir suivi ta volonté propre
dans une délectation trop humaine de l'harmonieuse
sonorité du chant, cependant sache bien que tes mérites
se sont accrus pour la récompense éternelle, car tu as
préféré les labeurs de mon service à ton propre repos. »

6. Et si dans la suite ou précédemment, elle a reçu
de la divine largesse, en cette fête solennelle qui lui
était particulièrement chère, quelque grâce ou quelque
consolation, les mots font défaut pour les rendre intelligibles à l'esprit humain. Que pour ces bienfaits et pour tous
les autres, connus de Dieu seul, soient donc cette *louange*
et cette *action de grâces* [a] dont l'Église fait une mention
si particulière en l'office de ce jour.

CHAPITRE XLII

Saint Jean Baptiste

1. Le jour de saint Jean Baptiste, comme elle prenait
part aux Matines aussi dévotement que possible, elle

6 *a*. Ainsi aux 6ᵉ et 10ᵉ répons des Matines

Joannes, stans in conspectu throni gloriae Regis caelorum, miro modo amabilis, flore vernantissimae juven-
5 tutis et gloriose praefulgens specialibus privilegiis specialis dignitatis : scilicet, quod dignus fuit esse baptista
Christi et praecursor atque demonstrator, et caetera
hujusmodi. Cumque ipsum considerando recoleret quod
valde dissimilis forma in pictura eum ostenderet, quia
10 senex et despicabilis ubique depingeretur, beatus Joannes
eam docuit quod hoc ipsum cumulum gloriae suae non
desineret augmentare, quia ratione disponente ideo
eum pictura provectae aetatis ostenderet, quia constan-
tem animum habebat pro divino amore usque in senec-
15 tam et senium[a] ac consumptionem omnium virium sen-
suumque suorum fideliter in omnibus contra injustitiam
decertare, et in omni vita sua ad summam perfectionem intendere. Unde quia in tali voluntate simul et
opere vitam finivit, talibus praemiis remuneratur. Cum
20 vero ista perquireret si etiam meritum ipsius exinde
adauctum esset quod justos et honestos parentes habuisset, ille respondit : « Quod justos parentes habui, et ex
hoc ad justa magis sum nutritus, inde magis sublimor,
ad similitudinem throni qui columnis artificiose compo-
25 sitis sublimatur. Quod autem honesti erant secundum
saeculum, vel si pulchri vel divites vel nobiles, inde
non plus exaltor, nisi quantum ego ea vilipendendo me
ad caelestia erexi. Ex hoc enim tanto majorem gloriam
consequor, quanto miles, cum victoria rediens de praelio,
30 tanto magis gaudet, quanto plures inimicorum laqueos
se cognoscit evasisse. »

2. Ad Missam vero, dum conventus communicaret,

XLII. 1, 9 eum in pictura W

XLII. **1** *a. Ps.* 70, 18

vit le même bienheureux Jean debout devant le trône
de gloire du roi des cieux. Elle fut émerveillée de son
aspect aimable, en la fleur d'une jeunesse fraîche comme
un printemps, dans la brillante parure des privilèges
distinctifs de sa valeur personnelle. C'est lui, en effet,
qui fut trouvé digne de baptiser le Christ et d'être son
précurseur, et aussi de le désigner, sans parler de ses
autres titres. En le considérant, elle se remémorait
les tableaux qui le représentent sous des dehors bien
différents. Oui, toujours on le peint sous les traits d'un
vieillard d'aspect misérable. Le bienheureux Jean lui
apprit que cela même ne manquait pas d'ajouter encore
à sa gloire, car, à bien juger des choses, si les peintres
le représentaient ainsi dans un âge avancé, c'était parce
qu'il avait fermement résolu pour l'amour de Dieu,
d'une part de combattre loyalement toute injustice,
et ceci *jusqu'à la vieillesse et les cheveux blancs* [a] et en y
consumant entièrement ses forces et ses facultés, et d'autre
part de tendre, durant toute sa vie, vers la plus haute
perfection. Et c'est parce qu'il avait achevé sa vie avec
un tel vouloir et de tels actes qu'il recevait une telle
récompense. Et comme elle s'enquérait si ses mérites
avaient été plus grands pour avoir eu des parents justes
et honorables, il répondit : « Parce que j'ai eu des parents
justes, et qu'ainsi j'ai été mieux formé à la justice, je
me trouve plus élevé, de même qu'un trône est surélevé
par des colonnes habilement disposées. Mais de ce qu'ils
furent honorables selon le monde, ou beaux, ou riches,
ou nobles, de cela, je ne suis pas exalté, sinon dans la
mesure où, le méprisant, je me suis élevé vers les biens
célestes. Si je reçois de tout cela une gloire plus grande,
c'est seulement comme un soldat, revenant victorieux
du combat, et qui se réjouit d'autant plus qu'il a conscience d'avoir échappé à un plus grand nombre d'embûches
de la part de ses ennemis. »

2. A la messe, pendant la communion conventuelle,

apparuit iterum beatus Joannes Baptista, roseis vestibus valde compositus, quae tot aureis agniculis erant
exornatae, quot personae in tota ecclesia in memoriam
5 natalis sui corpus dominicum susceperunt. Videbatur
etiam idem Baptista orare pro omnibus qui venerationi
ejus intererant, et hoc obtinere ut suo interventu dare-
tur ipsis illud meritum quod ipse Praecursor cum fideli
labore illo acquisierat, quod semper studiose curabat
10 ad Deum convertere corda populorum *a*.

CAPUT XLIII

De sancto Leone papa

1. Sancti Leonis papae festum dum evenisset in dominicam, et ista orationi insistens devotius conspiceret
eumdem venerabilem antistitem in valde mirabili gloria, memor quod idem legitur sibi manum propriam
5 abscidisse pro devincenda tentatione, collaudabat in-
tentius Dominum pro constanti victoria qua ipsum tam
gloriose fecit triumphare, orans ut per ipsius merita
donare dignaretur cuidam personae ut in omnibus tentationibus Deo laudabiliter sibique utiliter posset trium-
10 phare. Tunc edocta est a sancto papa Leone ut instrueret illam personam pro qua orabat, ut quandocumque

2, 3 qui W ‖ 7 interventione W

---

2 *a.* Cf. *Lc* 1, 16-17

---

1. Précieux repère chronologique. Entre la conversion de
Gertrude (1281) et sa mort (1301), le 11 avril, fête de saint Léon
le Grand, n'est tombé que trois fois un dimanche : en 1283, 1288.

le bienheureux Jean Baptiste lui apparut de nouveau, admirablement paré de vêtements roses. Ces vêtements étaient ornées d'autant de petits agneaux d'or qu'il y avait de personnes, dans l'Église entière, à avoir reçu le corps du Seigneur, en l'honneur de sa fête. On voyait le Baptiste prier pour tous ceux qui participaient à la célébration et obtenir par son intercession ces mérites que lui, le Précurseur, s'était acquis par son constant labeur en s'appliquant avec zèle à convertir à Dieu le cœur des peuples [a].

CHAPITRE XLIII

Saint Léon, Pape

1. La fête de saint Léon tombait un dimanche [1]. S'adonnant à l'oraison avec dévotion, elle considérait ce vénérable pontife en sa gloire vraiment admirable. Elle se rappela avoir lu qu'il s'était lui-même coupé une main pour vaincre une tentation [2], et, louant avec ferveur le Seigneur pour cette énergique victoire qui lui avait procuré un triomphe si glorieux, elle le priait, par les mérites de ce saint, de daigner accorder à une certaine personne, pour la gloire de Dieu et son propre salut, la force de triompher de toutes ses tentations. Elle apprit alors du saint pape Léon comment instruire la personne pour laquelle elle priait : chaque fois qu'un

et 1294. Or, en 1283 et 1294, il s'agissait du dimanche des Rameaux, circonstance que la sainte eût certainement spécifiée. La grâce ici rapportée est donc du *11 avril 1288*.

2. C'est sur cette étrange légende que s'ouvre la notice consacrée à saint Léon par la *Légende dorée* de Jacques de Voragine, du milieu du xiiie siècle. Le thème a inspiré l'iconographie postérieure (cf. le tableau d'Antoniazzo Romano reproduit dans *Bibliotheca Sanctorum*, VII, 1263).

accederet ad aliquem locum vel opus in quo suspicare-
tur occasionem tentandi, semper diceret versum : *Fiat,*
Domine, cor meum et corpus meum immaculatum [a], et
15 post perfectum opus collaudaret Dominum pro his a
quibus eum custodisset, quia nullus homo adeo graviter
cadit, quin gravius et periculosius posset cecidisse, nisi
ipsum misericordia Dei praecavisset ; in quibuscumque
autem se sentiret aliqualiter lapsam, pro his emenda-
20 tionem offerre deberet Deo Patri innocentissimam Jesu
Christi passionem et mortem ; adjungens quod si hoc
faceret, nunquam sic labi permitteretur a Deo quod
ex hoc animae incurreret damnum.

2. Hinc dum ista accederet ad communionem, adesse
sibi intellexit sanctum Leonem, ac devote pro se Domino
supplicare, ut ipsa per susceptionem ejusdem sacramenti
mereretur eamdem suavitatem divini influxus persen-
5 tire quam ipse sanctus papa persensit in Missa illa,
cum primo, recuperata per virgineam matrem manu
abscissa, divina celebraret. Cujus precum interventu,
cum Dominus abundantiam divinae pietatis suae ipsi
dignantius impartisset, donavit ei etiam omne meritum
10 quo idem beatissimus papa refulget in caelis, pro tam
veneranda victoria suae tentationis sublimatus. Et hoc
propterea benignus perfecit Dominus, quia ista ex humilitate qua specialius praepollebat, cum sciret quod virtus non impugnata in caelis apparet minus gloriosa,
15 semper timebat se carere praemio castitatis, cum ex
nimia puritate cordis nullis carnalibus tentationibus a
Domino permitteretur impugnari. Quod ipsa tamen suae
ascribebat fragilitati, quia judicabat quod Dominus idcirco eam a carnalibus tentationibus misericorditer prae-

XLIII. 1, 19 lapsum W ‖ **2**, 18 quia judicabat : judica-
batque W

lieu ou un travail lui semblerait un sujet de tentation, elle devait toujours, avant de s'y rendre, réciter ce verset : *Seigneur, que mon cœur et mon corps soient immaculés* [a], et, son œuvre achevée, elle aurait à louer Dieu pour tout ce dont il l'avait préservée. Car aucun homme ne pèche si grièvement, qu'il ne puisse pécher avec plus de gravité et de péril encore, si la miséricorde de Dieu ne le gardait. Quant aux occasions où elle se sentirait coupable en quelque manière, qu'elle offre pour son rachat à Dieu le Père la passion très imméritée de Jésus-Christ et sa mort. Il ajouta que, si elle faisait ainsi, Dieu ne permettrait jamais qu'elle tombât de manière à encourir la perte de son âme.

2. Puis, comme elle se présentait à la communion, elle comprit que saint Léon se tenait près d'elle et suppliait dévotement en sa faveur, afin que, par la réception de ce même sacrement, elle méritât de percevoir, infusée divinement en elle, une suavité analogue à celle que ressentit le saint pape durant cette Messe mémorable où, ayant récupéré grâce à la Vierge Mère sa main coupée, il put, pour la première fois, célébrer les saints mystères. Grâce à ses prières, le Seigneur daigna lui accorder l'abondance de ses divines bienveillances et lui donna, de surcroît, tout le mérite qui, dans les cieux, fait briller le bienheureux pape, élevé bien haut pour prix d'une si noble victoire sur la tentation. Et voici pourquoi le Seigneur, dans sa bonté, voulut en agir de la sorte : cette maîtresse en humilité, sachant qu'une vertu moins éprouvée apparaît dans le ciel avec moins de gloire, craignait toujours d'être privée du prix de la chasteté, car, en raison de la grande pureté de son cœur, le Seigneur n'avait jamais permis qu'elle eût à combattre les tentations de la chair. Elle attribuait ceci à sa fragilité : le Seigneur, pensait-elle, lui épargnait dans sa miséricorde

XLIII. 1 *a. Ps.* 118, 80

20 caveret, quia praesciret eam tam fragilem et infidelem,
quod si talibus infestaretur, potius succumberet quam
resisteret ; sicque talem defectum suum quem causaba-
tur, Dominus illi ex meritis hujus sancti supplebat.
Insuper addidit ei Dominus omne meritum quod illa
25 persona pro qua oraverat adhuc esset adeptura, si
secundum instructionem suam tentationes viriliter supe-
raret. Unde et per hoc intellexit quod quandocumque
aliquis regratiatur Deo pro victoria sive aliquo beneficio cuiquam collato, vel instruit aliquem unde proficiat,
30 ille profecto meritum utrorumque lucratur.

CAPUT XLIV

De sanctis apostolis Petro et Paulo

1. Principum apostolorum Petri et Pauli festo praeclaro, dum ad Matutinas cantaretur secundum responsorium : *Si diligis me* [a], ista requisivit a Domino quas
oves ipsa pascere posset, per quod summam dilectionem
5 in opere sibi demonstrare valeret. Respondit Dominus :
« Pasce mihi quinque agnos tenerrime mihi electos, scilicet cor tuum pasce divinis meditationibus, os tuum
salutaribus locutionibus, oculos tuos sacris lectionibus,
aures tuas utilibus admonitionibus, manus tuas conti-
10 nuis exercitationibus. Quorum unicuique quotiescumque
instare studueris, hoc semper suscipiam pro summa
exhibitione dilectionis. » Per divinas meditationes cordis
intellexit notari omne quod cogitari potest ad laudem
Dei et propriam utilitatem proximique salutem. Simi-

XLIV. 1, 14 salutem *om.* B

XLIV. 1 *a. Jn* 21, 15

---

1. *utilitas* est pris ici dans son acception la plus haute. Est

les tentations de la chair parce qu'il la devinait à ce
point fragile et peu fidèle qu'elle succomberait sans
doute à de pareilles attaques au lieu d'y résister. Cette
lacune qui l'affligeait, le Seigneur venait donc ainsi
la combler en lui appliquant les mérites de ce saint. Et
le Seigneur mit, de plus, à son compte tout le mérite
qu'allait acquérir la personne pour laquelle elle avait
prié, si, se conformant à ses avis, elle surmontait vaillamment la tentation. Elle comprit alors ceci : quand on
rend grâces à Dieu pour une victoire du prochain ou
pour quelque faveur à lui départie, on bénéficie vraiment
de son mérite et il en va de même si l'on instruit quelqu'un
de la manière de progresser.

CHAPITRE XLIV
Les saints Apôtres Pierre et Paul

Pais mes brebis. 1. En la glorieuse fête des princes des
apôtres, Pierre et Paul, alors qu'on chantait
le deuxième répons des Matines, *Si diligis
me* [a], elle demanda au Seigneur quelles brebis elle pourrait bien paître, afin de lui prouver effectivement un
plus grand amour. Le Seigneur répondit : « Fais paître
pour moi cinq agneaux que j'ai choisis avec beaucoup
de tendresse. Je veux dire : rassasie ton cœur de divines
méditations, ta bouche de paroles salutaires, tes yeux
de saintes lectures, tes oreilles d'utiles conseils, tes mains
de travaux continuels. Chaque fois, en effet, que tu cher-
cheras à t'appliquer à l'un ou l'autre de ces exercices,
je l'agréerai comme une suprême démonstration d'amour. »
Dans les divines méditations du cœur, elle comprit
qu'il fallait inclure tout ce qu'on pouvait concevoir
pour la gloire de Dieu ou l'utilité [1] personnelle et le salut

« utile » ce qui contribue à la croissance dans le bien, au **progrès**
spirituel, à l'épanouissement de la vie de la **grâce**.

15 liter, per salutares locutiones et per sacras lectiones,
omne quod est utile ad videndum, ut imago Christi
crucifixi, infirmorum indigentia et exempla justorum.
Inter utiles admonitiones intellexit salubrius pasci aures
ad placitum Domini, cum patientia correptionum. De
20 continua vero exercitatione manuum, dum cogitaret quod
non posset simul fieri cum lectione, intellexit quod Dominus quasi pro opere acceptat studium vel intentionem
legendi, vel etiam quod liber manibus tenetur, et
similia.

2. Post hoc, dum inter Missam laudibus extolleret beatum Petrum pro specialibus privilegiis, et inter caetera,
pro eo quod audivit a Domino : *Quodcumque ligaveris* [a],
etc., apparuit idem apostolus in papali gloria sacerdota-
5 libus indutus et, extensa manu super eam, benedictionem dedit ad perficiendum in anima ipsius omnem salutem quam unquam praevaluit operari in aliqua anima
ex potestate sibi in verbo illo collata. Cum vero pro-
grederetur ad susceptionem corporis Christi, et suam
10 indignitatem recolens trepidaret, videbantur accedere
jam dicti duo principes, unus a dextris et alius a sinistris, quasi eam cum magna gloria adducentes. Et cum
pervenisset, Filius Dei assurgens, et utrisque brachiis
eam circumplectens, dixit : « Ecce eisdem brachiis qui-
15 bus te suscipio, eisdem etiam ego te adduxi ; sed malui
hoc perficere per meos apostolos, ut devotio tua erga eos
inde cumularetur. » Tunc ista reddens se culpabilem,
quod elapsum a memoria beatum Paulum speciali devotione non extulisset, oravit Dominum ut ipse per seip-
20 sum suam negligentiam dignaretur supplere.

3. Post susceptionem autem sacramenti, cum se in

2, 3 ligaveris *om.* B ‖ 16 perficere : facere W

---

2 *a. Matth.* 16, 19

du prochain. De même, dans les paroles salutaires et les saintes lectures, tout ce qui est bon à regarder, comme l'image du Christ crucifié, les besoins des malades et les exemples des justes. Parmi les conseils utiles, elle comprit que les oreilles sont avantageusement nourries, selon le bon plaisir de Dieu, par la patience dans les corrections. En ce qui concerne le travail continuel des mains, elle se prit à songer qu'il est inconciliable avec la lecture, et elle comprit que le Seigneur accepte comme un travail le désir ou l'intention de lire, ou encore le fait de tenir le livre en mains, et autres actes semblables.

Ce que tu auras lié... 2. Ensuite, pendant la Messe, comme elle louait hautement le bienheureux Pierre de ses privilèges particuliers, et entre autres d'avoir entendu du Seigneur : *Quodcumque ligaveris* [a], etc., elle vit ce même apôtre dans toute la gloire du souverain pontificat et revêtu des ornements sacrés. Il étendit la main au-dessus d'elle et la bénit pour consommer en son âme toute l'œuvre de salut qu'il avait jamais pu accomplir en l'âme de quiconque, en vertu de la puissance à lui conférée par ces paroles. Comme elle s'approchait pour recevoir le corps du Christ et que le souvenir de son indignité la faisait trembler, elle vit ces deux princes s'avancer, l'un à sa droite, l'autre à sa gauche, comme pour la conduire avec grand honneur. A son arrivée, le Fils de Dieu se leva et, l'étreignant de ses deux bras, lui dit : « Voici mes deux bras pour t'accueillir, et ce sont eux aussi qui t'ont conduite vers moi ; mais j'ai préféré me servir de mes deux apôtres pour augmenter ta dévotion envers eux ». Elle éprouva alors un sentiment de culpabilité pour n'avoir pas fait mémoire du bienheureux Paul, en le louant par quelque pratique de dévotion spéciale, et elle pria le Seigneur de daigner suppléer lui-même à sa négligence.

3. Comme elle s'adonnait à l'oraison après la récep-

orationem dedisset, apparuit ipsa cum Domino, tamquam regina cum rege in solio sedens, et saepe dicti
principes [a] coram utrisque genua flectentes, ac si milites
5 a domino dominaque sua praemia susciperent. Nam de
virtute communionis videbatur meritum sanctorum aug-
mentari. Unde cum ista miraretur quia satis meritorum
habere possent apostoli, eo quod ipsi in terris saepius
idem sacrificium obtulerunt, tali est edocta similitudine :
10 quamvis regina satis ex hoc habeat honoris quod regi
est conjuncta, tamen multum gloriatur et delectatur in
filia in festo nuptiarum ipsius ; sic omnes sancti congra-
tulantur animae quae sacramentum altaris suscipit cum
devotione.

CAPUT XLV

De sancta Margareta virgine

1. Virginis inclytae, beatissimae videlicet Margaretae
festo, dum inter Vesperas intenderet devotioni, apparuit
ei eadem virgo gloriosa, tota florens et virens vernantia
immarcessibilis aeternitatis incomparabilibusque orna-
5 mentis gloriae mirabiliter decorata, stans ante thronum
divinae majestatis. Et dum imponeretur responsorium
Virgo veneranda [a], videbatur Rex gloriae Dominus Jesus
ex integerrima puritate suae innocentissimae et virgineae
humanitatis emittere splendorem quemdam clarissi-
10 mum, et illo perlustrare virginale decus beatae Margaretae, quasi ad renovandum et duplicandum in anima
ejus meritum suae castae virginitatis : ad similitudinem,

3, 11 in *mg.* B² ‖ 12 sic *s.l.* B²

---

3 *a*. Cf. hymne, antiennes, verset et répons des Matines
XLV. **1** *a*. Texte de ce répons dans Paquelin, p. 424, n. 1

tion du sacrement, elle se vit auprès du Seigneur, telle
une reine assise auprès du roi sur un trône, et ceux qui,
souvent, sont appelés des *princes* [a], venaient fléchir
le genou devant eux comme des chevaliers recevant
des faveurs de leur Seigneur et de leur Dame. Il semblait
en effet que la vertu de sa communion avait ajouté
quelque chose aux mérites [1] de ces saints. Elle en fut
très surprise : les apôtres n'avaient-ils donc pas des
mérites suffisants, eux qui, si souvent, avaient offert sur
la terre le même sacrifice ? Une parabole l'instruisit :
C'est pour la reine un honneur bien suffisant que d'être
unie au roi, et pourtant elle reçoit encore beaucoup
de fierté et de joie en la fête des noces de sa fille. C'est
ainsi que tous les saints participent au bonheur de l'âme
qui reçoit avec dévotion le sacrement de l'autel.

CHAPITRE XLV

Sainte Marguerite, vierge

1. En la fête de la bienheureuse Marguerite, illustre
vierge, comme elle assistait aux Vêpres avec dévotion,
elle vit cette vierge glorieuse, en la fleur et la fraîcheur
printanière d'une éternité qui jamais ne se fane. Elle
était merveilleusement parée de gloire. Ses vêtements
étaient incomparables. Elle se tenait ainsi devant le
trône de la divine Majesté. Au moment où l'on enton-
nait le répons *Virgo veneranda* [a], on vit le Roi de gloire,
le Seigneur Jésus, faire jaillir en quelque sorte un rayon
resplendissant de son humanité virginale dont rien n'a
effleuré la pureté et la parfaite innocence, et inonder
ainsi de lumière la virginale beauté de la bienheureuse
Marguerite, comme pour renouveler et faire revivre
en son âme le mérite de sa chaste virginité : tel un peintre

---

1. *Meritum* : cf., ci-dessus, la note à 39, 2, 6.

sicut pictor imaginem pulchre ornatam cum fernitione
delinit ad magis nitendum. In illo verbo : *in magna stans*
15 *constantia* [b], Filius Dei, in augmentum gloriae ac cumulum meritorum passionis sponsae suae, iterum emisit
splendorem quemdam mirificum ex incomparabili gloria
suae innocentissimae et amarissimae passionis in animam ejusdem virginis, ex quo ineffabiliter decorabatur.
20 Dehinc, dum in hymno decantabatur : *Sponsisque reddens
praemia* [c], Dominus quasi blandiendo alloquens sponsam suam beatam Margaretam dixit : « Numquid, o puella,
non satis sufficienter adauxi vobis praemia meritorum,
quia modo admoneor de praemiis vobis reddendis. »
25 Sicque illi amicabiliter blandiens, Dominus intraxit sibi
devotionem omnium per universum mundum festum
beatae Margaretae colentium, et ex illa ipsam beatam
Margaretam gloriosam virginem inaestimabilibus praemiis meritorum honorifice sublimavit.

2. Hinc beata Margareta conversa ad istam dixit :
« Gaude et laetare, specialis electa Domini mei, quia certe
post modicum tempus quo in hoc saeculo diversis
infirmitatibus et adversitatibus gravaris, in aeterna gloria
5 perpetuo laetaberis, ubi pro singulis momentis gravaminum corporeorum remetientur millies mille anni caelestium consolationum a sponso et amatore tuo, qui omnia

XLV. 1, 16 sponsae : speciosae B¹ (*corr. s.l.* B²) ‖ 22
dixit *om.* W ‖ 24 vobis reddendis *om.* B ‖ 27-28 beatam Margaretam *om.* W

b. Ibid. ‖ *c.* Dernier vers de la 2ᵉ strophe de l'hymne
Jesu corona virginum (*RH* 9507)

1. Les manuscrits donnent ici : *cum fernicione*, que Lansperge
corrige en : *fernisio* et Paquelin en : *cum vernitione*. Les glossaires

qui enduit de vernis[1] un tableau richement décoré, pour lui donner plus d'éclat. A cette parole : *In magna stans constantia* [b], le Fils de Dieu, pour augmenter la gloire et mettre le comble aux mérites des souffrances de son épouse, fit de nouveau jaillir sur l'âme de cette vierge un merveilleux rayon de la gloire incomparable de sa propre passion, si imméritée et si amère, et elle en fut parée de manière impossible à décrire. Puis, comme on chantait dans l'hymne : *Sponsisque reddens praemia* [c], le Seigneur, comme s'il s'adressait avec tendresse à la bienheureuse Marguerite, son épouse, lui dit : « Ô jeune fille, n'ai-je pas encore assez augmenté la récompense due à vos mérites, pour qu'on me demande encore pour vous d'autres faveurs ? » La caressant alors avec affection, le Seigneur attira en lui-même la dévotion de toutes les personnes qui, dans le monde entier, célébraient la fête de la bienheureuse Marguerite, et par cette dévotion il accrut encore l'honneur et la récompense sans prix des mérites de la bienheureuse Marguerite, cette vierge glorieuse.

2. Puis la bienheureuse Marguerite se tourna vers elle et lui dit : « Réjouis-toi et sois dans l'allégresse, ô toi que mon Seigneur a élue et distinguée, car, après avoir un peu de temps supporté en ce monde diverses infirmités et adversités [2], tu te réjouiras sans fin dans la gloire éternelle. Là, en échange de chaque instant de souffrance physique, celui qui est ton époux et ton amant te rendra des milliers et des milliers d'années de célestes consolations. Tout ce que tu endures au fond de ton

médiévaux connaissent *fernisium* et *vernicium*. Le second est plus proche du français « vernis » ; le premier, de l'allemand « Firnis ». Quant au dérivé : *fernicio, -onis*, employé ici, il n'a peut-être pas d'autre attestation.

2. Pareille annonce de la mort prochaine de Gertrude était déjà donnée ci-dessus en 34, 1, 8. Voir aussi, au l. V, tout le ch. 23.

quae perfers in corde vel corpore ex speciali tibi immittit
amore. Unde ineffabili modo de die in diem et de hora
10 in horam sanctificaris et aeternae beatitudini similiter
habilitaris. Perpende, inquit, quia die illo quo ego hanc,
in qua modo exulto, gloriam sum adepta, nequaquam
ita venerabar ut nunc glorificor ab universis, sed potius
despiciebar et ab omnibus pene miserabilis reputabar.
15 Et inde confide quia et tu indubitanter, post hujus vitae
felicem terminum, jucundis amplexibus sponsi immortalis, sine fine perfrueris in gloria deliciositatum illarum
supercaelestium, quae nec oculus vidit, nec auris audivit,
nec in cor hominis ascenderunt, quae praeparata sunt
20 his qui diligunt Deum [a]. »

CAPUT XLVI

De sancta Maria Magdalena

1. Amatricis Christi Jesu, beatissimae Mariae Magdalenae festo, inter Vesperas priores apparuit dilectrix
Christi reverenda tot aureis floribus inaestimabiliter
splendentibus gemmisque pretiosis perornata, quot pec-
5 catorum maculis quondam fuit deturpata. Haec stans
a dextris Filii Dei, splendore gloriae suae totam caelestem patriam videbatur mirifice perlustrare. Dominus
autem Jesus, mentum ejus amicabiliter tenens, suavissimis illi blandiebatur verbis : unde divinitus edocta
10 ista per flores aureos pietatem clementiae figurari, qua
ipsi tam misericorditer peccata dimisit ; per gemmas au-

2, 8 in corde vel corpore : corde vel opere W ‖ 11 die :
de B ‖ 20 deum : eum *e corr.* B[2]
XLVI. 1, 1 Mariae Magd. beatiss. B ‖ 4 gemmisque :
gemmis B

cœur ou dans ton corps, c'est lui qui te l'envoie par
une disposition spéciale de son amour. Par là, de jour
en jour et d'heure en heure, il te sanctifie d'une manière
inexprimable et t'habilite aussi à la béatitude éternelle.
Songe, ajouta-t-elle, que moi, le jour où je reçus cette
gloire dans laquelle j'exulte présentement, je n'étais
pas du tout vénérée comme je le suis actuellement où
tous me glorifient, mais bien plutôt étais-je méprisée
et tenue pour misérable ou peu s'en faut. Aie donc confiance que, toi aussi, indubitablement, au-delà du terme
heureux de cette vie, tu jouiras sans fin des douces
étreintes de ton immortel époux, en cette gloire et ces
délices célestes que ni l'œil n'a vues, ni l'oreille entendues,
ni le cœur de l'homme n'a pu concevoir, et que Dieu
a préparées pour ceux qui l'aiment *a*. »

CHAPITRE XLVI

Sainte Marie-Madeleine

1. En la fête de la bienheureuse Marie-Madeleine,
l'amante du Christ Jésus, elle vit pendant les Vêpres
cette sainte amie du Christ parée de fleurs d'or et de
pierres précieuses qui resplendissaient au-delà de tout
ce qu'on peut penser. Elles étaient en aussi grand nombre
que les souillures des péchés qui l'avaient jadis avilie.
Elle se tenait à la droite du Fils de Dieu et semblait
illuminer merveilleusement la patrie céleste tout entière
de la splendeur de sa gloire. Le Seigneur Jésus, cependant,
lui prenant le menton avec affection, lui disait des mots
aussi tendres que des caresses. (Gertrude) apprit ainsi
que les fleurs d'or symbolisaient la bonté généreuse
avec laquelle Dieu lui avait miséricordieusement remis

2 *a*. Cf. *I Cor.* 2, 9

tem, dignam paenitentiam qua gratia Dei cooperante
peccatorum suorum maculas extersit.

2. Inter Matutinas vero, dum verbis et neumis quae
cantabantur ob honorem beatae Mariae Magdalenae devotius intenderet ad laudem Dei, exorabat ipsam beatam ut tam pro se quam etiam pro sibi commissis inter-
5 cederet. At illa progrediens procidit ad pedes Domini,
suaviter illos deosculans [a], et postmodum eosdem manibus suis elevans, omnibus per veram paenitentiam ipsos
adire cupientibus, meritis suis coaptabat. Tunc ista
etiam devote accedens, eosdem pedes sanctissimos blan-
10 dissime deosculabatur, dicens : « Ecce nunc, amantissime
Domine mi, offero tibi gravamina famularum tuarum
mihi commissarum, et cum illis abluo pedes tuos bea-
tissimos. » Ad quod Dominus : « Optime et decentissime
ex parte illarum pedes meos lavisti ; et nunc dicito illis
15 pro quibus oras ut et ipsi crinibus suis eos detergant [b],
osculentur et unguentis deliniant [c]. » In quibus verbis
intellexit tria ad quae studere deberent. Primo, ut scilicet quasi tergendo crinibus pedes dominicos, diligenter
considerarent et numerarent, si aliquid in gravaminibus
20 suis invenirent quod esset contra Deum vel quod eos
impediret a Deo, et in hoc deberent intentionem ad
Deum dirigere tali modo, quod pro emendatione illorum
libenter seipsas exponerent ad quaeque adversa tole-
randa. Secundo, ut velut pro osculis eorumdem pedum
25 sanctissimorum, plene et secure confiderent de fidelissima pietate Dei, quod ipsis omnia facillime demitteret
de quibus pure paeniterent. Tertio, ut quasi pro unguen-

2, 10 deosculatur B ‖ 16 unguentes B ‖ 21-22 dirigere
ad deum B ‖ 25 plene : pene B ‖ et secure : insecure B[1] (*corr.*
B[2])

XLVI. 2 *a*. Cf. *Lc* 7, 38 ‖ *b*. Cf. *Lc* 7, 44 ‖ *c*. Cf. *Lc* 7, 46

ses péchés, et les pierres précieuses, la digne pénitence grâce à laquelle elle avait, Dieu aidant, effacé les souillures de ses péchés.

Laver les pieds du Seigneur. 2. Pendant les Matines, alors que, pour la louange de Dieu, elle appliquait sa dévotion aux mots et aux neumes que l'on chantait en l'honneur de la bienheureuse Marie-Madeleine, elle pria cette bienheureuse d'intercéder pour elle et pour ceux qui lui étaient recommandés. Celle-ci, s'avançant, se prosterna aux pieds du Seigneur, les baisa avec tendresse [a], et les éleva ensuite de ses deux mains, afin de les offrir, par la vertu de ses mérites, à tous ceux qui désiraient s'en approcher par une sincère pénitence. Venant alors à son tour avec dévotion, (Gertrude) baisait ces mêmes pieds très saints avec beaucoup de tendresse en disant : « Voici maintenant, ô mon Seigneur très aimé, que je vous offre les peines de vos servantes dont je suis chargée et, avec elles, je lave vos pieds très saints. » A cela le Seigneur répondit : « Il est très bien et très opportun de m'avoir lavé les pieds en leur nom, mais maintenant dis à celles pour qui tu pries qu'elles me les essuient elles-mêmes de leurs cheveux [b], les baisent et les oignent de parfums [c]. » A ces mots, elle comprit qu'elles devaient s'appliquer à trois choses : premièrement, pour essuyer de leurs cheveux les pieds du Seigneur, elles devaient examiner et passer en revue leurs peines pour voir s'il ne s'y trouverait pas quelque chose qui fût opposé à Dieu ou qui les empêchât d'aller à Dieu et, dans ce cas, elles devaient diriger vers Dieu leur intention et pour y remédier être prêtes à supporter n'importe quelle adversité. Deuxièmement, pour baiser ces pieds très saints, elles devaient se confier en pleine sécurité à la bonté et à la fidélité de Dieu, qui leur remettrait sans difficulté tout ce dont elles se repentiraient sincèrement. Troisièmement, en

tis, integra voluntate proponerent omnia Deo contraria
pro posse suo libenter praecavere.

3. Et adjunxit Dominus : « Si delectat te etiam illud
mihi unguentum adhibere, quod eadem devota mulier
alabastro fracto legitur super caput meum effudisse ^a,
unde et *domus impleta est ex odore unguenti* ^b, scito te
5 illud amando veritatem decentius habituram. Nam qui
amans veritatem pro illa defendenda quandoque amicos
amittit, vel alia gravamina incurrit, aut laboribus se
sponte ingerit, ille revera fracto alabastro unguentum
pretiosum capiti meo superfundit, unde et domus reple-
10 tur odore bono ; quia ipse efficitur causa exempli boni,
dum qui alios corrigere studet, ipse efficitur a vitiis
emendatior ^c, adhibendo sibi majorem tutelam eorum
quae in aliis corripuit. Sicque fit odor bonus in omni
loco ^d, dum et se emendat, et alios suo exemplo aedificat.
15 Si vero amans veritatem, pro illa defendenda in aliquibus delinquit, durioribus verbis zelo impellente aliquos corripiendo, aut alio quocumque modo, sive negli-
gentius, sive indiscretius agendo, hunc ego certe apud
Deum Patrem et omnes supernorum cives fideliter excu-
20 sabo, quemadmodum Mariam excusavi ^e ; immo pro
ipso universa emendabo. »

4. Et illa : « O Domine, cum Maria dicatur hoc pretiosum unguentum emisse, unde possem ego tibi tantum
obsequium exhibere, ac si etiam tibi simile compara-
verim ? » Respondit Dominus : « Quicumque offert mihi
5 bonam voluntatem suam in quacumque causa quam delibe-
rat pro amore meo perficere, quantumcumque etiam:

3, 2 unguentum mihi B ‖ 10 bono : pleno W ‖ 12 tutelam
cautelam *a. corr.* W *l* ‖ 20 *post* quemadmodum *add.* quondam
s.l. B² ‖ 21 ipsa B ‖ **4,** 5 suam *om.* W

---

3 *a.* Cf. *Matth.* 26, 6 ‖ *b. Jn* 12, 3 ‖ *c. RB,* 2, *in fine* ‖ *d.* Cf.
II Cor. 2, 15 ‖ *e.* Cf. *Jn* 12, 7

guise de parfums, elles devaient, d'une volonté sincère, prendre la résolution d'éviter, autant que faire se peut, tout ce qui est contraire à Dieu, et ceci de bon cœur.

Le parfum. 3. Et le Seigneur d'ajouter : « Si tu as envie de m'offrir aussi le parfum que, d'après l'Écriture, cette femme a répandu dévotement sur ma tête, après avoir brisé son vase [a], en sorte que *la maison fut remplie de l'odeur du parfum* [b], sache que tu le feras excellemment en aimant la vérité. Oui, celui qui aime la vérité et qui, pour la défendre, perd ses amis ou s'expose à d'autres peines, ou encore assume volontairement des fatigues, celui-là vraiment brise le vase et répand abondamment sur ma tête un parfum précieux, si bien que la maison est remplie de sa bonne odeur. Il devient, en effet, l'occasion d'un bon exemple, car *tandis qu'il cherche à corriger les autres, il se purifie lui-même de ses vices* [c], en se préservant lui-même des fautes qu'il reprend chez autrui. C'est ainsi que la bonne odeur se répand partout [d], puisqu'il se corrige et qu'il édifie les autres par son exemple. Et si, dans son amour de la vérité, il tombe dans quelque faute en défendant celle-ci, s'il se laisse emporter par son zèle et reprend quelqu'un avec des paroles trop dures, ou bien si, en quelque autre occasion, il agit soit avec trop de relâchement, soit avec trop de rigueur, de celui-là, oui vraiment, je me ferai le fidèle avocat auprès de Dieu le Père et de tous les citoyens d'en-haut, de même que je me suis fait l'avocat de Marie [e]. Que dis-je ? C'est moi qui, en sa place, remédierai à tous ses torts. »

4. Elle reprit : « Ô Seigneur, il est dit que Marie avait acheté ce parfum précieux ; comment pourrai-je à mon tour vous rendre un hommage aussi grand que si j'avais fait pour vous pareil achat ? » Le Seigneur répondit : « Quiconque m'offre son bon vouloir en une affaire qu'il décide de mener à terme, pour mon amour, si grande

ipsum in hoc oporteret laborare ut tantummodo laudem
meam posset promovere, ille veraciter pretiosissimum
mihique acceptabilissimum unguentum comparat, dum
10 suum commodum honori meo postponendo se voluntarie quibuslibet exponit incommodis, etiamsi impeditur quod voluntatem nunquam perducit ad effectum. »

CAPUT XLVII

DE SANCTO JACOBO APOSTOLO

1. Gloriosi apostoli beati Jacobi Maioris festo, apparuit huic idem apostolus, honorabiliter nimis exornatus
meritis omnium peregrinorum corporis ipsius sancti reliquias venerantium. Unde ista multum admirans requi-
5 sivit a Domino cur ipsum prae caeteris apostolis tali
honore extulisset, ut scilicet de tam longinquis regioni-
bus populus ad ejus reliquias excolendas concurrat devo-
tiori studio quam ad tumbas principum apostolorum
Petri et Pauli aut aliorum apostolorum et sanctorum.
10 Respondit Dominus : « Ego hunc dilectum mihi apostolum hoc speciali privilegio inter caeteros sublimavi
propter fervidum zelum quo incitabatur amore mei ad
salutem animarum. Unde, quia aeterna praedestinatione
mea ordinante tam cito sublatus est a corpore, quod
15 non praevaluit tantam multitudinem populorum ad
fidem convertere sicut ad laudem meam desiderabat,
ergo voluntas ejus bona in conspectu meo semper vigens
et vivens, mihique per omnia complacens, hoc promeruit ut quod morte praeoccupante in hac vita neglexit,
20 hoc nunc post mortem suam usque in finem per hoc
suppleatur, quod tam plures, signorum miraculis ad tum-
bam ejus crebrescentibus, tam a peccatis absolvuntur

que puisse être, par ailleurs, la peine qu'il lui faudra se donner, pourvu qu'il procure ma gloire, celui-là m'achète un parfum extrêmement précieux, et qui m'est on ne peut plus agréable, puisqu'en préférant mon honneur à son avantage, il s'expose volontairement à mille désagréments. Oui, vraiment, il l'achète pour moi, quand bien même il se trouverait toujours empêché d'exécuter son dessein. »

CHAPITRE XLVII

Saint Jacques, apôtre

1. En la fête du glorieux apôtre, le bienheureux Jacques le Majeur, elle vit cet apôtre, merveilleusement paré des mérites de tous les pèlerins qui vénèrent les reliques de son saint corps. Très surprise, elle demanda au Seigneur pourquoi il l'avait élevé à un tel honneur plutôt que les autres apôtres. Oui, pourquoi, de contrées aussi lointaines, les foules accouraient-elles, en effet, pour vénérer ses reliques, avec une ferveur et une dévotion plus grandes qu'au tombeau des princes des apôtres, Pierre et Paul, et des autres apôtres ou des saints ? « C'est moi, répondit le Seigneur, qui ai voulu élever cet apôtre de ma dilection à ce rang privilégié parmi les autres, à cause du zèle brûlant qui, pour mon amour, l'excitait à sauver les âmes. Or, conformément aux dispositions réglées par moi de toute éternité, il a été retiré de son corps si rapidement qu'il n'a pu amener à la foi un très grand nombre de peuples, ainsi qu'il l'avait ambitionné pour ma gloire. Mais sa bonne volonté demeure en ma présence, forte et vivante, et m'est parfaitement agréable ; et ce qu'il n'a pu faire en cette vie à cause de sa mort prématurée, voici qu'il a mérité d'en être dédommagé après sa mort, et ceci jusqu'à la fin du monde : les signes miraculeux se multipliant en effet à son tom-

quam etiam in fide catholica roborantur, peregrinationes
devotas faciendo. »

2. Unde ista, etiam desiderans per merita ejusdem
apostoli a peccatis suis absolvi, proposuit vice peregri-
nationis faciendae in honore ipsius eodem die dominicum suscipere sacramentum. Quod cum fecisset, vide-
5 batur sibi quasi ad mensam quamdam diversis epulis
sumptuose ditatam cum Domino majestatis residere. Et
cum ipsa susceptum corpus Christi obtulisset Domino
in laudem aeternam et augmentum beatitudinis et
gloriae apostoli, statim adveniens idem apostolus in spe-
10 cie cujusdam praeclari principis, apposuit se mensae
illi reverenter coram Domino, gratias immensas refe-
rens pro tam magnifica oblatione sibi per vivificum
sacramentum corporis Christi oblata. Hinc orabat Dominum devote, ut omnem effectum salutis quem ipse
15 Dominus per merita sua unquam in aliquo homine posset ac dignaretur operari, hunc totum in anima ejus
quae ob honorem sui hoc praenobile obtulerat sacramentum gratiose operaretur.

CAPUT XLVIII

De Assumptione beatae Virginis

1. Appropinquante festo dulcifluae Assumptionis intemeratae Virginis, dum iterum decumberet, nec secundum quod desiderabat ob honorem beatissimae Virginis
supplere posset *Ave Maria* secundum numerum anno-
5 rum ejus quibus vixerat in terris, conabatur tamen

XLVII. 1, 23 quam : tam B ‖ 2, 2 proponit B[1] (*corr. mg.*
B[2]) ‖ 3 ipsius in honore W ‖ 8 *post* et[1] *add.* ad W ‖ 16
hunc : hoc W

---

1. Une note marginale du manuscrit de Vienne précise : *scilicet 66.*

beau, une très grande affluence de pieux pèlerins s'y trouvent absous de leurs péchés ou confirmés dans la foi catholique. »

2. Cela lui fit désirer de recevoir, elle aussi, l'absolution de ses péchés par les mérites de cet apôtre, et elle se proposa de remplacer le pèlerinage en son honneur par la réception, en ce même jour, du sacrement du Seigneur ; après cela, il lui sembla être assise en compagnie du Seigneur de majesté à une table somptueusement servie de mets variés. Quand elle eut offert au Seigneur le corps du Christ qu'elle venait de recevoir, en louange éternelle et pour l'accroissement de la béatitude et de la gloire de l'apôtre, voici que soudain ce même apôtre, sous l'aspect d'un prince splendide, vint, avec un grand respect, prendre place en face du Seigneur, rendant d'immenses actions de grâces pour cette oblation magnifique offerte pour lui par le sacrement vivifiant du corps du Christ. En retour, il demandait dévotement au Seigneur pour cette âme tous les effets de salut que, par ses mérites, le Seigneur lui-même avait pu et daigné jamais opérer en qui que ce fût. Oui, qu'en leur entier, il daigne les opérer par sa grâce en celle qui avait offert en son honneur ce sacrement noble entre tous !

CHAPITRE XLVIII

Assomption de la bienheureuse Vierge

Ave Maria.   **1.** La fête de la très douce Assomption de la Vierge sans tache approchait. De nouveau alitée, elle ne pouvait, comme elle l'eut souhaité pour l'honneur de la bienheureuse Vierge, parfaire le compte des *Ave Maria* égal au nombre des années vécues par celle-ci sur la terre [1]. Elle s'efforça néanmoins d'attein-

eumdem numerum complere devote per has tres distinctiones : *Ave Maria,* — *gratia plena,* — *Dominus tecum.*
Et dum hoc cum diversis orationibus ab aliis sibi ad
offerendum beatissimae Virgini commissis insimul devote
10 offerret, apparuit eadem Virgo gratiosa circumamicta
pallio viridi, quod fulgebat undique circumpositum
aureis floribus in modum trifoliorum, et dixit : « Ecce
quot verba quaelibet earum, ex quarum parte mihi
offers, oravit, tot mihi flores ad ornatum imposuit ; quo-
15 rum quilibet magis aut minus vernat, secundum quod
quaelibet orando intentionem suam plus vel minus adhi-
buit. Et ego resplendorem florum istorum reddo in animas singularum personarum quae mihi ea persolverunt,
ut exinde Filio meo totique caelesti exercitui possint
20 complacere. »

2. Videbatur quoque beata Virgo inter praedicta tri-
folia intermixtas habere quasdam rosas sex foliorum
valde praefulgentes : quorum foliorum tria videbantur
esse quasi aurea diversis gemmis mirabiliter perornata ;
5 alia vero tria folia his interposita videbantur aliorum
quorumdam inaestimabilium colorum varietate distincta. Unde per aurea tria folia intellexit designari has
tres distinctiones quas ipsa in infirmitate sua cum labore
legerat. Quibus Dominus ex benignitate sua tres alios
10 indicibiles colores addiderat aliorum trium foliorum :
unum pro affectu quem habuerat ad salutandam et
laudandam dulcissimam Matrem suam ; secundum, pro
discretione qua, dum sensit se non praevalere, tantum

XLVIII. 1, 16 suam *om.* W ‖ 19 exercitu W ‖ possunt B[1]
(*corr. mg.* B[2]) ‖ **2,** 3 videbantur tria B ‖ 10 inedicibiles W ‖ 13
qua : quia W

1. Gertrude, incapable de réciter soixante-six fois toute la
salutation angélique (qui ne comprend pas alors la 2e partie :
Sancta Maria ...), s'en tient aux trois premières *distinctiones,*
aux trois premiers éléments de cette prière : *Ave Maria* — *gratia*

dre ce nombre en se servant de ces trois membres de phrase : *Ave Maria — gratia plena — Dominus tecum*[1]. Elle offrit cette prière avec d'autres qu'on lui avait demandé d'offrir à la bienheureuse Vierge. Cette Vierge pleine de grâce lui apparut alors ; elle portait un manteau vert, tout rutilant de fleurs d'or en forme de trèfles dont il était entièrement parsemé et elle lui dit : « Regarde : autant de mots dans la prière que tu m'as offerte de la part de chacune, autant de fleurs placées dans ma parure. Le plus ou moins d'éclat dont brillent ces fleurs correspond à l'attention plus ou moins grande apportée par chaque personne à sa prière. Et moi, je fais rejaillir la splendeur de ces fleurs sur l'âme de chacune de celles qui ont acquitté ces prières en mon honneur, en sorte qu'elles plaisent à mon Fils et à toute la cour céleste. »

2. On voyait la bienheureuse Vierge porter aussi, mêlées aux trèfles dont on a parlé, quelques roses à six pétales extrêmement brillantes. Trois de ces pétales semblaient d'or et ornés de diverses pierreries. Les trois autres pétales qui s'y intercalaient s'en diversifiaient par une extraordinaire variété de couleurs. Elle comprit alors que les trois pétales d'or symbolisaient les trois membres de phrase qu'elle avait récités avec peine à cause de sa faiblesse. Dans sa bénignité, le Seigneur y avait ajouté trois autres pétales de trois autres couleurs impossibles à décrire : le premier, pour la tendresse avec laquelle elle avait salué et loué sa très douce Mère ; le deuxième, pour la discrétion qu'elle avait eue de réciter seulement ces trois membres de phrase, puisqu'elle

---

plena — Dominus tecum. Le Seigneur lui sait gré de cette humble sagesse : « *pro discretione* qua, dum sensit se non praevalere, *tantum tres* legit distinctiones » (li. 12-13). Il ne faut pas conclure de ce passage que l'*Ave Maria* ne comportait alors à Helfta que les six premiers mots. Voir d'ailleurs le ch. 12, 11, et MECHTILDE, I, 11 et 42 (éd. Paquelin, p. 35 et 126). (Sur l'*Ave Maria* au xiiie s., voir l'article de G. JACQUEMET dans *Catholicisme*, I, 1110-1111, et celui de H. THURSTON dans *Dict. de Spirit.*, I, 1161-1165.)

tres legit distinctiones ; tertium, pro plena fiducia qua
15 confidebat tam Dominum quam benignam Matrem
ipsius acceptare idipsum quod praevalebat.

3. Hinc inter Primam, post quam debebat cantari
Missa de vigilia Assumptionis, dum ex intimo cordis
affectu deprecaretur Dominum ut sibi apud dulcissimam
Matrem suam dignaretur gratiam et favorem obtinere,
5 cui ipsa, ut sibi videbatur, nunquam debitum obsequium
exhibuisset, Dominus se cum summa blanditate in amplexus Matris amicissimos declinans, exhibuit ipsi omnem
filialem dilectionem qua unquam erga eam affectus fuerat, dicens : « Recole, domina mater amantissima, quod
10 peccatoribus ego propter te sim propitiatus, et respice
hanc electam meam eo affectu ac si omnibus diebus
vitae suae tibi placite servierit cum summa devotione. »
Ad quod virginea Mater, quasi tota liquefacta et in
melleam dulcedinem resoluta, se totam huic cum omni
15 beatitudine sua ob amorem Filii videbatur impendere.

4. Dehinc inter Missam *Vultum tuum* [a], dum legeretur collecta : *Deus, qui virginalem aulam*, exhibuit se
Dominus Jesus Matri suae beatissimae, in tanta et tam
inaestimabili blanditate ac amicabilitate, quasi ea hora
5 revocaret ei multipliciter omnia gaudia quae habuerat
in ejus sanctissima conceptione, nativitate, aliisque delectationibus suae humanitatis. Et cum ista devotius intenderet verbis illis, scilicet : *ut sua defensione munitos jucundos faciat*, etc., videbatur delicata Mater benigne expan-
10 dere pallium suum, quasi ad suscipiendum omnes ad se

4, 8-9 jucundos faciat *om.* W

---

4 *a.* Introït de la messe de la vigile de l'Assomption :
Ps. 44, 13

sentait ne pouvoir faire davantage ; le troisième, pour la pleine confiance avec laquelle elle espérait que le Seigneur, ainsi que sa bénigne Mère, auraient pour agréable ce qu'il lui avait été possible de faire.

La Mère du Seigneur. 3. Puis, pendant Prime, après laquelle on devait chanter la Messe de la vigile de l'Assomption, elle pria le Seigneur, dans le secret désir de son cœur, de daigner lui obtenir grâce et faveur auprès de sa très douce Mère, car jamais, lui semblait-il, elle ne lui avait témoigné la déférence qui lui était due. Le Seigneur s'inclina avec une immense tendresse pour étreindre sa Mère avec une extrême affection, exprimant toute la filiale dilection qu'il avait jamais ressentie pour elle, et lui dit : « Souvenez-vous, ô ma Dame et Mère très aimée, qu'à cause de vous j'ai eu pitié des pécheurs, et regardez mon élue avec autant d'amour que si elle vous avait servie tous les jours de sa vie avec la plus grande dévotion et de manière à vous plaire. » A ces mots, la Mère virginale sembla se fondre et devenir tout entière miel et douceur, et, pour l'amour de son Fils, parut se donner entièrement à cette âme avec toute sa béatitude.

4. Ensuite, pendant la Messe *Vultum tuum* [a], tandis qu'on récitait la collecte : *Deus, qui virginalem aulam,* le Seigneur Jésus donna à sa bienheureuse Mère tant et de si précieux témoignages de tendresse et d'affection, qu'il paraissait, en cette heure, faire revivre pour elle la multitude de toutes les joies qu'elle éprouva lors de sa conception toute sainte, de sa naissance, et des autres circonstances heureuses de sa vie d'homme. Et comme elle apportait une dévotion spéciale aux mots : *ut sua defensione munitos jucundos faciat*, etc., cette tendre Mère parut étendre avec bonté son manteau, comme pour y recevoir tous ceux qui se confiaient particulièrement

confugientes in speciale patrocinium. Tunc advenientes
angeli sancti adducebant coram ea omnes personas
quae se speciali devotione vel orationibus ad idem festum devote praeparaverant, in specie juvencularum
15 speciosarum, quae reverenter sedentes ante eam sicut
filiae coram matre, sanctorum angelorum ministerio
undique fulciebantur, et ab insidiis malignorum spirituum defensabantur, et ad quaeque bona promovebantur.
Intellexitque talem protectionem angelorum obtentam
20 per antedicta verba collectae, scilicet : *ut sua defensione
munitos*, quia ad imperium ejus multitudo angelorum
undique defendendo protegit omnes se invocantes.

5. Post hoc, videbantur quasi sub pallium ejus accur-
rere quaedam diversi generis bestiolae, per quas notabantur quique peccatores ad ipsam specialem devotionem habentes. Quas omnes misericordiae Mater benigne
5 suscipiens, et quasi pallio suo protegens, delicata manu
sua singulas contrectando et deliniendo, ipsis amicabiliter blandiebatur, quemadmodum quis blandiri solet
catulo suo ; per hoc manifeste insinuans quam misericor-

---

11 speciale *om.* W ǁ 13 qui B ǁ 22 omnes *om.* W ǁ 5, 2
quos W

---

1. Il est possible, et même vraisemblable, que sainte Gertrude ait
eu sous les yeux une de ces représentations de la Vierge appelées
à devenir si courantes aux xive et xve siècles et désignées sous
le titre de « Vierge au manteau » ou « Vierge de miséricorde ».
Le geste juridique de prendre quelqu'un sous son manteau en signe
de protection est très ancien et très répandu. Il fut appliqué, dès
le xiie siècle, à la Mère de miséricorde, au moins dans les récits
de miracles (ainsi chez CÉSAIRE D'HEISTERBACH, *Dialogus mira-
culorum*, VII, 59). On trouve figurée la Vierge au manteau dès les
années 1260 sur les bannières des confréries italiennes de pénitents. Cette représentation si expressive sera très chère aux fidèles
des pays germaniques au xive siècle. Elle a souvent été utilisée

en sa protection [1]. Les saints anges, survenant alors,
amenèrent devant elle toutes les personnes qui s'étaient
dévotement préparées à cette fête par des pratiques de
dévotion [2] ou des prières particulières. Elles avaient
l'aspect de belles jeunes filles. Assises avec respect devant
elle comme des filles devant leur mère, elles étaient
assistées et entourées de prévenances par les saints anges
qui les défendaient contre les embûches des malins esprits
et les portaient à toute sorte de biens. Elle comprit
alors que semblable protection des anges était le fruit
du texte : *ut sua defensione munitos* de la collecte précédemment citée, car, au commandement (de la Vierge),
une multitude d'anges défend et protège de toute part
ceux qui l'invoquent.

Refuge des pécheurs. 5. Après cela, on vit comme accourir
sous son manteau de petits animaux
de diverses espèces. Ils symbolisaient
ceux des pécheurs qui ont pour elle une spéciale dévotion.
La Mère de miséricorde les accueillait tous dans sa bonté
et semblait les protéger sous son manteau. Les touchant
et les palpant chacun à leur tour de sa main délicate,
elle les caressait avec affection, un peu comme on cares-
serait son petit chien. Elle suggérait par là, manifeste-

---

par les ordres religieux (Cisterciens, Dominicains, Franciscains)
ainsi que par des familles. Voir les articles et la bibliographie
donnés par A. RÉAU, *Iconographie de l'art chrétien*, II, 2, p. 112-
120 et 128, et par le *Lexikon der christlichen Ikonographie*, IV,
c. 128-133 : « Schutzmantelschaft » (J. Seibert). — Voir aussi,
ci-dessous, 48, 21, 3.

2. Ici et dans plusieurs autres passages, il semble que *devotio*
ne désigne pas seulement le sentiment de piété intérieure, mais
plutôt son expression extérieure : pratiques de dévotion, prières,
gestes liturgiques ou non. Voir plus loin (48, 6, 8), à propos du Chapitre en la vigile de l'Assomption : *ad quod nos tamen nullam specialem devotionem habemus,* qu'il est vraiment difficile d'interpréter
d'une dévotion seulement intérieure !

diter suscipit omnes se invocantes, et quam materna
10 pietate defendit et protegit etiam adhuc peccatis dedi-
tos in se sperantes, donec eos Filio suo reconciliet veraciter paenitentes. Ad elevationem vero salutaris hostiae,
videbatur Dominus Jesus seipsum cum omni beatitudine
divinitatis suae et humanitatis in specie sacramentalis
15 hostiae praetendere omnibus qui cum devotione intererant Missae ob honorem dulcissimae Matris suae, desiderantes ipsi in festo Assumptionis suae devote famulari, ut ex vivacitate divinae virtutis omnes dulciter
allecti et suaviter recreati, confortarentur in sua bona
20 voluntate : sicut aliquis recreatus confortatur ex cibo
diversis aromatum speciebus et condimentis confecto.

6. Hinc post Missam, dum conventus secundum Statuta Ordinis procederet ad Capitulum, vidit Dominum
Jesum cum infinita multitudine angelorum adventum
congregationis cum magno gaudio praestolantem. Quod
5 ipsa multum admirans, dixit ad Dominum : « Ut quid,
amande mi Domine, ad istud Capitulum cum tanta
dignatione et multitudine angelorum advenisti, ad quod
nos tamen nullam specialem devotionem habemus, sicut
in vigilia tuae sacratissimae Nativitatis et Incarnatio-
10 nis ? » Respondit Dominus : « Ego idcirco adveni, quemadmodum paterfamilias hospites ad convivium suum
invitatos benigne suscipiens ; hodie vero ob reverentiam dulcissimae Matris meae, ad praenuntiationem sol-
lemnitatis ejus praecelsae Assumptionis, speciali affectu
15 suscipiam omnes idem festum devote percolere desiderantes. Et insuper ex auctoritate divinitatis meae absol-

---

17 suae *om.* B ‖ 20 cibis B ‖ 21 speciebus et *om.* W ‖ **6,**
7 multit. angelorum et dignat. B ‖ 10 adveni : conveni B¹
(*corr. s.l.* B²)

ment, avec quelle miséricorde elle accueille tous ceux qui l'invoquent, avec quelle maternelle bonté elle défend et protège ceux qui mettent en elle leur espérance, quand bien même ils seraient encore adonnés au péché, jusqu'au moment où elle les réconcilie avec son Fils par une authentique pénitence. A l'élévation de l'hostie de notre salut, elle vit le Seigneur Jésus, dans toute la béatitude de sa divinité et de son humanité, se donner lui-même sous les espèces sacramentelles de l'hostie à tous ceux qui, dévotement, prenaient part à la Messe en l'honneur de sa très douce Mère, avec le désir de lui rendre leurs dévots hommages, en cette fête de son Assomption. Ainsi, doucement attirés à cette réfection suave par la vertu vivifiante de la divinité, tous sentaient leur bonne volonté affermie, de même qu'on renouvelle ses forces en se nourrissant de mets assaisonnés de toute une variété d'aromates et de condiments.

Vigile. **6.** Puis, après la Messe, tandis que le convent, selon les prescriptions de la règle, se rendait au Chapitre, elle vit le Seigneur Jésus qui, accompagné d'une immense multitude d'anges, attendait avec grande joie l'arrivée de la communauté. Pleine d'étonnement, elle dit au Seigneur : « Pourquoi donc, ô mon aimable Seigneur, êtes-vous venu à ce Chapitre avec tant de pompe et toute cette multitude d'anges ? Nous n'y accomplissons pourtant aucune pratique spéciale de dévotion, comme en la vigile de votre sainte Naissance selon la chair. » Le Seigneur répondit : « J'y suis venu comme viendrait un père de famille pour accueillir avec bénignité les hôtes conviés à son festin. Aujourd'hui, par déférence pour ma très douce Mère, au moment où l'on annoncera la solennité de sa glorieuse Assomption, j'accueillerai avec une spéciale affection toutes celles qui désirent célébrer dévotement cette fête. De plus, par l'autorité de ma divinité, j'absoudrai toutes celles

vam omnes cum humilitate et devotione ordinis sui
negligentia profitentes. » Et adjecit Dominus : « Simili
modo, inquit, intersum Capitulo vestro in omnibus fes-
20 tis, et insuper omnia quae ibi agitis, accepto eo modo
sicut praemonstravi tibi in vigilia Nativitatis. »

7. Hinc dum speciali devotione intenderet Nonae, qua
secundum Statuta nostra inchoatur festum Assumptionis, divinitus illustrata intellexit quod beatissima Virgo
Maria praecedenti die suae felicissimae Assumptionis
5 circa horam nonam ita penitus absorpta est in Deum,
quod omni humanitate exuta, jam in praeludio caelestium deliciarum Spiritu Dei vegetabatur, usque ad horam
illam jucundissimam qua, circa noctis horam tertiam,
advenienti Domino in omni perfectione virtutum summe
10 praeparata exivit obviam cum ingenti laetitia, nulla
omnino remordente conscientia ; sicque in ulnas ejus
advolans, unus spiritus cum eo effecta [a], introivit in
potentias totius beatitudinis ipsius divinitatis [b].

8. Inter Vesperas, dum cantarentur psalmi, videbatur Dominus omnia in quibus ipse per psalmos extollebatur, intrahere Cordi suo divino, et de Corde suo dirigere in beatam Virginem tamquam impetus quosdam
5 validissime inundantes. Ex quibus Virgo, Mater inclyta,
tot suscepit influxus quot praedita erat dignitatibus
meritorum. Et dum imponeretur antiphona *Tota pulchra
es* [a], ista irruens in amplexus Domini, per Cordis ejus
organum singula verba illa intonare nitebatur, in memo-
10 riam suavissimarum blanditatum illarum quibus per
eadem vel similia verba blanditus esse creditur Filius
Altissimi suae beatissimae Matri. Et ecce ex tali devo-

7, 3 illustratum B ‖ 4 Maria *om.* W ‖ 7 deliciarum *om.* W
‖ **8**, 6 quot : quod B ‖ 10 per : pro B

---

7 *a.* Cf. *I Cor.* 6, 17 ‖ *b.* Cf. *Ps.* 70, 16 ‖ **8** *a.* Antienne des
1res Vêpres (*CAO* 5162)

qui accuseront avec humilité et dévotion leurs manquements à la règle. » Et le Seigneur ajouta : « C'est de cette manière que je prends part à votre Chapitre tous les jours de fête, et je déclare, en outre, agréer tout ce que vous y accomplissez, comme tu as pu le voir en la vigile de la Nativité. »

7. Puis, comme elle assistait avec une spéciale dévotion à None, où, selon nos rubriques, on commence à célébrer la fête de l'Assomption, elle connut par une illumination divine que, la veille de sa glorieuse Assomption, la bienheureuse Vierge Marie, vers l'heure de none, fut tellement absorbée en Dieu que, dépouillée de tout ce qui est charnel et animée par l'Esprit de Dieu, elle préludait déjà aux joies célestes. Il en fut ainsi jusqu'au moment, heureux entre tous, où, vers la troisième heure de la nuit, admirablement préparée à la venue du Seigneur par la perfection de toutes les vertus, elle s'élança au-devant de lui avec grande joie, la conscience absolument nette de tout reproche. S'envolant ainsi dans ses bras, devenue un même esprit avec lui [a], elle pénétra entièrement dans la puissance et la béatitude de sa divinité [b].

Le Cœur du Fils. 8. Pendant la psalmodie des Vêpres, le Seigneur semblait attirer en son Cœur divin toutes les louanges qui lui étaient adressées dans les psaumes et, de son Cœur, les diriger vers la bienheureuse Vierge comme des torrents impétueux et débordants. Et la glorieuse Vierge Mère en recevait autant de flots qu'elle était ornée de mérites. Et, lorsqu'on imposa l'antienne *Tota pulchra es* [a], (Gertrude), se précipitant dans les bras du Seigneur, s'efforça d'en entonner chaque mot sur l'instrument de son Cœur, en souvenir de toute la suave tendresse que le Fils du Très-Haut a pu témoigner à sa bienheureuse Mère par ces paroles ou d'autres semblables. Or voici que, grâce à cet acte

tione illius divini Cordis impetus efficacius supereffluentes
tam magnifice in animam Virginis inundaverunt, quod
15 ex nimia impetuositate influxus videbantur resilire, quasi
stellae materiales mira claritate praefulgentes ; quae
undique Reginam caeli circumdantes, ineffabili decore
perornando laetificabant. Quaedam vero quasi prae multitudine in pavimentum cadere videbantur ; quas omnes
20 sancti recolligentes et coram Domino cum gaudio prae-
tendentes, in admiratione illarum inexplicabili modo
delectabantur. Per quod figurabatur quod omnes sancti
de superabundantia dignitatum et meritorum beatissimae Virginis copiose hauriunt gaudium, gloriam et beati-
25 tudinem indeficientem. Sicque in tali exultationis jubilo
adjungentes se omnes angeli devotioni congregationis,
consona voce insimul cum ea dulciter resonabant responsorium *Quae est ista* [b] ; quo finito, Filius Dei alti-
sone imposuit versum *Ista est speciosa* [c]. Cujus divini
30 Cordis plectrum Spiritus Sanctus circumvolvere videbatur ad laudem et gloriam super omnem creaturam benedictae Virginis Matris. Inter hymnum *Quem terra* [d],
Virgo beata, quasi prae deliciis affluentibus [e] ultra subsistere non valens, reclinavit se supra pectus Filii sui
35 amantissimi, et quasi in jubilo caelestium amoenitatum
requievit usque ad versum *O gloriosa Domina* [f]. Tunc
etenim, quasi a devotione fidelium provocata, erigens
se, porrexit omnibus manum suae benignae defensionis
ac maternae consolationis. Ad illum vero versum *Deo*
40 *Patri* consurgens, videbatur tres genuflexiones facere
cum maxima reverentia, ob honorem et gloriam semper
venerandae Trinitatis [g]. Sicque perstitit inter *Magnificat*

13 istius impetus divini cordis W ‖ 17 ineffabili :
inaestimabili W

---

b. 3ᵉ répons (*CAO* 7455) ; texte dans Paquelin, p. 434, n.
1 : *Cant.* 6, 9 ‖ c. Cf. *Cant.* 8, 5 ‖ d. Les hymnes *Quem*

de dévotion, les torrents du Cœur divin s'épanchèrent plus abondamment et inondèrent avec tant de prodigalité l'âme de la Vierge, que, dans leur trop grande impétuosité, les eaux semblaient rejaillir, brillantes d'une admirable clarté, telles de véritables étoiles. Celles-ci se placèrent autour de la Reine du ciel pour la réjouir et la parer d'un indicible éclat. Il y en avait tant, que certaines semblaient tomber à terre. Tous les saints les recueillaient alors et les présentaient avec joie au Seigneur, ravis d'admiration à un point qu'on ne peut exprimer. Cela signifiait que tous les saints puisent avec largesse une joie, une gloire et une béatitude inépuisables dans la surabondance des titres et des mérites de la bienheureuse Vierge. Et c'est avec la même jubilante allégresse que tous les anges se joignirent à la ferveur de la communauté pour moduler doucement avec elle le répons : *Quae est ista* [b]. Quand il fut achevé, le Fils de Dieu, d'une voix sonore, entonna le verset : *Ista est speciosa* [c]. Et l'Esprit-Saint parut faire vibrer le luth du Cœur divin à la louange et à la gloire de la Vierge Marie, bénie plus que toute créature. Pendant l'hymne : *Quem terra* [d], la bienheureuse Vierge, comme sans forces pour supporter plus longtemps ces flots de délices [e], s'inclina sur la poitrine de son Fils très aimé pour s'y reposer, dans la jubilation du bonheur céleste, jusqu'à la strophe : *O gloriosa Domina* [f]. Alors, comme si la dévotion des fidèles l'eût provoquée, elle se redressa et tendit vers tous sa douce main protectrice pour les réconforter maternellement. Puis, à la strophe : *Deo Patri*, elle se leva et parut faire, avec beaucoup de révérence, trois génuflexions pour l'honneur et la gloire de la toujours adorable Trinité [g]. Et elle demeura ainsi,

terra (*RH* 16347) et *O gloriosa Domina* (*RH* 13042) sont chantées à la suite et sous une même doxologie (cf. Paquelin, p. 434, n. 2) ‖ *e.* Cf. *Cant.* 8, 5 ‖ *f.* 1re strophe de la seconde des deux hymnes ‖ *g.* Cf. *RB*, 9

orans pro ecclesia. Ad antiphonam autem *Virgo pruden-*
tissima [h], demisit lucem quamdam caelestem ad omnes
45 se devote invocantes.

9. Alia vice, eodem gloriosae Assumptionis festo, dum
valde deficientibus viribus vix adjuvaretur ad locum orationis quo Matutinas audiret, et ibi fessa sederet, tandem
visitavit eam *oriens ex alto* Dominus *per viscera miseri-*
5 *cordiae suae* [a]. Et videbatur in sexto responsorio quasi
adesset in spiritu jucundissimae illi festivitati qua virginea Mater Dei debitum carnis exsolvens caelestia regna
petebat. De jam dicto ergo responsorio sexto, scilicet :
Super salutem [b], usque post *Te Deum laudamus*, quo ad
10 seipsam rediit, nihil cantabatur in quo specialem mirabilis delectationis intellectum non haberet. Unde de pluribus pauca exponam, sicut ad exteriorem intellectum
possunt exponi. Illud enim responsorium *Super salu-*
tem videbatur congregatus coetus tam angelorum quam
15 apostolorum decantare, quasi congratulans Dominae
suae pro tam singulari privilegio dignitatum. Cumque
inter haec Virgo gloriosa inaestimabili suavitate attracta,
quasi claustra carnis egrediens, inter dulcissimos Filii
amplexus susciperetur, ipse benignissimus Pater orpha-
20 norum [c], ecclesiae sponsae suae dilectae personam in se
assumens, et ejus indigentiam quae Cordi suo tam profunde est immersa etiam maternis praecordiis quasi
commendare volens, in ejus persona deprompsit septimum responsorium, scilicet : *Sancta Deo dilecta* [d]. Hinc,
25 cum quasi pararet procedere, idem Filius qui tene-
riori affectu erga Matrem afficiebatur etiam frequen-

9, 2 orationis *om.* W ‖ 6 adesset : esset B[1] (*corr. s.l.* B[2]) ‖
25 *post* pararet *add.* se W

---

h. Antienne du *Magnificat* aux 2[e] Vêpres (*CAO* 5454) :
cf. *Cant.* 6, 9 ‖ **9** *a. Lc* 1, 78 (cf. l. II, 2, 2, 8) ‖ *b.* 6e répons
(*CAO* 7726) : *Sag.* 7, 10 ‖ *c.* Cf. *Ps.* 67, 6 ‖ *d.* 7e répons. Voir
dans Paquelin, p. 435, n. 1 et 2, toute la suite de ces répons

priant pour l'Église, pendant le *Magnificat*. A la reprise de l'antienne : *Virgo prudentissima* [h], elle déversa une lumière, en quelque sorte céleste, sur tous ceux qui l'invoquaient avec dévotion.

Liturgie céleste. 9. Une autre fois, en cette même fête de l'Assomption, comme les forces lui faisaient presque entièrement défaut, c'est à peine si l'on put la conduire à sa place à l'oratoire pour y entendre les Matines, et là elle s'assit, épuisée. Le Seigneur, cependant, *qui se lève d'en-haut*, la visita *par les entrailles de sa miséricorde* [a]. Il lui sembla, durant le sixième répons, être présente en esprit à cette fête pleine de liesse en laquelle la Mère virginale de Dieu, après avoir payé son tribut à la chair, gagnait le royaume des cieux. Depuis ce sixième répons : *Super salutem* [b], jusqu'après le *Te Deum laudamus* où elle revint à elle, il n'y eut aucune pièce chantée qui ne lui procurât des lumières particulières et de merveilleuses délices. Dans le nombre, je voudrais en décrire quelques-unes, autant qu'il est possible de le faire pour les rendre intelligibles à autrui. Ce répons : *Super salutem*, donc, semblait chanté par les chœurs réunis des anges et des apôtres, pour féliciter à l'envi leur Dame du privilège absolument unique de ses prérogatives. Durant ce temps, la glorieuse Vierge, subissant l'attraction d'une suavité dont on ne peut se faire la moindre idée, quitta l'enceinte de sa chair pour être accueillie par l'infinie douceur des étreintes de son Fils. Et lui, ce Père très tendre des orphelins [c], jouant lui-même, en quelque sorte, le rôle de l'Église, épouse de sa dilection, et désirant, pour ainsi dire, confier au cœur maternel les besoins de celle-ci enfouis si profondément en son propre Cœur, entonna en son nom le septième répons : *Sancta Deo dilecta* [d]. Puis on vit ce même Fils, épris d'une affection encore plus tendre pour sa Mère qui paraissait prête à s'avancer,

tiori laude ipsam extollere videbatur. Unde et eam salu-
tavit per octavum responsorium : *Salve Maria* [e]. Cui
subsequens coetus sanctorum subjunxit : *Salve, pia Ma-*
30 *ter christianorum.* Deinde subsequens Jesus in persona
sponsae suae ecclesiae adjunxit clara voce : *Virgo sola-*
men, etc.

10. Hinc cum beata Virgo inaestimabili tripudio caelestia intrare videretur ad Cantica *Audite me, divini fruc-*
tus [a], tota caelestis curia ad tantae exultationis novita-
tem ita commoveri videbatur quod nullis hominum lin-
5 guis posset explicari. Apparuit enim quasi intraret pra-
tum super omnem humanam capacitatem amoenissimum,
quod plenum esset omnigenis floribus. Unde cum cantaretur versus ille : *Et frondete in gratiam* [b], etc., omnes
flores in susceptionem Reginae singularis ex singulis
foliis specialem emittebant splendoris amoenitatem ac
10 dulcissimi saporis suavitatem, et insuper clarissimi sonoris jucunditatem, ac si totius mundi sonus musicus insimul dulcissimum melos decantare audiretur. Hinc beata
Virgo, quasi de incomparabili beatitudine sua exultans
et Deo congratulans, psallebat : *Gaudens gaudebo in*
15 *Domino* [c]. Deinde Deus Pater, quasi complacatus in omnimoda perfectione tam elegantis Virginis, ex abundantia
dulcedinis militanti ecclesiae benedixit dicens : *Non voca-*
beris ultra derelicta [d], etc.

11. Post hoc, in laudem Virginis Matris omnis angelorum chorus prorupit alte intonans : *Sexaginta sunt*
reginae [a], denotans quod supra ordines ipsorum Virgo

10, 1 cum *s.l.* B²

---

e. 8ᵉ répons ; texte dans Paquelin, p. 435, n. 2 ‖ **10** *a. Sir.*
39, 17. Voir en appendice (*Note B*) à la traduction des moniales
de Wisques (1952), II, p. 386-387, les 3 cantiques bibliques
chantés au 3ᵉ nocturne : *Obaudite me, Gaudens gaudebo,*

la glorifier en redoublant ses louanges. Aussi la salua-t-il
par le huitième répons : *Salve Maria* [e]. Et, poursuivant,
le chœur des saints ajouta : *Salve, pia Mater christianorum.* Puis Jésus, parlant au nom de l'Église, son épouse,
ajouta la suite d'une voix claire : *Virgo solamen,* etc.

10. Ensuite, tandis qu'on voyait la bienheureuse
Vierge pénétrer dans cette extraordinaire fête du ciel
pendant le cantique : *Audite me, divini fructus* [a], la cour
céleste tout entière parut secouée d'une émotion telle,
devant cette allégresse sans précédent, qu'aucune langue
humaine ne saurait la décrire. La Vierge semblait en
effet pénétrer dans une prairie dont le charme dépassait
tout ce que l'homme peut concevoir ; elle était émaillée
de fleurs de toute espèce. Aussi, lorsqu'on chanta le
verset : *Et frondete in gratiam* [b], etc., toutes les fleurs,
pour accueillir cette Reine unique, voulurent faire jaillir
de chacun de leurs pétales un charme et un éclat singu-
liers, la douceur d'un parfum très suave et, en outre,
l'allégresse d'un chant sonore, comme si l'on avait entendu
les musiciens du monde entier chanter d'une seule voix
une mélodie infiniment douce [1]. Ensuite la bienheureuse
Vierge, exultant en son incomparable béatitude, louait
Dieu et chantait : *Gaudens gaudebo in Domino* [c]. Puis,
Dieu le Père, comme rendu propice par la perfection
sans faille d'une Vierge si belle, bénit l'Église militante
avec une abondance de douceur, en lui disant : *Non
vocaberis ultra derelicta* [d], etc.

11. Après cela, pour louer la Vierge Mère, tout le
chœur des anges entonna d'une voix éclatante : *Sexaginta sunt reginae* [a], soulignant que la Vierge Marie

Non vocaberis ‖ *b. Sir.* 39, 19 ‖ *c. Is.* 61, 10 ‖ *d. Is.* 62, 4 ‖
11 *a. Cant.* 6, 7

---

1. Encore les sens spirituels. Vue, odorat, ouïe sont clairement
désignés.

Maria esset elevata. Hinc chorus sanctorum subjunxit :
5 *et octoginta concubinae,* etiam supra se Virginem Matrem privilegiatam proclamans. Deinde utrique chori,
scilicet angelorum et sanctorum, in persona militantis
ecclesiae decantabant : *et adolescentularum non est nume-*
rus, per hoc etiam Matrem Dei, ut dignissimum est,
10 supra se extollens. Hinc Spiritus Paraclitus suavissima
modulatione subjunxit : *Una est columba mea* [b], quasi
diceret : « Istam unice mihi repperi simillimam, in qua
placite requiescere potui. » Tunc Filius Dei addidit :
perfecta mea, quasi diceret : « Omne quod tam in divi-
15 nitate quam in humanitate in homine invenire opta-
rem, perfectissime in ista inveni. » Cui Dominus Pater
annexit : *una est matris suae, electa genitricis suae* ;
quasi prae nimietate affectus reticere nolens quid ipse
in ea sentiret, hoc quod matri suae, scilicet Ecclesiae,
20 esset electa, subtexit.

12. Hinc canora laude totius caelestis curiae, cum responsorio *Salve nobilis* [a], in throno gloriae a dextris Filii
cum decenti reverentia collocatur. Et post hoc, omnes
caelici cives ante solium regni ipsius decenter coadunati,
5 ex abundantia benignissimi favoris extollentes laudabilem
conversationem vitae ejus, cum ineffabili jubilo decantabant responsorium *Beata es Virgo Maria* [b]. Cui versum, scilicet *Ave Maria,* tota Trinitas subjunxit, renovans in ea suavitatem illius angelicae salutationis quae
10 totius salutis suae saluberrimum exordium fuit. Cui sanctorum chorus iterum annexit : *Ecce exaltata es,* commendans ut pro Ecclesia militante intercederet. Post hoc

---

11, 4 elevata : electa W ‖ 16 ista : illa W ‖ **12,** 3 hoc *om.* W

---

b. Cant. 6, 8 ‖ **12** *a.* Répons (*CAO* 7564) ; texte dans
Paquelin, p. 437, n. 1 ‖ *b.* Répons (*CAO* 6165) : *Lc* 45, 28

a été élevée au-dessus de toutes leurs hiérarchies. Puis
le chœur des saints poursuivit : *et octoginta concubinae*,
proclamant ainsi que la Vierge Mère l'emporte également
sur eux par ses privilèges. Enfin le chœur réuni des anges
et des saints chanta au nom de l'Église militante : *et
adolescentularum non est numerus*, exaltant par là la
Mère de Dieu, bien au-dessus d'eux tous, ainsi qu'il est
infiniment juste. L'Esprit Paraclet, alors, poursuivit
sur un mode plein de suavité : *Una est columba mea* [b],
comme pour dire : « Avec elle seule je me suis trouvé
de telles affinités que je puis me reposer en elle avec
plaisir. » Le Fils de Dieu, à ce moment, ajouta : *perfecta
mea*, comme s'il disait : « Tout ce que je souhaitais, soit
comme Dieu, soit comme homme, trouver en une créature
humaine, je l'ai trouvé en elle de façon parfaite. » Et
Dieu le Père enchaîna : *una est matris suae, electa genitricis suae*. Il semblait, dans l'excès de sa tendresse, ne
pouvoir plus tenir caché ce qu'il ressentait pour elle, et
affirmait de plus qu'elle est la préférée de sa Mère,
c'est-à-dire de l'Église.

12. Ensuite, tandis que toute la cour céleste, durant
le répons : *Salve nobilis* [a], proclamait ses louanges, elle
fut placée, avec tout le respect voulu, sur un trône de
gloire à la droite de son Fils. Tous les citoyens du ciel
se réunirent alors avec ordre devant le siège royal,
exaltant par des applaudissements répétés et enthou-
siastes le cours de cette vie si digne de louanges, en chantant avec une liesse indescriptible le répons : *Beata es
Virgo Maria* [b]. Quand on parvint au verset : *Ave Maria*,
la Sainte Trinité tout entière s'y joignit, renouvelant
en (la Vierge) l'extrême douceur de cette salutation
de l'ange qui fut la bienheureuse aurore de toute son
œuvre de salut. A cela le chœur des saints ajouta :
Ecce exaltata es, lui demandant d'intercéder pour l'Église

Deus Pater specialiori laude eam extollere delectans quia
in ejus forma sibi plene complacuit, sonore decantabat
15 responsorium *Ave sponsa* [c]. Cui Filius subjunxit : *Suna-*
mitis secundum cor summi Regis, et Spiritus Sanctus
addidit : *Ave Mater Maria*. Cui Filius iterum annexit :
Spiritu Sancto teste. Tunc omnis coetus sanctorum addidit : *Tu olim Maria sordibus Aegyptiis millies exosam*.
20 Hinc angelorum chorus subintulit : *Tu Theophilum des-*
peratum apostatam reconciliasti Filio tuo, et *In gra-*
tiam. Tunc omnes sancti simul, in persona militantis
ecclesiae genua coram beata Virgine flectentes, canebant :
O celsa, o sancta, etc. Post hoc, duodecimum respon-
25 sorium *Quae est ista* [d] tota Trinitas ex abyssali super-
effluentia favorabilis jucunditatis erumpens et quasi in
admirationem commovens clarissime decantabat, tamquam omnibus notificans merita beatae Virginis.

13. Ubi postremo intellexit quod ipsa beata Virgo cum
omni caelesti curia et militia pro beatificatione sua decantaret : *Te Deum laudamus*, in gloriam semper venerandae Trinitatis. In primo ergo versu extollebatur simul tota
5 Trinitas sancta ; per secundum versum : *Te aeternum*
Patrem, specialiter extollebatur Deus Pater ; per tertium :
Tibi omnes angeli, Filius Dei ; per quartum : *Tibi*
Cherubim, Spiritus Sanctus. Et sic per singulos versus singulas personas intellexit extolli, exceptis illis sep-
10 tem versibus : *Tu Rex gloriae, Christe*, etc., qui specialiter referebantur ad Filium Dei, laudantes illum pro
singulis affectionibus beatae Virginis, quod eas cum suo
adjutorio semper direxerit ad laudem divinam, nec

22 simul : simili B ‖ 28 beatae : gloriosae W ‖ **13,** 2 curia et
om. W ‖ 4 ergo *om.* W ‖ 6 *post* tertium *add.* versum W

---

c. Texte de ce répons dans Paquelin, p. 437, n. 2 ‖ *d.*
Répons (*CAO* 7455) : cf. *Cant.* 6, 9

---

1. Sur ce répons célèbre, où sont nommés, comme bénéficiaires
de l'intercession de la Vierge Marie, Marie l'Égyptienne et le clerc

militante. Après quoi, Dieu le Père, heureux de la glorifier par une louange particulière, lui qui s'est pleinement
complu en sa beauté, chanta d'une voix sonore le répons :
Ave sponsa [c] [1]. Le Fils enchaîna : *Sunamitis secundum
cor summi Regis*, et l'Esprit-Saint poursuivit : *Ave Mater
Maria*. Le Fils reprit : *Spiritu Sancto teste*. Et toute
l'assemblée des saints poursuivit : *Tu olim Maria, sordibus
Aegyptiis millies exosam*. Puis le chœur des anges continua : *Tu Theophilum desperatum apostatam reconciliasti Filio tuo*, et : *In gratiam*. Alors tous les saints
ensemble, fléchissant les genoux devant la bienheureuse
Vierge, au nom de l'Église militante, chantèrent : *O
celsa, o sancta*, etc. Après quoi, la Trinité tout entière,
comme s'élançant de l'abîme d'une joie surabondante,
qui gagnait les cœurs et provoquait l'admiration, chanta
d'une voix triomphante le douzième répons : *Quae est
ista* [d], pour proclamer ainsi à tous les mérites de la
bienheureuse Vierge.

13. Elle vit enfin que cette bienheureuse Vierge, pour
célébrer sa propre béatitude, chantait elle-même avec
toute la cour et l'armée céleste : *Te Deum laudamus*,
à la gloire de la toujours adorable Trinité. Le premier
verset louait donc la Sainte Trinité tout entière ; le second :
Te aeternum Patrem, louait particulièrement Dieu le
Père ; le troisième : *Tibi omnes Angeli*, le Fils de Dieu ;
le quatrième : *Tibi Cherubim*, l'Esprit-Saint. Elle comprit que chacune des personnes était ainsi successivement louée par un verset, en exceptant toutefois les
sept versets : *Tu Rex gloriae, Christe*, etc. qui s'adressent
spécialement au Fils de Dieu pour lui rendre hommage
au sujet des sentiments de la bienheureuse Vierge [2].
Avec son secours, en effet, celle-ci les avait, tous et cha-

Théophile, voir la *Note C* en appendice à la traduction des moniales
de Wisques, II (1952), p. 387-388.

2. Cf. t. III (*SC* 143), Appendice III : « *Affectiones animae* »,
p. 352-356.

unquam ad transitoria declinaverit. Per sequentes
15 autem versiculos, scilicet *Aeterna fac,* iterum alternatim
extollebantur singulae personae. Per quae omnia talis
intellectus dabatur isti, quod nullus Patri attribueba-
tur, qui non tam specialiter illi congrueret, quod nullo
modo aliter esse posse videretur. Similiter illi qui attri-
20 buebantur Filio et etiam Spiritui Sancto. Post hoc, cum
ad seipsam rediret, ex hac jucundissima sollemnitate, cui
tam mirabili delectatione spiritu interfuerat, sensit
etiam corpus suum in tantum recreatum, quod omnes
sibi assistentes ad deducendum se tanta velocitate
25 praecessit quod omnino nullum sensit defectum. Et
haec valetudo duravit usque dum post Missarum sollem-
nia corporali cibo est refecta.

14. Hinc revolutis trium annorum curriculis, dum
iterum lecto decumberet aegrotans, et in sancta vigilia
Assumptionis gloriosae Virginis Mariae, mane primo di-
luculo mentem suam devotioni adaptare studeret, vidit
5 in spiritu ipsam Virginem beatissimam, quasi in horto
quodam amoenissimo diversi coloris floribus, odorifera
vernantia deliciose consito, tamquam in tranquillisimo
quodam jubilo suavissimae contemplationis jam ago-
nizare incipientem ; quae amabilissimi vultus sui sere-
10 nitate ac gestus amicabilitate omni se gratia plenam
demonstrabat. Apparebant quippe in ipso horto rosae
pulcherrimae sine spinis, lilia candidissima et violae
fragrantissimae caeterique flores omnigeni sine herbis.
Qui etiam singuli flores, quod dictu est mirabile, quanto
15 remotiores erant a beata Virgine, tanto majoris videbantur esse decoris, fragrantiae et vigoris. Ex quibus

14, 3 Mariae *om.* B ‖ **11** horto : ortu W

cun, orientés vers la gloire de Dieu, sans jamais les détourner vers les choses passagères. Dans les versets suivants, c'est-à-dire : *Aeterna fac*, chacune des personnes était, de nouveau, louée à son tour. Et tout ceci permettait à (Gertrude) de comprendre qu'aucun verset n'était attribué au Père qui ne lui convînt particulièrement, si bien qu'on ne voyait pas comment il aurait pu en être autrement. Et de même pour les versets attribués au Fils ou à l'Esprit-Saint. Quand enfin elle revint à elle après cette solennité pleine d'allégresse où elle avait été présente en esprit dans une si merveilleuse délectation, elle sentit que son corps lui-même avait repris des forces, si bien qu'elle devança toutes celles qui voulaient l'aider et la reconduire, et ceci avec la célérité de quelqu'un qui ne ressent plus aucune faiblesse. Cette vigueur persista jusqu'à l'heure où elle prit de la nourriture après la Messe solennelle.

Un beau jardin. **14.** Trois ans plus tard, se trouvant de nouveau malade et alitée, en la sainte vigile de l'Assomption de la glorieuse Vierge Marie, comme elle s'efforçait, dès le point du jour, de préparer son âme à une prière fervente, elle vit en esprit la très bienheureuse Vierge. Elle semblait se trouver dans un jardin délicieux avec ses fleurs aux coloris variés, ses plantations agréables et ses frondaisons embaumées. Dans la joie très paisible d'une contemplation infiniment douce, elle entrait en agonie ; l'aimable sérénité de son visage et le charme de son attitude la révélaient à tous pleine de grâce. En ce jardin, on voyait des roses extraordinairement belles et sans épines, des lis d'une blancheur éclatante, des violettes odorantes et d'autres fleurs de toute espèce, sans aucune herbe. Chose surprenante à dire : chacune de ces fleurs semblait avoir d'autant plus de beauté, de parfum et de vigueur qu'elle se trouvait plus éloignée de la bienheureuse Vierge. Et

singulis generosa Virgo singulariter, quasi flatum intra-
hendo, omnem cujuslibet floris virtutem inaestimabili
quadam caelesti aviditate sibi totaliter intrahebat, ac
20 sic quodammodo cum inaestimabili delectatione respi-
rando, eamdem in Cor deificum amantissimi Filii sui,
quod versus eam apparebat apertum, alacriter immittebat.

15. Apparuit etiam innumerabilis multitudo angelorum, qui ab ore beatae Virginis, circa flatum quem
intrahebat, usque ad flores erant mancipati ad obsequen-
dum tantae imperatrici, Dominum collaudantes. Vidit
5 etiam ibi beatum Joannem evangelistam quasi ad caput
Virginis Matris orationi devotius incumbentem, a quo
etiam Mater Domini videbatur quasi vaporem quemdam mirificum intrahere sibi. Cum vero in his omnibus
ista plurimum delectaretur, etiam mirari coepit quid
10 per hoc notaretur. Unde edocta est a Domino quod
per hortum praeostensum significaretur Virginis intac-
tae corpus; per flores vero diversas virtutes quibus ipsa
beatissima Virgo decenter erat exculta; per rosas autem,
quae remotiores caeteris apparebant et venustiores, ac
15 majori reverentia spirituum beatorum colebantur, opera
caritatis tam Dei quam proximi. In quibus quanto se
latius extendere studuit, tanto digniorem fructum Deo
attulit. Per lilia vero quae efficaciorem odorem reddunt
et candorem gratiorem, notabatur favor sanctae conver-
20 sationis ipsius, quam electi sunt imitati. Per hoc etiam,

20 si B¹ (*corr. s.l.* B²) ‖ **15**, 6 qua B ‖ 10 notaretur :
denotaretur W ‖ 17-18 attulit deo W ‖ 18 reddunt odorem W
‖ 21 corda B

---

1. Pour saisir ce que veut suggérer cette description assez complexe, il faut, semble-t-il, imaginer la Vierge étendue, prête à
rendre le dernier soupir. Saint Jean se trouve à la tête du lit où
repose Notre-Dame. Celle-ci peut donc respirer son haleine.

toute la vertu de chacune de ces fleurs, cette noble Vierge
semblait, en respirant, l'attirer à elle avec une extraordinaire et céleste avidité : oui, elle l'aspirait avec d'incom-
mensurables délices, puis l'exhalait promptement dans
le Cœur déifique de son Fils très aimé, ouvert en face
d'elle.

15. Une innombrable multitude d'anges apparut aussi,
entre la bouche de la bienheureuse Vierge et les fleurs
qu'elle respirait. C'étaient des serviteurs aux ordres
d'une si grande impératrice, et ils louaient le Seigneur
tous ensemble. Elle vit aussi le bienheureux évangéliste
Jean, près de la tête de la Vierge Mère, tout absorbé
dans une fervente prière [1]. De lui également, la Mère
du Seigneur semblait aspirer une sorte de merveilleuse
exhalaison. (Gertrude), après avoir trouvé beaucoup
de joie en tout ceci, commença à se demander ce que
cela pouvait bien signifier. Le Seigneur lui apprit alors
que le jardin qu'elle avait vu symbolisait le corps de la
Vierge sans tache, et les fleurs, les diverses vertus qui
avaient harmonieusement paré cette Vierge bienheureuse.
Les roses qui paraissaient les plus éloignées, et aussi les plus
belles, cultivées avec plus de sollicitude par les esprits bienheureux, représentaient les œuvres de son amour, tant envers Dieu qu'envers le prochain. Plus elle s'était efforcée
de s'y déployer largement [2], plus était précieux le fruit
qu'elle en avait offert à Dieu. Les lis, qui exhalent un
parfum si pénétrant et dont la blancheur est si éclatante,
figuraient l'attrait de cette vie que les élus cherchent
à imiter. Enfin, par cette émanation que la bienheureuse

---

2. Les œuvres de charité envers le prochain sont, pour la Vierge,
une sorte d'extension qui la font, en quelque sorte, sortir d'elle-
même pour se porter vers les autres, *latius*. C'est la signification
qu'il faut donner à ces fleurs très belles, quoique les plus éloignées
de l'âme de la Vierge (cette « âme » étant figurée par sa « personne »,
ainsi qu'il est dit plus loin).

quod beata Virgo visa est de corde beati Joannis vaporem trahere, perpendit quod regalis Virgo specialem gloriam ex parte beati Joannis attulerit pro singulis bonis
quibus, ipso providente, liberius potuit vacare in omni
25 vita sua. Et cum ista inquireret quem profectum beatus
Joannes ex talibus haberet, Dominus respondit : « Quasi
tot gradibus affectuum Cor meum ipsi est dulcius accli-
natum, in quot Matris meae virtutibus ipsius sollicitu-
dinem sensi affuisse. » Hinc per personam beatae Virginis
30 quae in ipso horto videbatur, intellexit significari pre-
tiosam animam gloriosae Virginis, quae fructu singularum virtutum suarum mirifice delectata, eum maxima
gratitudine quasi de corpore in se trahens, omnia refu-
dit in Deum. Et sic per diem illum visa est in tali jubilo
35 recumbere, usquedum ad Matutinas ista iterum facta
in excessu mentis, inter primum responsorium vidit
ipsam prae omni creatura beatissimam Matrem supra
pectus dilecti Filii sui eadem tranquillissima pausatione
reclinatam. Cui Filius versa vice de Corde suo dulcis-
40 simo cum inaestimabili delectatione reinfudit omnem
illum fructum virtutum, quem ipsa prius visa est per
gratitudinem in ipsum dirigere, tanto digniorem quanto
in Corde suo divino potuit nobilitari. Qui circumdabat
eam tamquam flores rosarum et lilia convallium [a], ineffa-
45 biliter gratiosa vernantia ipsam venustantes. Ipsum vero

21-23 vaporem — Joannis *om.* B[1] *mg.* B[2] ‖ 26 respondit
dominus W ‖ 39 cui : eius B[1] (*corr. s.l.* B[2]) ‖ 43 circumdabant W

---

15 *a*. Cf. *Sir.* 50, 8

---

1. Phrase difficile. La gloire dont il est parlé n'est pas apportée
par la Vierge à saint Jean, mais elle la reçoit grâce à lui. Comment
comprendre autrement l'image du souffle de Jean aspiré par la
Vierge ? Saint Jean recevra d'ailleurs de ses services une éminente
récompense, ainsi qu'il est dit plus bas.

Vierge royale semblait aspirer du cœur du bienheureux
Jean, elle comprit que cette Vierge royale avait tiré
une gloire toute spéciale du bienheureux Jean [1]. Grâce
à lui, elle avait pu, en effet s'adonner, sa vie entière,
à toute sorte de biens, avec d'autant plus de liberté
qu'il pourvoyait à ses besoins. Et, comme (Gertrude)
s'enquérait du bénéfice que le bienheureux Jean avait
pu en retirer, le Seigneur répondit : « Mon Cœur s'est
incliné doucement vers lui par autant de degrés d'amour
que j'ai vu sa sollicitude seconder de vertus en ma Mère. »
Puis elle comprit que la personne de la bienheureuse
Vierge qu'elle voyait dans le jardin symbolisait l'âme
précieuse de la glorieuse Vierge. Cette âme trouvait
une joie extraordinaire dans le fruit [2] de ses exceptionnelles vertus. Ce fruit, elle le recueillait en son propre
corps [3] pour le faire entrer en elle-même et, avec une
immense gratitude, le reverser intégralement en Dieu.
C'est ainsi que, durant tout le jour, elle sembla reposer
dans cette grande allégresse jusqu'à l'heure de Matines
où (Gertrude), de nouveau ravie en esprit, vit, durant
le premier répons, cette Mère, bienheureuse entre toutes
les créatures, appuyée sur la poitrine de son Fils dans le
même repos souverainement paisible. Et ce Fils reversait
de son très doux Cœur, avec une délectation inexprimable, tout ce fruit de vertus que, dans sa reconnaissance, elle avait précédemment reporté en lui, fruit
d'autant plus précieux qu'il avait été ennobli en son
Cœur divin. Elle se trouvait ainsi comme entourée de
roses en fleurs et de lis des vallées [a], parure ineffable
de grâce printanière. Et, ce premier répons, c'est Dieu

---

2. « Fruit » est à prendre ici au sens large de bénéfice, jouissance,
avantage, etc., sans trop se préoccuper de la cohérence des images,
puisque concrètement ce « fruit » se matérialise ici par des
« fleurs ».

3. « quasi de corpore *in se* trahens » : c'est-à-dire *en l'âme* de la
Vierge, puisque cette « âme » est symbolisée par **sa** « personne ».

primum responsorium videbatur ipse Deus Pater omnipotens suavissima modulatione promere, dicens : *Vidi
speciosam* [b], etc., quasi per illa caelicolis notificans qua-
lem ipse eam cognoverit in terris, scilicet *columbam* sine
50　macula per innocentiam, *ascendentem desuper rivos aqua-
rum* per desiderium, *cujus inaestimabilis odor* sanctitatis *erat in vestimento*, id est, in conversatione ejus ; *et
sicut dies verni circumdabant eam flores rosarum et lilia convallium*, id est, diversae virtutes. Hinc persona Spiritus
55　Sancti annectens secundum responsorium in persona
beatae Virginis, sanctissimae conversationis ipsius dignitatem elucidans suaviter decantabat : *Sicut cedrus* [c], etc.

16. Hinc omnes sancti, tantae laudis instinctu conci-
tati, quasi admirantes decantabant tertium responsorium : *Quae est ista* [a]. Per quorum omnia singula verba
semper ista infirma singularem percepit intellectum ; sed
5　defectu virium retinere nequibat. Sicque omnes sancti,
reverenda processione ante thronum virgineum Matris
gloriosae sollemniter convenientes, dulcissimo concentu
ipsam per quartum responsorium, *Gaude Regina* [b],
extollebant in eo quod ipsa esset illa praepotens Regina,
10　per quam jam aeternae lucis claritas refulgeret eis ; quae
non solum terrarum, sed etiam caelorum domina foret
digna jam proxime futura ; quae vere omnium virginum pulcherrima in omni decore virtutum et perfectione gratiarum compareret, quia plenitudine miseri-
15　cordiae omnium indigentiis materna pietate subveniret,
essetque perennis gloria, dum suis meritis omnium sanctorum gaudium cumularetur. Tunc honorifice proce-

52 in² *om.* W ‖ **16,** 8 *post* regina *add.* ipsam *s.l.* B²

---

b. Répons (*CAO* 7878) : cf. *Cant.* 5, 12 ; 4, 11 ; *Sir.* 50,
8 ‖ *c.* Répons (*CAO* 7657) : *Sir.* 24, 17 ‖ **16** *a.* Répons (*CAO*
7455) : *Cant.* 6, 9 ‖ *b.* Texte de ce répons dans Paquelin, p.
441, n. 1

le Père tout-puissant lui-même qui semblait le proclamer sur une mélodie d'une douceur infinie. Il disait :
Vidi speciosam [b], etc., comme s'il voulait révéler aux
habitants des cieux qu'il l'avait vue lui-même sur terre,
semblable à une *colombe* sans tache par son innocence,
s'élevant au-dessus des courants des eaux par ses désirs.
Ses vêtements — c'est-à-dire sa vie — *répandaient un
précieux parfum* de sainteté, tandis que *les roses en fleurs
et les lis des vallées* — c'est-à-dire les vertus — *l'entou-
raient comme aux jours du printemps.* Alors la personne
de l'Esprit-Saint, enchaînant le deuxième répons au
nom de la bienheureuse Vierge, mit en lumière la valeur
de sa très sainte vie en chantant avec douceur : *Sicut
cedrus* [c], etc.

16. Puis tous les saints, entraînés par le mouvement
d'une si belle louange, chantèrent, pleins d'admiration,
le troisième répons : *Quae est ista* [a]. A chacune de ces
paroles, notre malade reçut des lumières particulières,
mais, par suite de sa grande faiblesse, elle n'en put rien
retenir. Cependant, tous les saints en un admirable
cortège se réunirent solennellement devant le trône
virginal de la Mère glorieuse pour chanter ensemble avec
beaucoup de douceur le quatrième répons : *Gaude
Regina* [b]. Ils la louaient, par ce chant, d'être cette Reine
puissante grâce à qui la clarté de la lumière éternelle
brillait déjà en eux [1], puisqu'elle était sur le point de
devenir la digne souveraine non seulement de la terre,
mais des cieux, d'apparaître, elle, la plus belle des vierges,
dans l'éclat de ses vertus et la perfection de sa grâce,
de subvenir, par l'abondance de sa miséricorde, aux
besoins de tous avec une maternelle tendresse, et d'être
leur gloire éternelle, ses mérites venant mettre le comble
à la joie de tous les saints. Alors s'avancèrent les chœurs

---

1. Cf. DANTE : « Tu es ici, pour nous, brûlant flambeau de
charité et, parmi les mortels, là-bas, tu es d'espoir fontaine vive »
(*Paradis*, XXXIII, 10-12).

dentes chori angelorum clara voce resonabant versum
Fac nos laetari [c], etc., quasi per haec verba provocantes
20 eam ad gloriam resolutionis. Post hoc omnes sancti
resonantes : *Gloria Patri*, pro omni gratia beatae Virgini tam in corpore quam in anima accepta. Dehinc
omnes antiphonas et psalmos subsequentes caelicolae
in laudem Dei et Virginis Matris concinentes mirificum
25 dabant intellectum. Inter quintum igitur responsorium
ipsa Virgo generosa cum maxima gratitudine se erigens
in jubilo laudis et gratiarum actionis dulciter haec verba
decantabat : *Beatam me dicent omnes generationes* [d].

17. Et sic sanctissima anima illa prae omni creatura
inaestimabiliter beatissima, carne soluta, inter amplexus
sponsi, ulnis Filii delicatissime innixa, ipsi fonti totius
beatitudinis incomparabiliter felicissima conjunctione est
5 immersa, nunquam amplius emergenda. Tunc tota caelestis curia tam praecellentis Reginae gratissima praesentia mirabiliter illustrata et jucundata, intuens animam virgunculae jucundis amplexibus Regis tam
familiari ausu circumdatam super omnes choros ange-
10 lorum et sanctorum exaltari et proximam semper venerandae Trinitati locari, cum mirae jucunditatis tripudio
congratulantes, in laudem ipsius prorumpunt cum sexto
responsorio, *Super salutem* [a], et sic visio illa dis-
paruit.

18. Ecce quam evidenter patet per praescripta, qua
cura benignus Deus dona gratiarum quae largiter impar-
titur uni, plurimorum intenderit prodesse saluti, dum

---

25 igitur *om.* B ‖ **17,** 1 sic *s.l.* B² ‖ 8 *post* regis *add.* sui W
et s.l. B²

---

c. Même répons ‖ *d.* Répons (*CAO* 6172) : *Lc* 1, 48 ‖ **17** *a.*
Répons (*CAO* 7726) : *Sag.* 7, 10

des anges avec solennité. Ils faisaient retentir d'une voix claire le verset : *Fac nos laetari* [c], comme pour l'inviter par ces paroles à une mort glorieuse. Tous les saints firent alors résonner le *Gloria Patri*, pour toutes les faveurs reçues par la Vierge, tant en son corps qu'en son âme. Et ainsi les habitants du ciel, chantant à la louange de Dieu et de la Vierge Mère toutes les antiennes et les psaumes qui suivirent, leur donnaient un sens merveilleux. Durant le cinquième répons, ce fut la noble Vierge elle-même qui, avec une immense gratitude, se leva, en jubilant de louange et d'action de grâces, pour chanter doucement ces paroles : *Beatam me dicent omnes generationes* [d].

Reine du ciel. **17.** Et c'est ainsi que cette âme toute sainte, infiniment plus heureuse que toute créature, délivrée de la chair, étreinte par l'époux, appuyée tendrement sur le bras de son Fils, grâce à cette union d'une félicité sans égale, fut plongée dans la source même de toute béatitude d'où elle ne devait jamais plus émerger. Toute la cour céleste fut alors merveilleusement illuminée et réjouie par l'exquise présence d'une reine si parfaite. Elle contemplait l'âme de cette petite fille [1] enlacée avec une si audacieuse familiarité par la joyeuse étreinte du Roi, élevée au-dessus de tous les chœurs des anges et des saints, et établie dans la proximité de la toujours vénérable Trinité. Il y eut une danse d'allégresse étonnante pour la féliciter. Ils éclatèrent en louanges avec le sixième répons : *Super salutem* [a]. Puis, toute cette belle vision disparut.

18. On voit avec évidence, par tout ce qui précède, combien Dieu dans sa bonté veille à ce que les dons de sa grâce, accordés à une seule personne, soient délibérément ordonnés au salut de plusieurs ; et c'est ainsi

---

1. Cf. BERNANOS : « Une toute petite fille, cette Reine des anges » (*Journal d'un curé de campagne*, p. 229).

hac vice ibi visionem terminavit ubi ante tres annos
5 inchoaverat, ut dum propria negligentia nobis intercludit spiritualem influxum, amoenum hortum nobis
videntes praepictum, inde saltem aliquos flores devotionum carpere non omittamus.

19. Alia iterum vice in eodem festo, dum devota Matutinis interesset, tres nocturnos distinguens in tres speciales devotiones, in primo nocturno per singula verba
et notas admonebat gloriosam Virginem ineffabilium con-
5 solationum illarum, quas creditur in expectatione beatissimi transitus sui tam a Filio quam etiam ab hominibus
sanctis percepisse. Unde ad singula verba quibus tam
ab ista quam ab aliquo fidelium in toto mundo consolationum praedictarum admonebatur, circumdari vi-
10 debatur ipsa intemerata Virgo floribus rosarum et liliis
convallium *a*. In secundo nocturno admonebat eam
suavissimarum deliciositatum illarum quibus fruebatur
in transitu de hoc mundo ad caeli palatium, *innixa* delicate *super dilectum suum* *b*. De quibus singulis tot orna-
15 mentis decorabatur inclyta Virgo, quot verbis earum-
dem deliciositatum admonebatur in universo mundo. In
tertio quoque nocturno, admonebat Reginam caeli gloriae
illius ineffabilis et omnem humanam capacitatem longe
transcendentis qua recepta est in introitu regni et subli-
20 mata supra omnem dignitatem caeli. Ad quae singula
verba administrabantur ipsi innumerabiles splendores et
dulcissimi sapores, tales quales per diversorum odorum
fragrantiam attrahuntur.

19, 1 devote W ‖ 6 etiam *om.* W ‖ 11 *post* secundo *add.*
vero W *et s.l.* B² ‖ 18 ineffabilis : inaestimabilis W

19 *a.* Cf. *Sir.* 50, 8 ‖ *b. Cant.* 8, 5

1. Il semble que cette conclusion de l'auteur se réfère au carac-
tère différent des deux visions. La première, plus intellectuelle
et plus élevée, est peut-être moins assimilable aux profanes que nous

qu'il acheva, cette fois, la vision inaugurée trois ans
auparavant ; en sorte que, si notre négligence intercepte
pour nous le courant mystique, à la vue de l'agréable
jardin qui nous est dépeint, nous n'omettions pas d'y
cueillir au moins quelques fleurs de dévotion [1].

19. Une autre fois, en cette même fête, comme elle
prenait part aux Matines avec ferveur, elle répartit
les trois nocturnes en trois exercices particuliers de dévotion. A chaque parole et à chaque note du premier
nocturne, elle rappela à la glorieuse Vierge ces consolations ineffables qu'en l'attente de son bienheureux
trépas elle avait reçues — on peut le penser — tant
de son Fils que de la part de saints personnages. Et à
chaque parole prononcée par elle ou par quelque fidèle
dans le monde entier pour évoquer ces consolations,
la Vierge sans tache semblait entourée de roses en fleurs
et de lis des vallées [a]. Au second nocturne, elle lui rappela ces délices et cette extrême douceur dont elle avait
joui durant son passage de ce monde jusqu'au palais
du ciel, *appuyée* avec tendresse *sur son bien-aimé* [b].
L'illustre Vierge se trouva alors parée d'autant d'ornements que, dans tout l'univers, l'on prononçait de
mots, pour lui rappeler ces délices. De même, au troisième
nocturne, elle rappela à la Reine du ciel cette gloire,
impossible à exprimer et surpassant de beaucoup toute
capacité humaine, avec laquelle elle fut accueillie au
seuil du royaume, et élevée au-dessus de toute dignité
dans les cieux. Et à chaque mot, lui parvenaient des
lumières sans nombre et des odeurs très douces, telle
la senteur capiteuse s'exhalant d'un mélange de parfums.

sommes : *dum propria negligentia nobis intercludit spiritualem
influxum.* Dans la seconde, au contraire, le spectacle attirant de
ce beau jardin ne peut que nous inciter à y cueillir quelques fleurs.
Et ceci est un effet de la miséricorde divine qui a voulu, pour notre
utilité, compléter, par cette aimable vision, les enseignements
plus abstraits de la première.

20. Inter Missam vero, dum legendo tria *Laudate Dominum, omnes gentes* [a], ad primum, more sibi solito, oraret omnes sanctos ut merita dignitatum suarum pro se offerrent Deo, quo per illa digne praeparata accederet
5 ad susceptionem vivifici sacramenti, et ad secundum *Laudate* similiter oraret beatam Virginem, et ad tertium Dominum Jesum, beata Virgo, ad invocationem sui exurgens, stetit in conspectu fulgidae semperque tranquillae Trinitatis, offerens pro ea merita placitissi-
10 marum dignitatum illarum quibus ipsa in die Assumptionis suae supra omnem humanam, immo angelicam dignitatem praeparata ipsi summe complacuit. Hinc cum maxima blanditate, quasi cedens de loco illo, innuit animae dicens : « Veni, dilecta, et sta in loco isto cum omni
15 perfectione virtutum quibus ego aspectum semper venerandae Trinitatis in placentiam meam inclinavi, ut et tu similiter, quantum tibi est possibile, complaceas ipsi beatissimae Trinitati. » Ad quod ista stupefacta, cum maxima dejectione sui respondit : « Et quibus, inquit,
20 o Regina gloriae, hoc meritis potero ? » — « Cum tribus utique ad hoc habilitaberis. Primo, ut ores per illam innocentissimam puritatem qua Filio Dei in utero meo virginali placitam mansionem praeparavi, emundari per me ab omni macula. Secundo, orabis per profundissi-
25 mam illam humilitatem qua super omnes choros angelorum et sanctorum merui exaltari [b], ut suppleantur omnes negligentiae tuae. Tertio, deprecare per amorem illum inaestimabilem qui me inseparabiliter Deo conglutinavit, ut praestetur tibi copia diversorum meritorum. »
30 Quod cum ista devote faceret, subito translata est in spiritu usque ad celsitudinem gloriae sibi tam dignanter

20, 14 illo B ‖ 21-22 innocentiss. illam W

---

20 *a. Ps.* 116, 1 ‖ *b.* Cf. verset de Vêpres et de Laudes et 1re antienne des Matines

20. A la Messe, tandis qu'on récitait trois fois : *Laudate Dominum, omnes gentes* [a], la première fois, elle demanda à tous les saints, selon sa coutume, d'offrir pour elle à Dieu les mérites de leurs vertus, afin que, dignement préparée, elle puisse ainsi se présenter pour recevoir le sacrement de la vie. Au deuxième *Laudate*, elle adressa la même prière à la bienheureuse Vierge, et au troisième, au Seigneur Jésus. La bienheureuse Vierge, ainsi invoquée, se leva et, se tenant en présence de la resplendissante et toujours tranquille Trinité, offrit pour elle les mérites de sa dignité et de sa propitiation grâce auxquels, le jour de son Assomption, elle avait été placée au-dessus de toute dignité humaine et même angélique, et rendue souverainement agréable à Dieu. Puis, avec beaucoup de grâce, elle sembla quitter sa place et, faisant signe à l'âme, lui dit : « Avance, ô bien-aimée, et tiens-toi ici avec cette exquise perfection de vertus qui attira sur moi les regards de complaisance de la toujours vénérable Trinité, en sorte que, dans toute la mesure du possible, tu plaises toi aussi à cette Trinité infiniment bienheureuse. » A ces mots, toute stupéfaite, elle répondit avec un extrême mépris d'elle-même : « Et quels sont donc, ô reine de gloire, les mérites qui me donneraient d'y parvenir ? » Elle répondit : « Il en est trois qui peuvent t'y habiliter : demande d'abord, par la très innocente pureté avec laquelle j'ai préparé au Fils de Dieu une demeure très agréable dans mon sein virginal, d'être lavée par moi de toute souillure. Demande ensuite, par cette humilité très profonde qui m'a mérité d'être exaltée au-dessus de tous les chœurs des anges [b] et des saints, que soit suppléé à toutes tes négligences. En troisième lieu, implore, par cet amour sans prix qui m'a unie inséparablement à Dieu, le don surabondant de toute sorte de mérites. » Ainsi fit-elle fort dévotement. Et voici que, soudain, elle se trouva transportée en esprit jusqu'à ce sommet de gloire qui lui était concédé avec

meritis caelorum imperatricis concessae. Cumque sic
quasi loco ejus cum meritorum ipsius praerogativa honorabiliter appareret Domino, complacuit sibi in ea ultra
35 quam dici fas sit Dominus majestatis. Omnes quoque
angeli et sancti advenientes conabantur ipsi reverentiam exhibere.

21. Hinc dum conventus accederet ad communionem,
adstitit Regina gloriae a dextris cujuslibet accedentis,
contegens illam una parte mantelli sui floribus orationum suarum adornati, dicens : « Sub cultu memoriae
5 meae hanc respice, dulcissime Fili. » Ad cujus petitionem Dominus miro modo complacatus, amicabiliter
blandiendo tenens mentum cujusque porrexit sibi hostiam salutarem. Cumque et ista similiter communicata
offerret idem sacramentum Domino in laudem aeter-
10 nam, ad augmentum gaudii, gloriae et beatitudinis
ipsius beatissimae Matris, quasi pro recompensa oblationis meritorum suorum qua sublevaverat inopiam ejus,
Dominus Jesus, quasi porrigens xenium quoddam matri
suae dulcissimae, ait : « Ecce, Mater, tibi tuum restituo
15 duplicatum. Nec tamen huic aufero, cui tu amore amoris
mei hoc impendere dignabaris. »

22. Post processionem vero, dum conventus rediens
in chorum cantaret antiphonam *Ave, Domina mundi,
Maria* [a], videbatur isti, prae nimietate suavissimi concentus supercaelestium agminum, quod quasi totum cae-
5 lum in novae exultationis tripudio commoveretur. Et
statim apparuit gloriosa Virgo, stans coram altari a
dextris Filii sui versus conventum in gloria praecellenti.
In illo autem verbo : *Ave, caelorum Regina*, omnes

21, 5 respice hanc W ‖ dilectissime B ‖ 7 sibi : ipsi W ‖
8 et : ex *p. corr. s.l.* B² ‖ 10 gloriae gaudii W ‖ 15 tamen *mg.*
B² ‖ amore amoris : ob amoris mei amorem W

22 *a*. Antienne pour la procession

tant de bonté par les mérites de l'impératrice des cieux.
C'est à cette place d'honneur et avec ces mérites éminents
que le Seigneur la vit, et ce Seigneur de majesté se com-
plut en elle au delà de ce qu'il est possible de dire. Tous
les anges et les saints vinrent aussi, cherchant à lui témoigner leur respect.

21. Puis, comme le convent avançait pour communier,
la reine de gloire se tint à la droite de celles qui approchaient, couvrant chacune du pan de son manteau,
que ses prières avaient orné de fleurs[1] ; elle disait :
« Pour honorer ma mémoire, regardez-la, ô mon très
doux Fils ! » Le Seigneur, rendu merveilleusement
propice par cette demande, prenait avec tendresse le
menton de chacune, d'un geste caressant[2], et lui tendait
l'hostie du salut. Après avoir, elle aussi, communié
de cette manière, elle offrit au Seigneur ce sacrement,
en louange éternelle, pour l'accroissement de la gloire,
de la joie et de la béatitude de sa très bienheureuse Mère,
comme en remerciement du don qu'elle lui avait fait
de ses mérites, pour enrichir son indigence. Le Seigneur
alors, comme s'il tendait un présent à sa très douce Mère,
lui dit : « Voici, Mère, que je vous rends l'équivalent de ce
qui vous appartient, sans pourtant le retirer à celle à qui
vous avez daigné le donner pour l'amour de mon amour. »

22. Après la procession, tandis que le convent, ren-
trant au chœur, chantait l'antienne : *Ave, Domina mundi,
Maria* [a], il lui sembla que par l'extrême suavité de leurs
concerts, les armées célestes faisaient, en quelque sorte,
tressaillir le ciel entier de nouveaux transports d'allégresse. Et aussitôt apparut la glorieuse Vierge, debout
devant l'autel, à la droite de son Fils, tournée vers le
convent, dans une gloire éminente. A ces paroles : *Ave*,

---

1. Cf. ce qui a été dit, p. 362, n. 1, du thème de la « Vierge au
manteau ». En 48, 5, 1 et 5, le mot était *pallium*, plus solennel :
il est ici *mantellum*, plus familier.
2. Sur ce geste, cf. p. 41, n. 3.

sancti, coram ea genua flectentes, ipsam ut Domini sui
10 Matrem decentissime reverebantur. In illo quoque verbo :
Ave Virgo virginum, ipsa Virgo veneranda manu sua
delicata praetendit quoddam candidissimum lilium ad
omnes praesentes, alliciens eas quodammodo et confor-
tans ad imitandum suae castissimae virginitatis exem-
15 plum. Cumque cantaretur : *Per te venit redemptio nostra,*
tam medullitus commota sunt omnia viscera maternae
pietatis ejus quod, quasi prae tam superabundantibus
deliciis delectationum illarum, quas persensit in eodem
verbo, se continere non valens, reclinavit se delicata
20 blanditate super pectus Filii sui. In illo deinde verbo :
Pro nobis, rogamus, rogita, constringens collum ejus dulciter diversis delectationibus, ipsi Regi regum Domino
blandiebatur nutibus, demonstrans quaslibet praesentes,
et pro singulis orans.

23. Cumque imponeretur antiphona *Hodie beata
Virgo* [a], ipsa immensa circumdata gloria inter blandos
amplexus Filii visa est ad caelestia sublevari, concomi-
tantibus se et complaudendo jubilantibus universis ordi-
5 nibus caeli. Cumque sic in gloria sublevaretur caelesti,
apprehensa dextera Filii, cum ea benedixit omnem congregationem. Ex qua benedictione desuper quamlibet
personam videbatur forma crucis aureae cum viridi zona
dependere. Per quod intellexit notari quod quilibet pos-
10 set effectum benedictionis illius fructuosius consequi cum
virenti fide et fiducia bona ad misericordiae Matrem.

23, 5 caeli : dei W ‖ 6 omnem benedixit W

---

23 *a.* Antienne du *Magnificat* pour les 2ᵉ Vêpres

caelorum Regina, tous les saints, fléchissant les genoux
devant elle, lui rendirent les honneurs qui conviennent
à la Mère de leur Seigneur. De même, aux mots : *Ave,
Virgo virginum*, cette Vierge vénérable présenta elle-
même à toutes, de sa main délicate, un lis éclatant de
blancheur, comme pour les inviter et les encourager à
imiter l'exemple de sa virginité parfaitement chaste.
Au chant de : *Per te venit redemptio nostra*, les entrailles
de sa tendresse maternelle furent entièrement remuées
jusqu'en leurs profondeurs, au point que, n'ayant plus
la force, semblait-il, de se contenir, du fait de la surabondance de délices et de délectation ressentie à ces paroles,
elle se laissa tomber avec une délicate tendresse sur la
poitrine de son Fils. Enfin, à ces mots : *Pro nobis, rogamus, rogita*, elle lui serra doucement le cou, à plusieurs
reprises, comme en se jouant, désignant au Seigneur,
Roi des rois, par des gestes caressants, toutes les personnes présentes, et priant pour chacune d'elles.

23. A l'intonation de l'antienne : *Hodie beata Virgo* [a],
on la vit, enveloppée d'une immense gloire, s'élever
vers le ciel, parmi les étreintes et les caresses de son
Fils, accompagnée des joyeux applaudissements de toutes
les hiérarchies célestes. Or, tandis qu'elle était ainsi
emportée dans la gloire du ciel, elle saisit la main de son
Fils pour bénir toute la communauté. A la suite de cette
bénédiction, on pouvait voir au-dessus de chaque personne l'image d'une croix d'or, suspendue par un cordon
vert. Cela signifiait, elle le comprit, que chacun pourrait
obtenir avec fruit l'effet de cette bénédiction, pourvu
qu'il eût une foi vivante [1] et une confiance sincère en la
Mère de miséricorde.

---

1. C'est par un jeu de mots voulu que la croix est suspendue
à un cordon *viridi* pour symboliser la foi *virenti* de celui qui reçoit
cette grâce. Cf. l. I, 16, 1, 14-24 (t. II [*SC* 139], p. 208). De même
MECHTILDE, I, 9 ; III, 8 ; V, 15 (éd. Paquelin, p. 30, 206, 343).

CAPUT XLIX

DE BEATO BERNARDO ABBATE

1. Bernardi festum die praecedente, dum ista inter
Missam retractaret merita ejusdem sanctissimi Patris,
ad quem specialem habebat devotionem propter melli-
fluorum verborum ipsius praerogativam, apparuit idem
5 devotissimus abbas ineffabili gloria et, ut ita dicam,
caelesti decore venerabiliter adornatus, sic ut intuenti
se in uno aspectu triplex color vestimentorum ejus
satis mirabiliter perspicuus repraesentaretur. Nam insimul in eo micabat liliosus candor purissimae integrita-
10 tis virginalis innocentiae ipsius, cum violaceo nitore
ipsius sanctissimae religionis perfectissimaeque conversationis, necnon rosea rutilantia ferventissimi amoris.
Qui tres elegantissimi colores, ad invicem in anima tanti
Patris colludentes, omnibus sanctis amoenissimum quod-
15 dam praebebant delectamentum. Pectus quoque ejus
sanctissimum, collum et manus videbantur aureis quibusdam laminis gemmisque rosei coloris valde rutilantibus intextis honorabiliter circumcincta.

2. Unde per laminas aureas notabatur praecipua ele-
gantia doctrinae ejus salutaris, quam corde devoto
sedulo retractans per gutturis sacri ministerium, ore
sacrato edidit et manibus sanctis fideliter conscripsit
5 omnibus in eis proficere volentibus in salutem. Per gem-

XLIX. 1, 5 devotissimus : doctissimus W ‖ 10 innocentiae virginalis W ‖ 14 amoenissimum : amicissimum W ‖
16 *post* sanctiss. *add.* et B² W ‖ 17 gemmis B ‖ 18 circumcincta
l : circumcincti *codd.* ‖ **2, 1** praecipue W ‖ 5 volentibus
proficere W

CHAPITRE XLIX

LE BIENHEUREUX ABBÉ BERNARD

1. La veille de la fête de Bernard, elle repassait en son esprit, pendant la Messe, les mérites de ce père très saint, pour qui elle avait une dévotion spéciale en raison de ce langage suave qui fut son apanage [1]. Or, ce même abbé très dévot se montra à elle dans une gloire indescriptible et paré avec honneur d'ornements que je qualifierais de célestes. En le regardant, on voyait en effet claire-ment d'un seul coup d'œil — chose assez étonnante — une triple couleur dans ses vêtements. Oui, ensemble brillaient en lui la candeur du lis, c'est-à-dire la virginale innocence de son intégrité très pure, jointe à la beauté de la violette, figurant la sainteté de son état religieux et la perfection de sa vie, et encore l'éclat d'une rose rouge, symbolisant son amour très brûlant. Et ces trois brillantes couleurs, s'harmonisant ensemble dans l'âme d'un père si illustre, causaient à tous les saints une joie délicieuse. Sa très sainte poitrine, son cou et ses mains semblaient comme entourés en signe d'honneur de petites plaques d'or incrustées de pierreries de couleur rose, extrêmement brillantes.

2. Ces plaques d'or figuraient la beauté remarquable de cette doctrine salutaire qu'il médita attentivement en son cœur dévot, à laquelle sa gorge servit religieuse-ment d'instrument, qu'il exposa de ses lèvres consacrées, et que ses mains saintes transcrivirent fidèlement au profit de tous ceux qui ont la volonté, grâce à elle, de progresser vers le salut. Les pierreries figuraient celles

---

1. Sur la place tenue dans la vie de la communauté d'Helfta par la spiritualité cistercienne et par les écrits de saint Bernard, voir Introduction au t. I (*SC* 127), p. 12 ; Introduction au t. II (*SC* 139), p. 10-11.

mas vero figurabantur illa dicta quae specialius redolent
divinum amorem. Nam eaedem gemmae videbantur
quosdam radios praeclarissimos descendere ad intima
divini Cordis penetralia et divinitati ministrare spe-
10 cialia quaedam delectamenta. Dominus autem de cordibus omnium, tam caelestium quam terrestrium, intrahens Cordi suo omnem profectum et devotionem a quolibet eorum ex dictis et scriptis jam dicti Patris consecutum, et ipsum totaliter cum radiis praenominatis ex
15 ornatibus sancti Bernardi Cordi suo divino immissis vice
versa ipsi reinfudit. Quae cor ejus mirabiliter quasi plectrum quoddam circumvolvendo cum suavissima delectatione penetrantes, dulcissimum quemdam personabant
sonum studiorum suorum, et specialiter innocentiae et
20 amoris.

3. Gestabat insuper in capite suo coronam splendi-
dissimam mirabili varietate radiantem, in qua relucebat omnis profectus quem idem egregius Pater desi-
deraverat ex scriptis et dictis suis ad laudem Dei cui-
5 libet homini provenisse. Hinc ista coepit legere ducentis viginti quinque vicibus psalmum *Laudate Dominum,
omnes gentes* [a], in honorem ejusdem sancti, gratias agens
Deo pro omnibus virtutibus ejus et gratiis ipsi collatis.
Tunc coeperunt protinus omnia illa quae legebat in
10 vestimentis sanctissimi Patris ad modum scuteolorum
refulgere. In quibus velut sculptae videbantur singulae
virtutes ejus quibus claruerat in terris, quae etiam con-
similis formae resplendorem reddebant in animam pro
eo gratias Domino persolventis.

4. In die vero ipsius sancto, dum devote interesset
Missae in honorem ipsius decantatae, orans specialius

9 ministrare : administrare W ‖ **3**, 2 *post* mirabili *add.*
colore et B² W ‖ 11 sculpta W ‖ 12 qua W

XLIX. **3** *a. Ps.* 116

de ses paroles qui exhalent davantage le parfum de l'amour divin. On voyait en effet ces pierreries lancer des rayons extrêmement brillants jusqu'aux intimes profondeurs du Cœur divin et procurer à la divinité des délices spéciales. Le Seigneur cependant attira, du cœur de tous les habitants du ciel et de la terre, en son propre Cœur, tout le profit et la dévotion que chacun avait pu retirer des paroles et des écrits de ce père et, en retour, lui en reversa la totalité avec les rayons dont on a dit plus haut que, jaillis des ornements de Bernard, ils avaient été lancés dans le Cœur divin. Ces rayons touchèrent — ô merveille ! — son cœur, comme on touche un luth, y pénétrèrent avec une délectation extrêmement suave pour chanter avec beaucoup de douceur l'harmonie de ses vertus et particulièrement l'innocence et l'amour.

3. Il portait en outre sur la tête une couronne splendide, dont les feux variés étaient admirables. On y voyait briller tous les progrès spirituels que cet illustre père avait, pour la gloire de Dieu, désiré procurer à quiconque par ses écrits et ses paroles. Elle se mit alors à réciter deux cent vingt-cinq fois [1] le psaume : *Laudate Dominum, omnes gentes* [a], en l'honneur de ce saint, pour rendre grâces à Dieu de toutes ses vertus et des faveurs qui lui avaient été octroyées. Tout ce qu'elle récitait commença alors à apparaître au même instant avec éclat sur les vêtements du père très saint, sous la forme de petits écussons. Sur chacun on voyait comme gravée une des vertus dans lesquelles le saint avait brillé sur la terre, et celles-ci, en retour, resplendissaient avec la même beauté dans l'âme qui en rendait grâces à Dieu.

4. Le jour même de la fête du saint, comme elle assistait dévotement à la Messe chantée en son honneur, elle pria spécialement pour ceux qui s'étaient recommandés

1. Cf. ci-dessus, la note à 2, 7, 17.

pro sibi commissis, et etiam pro quibusdam aliis ad
beatum Bernardum specialem devotionem habentibus,
5 licet se orationibus suis non commendassent, vidit iterum eumdem Patrem venerandum in gloria caelesti,
de cujus sacri pectoris ornatu progrediens splendor quidam mirificus ad pectora omnium per merita et inter-
cessionem ejus ferventem amorem Dei obtinere deside-
10 rantium ; qui splendor formabat coram pectore cujuslibet personae speciem monilis admirandi operis, in quo
comparebat omnis exercitatio divini amoris in qua beatus Bernardus unquam studuerat in terris, tamquam a
qualibet earum similiter esset peracta. Quod ista mul-
15 tum admirans, ait ad sanctum : « Quid, Pater inclyte,
istae personae ex hoc habent salutis quod meritis tuis
videntur decorari, cum tamen ipsae nequaquam similia
perfecerunt opera ? » Ad quod ille : « Quid, inquit, minus
habet pulchritudinis puella quae decoratur ornamentis
20 alienis quam illa quae ornatur propriis, dummodo sint
ejusdem speciositatis et decori operis ? Similiter etiam
virtutes sanctorum a devotione fidelium a sanctis obten-
tae tanto ad eos diriguntur affectu, quod ipsi aeternaliter
de illis gaudebunt et quodammodo gloriabuntur in fructu
25 eorum ! »

5. Videbantur quoque eadem monilia diversimoda claritate et varietate vermiculata, secundum cujusque desiderium, devotionem ac etiam cognitionem qua quaelibet magis aut minus laborabat amorem Dei obtinere.
5 In monilibus etiam earum quae hanc orare pro se humi-
libus rogaverant verbis, evidentius et hoc ipsum pro
augmento ornatus apparebat. Quamvis aliarum quarumdam magis amorem Dei desiderantium monilia plus res-

---

4, 5 suis orationibus W ‖ 18 opere B ‖ 19 pulchritudinis
habet W ‖ 20-21 ejusdem sunt W ‖ 21 speciositatis *mg.* W
qui pretiositatis *scripserat nec tamen delevit* ‖ **5**, 3 cognitionem :
contritionem *a. corr.* W ‖ 6 et : etiam W

à elle et aussi pour quelques autres, particulièrement
dévots à saint Bernard — bien qu'ils ne se soient pas
recommandés à ses prières. Elle vit alors de nouveau
ce même vénérable père dans la gloire des cieux. Du
bijou qu'il portait sur sa sainte poitrine, rayonnait
un éclat merveilleux vers la poitrine de tous ceux qui
souhaitaient obtenir par ses mérites et son intercession
un fervent amour de Dieu. Et cet éclat produisait sur
la poitrine de chacune de ces personnes l'image d'un collier
d'un admirable travail où apparaissaient tous les actes
d'amour divin auxquels Bernard avait pu s'appliquer
sur la terre, comme s'ils avaient été réalisés, de façon
similaire, par chaque personne. Elle en éprouva une
admiration profonde et dit au saint : « Ô père illustre,
en quoi profitera donc à ces personnes, pour leur salut,
d'avoir été ainsi parées de vos mérites, alors que pourtant
jamais elles n'ont accompli elles-mêmes d'œuvres aussi
parfaites ? » Il répondit : « En quoi la beauté d'une jeune
fille parée des bijoux d'autrui est-elle moindre que celle
de la jeune fille portant ses propres bijoux, pourvu
qu'ils soient aussi élégants et aussi bien travaillés ?
De même les vertus des saints, obtenues des saints par
la dévotion des fidèles, sont octroyées à ceux-ci avec
tant de bienveillance qu'ils pourront s'en réjouir pendant
toute l'éternité et, en quelque manière, se glorifier de
leur fruit. »

5. Et ces mêmes colliers différaient, tant par l'éclat
que par la variété de l'exécution, selon le désir de chacune, sa dévotion, et même la science avec laquelle elle
avait plus ou moins travaillé pour parvenir à l'amour
de Dieu. Dans les colliers de celles qui lui avaient demandé,
en des termes pleins d'humilité, de prier pour elles, cette
demande se traduisait, de manière visible, par un surcroît de beauté. Les colliers de certaines autres resplendissaient, il est vrai, avec plus d'éclat, parce qu'elles
avaient un plus grand désir d'aimer Dieu, mais cependant

plenderent, illo tamen augmento carebant. Per quod
10 notabatur quod homo nullum tam parvum opus facit
bona intentione, ex quo specialem non consequatur profectum, nec etiam quidquam negligit tam parvum unde
non meriti incurrat detrimentum.

CAPUT L

De dignitate sanctorum Augustini, Dominici et Francisci

1. Hinc memor praeclari antistitis Augustini, erga
quem ab ineunte aetate suaviori semper ducebatur
affectu, gratias etiam devotas egit Deo pro universis
beneficiis in ipso peractis. Tunc apparuit etiam ei idem
5 gloriosus Pontifex prope sanctum Bernardum, compar
nimirum ipsi in caelesti gloria, cui non impar extiterat
tam in sanctissimae conversationis eminentia quam etiam
in saluberrimae doctrinae suaviflua affluentia. Stabat
itaque hic Deo dignus episcopus coram throno divinae
10 majestatis, caelestis decoris gloria ineffabiliter decoratus, emittens similiter ut beatus Bernardus de cordis
sui intimis igniformes splendores ad penetralia Cordis
divini. Per quod notabantur ignita eloquia, et specialius corda hominum ad amorem Dei incitantia. Sparge-
15 batque ab ore suo quasi quosdam solares radios per
totam amplitudinem caeli, signantes affluentiam sacrae
doctrinae ejus, quam tam large sparsit in totam lati-
tudinem ecclesiae. Apparebantque super eisdem ra-

10-13 parvum opus — detrimentum : *mg.* B² *pro* parvum
unde meriti detrimentum B¹ ‖ 11 consequatur : prose-
quantur B² ‖ 12 unde : ubi W
    L. 1, 2 ab ineunte : in abeunte B ‖ 4 beneficiis *mg.* B² ‖

ils n'avaient pas ce surcroît. Et cela signifiait que l'homme ne peut faire aucune œuvre, si petite soit-elle, avec une intention droite, sans en retirer un profit particulier, et que, au contraire, il ne peut en omettre aucune, même petite, sans diminuer son mérite.

CHAPITRE L

LE MÉRITE DES SAINTS AUGUSTIN, DOMINIQUE ET FRANÇOIS

Augustin et Bernard. 1. Elle se souvint ensuite du grand évêque Augustin, pour qui elle avait toujours nourri depuis son enfance une tendre affection, et elle rendit grâces à Dieu pour toutes les faveurs dont il l'avait comblé. Ce glorieux pontife lui apparut alors auprès de saint Bernard, égal à lui dans la gloire céleste, puisqu'il ne lui avait été inférieur ni par la sublimité de sa très sainte vie, ni par l'abondante douceur de sa doctrine salutaire. C'est pourquoi ce digne pontife de Dieu se tenait là, devant le trône de la divine majesté, paré d'une gloire indicible et d'une beauté céleste. Et, comme le bienheureux Bernard, il faisait jaillir du fond de son cœur jusqu'à l'intime du Cœur divin des traits de feu, symbole de la brûlante éloquence avec laquelle il avait, de façon toute spéciale, excité les hommes à l'amour de Dieu. De sa bouche, se répandaient dans tout l'espace du ciel des rayons semblables à ceux du soleil, signifiant cette abondance de sainte doctrine si largement diffusée par lui dans toute l'étendue de l'Église. Or, au-dessus de ces rayons, apparaissaient

---

4-5 gloriosus pontifex idem B ‖ 6 in caelesti gloria ipsi B ‖ non *s.l.* B² ‖ 16 effluentiam B¹ (*corr. s.l.* B²) ‖ 17 sparsit : respersit W ‖ 18 apparebantque : apparebant quoque W

diis arcuationes quaedam mirabilis claritatis, quasi cu-
20 jusdam novae lucis, quae aspicientibus multum alliciens exhibebant delectamentum. In quorum omnium
delectabili aspectu dum ista multum miraretur, edocta
est a beato Bernardo quod radii eloquiorum beatissimi
praesulis Augustini idcirco talis arcuationis resplende-
25 rent delectamento, quoniam ipse Doctor incomparabilis
in omnibus scriptis et dictis suis catholicam fidem summopere intenderit extollere, utpote qui ad laudem Domini,
qui ipsum post multos circuitus errorum de tenebris
ignorantiae gratuite ad lumen revocavit summae veri-
30 tatis, omnibus hominibus viam erroris et ignorantiae
praecludendo desiderabat iter ostendere fidei salutaris.
Tunc ista dixit ad sanctum Bernardum : « Nonne et
tu similibus intendisti, Pater sancte, in scriptis tuis ? »
Respondit sanctus Bernardus : « Ego in omnibus factis,
35 dictis et scriptis meis solo impetu ferebar amoris Dei.
Hic autem illustrissimus Doctor impellebatur amore
Dei efficaci simulque propriae experientiae casibus in
salutem proximorum. »

2. Cumque Dominus omnem profectum fidei et consolationis, eruditionis, illuminationis et amoris, de cordibus tam caelestium quam terrestrium ex dictis sancti
Augustini consecutum, Cordi suo divino intractum,
5 ejusque unione inaestimabiliter nobilitatum, cordi ejusdem reinfunderet, influxus ille suavifluus animam ejus
medullitus inundans, inundandoque penetrans, ac penetrando cor ejus in modum lyrae circumvolvens, suavissimo resonare videbatur concentu. Et sicut in corde
10 beati Bernardi abbatis praecipua suavitate sonuerat
innocentia virginalis cum suavi amore Dei, sic in corde

27 *post* intenderit *add.* extendere et B² W ‖ 32 et : etiam W
‖ **2,** 1 et *om.* W ‖ 3 *post* caelestium *add.* quam supercaeles-

de merveilleuses arcades, brillantes d'une lumière inconnue, pleines d'attrait et de charme pour les yeux. Tandis qu'elle admirait le spectacle de toutes ces merveilles, le bienheureux Bernard lui apprit que les rayons de l'éloquence du bienheureux évêque Augustin brillaient sous cette forme de belles arcades, parce que ce docteur incomparable avait surtout cherché, dans tous ses écrits et discours, à magnifier la foi catholique. Oui, pour la gloire de Dieu qui, après bien des détours et des faux pas, l'avait lui-même ramené gratuitement, par son appel, des ténèbres de l'ignorance à la lumière de la vérité suprême, il désirait fermer à tous les hommes le chemin de l'erreur et de l'ignorance, pour leur montrer la voie de la foi et du salut. Elle dit alors à Bernard : « Mais n'avez-vous pas vous-même, père saint, eu la même intention dans vos écrits ? » Saint Bernard répondit : « Moi, dans toutes mes actions, paroles et écrits, je n'étais poussé que par la seule inspiration de l'amour de Dieu. Mais ce docteur très illustre était poussé, à la fois par un puissant amour de Dieu et par les malheurs de sa propre expérience, à procurer le salut du prochain. »

2. Tous les fruits de foi et de consolation, de doctrine, de lumière et d'amour que les habitants du ciel et ceux de la terre avaient retirés des paroles de saint Augustin et qui avaient pénétré dans le Cœur divin, acquérant à ce contact une inestimable noblesse, le Seigneur les reversait dans le cœur du saint. Ce flot ruisselant de douceur inonda son âme jusqu'au fond ; en l'inondant, il y pénétra et, en y pénétrant, il fit vibrer et résonner son cœur comme une lyre, en un concert d'infinie douceur. Et, de même que, dans le cœur du bienheureux abbé Bernard, c'était l'innocence virginale et la tendresse de l'amour de Dieu qui faisaient surtout entendre

sanctissimi praesulis Augustini suaviori modulamine
resonabat amorosa paenitentia cum igniti amoris Dei
fervore. In cordibus namque utrorumque eorum tam
15 praesuavis sonoritatis modulatio resonabat, quod difficile discerni potuit quid potius auditoris animum delectando afficeret. Hinc beatus Bernardus ait ad eam :
« Hae sunt, inquam, modulationes illae de quibus Scriptura loquitur, dicens : *Omnis illa Deo* sacrata *et dilecta*
20 *civitas plena* modulamine *in laude*, etc. *ᵃ*, quia corda
quorumlibet sanctorum secundum differentiam virtutum
suarum suavisonas jugiter Domino concinunt laudes. »
　　3. Ejusdem igitur gloriosissimi Pontificis festo, dum
ad Vesperas cantaretur responsorium *Vulneraverat caritas ᵃ*, apparuit idem praeclarus antistes in magna gloria
stans, et quasi utrisque manibus cor suum sanctissimum
5 toties in amore Dei vulneratum expandens, illud Domino
in laudem praesentabat in modum rosae pulcherrimae,
quae odoris sui mira fragrantia omnes caelestes incolas
ineffabiliter delectando reficiebat. Ista vero devote salutans ipsum Patrem reverendum, exorabat pro omnibus
10 sibi commissis, et etiam pro habentibus specialem devotionem ad eumdem sanctum. At ille precibus devotissimis
videbatur supplicare Domino ut omnium corda quae per
merita sua divini amoris sui fervorem adipisci deside-
rarent, eodem modo quo cor ejus efflorebat, in cons-
15 pectu divinae majestatis perenniter vernando et florendo
redolerent, ad laudem et gloriam fulgidae semperque
colendae Trinitatis.

13 dei amoris W ‖ 20 modulamine *l* : mod. (*sic*) B modulis
W ‖ 22 domino jugiter B ‖ **3**, 7 mira *om*. W ‖ 10 et *om*. W ‖
13 sui *om*. W

L. **2** *a*. Cf. hymne de la dédicace : *Urbs beata Jerusalem* (*RH*
20918) ? ‖ **3** *a*. Texte de ce répons dans Paquelin, p. 450, n. 3

leurs sons très suaves, ainsi, dans le cœur du très saint évêque Augustin, résonnait avec des modulations particulièrement douces une amoureuse pénitence jointe à l'ardeur brûlante de l'amour de Dieu. Dans le cœur de l'un comme de l'autre résonnait une mélodie aux harmonies si suaves, qu'il était bien difficile de savoir laquelle des deux touchait et ravissait davantage l'âme de celle qui les écoutait. Ensuite le bienheureux Bernard lui dit : « Ce sont là, oui, vraiment, les modulations dont il est écrit : *Omnis illa Deo* sacrata et *dilecta civitas, plena* modulamine *in laude* [a], etc. [1], car le cœur de chaque saint chante sans trêve à Dieu des louanges pleines d'harmonie, selon la diversité de ses vertus propres. »

3. En la fête de ce même pontife très glorieux, comme on chantait à Vêpres le répons : *Vulneraverat charitas* [a], cet illustre évêque apparut debout, dans une grande gloire ; il semblait tendre, de ses deux mains, son cœur très saint, tant de fois blessé par l'amour de Dieu. Il l'offrait à Dieu, en guise de louange, sous l'aspect d'une rose de toute beauté qui, par son parfum merveilleusement odorant, charmait et ravissait ineffablement tous les habitants des cieux. Elle, saluant dévotement ce père vénérable, le pria pour tous ceux qui s'étaient recommandés à elle et pour ceux qui avaient, envers le saint, une dévotion spéciale. On vit alors celui-ci demander au Seigneur en de très dévotes prières que le cœur de tous ceux qui désiraient obtenir par ses mérites l'amour fervent qu'il eut pour Dieu, puisse, en présence de la divine majesté, s'épanouir toujours et fleurir comme son propre cœur avait lui-même fleuri, et exhaler un parfum, à la louange et à la gloire de la resplendissante et toujours adorable Trinité.

---

1. De quelle « écriture » est-il question ? Il semble s'agir seulement de réminiscences de l'Apocalypse, peut-être à travers l'hymne *Urbs beata Jerusalem*. De toute façon la citation est très lointaine. Elle est appelée par le mot *modulationes*.

4. Inter Matutinas vero, dum pro posse suo intenderet
devotioni, desiderabat agnoscere quo praemio Deo dignus Praesul Augustinus remuneraretur pro eo quod,
ut ipse in libro Confessionum testatur, etiam vivens
5 adhuc in corpore non satiabatur « dulcedine mirabili considerare altitudinem consilii divini super salutem generis
humani ». Et statim demonstratus est ei idem venerabilis
Pater in gloria inexplicabili ; et secundum illud Isaiae :
Laetitia sempiterna super capita eorum [a], apparebat super
10 caput eius globus quidam, tam mirabilis quam etiam
totus in seipso ineffabiliter delectabilis, qui celerrimo
impetu sine ulla intermissione in seipso circumvolveba-
tur ex infinitis colorum distinctionibus, ministrans singulis momentis alternatim novas spiritualium gaudio-
15 rum delectationes ipsi beatissimo Praesuli, omnibus sensibus ipsius specialem exhibens amoenitatem. Nam alli-
ciebat aspectum ejus mirabilis claritas delectabiliter
rutilantium stellarum innumerabilium, quae de circum-
volutione globi illius sine intermissione spargebantur. Et
20 per hoc remunerabantur omnes cogitationes ejus, quibus
delectatus fuerat in Deo in terris. Exhilarabatur quoque
auditus ejus ineffabiliter in praedicti globi circumvolu-
tione. Per quod remunerabatur acutissimus intellectus
ejus, quem tanto studio direxerat ad Deum. Aspirabat
25 etiam ipsum vivificans quaedam fragrantia lenissimae
aurae, remunerans eum pro avida delectatione qua totus
intentus Deo omnem transitoriam contempserat delectationem. Reficiebantur insuper suavissimo quodam

---

4, 10 capite B ‖ 14 spiritualium : specialium *a. corr.* W ‖
17 ejus *s.l.* B[2] ‖ 26 aurae : audire B[1] (*corr. s.l.* B[2]) ‖ 28 quodam
om. B

---

4 *a. Is.* 35, 10

4. Pendant Matines, tandis qu'elle s'appliquait à la dévotion, autant qu'elle le pouvait, elle désira savoir quelle récompense recevrait le digne pontife de Dieu, Augustin, pour ce qu'il déclare lui-même dans le livre des Confessions, à savoir que, encore en cette vie mortelle, « il ne pouvait se rassasier de considérer avec une merveilleuse douceur la profondeur du dessein divin sur le salut du genre humain [1]. » Et aussitôt, ce vénérable père lui fut montré dans une gloire impossible à décrire. Selon le mot d'Isaïe : *Allégresse éternelle sur leur tête* [a], on voyait en effet au-dessus de sa tête un globe admirable et tout entier rempli d'ineffables délices. D'un mouvement très rapide, sans jamais s'arrêter, il tournait sur lui-même avec une infinie variété de couleurs, procurant à chaque instant au bienheureux évêque une délicieuse alternance de nouvelles joies spirituelles, et offrant des jouissances spéciales à chacun de ses sens [2]. Sa vue en effet était charmée par le merveilleux éclat de milliers d'étoiles brillantes agréables à regarder qui jaillissaient sans cesse de ce globe en mouvement. Or, c'était la récompense de toutes les méditations qui lui avaient fait mettre sa joie en Dieu, dès ici-bas. Ses oreilles étaient ineffablement ravies par la rotation de ce globe. Ceci était la récompense de cette intelligence pénétrante qu'il avait orientée vers Dieu avec tant de ferveur. Les senteurs vivifiantes d'une brise légère soufflaient vers lui pour le récompenser de cette avidité avec laquelle, pour jouir de Dieu, il avait tendu vers lui son être entier et méprisé toute jouissance passagère. En outre, son palais savourait

---

1. S. Augustin, *Confessions*, l. IX, 6, 14 (au lendemain de son baptême) : « ... nec satiabar illis diebus dulcedine mirabili considerare altitudinem consilii tui super salutem generis humani... »
2. La doctrine des sens spirituels, qui est si perceptible chez saint Augustin, et en particulier dans les *Confessions*, est de nouveau évoquée ici. La béatitude du saint Docteur affecte successivement ses cinq sens : vue, ouïe, odorat, goût, toucher.

sapore fauces ejus, pro eo quod ipse in seipso delec-
30 tationem exhibuerat Domino Deo, qui tantopere desiderat delectari in corde hominis quod, secundum verbum sapientis, in eo delicias suas statuit [b]. Respergebatur
postremo ex dicti globi crebra revolutione imbre quodam
gratissimo, totam substantiam ejus lenissima delecta-
35 tione afficiente. Per quod remunerabantur omnia exercitia corporis sui, quibus laboraverat totis viribus, se in
laude Dei et amore ac utilitate ecclesiae fideliter exer-
citando dictis, scriptis omniumque virtutum claris
exemplis. In istis enim tam mirabilibus huus tam prae-
40 clari Patris delectationibus tota caelestis curia tanta gaudiorum copia ditabatur, quod sola horum abundantia
sufficere omnibus videretur.

5. Et ait Dominus ad animam : « Perpende nunc qualiter ille dilectus meus illustratur et perlustratur nivea puritate, grata humilitate et ferventi caritate. » Ad quod
ista cum admiratione ait : « O Domine, qualiter hunc
5 asseris illustrari nivea puritate, qui, licet omni reverentia
dignus sit pro sua sanctissima conversatione, tanto tamen tempore aberravit a fide, quod non est dubium
quin aliquas contraxerit maculas ? » Respondit Dominus :
« Quod ipsum tanto tempore deviare permisi, per hoc
10 quodam modo splendet in eo mea divina dispensatio
qua dilatam conversionem ejus tam patienter et misericorditer expectavi, et benigna miseratio qua eum tam
dignanter revocavi, gratuitaque pietas mea qua ipsum
tam excellenter gratificavi. »

---

29 *post* seipso *add.* tantam B[2] W ‖ 34 tota substantia
W ‖ 37 utilitate : varietate *a. corr.* W ‖ 38 scriptisque W
‖ **5, 1** animam : eam W ‖ 2 nivea : in vera *a corr.* W ‖ 3-5 grata
— puritate *om.* B[1] *mg.* B[2] ‖ 5 nivea : in vera *a. corr.* W

---

b. Cf. *Prov.* 8, 31

une réfection très suave pour prix de cette délectation
qu'il avait, au fond de lui-même, procurée au Seigneur
Dieu, qui désire tellement trouver sa joie dans le cœur
de l'homme que, selon le mot du Sage, il a placé en lui
ses délices [b]. Enfin, au cours des fréquentes révolutions
de ce globe, il était comme aspergé d'une pluie très bienfaisante, pénétrant tout son être d'une jouissance extrêmement douce. Et ceci le récompensait de toutes ses
fatigues corporelles. Il avait en effet travaillé de toutes
ses forces, se dépensant avec constance pour la louange
et l'amour de Dieu et l'utilité de l'Église, en discours,
en écrits, et en brillants exemples de toute sorte de vertus.
La cour céleste tout entière se trouvait comblée d'une
plénitude de bonheur au milieu des joies merveilleuses
d'un père si illustre. A elle seule, leur surabondance
semblait les rassasier tous [1].

5. Et le Seigneur dit à l'âme : « Vois maintenant quel
lustre éclatant reçoit mon élu de sa pureté de neige,
de son aimable humilité et de sa charité fervente. »
Elle répondit, non sans étonnement, à cette déclaration :
« Ô Seigneur, comment pouvez-vous affirmer qu'il
brille grâce à sa pureté de neige ? Il est digne, c'est vrai,
d'un grand respect à cause de la sainteté de sa vie. Pourtant, il a erré si longtemps loin de la foi qu'il n'a pu,
bien certainement, éviter quelques souillures. » Le Seigneur
répondit : « Si j'ai permis qu'il se trompe si longtemps
de route, c'est en quelque manière pour manifester en
lui avec éclat mes plan divins, car j'ai attendu avec
patience et miséricorde une conversion si longue à venir ;
pour manifester aussi la bonté et la bienveillance avec
lesquelles j'ai daigné multiplier pour lui mes appels,
et enfin la tendresse toute gratuite qui m'a fait le combler
de grâces si excellentes. »

1. N'y a-t-il pas ici allusion lointaine au miracle de la multi-
plication des pains ? Avec ce qui reste, ce qui déborde, on a encore
en suffisance.

6. Post haec verba, dum ista ornatum tanti praesulis diligentius consideraret, apparuit in vestitu ejus quasi crystallina puritas, sub qua haec tria praedicta quasi diversis coloribus mirabili delectamento contexta nitere 5 videbantur, sicut aurum lucet per crystallum.

7. Tunc ista dixit ad Dominum : « Numquid, Domine mi, amator tuus Bernardus beatissimus non tantum delectari studuit in te, sicut hic devotissimus Augustinus, cujus cum nuper gloriam conspicerem, non tamen agnovi 5 similibus delectamentis jucundantem ? » Respondit Dominus : « Electus meus Bernardus pro singulis quae promeruit superabundantem remunerationem suscepit ; sed parvitas capacitatis tuae non sinit te etiam vel minimi sanctorum meorum alicujus gloriam ad plenum pers- 10 picere ; quanto minus tantorum sanctorum ! Attamen, ut desiderio devotionis tuae aliquatenus satisfaciam, diversa tibi sanctorum quorumlibet merita demonstro, in quibus delectando amplius in amore meo succendaris, et etiam ut evidentius illud experiaris quia *in domo* 15 *Patris mei mansiones multae sunt* [a], necnon et illud quod in laudem dicitur cujusquam sancti : *Non est inventus similis illi, qui conservaret legem Excelsi* [b]. Quia revera nullus sanctorum alteri sic per omnia aequiperatur in gloria, nisi in aliquo merito discernatur.

8. « Cum ita sit, ait illa, Domine Deus veritatis, dignare etiam mihi indignae aliqua de meritis mihi ab infantia

---

6, 2 quasi : tamquam W ‖ 4 diversis : divisis W ‖ **7**, 2 beatissimus : dilectissimus B² dulcissimus W ‖ 2-4 non tantum — Augustinus cujus *om.* B¹ *mg.* B² ‖ 9 alicujus sanctorum meorum W ‖ perspicere : conspicere W ‖ 12 quorumlibet sanctorum W ‖ 16 cujusquam dicitur W ‖ 19 nisi *mg.* B²

---

7 *a. Jn* 14, 2 ‖ *b.* 2ᵉ antienne des Laudes et des Vêpres du commun d'un confesseur pontife (*CAO* 3914) : *Sir.* 44, 20

6. Après ces paroles, comme elle regardait plus attentivement la parure de ce grand évêque, ses vêtements
lui semblèrent d'une transparence quasi cristalline.
On voyait briller dans leur trame les trois faveurs susdites[1], comme trois couleurs distinctes, merveilleusement agréables, ainsi qu'on voit l'or briller à travers
un cristal.

7. Elle dit alors au Seigneur : « Est-ce que Bernard,
votre bienheureux ami, n'a pas cherché son bonheur
en vous, ô mon Seigneur, autant que le très dévot Augustin ? J'ai récemment contemplé sa gloire, et ne l'ai pas
vu jouir de semblables délices. — Bernard, mon élu,
répondit le Seigneur, a reçu pour chacun de ses mérites
une récompense surabondante. Mais l'exiguïté de tes
moyens ne te permet pas de contempler dans sa plénitude, fût-ce la gloire du moindre de mes saints, encore
moins la gloire de saints aussi illustres ! Cependant,
afin de donner satisfaction à tes pieux désirs, je te montre
les différents mérites de tel ou tel saint. La joie que tu
en ressens enflammera toujours plus ton amour, et tu
pourras te convaincre de façon plus évidente qu'*il y a
plusieurs demeures dans la maison de mon Père* [a]. Tu
verras aussi pourquoi l'on dit à la louange de chaque
saint : *Non est inventus similis illi qui conservaret legem
Excelsi* [b]. Non, vraiment, il n'est aucun saint qui, dans la
gloire, soit tellement pareil à un autre qu'on ne puisse
l'en distinguer par quelque qualité différente. »

**Dominique
et François.**

8. « Puisqu'il en est ainsi, dit-elle,
Seigneur, Dieu de vérité, daignez me révéler, malgré mon indignité, quelques-uns
des mérites de ces vierges qui me sont chères depuis

---

1. Les trois *praedicta* sont la patience, la bonté et la tendresse
de Dieu.

dilectarum virginum, scilicet delicatae Agnetis et gloriosae Catharinae, revelare. » Quod dum obtinuisset,
5 secundum quod in festis utrarumque conscriptum est,
desideravit etiam recognoscere aliqua de meritis sanctorum Patrum, Dominici videlicet et Francisci, qui duces
extiterant Ordinum, quorum studiis Ecclesia Dei reflorere coepit. Jam dicti venerabiles Patres in praefulgenti
10 gloria, consimiles in meritis glorioso Patri Benedicto, in
amoenitate florentium rosarum ac rutilantis sceptri
venustate ; pro studiis etiam doctrinae qua praedicatio-
nibus insistebant ad laudem Dei pro lucro animarum,
apparebat in eis similitudo meritorum beatissimorum
15 Patrum, scilicet Augustini et Bernardi, secundum quod in
hac vita similitudine virtutum studuerant exerceri. In hoc
tamen discernebantur, quod beati Patris Francisci merita rutilabant perornata praecipue eximia humilitate,
gloriosi vero Patris Dominici merita permaxime splen-
20 debant ferventibus desideriis sublimata.

9. Inter Missam vero, dum tota qua potuit devotione
Deo intenderet et his quae cantabantur, dum imponeretur sequentia, iterum rapta in spiritu translata est ante
thronum divinae majestatis. Tunc omnes sancti in memo-
5 riam et ob reverentiam spiritualium deliciarum illarum,
quarum fruitione per noctem illam in contemplatione
gloriae tanti pontificis Augustini, caeterorumque de quibus praehabitum est, laetata fuerat, dulciter decantabant animae sex priores versus sequentiae, scilicet *Interni*

8, 5 conscriptum : transcriptum B ‖ 6 meritis *om.* B ‖
7 *post* Francisci *add.* meritis *mg.* B[2] ‖ 8-9 reflorere coepit
om. B ‖ 16 similitudinem B ‖ **9,** 2 intenderet deo W ‖ 5 ob *om.*
W ‖ 8 fuerat laetata W

---

1. Il a été question de sainte Agnès au ch. 8, et il ne sera question de sainte Catherine que plus tard au ch. 57. Nous apprenons
ainsi que les révélations reçues lors de cette seconde fête étaient

l'enfance, à savoir la tendre Agnès et la glorieuse Catherine. » Cette faveur lui ayant été accordée, comme il
a été dit aux fêtes de l'une et de l'autre[1], elle désira
encore connaître quelque chose des mérites des saints
pères Dominique et François, chefs de ces ordres dont
les travaux ont commencé à faire refleurir l'Église de
Dieu. Ces deux vénérables pères lui apparurent en une
gloire resplendissante, semblables en mérites au glorieux
père Benoît. Des roses épanouies et un sceptre éclatant
leur faisaient une ravissante parure. Mais leur zèle à
prêcher la doctrine, à quoi ils donnaient, pour la gloire
de Dieu, tous leurs soins, afin de gagner les âmes, assimi-
lait visiblement leurs mérites à ceux des bienheureux
pères Augustin et Bernard. Ne s'étaient-ils pas d'ailleurs
efforcés, en cette vie, de pratiquer des vertus semblables
aux leurs ? Il y avait pourtant cette différence que les
mérites du bienheureux père François brillaient surtout
de l'éclat d'une rare humilité, tandis que les mérites
du glorieux père Dominique resplendissaient d'abord
de la noblesse de ses fervents désirs.

9. Pendant la Messe, tandis qu'avec toute la dévotion
dont elle était capable, elle portait son attention et sur
Dieu et sur ce qui se chantait, à l'intonation de la séquence,
elle fut de nouveau ravie en esprit et transportée devant
le trône de la divine majesté. Alors, pour rappeler et
célébrer les délices spirituelles dont elle avait, cette
nuit-là, goûté la joie, en contemplant la gloire du grand
pontife Augustin et des autres bienheureux dont on a
fait mention, tous les saints chantèrent doucement à
son âme les six premiers vers de la séquence : *Interni*

déjà mises par écrit lorsque fut rédigé le ch. 50 (*in festis utrarumque conscriptum est*). Ceci suppose que certaines au moins de
ces « feuilles de saints », dictées suivant l'inspiration, n'ont été
qu'ensuite réparties suivant l'ordre du calendrier. Cf. note à 8,
2, 1.

10 *festi gaudia nostra sonet harmonia* [a], et alios quinque subsequentes. Ex quibus singulis verbis anima miro intellectu
et delectatione fruebatur. Finito autem sexto versu,
omnes sancti conticuerunt, innuentes animae ut ipsa
sex subsequentes versus decantaret, versa vice, in lau-
15 dem eorum, sicut ipsi praecedentes in honorem ejus
decantassent. Tunc ipsa, more sibi solito, per organum
dulcissimum Cordis Jesu Christi suaviter intonans, resonabat in laudem totius caelestis Jerusalem, dicens :
Beata illa patria, et caeteros quinque versus sequentes.
20 Ad quorum singula verba videbantur omnibus sanctis
ineffabilia gaudia renovari.

10. His finitis, Dominus Jesus sponsus delicatus dulciter illi blandiens, suavisone resonabat hos duos versus,
scilicet : *Hoc in hac valle misera* [a], et *Quo mundi post
exilia* [b], etc. Et inter haec velut benignus magister, immo
5 tamquam piissimus pater [c] instruens filiam suam, qualiter
frequentius divinis intendendo in hoc saeculo aeterna promereri gaudia deberet. Hinc omnes angelorum chori vota
ecclesiae repraesentantes concinebant : *Harum laudum
praeconia* [d], etc. Quorum laudibus adjungentes se omnes
10 sancti in gloriam Dei laudes altisonas dabant tanto
Praesuli, reliquos versus conjubilando adjungentes.
Interea beatissimus Pater Augustinus ineffabilius, immo
inaestimabilius, caelestis gloriae splendoribus totum caeli
ambitum mirabiliter irradiando, novis gaudiorum deliciis
15 laetificabat. Precibus vero ejusdem ad ultimos duos
versus, scilicet : *Cujus sequi vestigia* [e], etc., Dominus,

19 caeteros *om.* W ‖ **10,** 3 scilicet *om.* W ‖ 4 haec : hoc B ‖
6-7 gaudia promereri W ‖ **11** adjungentes : conjungentes W
‖ 12-13 immo inaestimabilius *om.* W ‖ 13 gloriae : curiae W

9 *a.* Texte de cette séquence (*RH* 9054) en appendice
(*Note C*) à la traduction des moniales de Wisques (1952),
II, p. 389-391 ‖ **10** *a.* 9e str. ‖ *b.* 10e str. ‖ *c.* Cf. *RB*, prol.
‖ *d.* 11e str. ‖ *e.* 15e str.

festi gaudia nostra sonet harmonia [a], etc., puis les cinq
autres qui suivent. Et à chaque mot, l'âme jouissait
de lumières et de délices admirables. Le sixième vers
fini, tous les saints firent silence et invitèrent l'âme à
chanter elle-même, à son tour, les six vers suivants
pour les louer, comme ils avaient chanté les premiers
en son honneur. Alors, selon sa coutume, elle prit l'instrument infiniment doux du Cœur de Jésus-Christ pour
entonner suavement à la louange de toute la Jérusalem
céleste : *Beata illa patria*, et les cinq autres vers suivants. Et à chaque mot, on voyait tous les saints goûter
de nouvelles joies, impossibles à décrire.

10. A la fin, le Seigneur Jésus, époux plein de tendresse,
la caressant doucement, chanta avec suavité les deux
strophes : *Hoc in hac valle misera* [a], et : *Quo mundi post
exilia* [b], etc. Et en même temps, comme un bon maître,
ou mieux, comme un père très tendre [c] vis-à-vis de sa
fille, il lui enseigna comment elle devait mériter les joies
éternelles en s'appliquant assidûment en cette vie aux
choses de Dieu. Puis tous les chœurs des anges présentèrent les vœux de l'Église en chantant : *Harum laudum
praeconia* [d], etc. Se joignant à leurs louanges, tous les
saints comblèrent d'éloges sublimes un si grand pontife,
ne formant qu'un seul concert de jubilation pour les
autres strophes. Pendant ce temps, le très bienheureux
père Augustin, d'une manière qui dépasse mots et
concepts, remplissait merveilleusement l'enceinte entière
du paradis des clartés de la gloire céleste [1], la comblant
de l'allégresse de délices inouïes. Et, à sa prière, pendant
les deux dernières strophes, c'est-à-dire : *Cujus sequi
vestigia* [e], le Seigneur, comme s'il voulait rendre ces paroles

---

1. Cf. la strophe de l'hymne citée en appendice par l'édition de
Wisques : *qua praefulget Augustinus / in summi Regis curia*, texte
que glose ici sainte Gertrude.

quasi verbis illis effectum praebiturus, elevata manu
largam benedictionem dedit super omnes saepedictum
pontificem devotis laudibus extollentes.

CAPUT LI

De nativitate beatae Virginis

1. Nativitatis beatissimae Virginis festo praeclaro, dum
ista persolvisset tot *Ave Maria* quot diebus ipsa praeclara maris Stella crevit in utero matris, et haec devote
offerret eidem, requisivit ab ea quid erga benignita-
5 tem ipsius mererentur qui simili devotione ad honorem ejus eumdem numerum persolverent cum saluta-
tione angelica. Cui benignissima Virgo respondit : « Hoc,
inquam, merentur quod aeternaliter in caelis speciali
jucunditate participabuntur mecum felicius omnium
10 gaudiorum quae recepi, et adhuc sine intermissione reno-
vata recipio, ex singulis virtutibus ad quas beata et
gloriosa Trinitas animam meam singulis diebus secundum optimum placitum suum decenter habilitavit. »
2. Hinc inter antiphonam *Ave decus* [a], videbatur caelum aperiri, et per ministerium sanctorum angelorum
demitti thronus quidam valde sublimis in medium chori,
super quem in summa gloria et honore residebat inclyta
5 caelorum imperatrix : quae mira blanditate et amicabilitate sua exhibebat se per festum illud vota congregationis diganter suscepturam. Angeli vero sancti, thro-

---

LI. **1**, 3 *post* et *add.* dum W ‖ haec : hoc B ‖ 9 mecum :
in aeternum W ‖ 10 et *s.l.* B² ‖ 13 placitum : beneplacitum W

LI. **2** *a.* Cf. antienne *Te decus* (*CAO* 5516)

effectives, leva la main pour donner une large bénédiction à tous ceux qui glorifiaient de leurs dévotes louanges ce pontife dont nous avons déjà tant parlé.

CHAPITRE LI

Nativité de la bienheureuse Vierge

Reine des anges.
1. Quand brilla la fête de la Nativité de la très bienheureuse Vierge, elle récita autant d'*Ave Maria* que cette brillante étoile de la mer avait mis de jours à croître dans le sein de sa mère [1], et, en les lui offrant dévotement, elle lui demanda quels titres auraient à sa bienveillance ceux qui, avec une dévotion semblable, s'acquitteraient autant de fois en son honneur de la salutation angélique. A quoi la très bénigne Vierge répondit : « Voici ce qu'ils mériteront : éternellement, dans les cieux, ils auront le bonheur de participer avec moi, dans une allégresse peu commune, à toutes les joies qui me sont échues et qui, sans cesse, se renouvellent encore pour moi, à cause des vertus exceptionnelles auxquelles la bienheureuse et glorieuse Trinité a, durant chacun de ces jours, préparé mon âme avec un art consommé, selon son parfait bon plaisir. »

2. Puis, pendant l'antienne *Ave decus* [a], le ciel sembla s'ouvrir et un trône élevé en fut descendu, par la main des anges, jusqu'au milieu du chœur. En toute gloire et honneur, y siégeait l'illustre impératrice des cieux. Avec une merveilleuse tendresse et bienveillance, elle témoignait recevoir avec bonté, en ce jour de fête, les vœux de la communauté. Les saints anges qui entou-

---

1. Le manuscrit de Vienne (*W*) porte, en marge : « *id est 276* ». Sainte Mechtilde, *Liber specialis gratiae*, I, 29, donne le chiffre de 277 (éd. Paquelin, p. 99). Cf. p. 142, n. 1.

num illum reverenter circumdando detinentes, solemne
obsequium cum gaudio exhibebant Domini Dei sui dignis-
10 simae Matri. Adjungebat quoque se beatorum spirituum
exercitus utrisque psallentium choris, collaudans cum
ipsis reginam gloriae per singula verba quae cantabantur. Videbatur etiam coram qualibet persona stare
unus angelus, ferentes singuli ramos vernanti virore
15 venustos in manibus suis ; qui rami, ad singula prolata,
diversorum colorum flores ac fructus producebant secundum differentiam devotionum singularum. Finitis vero
omnibus, quilibet angelus ramum suum cum ingenti
laetitia deferebat Virgini Matri, circumponens cum reve-
20 rentia throno in quo residebat, ad augmentum singularis
gloriae et ornatus. Tunc ista ait ad Matrem Domini :
« Heu me ! Mater pia, quod ego indigna non mereor his
beatis psallentium interesse choris. » Cui benigna Virgo
respondit : « Bona voluntas tua plene supplet universa ;
25 et illa devota intentio qua per organum suavisonum
Cordis dulcissimi Filii mei, more tibi solito, his Vesperis
intendisti ad honorem meum, longe praecellit omne exercitium corporale. Ad quod comprobandum, ego propria
manu ramum tibi assignatum, venustissimis floribus ac
30 fructibus suavissimis bonae voluntatis tuae peramoenum,
praetendo conspectui semper venerandae Trinitatis in
oblectamentum summae delectationis. »

3. Inter Matutinas autem recognovit in spiritu qualiter advenientes angeli sancti deferebant congregatos
flores et fructus diversarum intentionum ac devotionum
congregationis, et illos decentissime offerebant virgineae
5 Matri. Qui secundum hoc quod labor cujusque fuerat
difficilior, apparebant pulchriores et amoeniores ; et se-

2, 8 illud W ‖ 10 se quoque W ‖ 14 ferenti *a. corr.* B

---

1. *Finitis omnibus* ; on suppose : tout l'office.

raient ce trône le soutenaient avec respect et rendaient
avec joie un solennel hommage à la très noble Mère de
Dieu, leur Seigneur. L'armée des esprits bienheureux
se joignait aux deux chœurs de la psalmodie, louant avec
eux la reine de gloire par chacun des mots que l'on chantait. On voyait même un ange se tenir debout vis-à-vis
de chaque personne. Tous portaient en leurs mains de
beaux rameaux verdoyants et pleins de sève ; et, à chaque
mot prononcé, ces rameaux produisaient des fleurs
et des fruits de couleurs variées, selon la dévotion différente de chacune. Quand tout fut terminé[1], chacun des
anges alla, en grande joie, porter son rameau à la Vierge
Mère. Ils les déposaient révéremment tout autour du trône
où elle siégeait, pour en accroître la gloire et la beauté.
Alors elle dit à la Mère du Seigneur : « Pauvre de moi !
Bonne Mère, dans mon indignité je n'ai pas mérité d'avoir
part aux chœurs de cette bienheureuse psalmodie ! »
Mais la bénigne Vierge lui répondit : « Ton bon vouloir
supplée largement à tout, et cette dévote intention
avec laquelle tu as voulu, pour m'honorer, t'appliquer
à ces Vêpres, selon ta coutume, au moyen de l'instrument
harmonieux du Cœur de mon très doux Fils, l'emporte
de loin sur tous les exercices corporels. Pour en faire
la preuve, c'est moi qui, de mes propres mains, présen-
terai le rameau qui t'est attribué aux regards de la
toujours vénérable Trinité pour sa joie et son délice
suprême. Il est, en effet, parfaitement agréable avec les
fleurs merveilleusement belles et les fruits savoureux
de ton bon vouloir. »

3. Pendant les Matines, elle considéra en esprit comment les saints anges venaient collecter les fleurs et les
fruits des diverses intentions et dévotions de la communauté. Ils les emportaient et les offraient avec beaucoup
de grâce à la Vierge Mère. Selon que la peine de chacune
avait été plus grande, les fleurs apparaissaient plus belles
et plus agréables, et selon que son intention et sa dévo-

cundum quod intentio et devotio cujusque erat purior,
reddebantur suaviores. Hinc dum ista ad *Gloria Patri*
quarti responsorii collaudaret ineffabiliter digne extol-
10 lendam Dei Patris omnipotentiam, ac admirandam Filii
Dei sapientiam, Spiritusque Sancti Paracliti stupendam
benevolentiam, qua praevaluit, scivit et dignata est Trinitas semper veneranda, in salutis nostrae subsidium,
tam plenam omni gratia Virginem formare, cui supera-
15 bundantiam divinae beatitudinis suae tam large communicaret, exurgens Mater gloriosa et reverenter stans
in conspectu beatissimae Trinitatis, videbatur devote
supplicare quatenus huic de divina omnipotentia, sapientia, benignitate tantum largiretur gratiae quantum
20 possibile foret in hac vita homini percipere. Ad cujus
petitionem tota Trinitas veneranda dignanter inclinata,
benedictione quadam supercaelesti videbatur animam
istius copiose donare. Ex cujus effectu quasi rore quodam
suavissimo undique respergebatur.

4. Cumque cantaretur antiphona *Quam pulchra es* [a],
ista eamdem in persona Filii Dei ad laudem praecelsae
Matris ejus decantabat. Quod amantissimus Dei Unigenitus secundum dulcedinem benignitatis suae dignanter
5 acceptans, ac motu capitis quasi pro gratiarum actione
eam rehonorans, ait illi : « Honorem istum quem in persona mei exhibuisti meae dulcissimae Genitrici secundum
regalem magnificentiam divinae liberalitatis meae tibi
restituam in tempore opportuno. Hinc inter antipho-
10 nam *Adest namque nativitas* [b], in illo verbo : *Ipsa intercedat pro peccatis nostris*, visa est Mater Domini chartam
quamdam in qua eadem verba, scilicet : *ipsa intercedat*, erant inscripta litteris aureis, et per ministerium

---

3, 7 cujusquam W ‖ purior erat W ‖ 11 spiritus sanctique
W ‖ 16 *post* exurgens *add.* virgo B² W ‖ 19 gratiae largiretur
W ‖ 20 homini in hac vita W ‖ **4,** 6 istum : illum W ‖ **10**
nativitas : festivitas B ‖ 11-13 pro peccatis — intercedat *om.*
B¹ *mg.* B²

tion avaient été plus pures, les fruits en étaient rendus
plus savoureux. Puis, au *Gloria Patri* du quatrième
répons, elle loua la toute-puissance de Dieu le Père,
ineffablement digne de tout honneur, l'admirable sagesse
du Fils de Dieu, la surprenante bienveillance de l'Esprit-
Saint Paraclet, grâce à laquelle la toujours vénérable
Trinité a pu, a su et a daigné former, pour subvenir à
notre salut, une Vierge si pleine de grâce, à laquelle
elle communiquerait avec tant de largesse la surabondance
de sa béatitude. La glorieuse Mère se leva alors et, se
tenant avec respect en présence de la bienheureuse
Trinité, sembla demander dévotement que (Gertrude)
reçoive largement de la toute-puissance, de la sagesse,
de la bonté divine toute la mesure de grâce qu'il est
possible à un homme de recevoir en cette vie. La vénérable Trinité tout entière s'inclina vers cette demande
et on la vit, par une bénédiction céleste, en accorder
pleinement l'effet à cette âme. Ce fut comme une rosée
pleine de suavité qui la recouvrit entièrement.

**Le Fils
et la Mère.**
4. Au moment où l'on chantait l'antienne : *Quam pulchra es* [a], elle voulut
la chanter au nom du Fils de Dieu, à la
louange de sa glorieuse Mère. Ce que le Fils unique de
Dieu, dont l'amour est infini, daigna avoir pour agréable
dans sa douce bénignité. Et, comme s'il voulait l'honorer
à son tour, en la remerciant d'un mouvement de tête,
il lui dit : « Cet honneur qu'en mon nom tu as témoigné
à ma très douce Mère, je te le rendrai en temps convenable à la mesure de la munificence royale de ma divine
libéralité. » Puis, durant l'antienne : *Adest namque festivitas* [b], aux mots : *Ipsa intercedat pro peccatis nostris*, la

---

4 *a*. Antienne pour le 8 septembre et le 15 août (*CAO*
4434) ‖ *b*. Antienne pour les cantiques du 3ᵉ nocturne (*CAO*
1266)

angelorum sibi delata repraesentare reverenter cons-
15 pectui Filii sui. Ad quod blande respondit : « Ex
omnipotentia mea, Mater reverenda, tibi concessi potestatem propitiandi peccatis omnium qui devote invocant
tuae pietatis auxilium, qualicumque modo placet tibi. »

5. Inter Missam vero, dum in sequentia *Ave, praeclara*[a], cantaretur verbum illud : *Ora Virgo nos*, conversa
ad Filium inclyta Virgo plicatis manibus serenisque oculis,
visa est pro se invocantibus exorare. Ad cujus preces
5 Dominus omnes signo salutiferae crucis communiens
benedictione sua divina, ipsos praeparavit ad digne suscipiendum et conservandum vivificum corporis et sanguinis sui sacramentum. Ad illum vero versum : *Audi
nos*, ipsa Virgo gloriosa comparuit assidere Filio suo in
10 throno sublimi, quam sic ista allocuta est : « Quare,
Mater misericordiae, non oras pro nobis ? » Ad quod
beata Virgo : « Ego loquor pro vobis corde ad cor dilecti
mei. » Hinc cum idem versus repeteretur, extendens
Virgo regalis manum delicatam ad conventum, et quasi
15 desideriis ipsorum attracta, surrexit et una cum congregatione coram Filio supplicatura stetit. Cui Filius imperialis versa vice assurgens benigne ipse in sequenti versu
Salva nos Jesu, primo genua flexit versus congregationem dicens : « Omnibus desideriis vestris me acclinare
20 sum paratus. »

18 pietatis tuae W ‖ **5**, 4 pro : per B ‖ 5 signo : significatio
B[1] (*corr. mg.* B[2]) ‖ 7 vivifici W ‖ 9 suo *om.* W ‖ 10 ista sic
W ‖ 12 *post* dilecti *add.* filii W ‖ 14 conventum : omnes W ‖ 16
stetit supplicatura W ‖ 17 versa vice : inde B[1] (*corr. mg.* B[2]) ‖
benigne assurgens W ‖ 18 Jesu *om.* B

---

5 *a.* Séquence *Ave, praeclara maris stella*, œuvre d'Hermann
Contract (*RH* ₋045). Versets cités : 9[2] : *Ora, Virgo, nos illo
pane caeli dignos effici* ; 12 : *Audi nos, nam te Filius nihil
negans honorat* ; 13 : *Salva nos, Jesu, pro quibus Virgo Mater
te orat*

Mère du Seigneur parut présenter respectueusement
à son Fils une charte qui lui avait été apportée par la
main des anges et sur laquelle ces mêmes mots : *Ipsa
intercedat* étaient inscrits en lettres d'or. Et lui, avec
tendresse, donna alors cette garantie : « En vertu de ma
toute-puissance, Mère vénérable, je vous ai accordé
le pouvoir d'obtenir propitiation, selon le mode qu'il
vous plaira, pour les péchés de tous ceux qui implorent
avec dévotion votre bonté secourable. »

5. Pendant la Messe, lorsque dans la séquence : *Ave
praeclara* *a*, on chanta ces mots : *Ora Virgo nos*, l'illustre
Vierge, se tournant vers son Fils, les mains jointes et le
regard plein de tendresse, sembla le supplier pour ceux
qui l'invoquaient. A sa prière, le Seigneur, les mettant
tous à l'abri, par sa divine bénédiction, sous le signe
de la croix, porteuse de salut, les prépara à dignement
recevoir et garder le sacrement vivifiant de son corps
et de son sang. Au verset : *Audi nos*, cette Vierge glorieuse
parut siéger avec son Fils sur un trône élevé. (Gertrude)
lui adressa alors la parole en ces termes : « Pourquoi,
Mère de miséricorde, ne priez-vous pas pour nous ? »
La bienheureuse Vierge répondit : « Mon cœur parle
en votre faveur au Cœur de mon bien-aimé. » Puis,
tandis que l'on répétait ce même verset, la Vierge royale
étendit sa main délicate vers le convent, et, comme attirée
par ses désirs, se leva et, s'unissant à la communauté,
se tint suppliante devant son Fils. Ce Fils souverain
se leva lui-même à son tour avec bonté au verset suivant :
Salva nos Jesu, et commença par fléchir les genoux en
direction de la communauté pour dire : « Je suis prêt
à m'incliner devant tous vos désirs [1]. »

---

1. Aussi surprenante que semble cette génuflexion du Seigneur
devant la communauté, elle s'explique par la parole qui l'accom-
pagne. C'est une inclination qui exprime sa bienveillante attention
aux prières qui lui sont adressées.

6. Hinc dum ista in gloria solemnitatis instantis delectaretur meditando spatiari, nec inveniret quod multum
cor ejus afficeret, ait ad Matrem Dei : « Cum sint infinita
quae mentes delectent recolentium gloriam tuae vene-
5 randae Assumptionis, vellem etiam edoceri a pietate
tua quid in festo tuae Nativitatis specialius ab angelis
recoleretur in caelis, unde et nostra devotio promoveri
posset in terris. » Cui beata Virgo respondit : « Angeli
sancti modo in caelesti gloria cum inaestimabili retractant
10 laetitia gaudia illa ineffabilia quae habebant novem mensi-
bus illis quibus ego crescebam in utero matris meae, cum
ipsi secundum vices suas incremento meo devotum obsequium exhiberent. Nam angeli sancti contemplantes in
speculo Trinitatis nobilissimi corporis mei quod forma-
15 batur dignitatem singularem, et quam per me Dominus
disponebat toti mundo conferre salutem, toto nisu ad
hoc obsequi gaudebant, aeremque et omnem creaturam unde vegetabar in utero divina gratia nobilitabant.
Archangeli quoque in speculo divinitatis recognos-
20 centes sublimitatem divinae cognitionis, familiaritatis ac unionis ad quam anima mea super omnem humanam, immo angelicam capacitatem habilitabatur, exul-
tantes ministeria sua indefesse adhibebant. Similiter et
caeteri ordines, in his in quibus me dignitatibus suis
25 cognoscebant similaturam, toto conamine ministerium
devotissimum exhibentes, me ad laudem et gloriam Crea-

6, 2 spatiari : spatiare W specialiter B ‖ 9 modo : mihi
W ‖ cum *om.* W ‖ inaestimabili : ineffabili W ‖ 15 dominus
per me W ‖ 19 archangeli quoque : agmina quoque archan-
gelica W ‖ 19-20 recognoscens *a. corr.* B ‖ 21 supra W

---

1. On peut comprendre soit : chacun son tour, l'un après l'autre ;
soit (plus vraisemblablement étant donné le contexte) : chacun
selon son mode propre, son rôle, sa fonction, son office. Les différents

Encore les anges. **6.** Ensuite, tandis qu'elle trouvait ses délices, en la fête solennelle de ce jour, à parcourir l'espace de sa méditation, sans pourtant découvrir ce qui toucherait vraiment son cœur, elle dit à la Mère de Dieu : « Les sujets de joie sont innombrables pour l'âme lorsqu'on célèbre votre vénérable Assomption, je voudrais donc apprendre aussi de votre bonté ce que, en la fête de votre Nativité, les anges célèbrent au ciel plus particulièrement, afin que, sur terre, notre dévotion puisse en profiter également. » A cela la bienheureuse Vierge répondit : « Les saints anges, dans la gloire du ciel, rappellent maintenant, avec une incomparable allégresse, les joies ineffables qu'ils ont eues pendant les neuf mois où j'ai grandi dans le sein de ma mère, tandis que, chacun à sa manière [1], ils mettaient leur dévouement au service de ma croissance. Oui, les saints anges contemplaient dans le miroir de la Trinité l'incomparable dignité de mon corps plein de noblesse et la valeur du salut que le Seigneur se disposait à accorder par moi au monde entier ; aussi mettaient-ils leur joie à y collaborer selon tout leur pouvoir. Par la grâce divine, ils donnaient une vertu particulière à l'air et à tout ce qui, dans la création, servait à ma vie embryonnaire. Les archanges reconnaissaient dans le miroir de la divinité la sublimité de la connaissance de Dieu et de l'union intime avec lui à laquelle mon âme se préparait et qui dépasserait toute capacité humaine et même angélique. Ils en étaient dans la joie et, inlassablement, présentaient leurs services. Et de même aussi, les autres ordres, voyant la ressemblance que j'aurais, par mes privilèges, avec chacun d'eux, témoignaient consacrer entièrement leurs forces à me servir et trouvaient une joie immense à contribuer à mes progrès pour

services des chœurs des anges sont énumérés au ch. 2, 9. Voir aussi tout le ch. 53.

toris cum ingenti gaudio delectabantur promovere.
Unde et nunc pro talibus obsequiis suis remunerantur
et exultant in aeternum in caelis. »

7. Ad Completorium autem, dum inter *Salve Regina*
querularetur Domino negligentiam suam, in hoc quod
nunquam debita reverentia Matri ejus deservisset, desiderans ut Dominus hoc suppleret eidem, et sic per Cor
5 Jesu Christi eamdem antiphonam intendere studeret,
emisit protinus Dominus tot aureas fistulas de Corde
suo ad cor Virginis Matris quot obsequia ista desiderabat se Matri ejus exhibuisse. Per quas singulas fistulas
resonabat ei blanditas filialis affectus, quo ipse Domi-
10 nus Jesus sedulo afficitur erga ipsam dulcissimam Matrem suam ; et per hoc persolvebatur ei omnis negligentia istius.

8. Cumque per illa verba : *Eia ergo advocata nostra*,
ista benignissimam Matrem in sui auxilium invocaret,
videbatur ipsa Mater inclyta velut funibus quibusdam
validis tracta inclinari ad eam. Per quod intellexit quod
5 quoties aliquis ipsam suam advocatam cum devotione
nominando invocat, per hoc nomen materna pietas in tantum commovetur quod nullatenus se valet cohibere quin
benigne precibus illius acclinetur. In illo verbo : *illos
tuos misericordes oculos*, beatissima Virgo mentum Filii
10 sui blande apprehendens ipsum ad terram inclinavit,
dicens : « Isti sunt misericordissimi oculi mei, quos ad
omnes me invocantes salubriter possum inclinare, unde
et uberrimum fructum consequuntur salutis aeternae. »

7, 6 dominus tot aureas protinus W ‖ 11 per *s.l.* B²
‖ **8**, 1 illa *om.* W ‖ 5 ipsam suam advoc. cum devot. : cum
devot. ipsam suam advoc. W ‖ 7 valet se W

---

1. A la fin de ce paragraphe, le texte de Lansperge présente
une longue interpolation, prière à Jésus pour qu'il supplée aux

la louange et la gloire du Créateur. Voilà pourquoi ils reçoivent maintenant la récompense d'un tel dévouement et en jouissent dans les cieux pour l'éternité. »

Notre avocate.

7. A Complies, durant le *Salve Regina*, elle gémissait devant le Seigneur de sa négligence : jamais, en effet, elle n'avait servi sa Mère avec la révérence voulue. Elle souhaitait donc que le Seigneur la suppléât auprès de celle-ci et elle s'efforçait de faire passer cette antienne par le Cœur de Jésus-Christ. Le Seigneur alors envoya de son Cœur jusqu'au cœur de la Vierge, sa Mère, autant de tuyaux d'or que Gertrude désirait présenter d'hommages à sa Mère. Par chacun de ces tuyaux, résonnait pour celle-ci la tendresse de cette affection filiale que le Seigneur Jésus ressent profondément envers sa si douce Mère ; et ainsi se trouvèrent acquittées toutes dettes de négligence envers elle [1].

8. Et tandis que par les mots : *Eia ergo advocata nostra*, elle appelait à son secours cette Mère pleine de bénignité, il lui sembla voir cette Mère glorieuse, elle-même, s'incliner vers elle, comme tirée par des cordes très solides, donnant ainsi à entendre que, toutes les fois où elle est invoquée avec dévotion par quelqu'un qui la nomme son avocate, ce titre émeut tellement sa tendresse maternelle que rien ne peut la retenir de se pencher avec bénignité vers cette prière. A ces mots : *illos tuos misericordes oculos*, la très bienheureuse Vierge, saisissant avec douceur le menton de son Fils, le fit pencher vers la terre en disant : « Voici mes yeux pleins de miséricorde que je puis incliner avec profit vers tous ceux qui m'invoquent. Ceux-ci en recevront un fruit très abondant pour leur salut éternel. » Le Seigneur lui apprit alors à adresser

---

manquements des fidèles envers sa sainte Mère (nous la reproduisons comme *Appendice* III, p. 493). Cette prière est en grande partie la transposition d'un passage du l. V, ch. 31, où le thème est identique, mais où c'est Jésus qui s'adresse à sa Mère.

Hinc a Domino hanc percepit eruditionem, ut ad minus
15 quotidie Matrem suam beatissimam per ista duo verba,
scilicet : *Eia ergo advocata nostra,* et *illos tuos misericordes
oculos,* invocaret, certa quod per hoc in hora sua novissi-
ma non mediocre solatium obtinere deberet.

9. Tunc ista obtulit beatissimae Virgini centum et quinquaginta *Ave Maria* in honorem ejus lecta, orans ut
in hora mortis materna sibi pietate dignaretur adesse.
Et ecce omnia verba quae legerat apparuerunt in specie
5 aureorum denariorum ante consistorium Judicis prae-
sentari, et ab ipso Matri suae commendari. Quae Mater
pia suscipiens, quasi dispensatrix fidelissima, sigillatim
disponebat in profectum et solatium animae ejus, diligentissima cura providens ut, dum egrederetur de hoc
10 saeculo, pro singulis sibi oblatis speciales consolationes
et tuta subsidia apud districtum Judicem ipsi obtineret.
Intellexitque quod, dum aliquis finem vitae suae cujusque sanctorum specialibus orationibus commendat, statim orationes illae deferuntur ante tribunal Judicis, et
15 ille sanctus cui committuntur constituitur a Deo advocatus super eas, ut ex ipsis bona provideat sibi devotis.

CAPUT LII

DE DIGNITATE SANCTAE CRUCIS

1. Exaltationis sanctae Crucis die, dum ligno reverentiam exhibendo se inclinaret, Dominus ait ad eam :
« Perpende quia non diutius quam a sexta hora usque

---

16 scilicet *om.* W ‖ nostra *om.* B ‖ **9,** 1 ista *om.* W ‖ 3 sibi
pietate dignaretur : pietate dignaretur sibi W ‖ 7 fideliss.

au moins une fois par jour à sa très bienheureuse Mère
ces deux invocations : *Eia ergo advocata nostra* et *illos
tuos misericordes oculos.* Elle serait ainsi certaine d'obtenir à sa dernière heure un puissant secours.

9. Elle offrit alors à la très bienheureuse Vierge cent
cinquante *Ave Maria* récités en son honneur[1], la priant
de l'assister de sa maternelle tendresse à l'heure de la
mort. Et voici que tous les mots qu'elle prononçait
apparurent sous l'aspect de deniers d'or, disposés devant
le tribunal du Juge, et confiés par lui à sa Mère. Cette
bonne Mère les recevait et, comme une très fidèle économe,
les mettait en réserve, un à un, pour le profit et le soulagement de cette âme, veillant avec un soin et une dili-
gence extrêmes à ce qu'en quittant ce monde, elle reçoive
du Juge rigoureux, pour chaque prière offerte, des consolations spéciales et des secours assurés. Elle comprit
alors que, si quelqu'un recommande la fin de sa vie
à un saint quelconque par des prières particulières, ces
prières sont aussitôt portées devant le tribunal du Juge,
et le saint à qui elles sont confiées en est établi par Dieu
le gardien, afin de pourvoir, grâce à elles, au bien de
ses dévots clients.

CHAPITRE LII

Dignité de la sainte Croix

1. Au jour de l'Exaltation de la sainte Croix, tandis
qu'elle s'inclinait devant ce bois pour témoigner sa vénération, le Seigneur lui dit : « Bien que je ne sois demeuré

dispensatrix W ‖ 8 ejus animae B ‖ 14 deferentur B ‖ 15-16
advocatus a deo W

---

1. Cette dévotion aux 150 *Ave* est de celles qui préparent l'usage
du Rosaire. Cf. *DTC*, 13², c. 2903.

ad vesperas pependerim in cruce, et tanto eam honore
5 sublimaverim ; et inde aestima quibus beneficiis corda illa
remunerare disposuerim in quibus per plures annos
requiesco. » Ad haec dum ista diceret : « Heu, Domine,
quod tam parvas te delicias in corde meo permisi habere ! »,
Dominus respondit : « Quid deliciarum habui in ligno
10 illo ? Sed gratuita pietas mea, qua illud prae caeteris
elegi, inducit me ad illud honorandum. Unde similiter
quem elegi gratuita pietate remunerabo. »

2. Hinc dum interesset Missae, talibus verbis instructa
est a Domino : « Considera quale exemplum praebeam
electis meis in tali Crucis honoratione. Nam prae caeteris creaturis quae mihi in humanitate mea deservie-
5 runt ad commoda corporalia, ut vasis quibus in infantia
mea sum balneatus et similibus, multo majorem honorem contuli Cruci meae, spineae coronae, lanceae et clavis, quae mihi ad hoc servierunt, desiderans ut speciales mei in hoc me vellent imitari, ut scilicet causa
10 honoris mei et suae propriae salutis vellent plus affectum dilectionis ostendere erga adversarios quam erga
beneficos, quia incomparabiliter majorem profectum
ex hoc consequi possunt. Sed si ex humana fragilitate
adversitatibus laesi in praesenti negligunt beneficiis res-
15 pondere, adhuc laudabile et acceptabile sacrificium mihi
foret, si saltem post moram satagerent adversitates beneficiis recompensare : sicut Crux passionis meae, post ali-
quanta tempora in terra recondita, est exaltata. » Et
adjecit Dominus : « Ex affectu enim humanae salutis

LII. 1, 8 te *om.* W ‖ *post* meo *add.* te B W ‖ 9 dominus
om. W ‖ **2**, 5 in *s.l.* B² ‖ 8 servierunt : de- *add. s.l.* B²
deservierunt W

suspendu à la croix que depuis la sixième heure jusqu'au soir, pourtant je l'ai élevée à un très grand honneur. Réfléchis à cela et vois de quelles récompenses je pourrais gratifier les cœurs où je fais ma demeure durant de nombreuses années. » Et comme elle répliquait à cela : « Hélas, Seigneur, comme elles sont chétives, les délices que je vous ai accordé de prendre en mon cœur ! », il répondit : « Et quelles délices ai-je donc trouvées sur ce bois ? Mais ma bonté, qui m'a fait le choisir gratuitement de préférence à d'autres, me porte à le traiter avec honneur. Et c'est ainsi que je récompenserai de même gratuitement dans ma bonté ceux dont j'ai fait choix. »

2. Puis, comme elle participait à la Messe, le Seigneur l'instruisit en ces termes : « Vois quel exemple je propose à mes élus par ces grands honneurs rendus à la Croix. De préférence en effet à d'autres objets créés qui furent à mon service durant ma vie d'homme pour les nécessités de mon corps — comme par exemple les vases où je fus baigné, étant enfant, et autres choses analogues —, j'ai accordé un honneur beaucoup plus grand à ma Croix, à la couronne d'épines, à la lance et aux clous qui n'ont servi qu'à mon supplice. Et je désire que mes amis cherchent à m'imiter en cela, c'est-à-dire que, pour mon honneur et pour leur propre salut, ils aient la volonté de témoigner une plus affectueuse dilection à leurs adversaires qu'à leurs bienfaiteurs, car ils peuvent en retirer un profit incomparablement supérieur. Mais si, offensés par leurs adversaires, ils omettent, par fragilité humaine, de répondre au moment même par des bienfaits, je considérerai encore comme un sacrifice digne d'être loué et accepté si, du moins après un délai, ils s'efforcent de rendre le bien pour le mal. Ainsi en fut-il pour ma Croix : après un certain temps où elle demeura enfouie dans la terre, elle a été exaltée. » Et le Seigneur ajouta : « C'est mon amour pour le salut des hommes qui me fait

20 etiam specialiter Crucem diligo, quia per eam ex totis
viribus meis desideratam humani generis redemptionem
obtinui : sicut devotiores homines quandoque majori
affectu respiciunt seu loca seu dies in quibus majora bona
gratiae spiritualis accipere meruerunt. »

3. Hinc cum magno desiderio sollicitaretur unde
acquirere posset aliquas reliquias de ligno Domini sic
ipsi dilecto, ut eas in reverentia habens a Domino suaviori
affectu respiceretur, ait illi Dominus : « Si velles habere
5 reliquias quae Cor meum efficacissime trahere possent
ad se habentem, tunc perlege textum passionis meae,
et considera ibi diligenter quae verba maiori affectu
dixerim, et illa describens, loco reliquiarum conserva,
et ea saepius revolvens, pro certo scito quod ex eis
10 gratiam meam optime prae caeteris reliquiis promereris.
Nam et hoc si per inspirationem meam edocta non fuisses,
rationem consulere posses. Quia cum amicus vellet amicum de praeterita amicitia commonere, usitatius est si
dicit : Recordare affectus illius, quem in corde tuo sen-
15 sisti quando illud et illud verbum loquebaris, quam
si diceret : Recordare affectus illius quem sensisti,
cum in illo sederes loco, vel cum illis vestibus indutus
esses. Unde et credere potes quod dignissimae reliquiae
meae quae in terris haberi possunt sunt verba dulcis-
20 simi affectus benignissimi Cordis mei. »

20 crucem specialiter W ‖ 23 seu[1] *om.* W ‖ **3**, 3 a domino
: ab illo W ‖ 5 attrahere W ‖ 8 scribens W ‖ 9 et : etiam W ‖
14 *post* quem *add.* recedens W ‖ in corde tuo *om.* B[1] ‖ 15-16
quando — sensisti *l* : *om.* B W

---

1. Pour ce passage, seul le texte de Lansperge atteste les mots
indispensables : *quando illud* jusqu'à *quem sensisti* (li. 15-16) qui
se trouvent omis à la fois par les manuscrits *B* et *W*. Ceux-ci, ou
leur modèle, ont passé distraitement de *sensisti*[1] à *sensisti*[2] (le
cas est très fréquent en *B*).

2. D. Paquelin (p. 463, n. 1) fait remarquer que cette parole

chérir particulièrement la croix. Grâce à elle, en effet, j'ai obtenu le salut du genre humain que je désirais de toute mon âme. Ainsi en va-t-il des hommes pleins de dévotion : ils considèrent avec une émotion plus grande les lieux et les circonstances où ils ont mérité de recevoir des grâces spirituelles meilleures et plus abondantes.

Reliques de la Croix. **3.** Puis, tandis qu'elle était pressée par un grand désir de se procurer quelques reliques de cette Croix, si chère au Seigneur, afin de leur témoigner sa vénération, et d'être ainsi regardée par le Seigneur avec plus de tendresse et d'affection, le Seigneur lui dit : « Si tu veux des reliques qui aient le pouvoir d'attirer puissamment mon Cœur vers celui qui les posséderait, lis d'un bout à l'autre le récit de ma passion et examine attentivement quelles sont les paroles que j'ai dites avec plus d'amour. Écris-les, et garde-les en guise de reliques. Si tu les repasses fréquemment en toi-même, tiens pour certain que tu obtiendras ainsi ma grâce plus efficacement que par toutes les autres reliques. Car, même si tu n'étais pas éclairée par mon inspiration, tu pourrais interroger là-dessus ta raison : un ami, en effet, qui veut rappeler à son ami leur affection de longue date, lui dit ordinairement : ' Souviens-toi de la tendresse que tu as ressentie en ton cœur lorsque tu me disais telle et telle parole ', plutôt que de lui dire : ' Souviens-toi de la tendresse que tu as ressentie lorsque tu étais assis à tel endroit ' ou encore ' lorsque tu étais revêtu de tels habits [1]. ' Tu peux donc croire que les reliques les plus précieuses que l'on puisse posséder sur la terre, sont les mots d'amour très tendres de mon Cœur infiniment bon [2]. »

peut s'appliquer tout à fait à Gertrude elle-même, dont on ne possède pas d'autres reliques que les paroles qu'elle nous a laissées dans le *Héraut* et les *Exercices*.

4. Et cum invocaret auxilium Domini ad inchoandum ipso die jejunium regulare, quod per dimidium annum a religiosis observatur, Dominus dignantissime respondit : « Quicumque religionis zelo instigante voluntarie pro
5 amore meo se praebet ad observantiam jejunii regularis, et per hoc non suam sed meam desiderat gloriam, hoc ego, licet bonorum vestrorum non egeam *a*, propria tamen benignitate coactus, in tantum accepto in quantum imperator acceptaret a fideli principe suo, si se ipsi sin-
10 gulis diebus ad mensam praeberet propriis de expensis sufficientissime ministraturum. Si vero processu temporis aliquando observantiam jejuniorum relaxare contigerit pure propter obedientiam et necessitatem, cum contrarietate cordis qua homo sentit mentem suam in
15 fervore bonae voluntatis in tantum ad me elevatam quod causa amoris mei libentissime abstineret, et tamen benigne propter me subjicit se magistratus sui voluntati in unione illius humilitatis qua ego ad laudem Patris me hominibus subdidi in terris, hoc ego taliter
20 mihi acceptum reputo, qualiter amicus ab amicissimo suo acceptaret quod ipsum ad mensam suam secus se collocans tam blandissima amicabilitate ad reficiendum alliceret, quod diceret se nullam offam gustaturum nisi ipse comederet primam, et sic ad singula fer-
25 cula per singulas offas ipsi blandiretur. Cum autem ex fervore spiritus contigerit ipsum in rigore abstinentiae in tantum distendi, quod ad praeceptum magistratus sui nesciens cedere contradicit, et inde ad se rediens paenitet, proponens de caetero cavere, hoc ego tam

4, 10 *post* singulis *add.* cottidie B ‖ 11 ministrat. sufficientiss. W ‖ 13 et *s.l.* B² ‖ 18 qua : quando W ‖ 19-20 mihi taliter W ‖ 27 *post* magistratus *add.* seu superioris W

---

1. Selon la tradition, le 14 Septembre, commence le « Carême monastique », temps de pénitence et d'abstinence plus marquée qui dure jusqu'au Carême proprement dit. Cf. *RB*, c. 41.

4. Elle implora ensuite le secours du Seigneur pour commencer en ce jour le jeûne de
la Règle que les religieux observent durant la
moitié de l'année [1]. Le Seigneur daigna alors lui répondre :
« Si quelqu'un, animé par le zèle de son état religieux,
se soumet en toute bonne volonté pour mon amour à
l'observance du jeûne de la Règle et, ce faisant, ne recherche pas sa propre gloire, mais la mienne, ma bonté
m'oblige, quoique je n'aie nul besoin de vos biens [a],
à agréer cet acte, comme l'empereur aurait pour agréable
qu'un prince, son vassal, lui offre de fournir chaque jour
sa table avec abondance, à ses propres frais. Et si, après
un certain temps, il arrive que l'on modère un peu la
rigueur du jeûne, mais à contre-cœur et sous l'obéissance,
uniquement pour satisfaire à la nécessité, si, dans la
ferveur de sa bonne volonté, on sent alors son esprit
tellement élevé vers moi que l'on soit tout prêt à se mor-
tifier pour mon amour, et que cependant l'on se soumette
bonnement à la volonté de son supérieur, en union avec
cette humilité qui, sur la terre, m'a fait me soumettre
à des hommes pour la gloire de mon Père, je tiendrai
alors une telle conduite pour très agréable. De même,
il serait très agréable à un ami, assis à table et invité
par son ami très cher à se restaurer, de s'entendre dire
avec une aimable persuasion qu'on ne voudrait goûter
d'une seule bouchée s'il n'en mange le premier, et ainsi,
avec une semblable prévenance, à chaque plat et pour
chaque bouchée. Si pourtant il arrive que, dans l'élan de
son courage, quelqu'un se trouve tellement préoccupé de
la rigueur de son abstinence que, ne voulant pas se rendre,
il aille d'abord contre les ordres de son maître, puis,
revenant à lui, se repente et prenne la résolution de se
tenir à l'avenir sur ses gardes, moi, je lui pardonnerai

**Jeûne
corporel...**

LII. **4** *a.* Cf. *Ps.* 15, 2

30 dignanter ignosco illi, sicut imperator existens in bello
ignosceret suo fideli principi pro se strenue contra ini-
micos decertanti, si ipsum improvise parumper lae-
deret sine damno. »

5. In die Exaltationis sanctae Crucis, cum inter Missam ad elevationem calicis iterum Domino offerret prae-
teritam congregationis molestiam, hoc accepit responsum : « Ego bibam et indubitanter bibam calicem hunc,
5 quem mihi fervor devotionis et desideriorum vestrorum
in tantum dulcoravit, quod quoties illum mihi porrexe-
ritis, numquam desistam bibendo quousque valde ebrio-
sum me habueritis ad omnia vota vestra paratum. » Et
cum ista diceret : « Quomodo, Domine, illum tibi porri-
10 gere poterimus ? », tali modo instructa est : ut quilibet
revolvens miseriam suam Domino in aeternam laudem
offerat, et paeniteat quod Deum ferventer non desideravit ut decuit, et disponat quod, si possibile foret,
libenter ferret in corde suo omnem cruciatum quem
15 unquam humanum cor corpus Domini desiderando habere
potuit, etiam usque in diem mortis suae ; tunc porrigit
Domino Deo suo calicem potationis super dulcedinem
nectaris et balsami sibi gratiorem.

6. Similiter facere potest quilibet cum a communione
sive alio servitio Dei est impeditus, cum his verbis :

5, 9 ista : illa B ‖ domine : Jesu B ‖ 12 deum *om.* B ‖
13 ut : sicut W ‖ 15 cor *om.* B ‖ 16 porrigit : porriget *p. corr.*
B porrexit W ‖ **6,** 2 *post* verbis *add.* potest illud domino
recompensare W

---

1. Il s'agit peut-être de l'épreuve que fut l'interdit jeté sur le
monastère, dont il est question au l. III, 16 (t. III [*SC* 143], p. 66-
73), et dont parle sainte Mechtilde, I, 27 (éd. Paquelin, p. 95).
Mais la paix de la communauté connut d'autres troubles venus
du dehors (cf. 58, 4, 12-13 ; de même Mechtilde, IV, 11-13,
p. 268-269).
2. Thème de l'ivresse spirituelle que l'on retrouve dans toute

avec autant de clémence que l'empereur pardonne, sur le champ de bataille, au prince, son vassal, qui, ayant combattu vaillamment pour lui contre les ennemis, l'a lui-même légèrement blessé par inadvertance, sans qu'il en résulte grand mal.

... et spirituel. **5.** Au jour de l'Exaltation de la sainte Croix, pendant la Messe, comme elle offrait au Seigneur, une fois de plus, à l'élévation du calice, les épreuves que la communauté venait de subir [1], elle reçut cette réponse : « Je boirai, oui, je boirai ce calice que la ferveur de votre dévotion et de vos désirs a rempli pour moi d'une si grande douceur [2]. C'est pourquoi, chaque fois que vous me l'offrirez, je ne me lasserai pas d'y boire, jusqu'à ce que vous m'en ayez enivré au point de me rendre disponible à tous vos désirs. » Et, à sa question : « Comment, Seigneur, pourrions-nous vous le présenter ? », elle reçut cet enseignement : chacun, se rappelant sa propre misère, devait l'offrir en louange éternelle au Seigneur et regretter de ne pas avoir eu un désir de Dieu aussi fervent qu'il eût convenu ; il devait être aussi dans la disposition de supporter volontiers en son cœur, si la chose eût été possible, toute la violence que jamais cœur humain a pu ressentir en désirant le corps du Seigneur, et ceci, jusqu'au jour même de la mort. Il offrirait au Seigneur, son Dieu, le calice d'un breuvage plus délectable pour lui que la douceur du nectar et du baume.

6. Chacun peut faire de même, lorsqu'il est privé de la communion ou d'une autre partie de l'Office divin.

la littérature mystique. Ici, c'est le Seigneur lui-même qui expérimente cette ivresse. L'effet en sera de le rendre docile à tous les désirs de la communauté, comme un homme en état d'ébriété qui ne peut plus offrir de résistance volontaire. L'image, pour hardie qu'elle soit, est admirable, surtout si l'on songe au contenu de ce calice qu'offrent au Seigneur sainte Gertrude et ses sœurs.

« O vivifici fontis profluvium ! o aromatice sapor divinarum dulcedinum ! o deliciosissima ebrietas omnium
5 beatitudinum ! ecce tibi propino in tui ipsius plenitudine guttulam meae miserabilis indigentiae, qua tam
longe minus justo doleo et semper dolui, quod animam
meam ab infastidibilibus epulis tuis jejunam contineo,
cum quasi sponte, heu ! proprio vitio gratiae tuae
10 viam intercludo. Et nunc, formator et reformator meae
substantiae, qui omnia impossibilia solus praevales ad
summam laudem tuam, da cordi meo perfecte concordare
in eo quod dico. Quia omnem cruciatum desideriorum,
quem unquam humanum cor ab initio mundi usque in
15 finem est perpessum in amore tuo, post te libentissime
continere vellem in me, etiam usque in diem mortis
meae, ut eo dignius acceptaculum tibi animam meam
exhiberem, et insuper emendarem tibi quod tam inaestimabiliter inattingibilis dignitas gratiae tuae toties tam
20 ingratis et indignis exhibetur. »

CAPUT LIII

De Angelis.
In festo Michaelis Archangeli

1. Appropinquante festo Archangeli Michaelis, die quadam communicatura, recolens dignantissimum ministerium caeterorum spirituum beatorum sibi satis indignae

---

6 quam W ‖ 7 justo : gusto insuper W ‖ 8 infastibilibus B ‖
9 *post* tuae *add.* mihi W ‖ 12 *post* tuam *add.* ordinare W ‖
post meo *add.* tibi W ‖ 13-14 quem desideriorum B¹ (*corr.*
B²) ‖ 16 usque etiam B ‖ 17 eo : ego B *et a. corr.* W ‖ 18 *post*
insuper *add.* ut W ‖ quod *om.* W ‖ inaestimabiliter : ineffa-

Qu'il dise alors : « Ô torrent jailli de la source de vie !
Ô arôme embaumé des divines douceurs ! Ô ivresse
souverainement délicieuse de toutes les béatitudes !
Voici que je présente à la plénitude de votre être la
gouttelette de mon indigence et de ma misère, car je
gémis — bien moins cependant qu'il ne conviendrait —
et j'ai toujours gémi de tenir mon âme à jeun, loin de vos
festins qui ne peuvent engendrer la satiété, tandis que,
hélas ! je semble fermer, de mon propre mouvement et
par ma propre faute, le chemin de votre grâce ! Et maintenant, vous qui avez créé et recréé ma substance, qui
seul réalisez, pour votre plus grande gloire, des choses
impossibles, mettez mon cœur en parfait accord avec
mes paroles. Oui, toute la violence des désirs que jamais
cœur humain a soufferte pour votre amour, à votre
suite, je voudrais, bien volontiers, la contenir en moi,
et ceci jusqu'au jour même de ma mort. Ainsi pourrai-je
vous offrir mon âme comme une habitation plus digne de
vous et vous donner, par surcroît, un dédommagement
pour toutes les fois où cette grâce divine, que personne ne
peut prétendre atteindre, a été donnée à des ingrats
et à des indignes. »

CHAPITRE LIII

Les Anges. Fête de l'Archange Michel

1. La fête de l'Archange Michel approchait. Un jour
où elle devait communier, elle se remémora les bons
offices que, grâce à la libéralité divine, elle recevait
de tous les esprits bienheureux, malgré sa grande indi-

bilis W ‖ 19 dignitas gratiae tuae : dignitatis tuae gratiam
W ‖ toties : quae W
LIII. 1, 1 quodam W

a divina liberalitate indultum, vicem ipsis recompensare
5 desiderans, obtulit Domino idem vivificum corporis et
sanguinis sacramentum, dicens : « In honorem tantorum
principum tuorum, amantissime Domine, offero tibi hoc
praemagnificum sacramentum in laudem aeternam et
in augmentum gaudii et gloriae et beatitudinis ipsorum. »
10 Tunc Dominus, oblatum sibi sacramentum mirabili et
ineffabili modo divinitati suae intrahens et couniens, ex
ipso beatis spiritibus angelicis tam ineffabilia delectamenta ministrabat, quod si antea nullam beatitudinem
habuissent, satis copiose viderentur ex his laetari, et
15 gratiose omnibus deliciis superabundare. Tunc angeli
sancti per ordines suos cum maxima reverentia genua
flectentes coram illa dicebant : « Vere merito tali nos
oblatione honorasti, quia speciali affectu circa te solliciti sumus. » Angelicus itaque ordo dicebat : « Nos in
20 custodia tui cum ineffabili gaudio nocte dieque pervi-
giles sumus atque solliciti, nec permittimus tibi quidquam deperire quo deceat te sponso decenter praeparari. »

2. Tunc ista, pro tali ministerio tam Domino quam
ipsis beatissimis spiritibus gratias devotas persolvens,
desiderabat etiam angelum sanctum sibi a Domino in
custodem deputatum inter alios agnoscere. Et ecce sta-
5 tim quasi princeps quidam illustrissimus tam mirabilibus ornamentis decoratus quae nullis visibilium simi-
litudinibus poterant aequiperari, qui adstans a tergo
inter Deum et animam, uno brachio Dominum, altero
vero ipsam animam cum summa reverentia et deli-
10 catissimo affectu constringens blande dixit : « Ausu
diu mihi assuetae familiaritatis, qua frequenter spon-

---

5 idem vivificum domino W ‖ 6 tantorum : causatorum
B¹ (corr. s.l. B²) ‖ 9 ² : ac W ‖ ipsorum : eorum W ‖ 14
laetari ex his a. corr. W ‖ 22 perire W ‖ 2, 6 post mirabilibus

gnité. Avec le désir de les payer en retour, elle offrit au Seigneur le sacrement vivifiant de son corps et de son sang en disant : « En l'honneur de ces grands princes qui sont vôtres, ô mon Seigneur très aimé, je vous offre cet admirable sacrement en louange éternelle et pour l'accroissement de leur joie, de leur gloire et de leur béatitude. » Alors le Seigneur fit pénétrer dans sa divinité le sacrement qui lui était offert, pour l'y unir selon un mode merveilleux et inexprimable et répandre ainsi sur les bienheureux esprits angéliques de si ineffables délices que, dans l'hypothèse où ils n'eussent joui auparavant d'aucune béatitude, cette faveur aurait suffi pour les voir, au comble du bonheur, surabonder de toutes les délices. Les saints anges, alors, selon leurs hiérarchies, vinrent fléchir les genoux devant elle avec grande révérence, disant : « Tu as bien agi en nous faisant l'honneur d'une telle oblation, car nous veillons sur toi avec une spéciale affection. » L'ordre des anges disait : « Avec une joie ineffable, nous sommes attentifs jour et nuit à te garder avec sollicitude. Nous veillons à ce que tu ne perdes rien de ce qui sied à te parer dans l'attente de l'époux. »

2. Rendant de dévotes actions de grâces et à Dieu et aux très bienheureux esprits pour de tels services, elle désira reconnaître parmi les autres le saint ange député par le Seigneur à sa garde. Et voici qu'apparut tout à coup un prince très brillant, paré d'ornements merveilleux auxquels on ne saurait rien comparer de ce qui se peut voir. Il se tenait par derrière entre Dieu et l'âme. Un de ses bras entourait le Seigneur, l'autre l'âme, avec un souverain respect et une très délicate tendresse. Il dit avec douceur : « Enhardi par la longue habitude d'intimité qui m'a fait si souvent incliner

add. vestimentis vel W ‖ quae : qui W ‖ 7 poterat W ‖ 10 blande *om.* W ‖ 11 mihi diu W

sum Deum animae huic acclino eamque ad ipsum sublevo
in mentali jubilo, hic propius adesse praesumo ». Tunc
ista obtulit eidem speciales oratiunculas quas in hono-
15 rem ipsius persolverat. Quas ille cum ingenti gaudio
suscipiens, obtulit eas in specie venustissimarum rosarum semper venerandae Trinitati. Hinc archangeli,
blande salutantes animam, dixerunt : « Omnia arcana
secretorum divinorum quae secundum capacitatem in-
20 tellectus tui in speculo divinae cognitionis discernimus
tibi utiliora, o egregia Christi sponsa, familiarissima
blanditate frequenter patefacere tibi studemus. » Virtutes quoque dicebant : « Nos ad omnia in quibus meditando, scriptis et dictis Domini tui et nostri laudem et
25 gloriam lucraris, tibi devote subservimus, in quibuslibet
te fideliter semper promoventes et amplius incitantes. »

3. Dominationes etiam asserebant : « Cum honor Regis judicium diligat [a], et praeceps amor ratione non frae-
netur, quotiescumque Dominus rex gloriae in accubitu
animae tuae deliciando commorari delectatur, et illa
5 vice versa motibus amoris fertur in illum, nos interim
vice tui magnificentiae ejus reverentiam ipsi pro te exhi-
bemus, ne quidquam quod imperialem gloriam ejus con-
decet negligatur. » Principatus vero aiebant : « Nos
omni conamine semper studemus te Regi regum Domino
10 in omni regio cultu virtutum sibi decentissimam exhibere, secundum omne cordis sui delectamentum. » Potes-
tates autem dicebant : « Cum dilectum tibi conjunctum
sciamus felici copula, nos sine intermissione propulsare
studemus omnia impedimenta, tam interiorum quam
15 exteriorum, quae inquietare possent vestra praesuavia
susurria, e quibus etiam laetificatur tota caelestis curia

13 hoc B ‖ 18 dicebant W ‖ 19 divinorum secretorum W ‖ **3,**
4 illa : ista W

LIII. **3** *a.* Cf. *Ps.* 98, 4

le Dieu-époux vers cette âme et élever celle-ci vers lui
dans la jubilation spirituelle, j'ose enfin m'approcher. »
Elle lui offrit alors de brèves oraisons qu'elle avait spécialement récitées en son honneur. Il les reçut avec
grande joie et les offrit, sous la forme de roses merveilleusement belles, à la toujours vénérable Trinité. Puis les
archanges, saluant affectueusement l'âme, lui dirent :
« Tous les secrets des mystères divins que, dans le miroir
de la divine connaissance, nous jugeons, selon la mesure
où tu peux les comprendre, d'une plus grande utilité pour
toi, nous nous efforçons, ô noble épouse du Christ, de te
les révéler sans cesse dans une douce intimité. » Les vertus
disaient à leur tour : « Nous te servirons avec dévouement
en tout ce que tu feras, par tes méditations, tes écrits
et tes paroles, au bénéfice de la gloire de ton Seigneur
qui est aussi le nôtre, et, en tout ceci, nous te ferons
constamment aller de l'avant et te stimulerons toujours
davantage. »

3. Les dominations affirmaient : « Étant donné que
l'honneur du Roi aime la justice [a], mais que l'élan de
l'amour ignore le frein de la raison, chaque fois que le
Seigneur, le Roi de gloire, ravi de se reposer sur cette
couche, prendra ses délices en ton âme, et que celle-ci,
mue par l'amour, sera, à son tour, portée vers lui, nous
lui témoignerons, durant ce temps, en ton nom et à ta
place, le respect dû à sa magnificence. Ainsi, rien de ce
qui sied à la gloire souveraine ne sera négligé. » Les prin-
cipautés prenaient aussi la parole : « Quant à nous, nous
nous efforcerons sans cesse de te présenter au Seigneur,
le Roi des rois, avec cette parure royale de toutes les
vertus qui te rendra toute belle à ses yeux et conforme
à l'attrait de son cœur. » Les puissances se faisaient
aussi entendre : « Sachant quelle est la joie de ces noces
qui t'unissent au bien-aimé, nous veillerons à repousser,
tant au dedans qu'au dehors, tout ce qui pourrait gêner
ou troubler vos douces confidences, car elles remplissent

et beatificatur omnis ecclesia, quoniam plus apud Deum
praevalet una amans anima quam non amantium millia
duodena. »

4. Tunc anima gratias devotas persolvebat ipsis omnibus beatissimis spiritibus et etiam Domino Deo pro
his et pro pluribus aliis quae possent superaddi, nisi
fragilitas humanae capacitatis impediret : unde divi-
5 nae pietati omnia sint commissa, cujus solius cognitioni
perlucide patent universa.

CAPUT LIV

De festo undecim millium Virginum

1. Nocte undecim millium Virginum, dum saepius cantaretur verbum illud : *Ecce sponsus venit* [a], tandem ista
incitata per hoc dixit ad Dominum : « O desiderabilis
Domine, cum multoties jam audiverim : *Ecce sponsus*
5 *venit,* dic qualiter venies, et quid laturus es nobis ? »
Ad quod Dominus : « Ego jam operabor tecum et in te.
Ubi est lampas tua ? » Quae respondit : « Ecce, Domine
mi, cor meum tibi pro lampade praebeo. » Et Dominus :
« Egoque illud divini Cordis mei oleo abundanter adim-
10 plebo. » Ad quod illa : « Unde tunc papyrus habebitur ? »
Respondit Dominus : « Papyrus mihi placide lucens erit
devota intentio tua, quam in opere tuo ad me directe
protendas. »

2. Dum vero cantaretur responsorium *Verae pudicitiae* [a] et ipsa in illo verbo : *spes et corona virginum* regra-

4, 3 pro : etiam W
LIV. 1, 12 directe ad me W

LIV. **1** *a. Matth.* 25, 6 ‖ **2** *a.* Texte de ce répons dans
Paquelin, p. 468, n. 1

d'allégresse toute la cour céleste et comblent l'Église
de bonheur. Auprès de Dieu, en effet, une âme qui aime
possède un plus grand pouvoir que n'en auraient une
douzaine de milliers, sans amour. »

4. L'âme alors rendit de ferventes actions de grâces
à tous les esprits bienheureux, et, de plus, au Seigneur
Dieu, pour toutes ces faveurs et pour tant d'autres que
l'on aurait pu y ajouter, si la capacité humaine n'y
mettait obstacle par ses limites. Qu'on s'en remette
donc à la bonté divine ! C'est devant son seul regard, en
effet, que toutes choses apparaissent en une parfaite
clarté.

CHAPITRE LIV

Fête des onze mille Vierges

**L'époux
des vierges.**
1. En la nuit de la fête des onze mille
Vierges, comme on répétait souvent le
chant de ce texte : *Ecce sponsus venit* [a],
elle en fut, finalement, tout émue et dit au Seigneur :
« Ô Seigneur très désirable, j'ai entendu de multiples
fois : *Ecce sponsus venit*! dites-moi donc de quelle manière
vous viendrez et ce que vous nous apporterez.» Le Seigneur
répondit : « J'agirai à ce moment avec toi et en toi.
Mais où est ta lampe ? » Elle répondit : « Voici, mon
Seigneur, que je vous présente mon cœur, en guise de
lampe. » Et le Seigneur : « Et moi, je le remplirai jusqu'au
bord de l'huile de mon divin Cœur. » Mais elle : « Et quelle
en sera la mèche ? » Réponse du Seigneur : « Cette mèche
qui luira doucement pour moi sera cette attention
aimante qui te fait tendre tout droit vers moi en toutes
tes actions. »

2. Pendant le chant du répons : *Verae pudicitiae* [a],
aux mots : *Spes et corona virginum,* comme elle rendait

tiaretur Deo pro meritis Virginum et pro omni gratia
ipsis impensa, vidit omnes Virgines adstantes ante thro-
5 num [b] ; et pro singulis gratiis a Deo acceptis emittebant
singulos radios splendoris ad *sedentem in throno* [c], velut
pro gratiarum actione ; quos singulos radios Dominus
in se suscipiens emittebat omnes in animam ipsius quae
illi pro Virginibus gratias agebat. Unde intellexit quod,
10 quandocumque aliquis gratias agit Deo pro aliquo
sancto, Dominus de merito sancti illius auget gratiam
in anima ipsius qui pro eo gratias persolvit.

3. Dum vero cantaretur responsorium *Regnum mundi* [a],
in illo verbo : *quem vidi, quem amavi*, venit illi in memoriam quaedam persona quam frequentius audivit turbari
pro desiderio videndi Deum. Unde dixit ad Dominum :
5 « Et quando, benigne Deus, sic dignaris animam illam
consolari, quod hoc responsorium cum gaudio possit
decantare ? » Respondit Dominus : « Videre ac amare
me, sic credere in me, tale est bonum, quod nullus potest
talia sine fructu desiderare. Unde cum quaevis anima hoc
10 desiderat consequi, et prohibetur ex humana fragilitate,
statim humanitas mea pro sorore sua, scilicet humana
anima, procedit ad divinitatem, quasi hereditario jure
hoc bonum suscipiens, usque dum homo ille carne solutus
ipsemet valeat suscipere et perfrui gaudio aeternali.

4. Alia quoque nocte, dum cantaretur responsorium
Regnum mundi, in illo verbo : *propter amorem Domini
mei*, sensit et experta est Cor divinum ex devotione hoc
responsorium illa vice psallentium tam penetranti sua-
5 vitate medullitus commotum, quod coram Deo Patre

2, 12 illius W ‖ **3**, 1 cantaretur *om.* W ‖ responsorium
om. B ‖ 5 istam W ‖ 6 posset B ‖ 7 cantare W ‖ ac : et W ‖
9 talia *om.* W ‖ **4**, 1 responsorium *om.* B

---

b. Cf. *Apoc.* 7, 9 ‖ *c. Apoc.* 4, 10 ‖ **3** *a.* Répons emprunté à
l'office de sainte Agnès (*CAO* 7524)

grâces à Dieu pour les mérites de ces Vierges et pour
toutes les faveurs qui leur avaient été départies, elle
vit toutes les Vierges debout devant le trône [b], et, pour
chacune des grâces reçues de Dieu, elles dirigeaient vers
lui, *qui siégeait sur le trône* [c], un rayon lumineux, symbole de leur gratitude. Or, ces rayons, le Seigneur les
accueillait d'abord en lui, puis les renvoyait tous vers
l'âme de celle qui lui avait rendu grâces pour les Vierges.
Et voici ce qu'elle en conclut : chaque fois que l'on rend
grâces au Seigneur pour un saint, le Seigneur, par les
mérites mêmes de ce saint, fait croître sa grâce dans
l'âme de celui qui a rendu grâces pour lui.

**Celui
que j'aime.**

3. Comme on chantait le répons : *Regnum
mundi* [a], aux mots : *Quem vidi, quem
amavi,* il lui vint en mémoire une personne
qu'elle avait ouï dire, souventes fois, être tourmentée
du désir de voir Dieu. C'est pourquoi elle dit au Seigneur :
« Et quand donc, ô Dieu de bonté, daignerez-vous con-
soler cette âme en sorte qu'elle puisse chanter, dans la
joie, ce répons ? » Le Seigneur répondit : « Me voir et
m'aimer, me donner ainsi sa foi, est un si grand bien
que nul ne peut le désirer sans fruit. Lors donc qu'une
âme désire l'obtenir et qu'elle ne le peut à cause de la
fragilité humaine, aussitôt mon humanité, au nom de sa
sœur — c'est-à-dire cette âme humaine — vient trouver
la divinité pour recevoir ce bien, comme par droit d'héri-
tage, jusqu'à ce que l'homme en question, délivré de sa
chair, puisse à son tour le recevoir et jouir de la joie
éternelle. »

4. Une autre fois, comme on chantait aux nocturnes
ce répons : *Regnum mundi,* aux mots : *propter amorem
Domini mei,* elle sentit et expérimenta l'émotion du
Cœur divin. La dévotion de celles qui chantaient ainsi
ce répons pénétrait avec douceur jusqu'au tréfonds de
lui-même, si bien que le Christ Jésus, Fils de Dieu, notre

et omnibus sanctis ipse Filius Dei, caro et frater noster [a],
Christus Jesus in haec verba prorupit : « Ego certe
hodie me fateor his debitorem remunerationis fidelis
servitii mihi ab ipsis pro posse suo impensi. » In illo
10 quoque verbo : *Jesu,* quod interpretatur *salus,* profitebatur Dominus se ipsis debitorem ad perficiendum adhuc
omnem salutem quam unquam desideraverant ab infantia, sed adhuc, ordinante et disponente sua paterna providentia, frustrarentur usque ad tempus idoneum et
15 praedestinatum. In illo etiam verbo : *Christi,* quod dicitur *unctus,* protestabatur Dominus se debitorem ad re-
compensandum ipsis omnem devotionem a se desideratam quam adhuc eis conferre distulisset. In his vero
duobus verbis : *quem vidi* et *quem amavi,* palam protes-
20 tabatur coram Deo Patre omnibusque sanctis ipsas pro
amore suo fidem catholicam justis operibus comprobasse ;
et in his duobus, *in quem credidi, quem dilexi,* profitebatur
eas spe firma caritateque perfecta sibi adhaesisse. Tunc
ista : « Heu mihi ! Domine, quid tunc facies illis quae
25 modo non sunt in choro ? » Respondit Dominus : « Omnium qui unquam in hoc responsorio delectati sunt
devotionem mihi modo attraxi et huic praesenti conventui counivi, ipsosque similiter cum istis beatificavi. »

5. Et illa : « Si cum tam parva devotione tam magnum
possunt acquirere bonum, quid tunc obest illis qui se
negligunt, cum tam faciliter recuperare neglecta pos-

---

7 Jesus Christus W ‖ 8 fateor me hodie W ‖ 11 adhuc :
ad hoc B ‖ 21 comprobasse : probasse W ‖ 23 caritate B ‖
27-28 conventui counivi *l* : convivii B convivio W ‖ 28 cum
istis similiter W

---

4 *a.* Cf. *Gen.* 37, 27

---

1. Seul Lansperge donne ici un texte satisfaisant pour le sens
et pour le style et certainement authentique : « *huic praesenti
conventui counivi* ». Ces deux mots ont été anciennement confondus

chair et notre frère [a], poussa cette exclamation devant Dieu le Père et tous les saints : « Oui, je proclame aujourd'hui que je suis en dette vis-à-vis d'elles. Il faut les récompenser pour le fidèle service qu'elles ont acquitté envers moi, selon tout leur pouvoir. » Au mot : *Jesu*, qui veut dire *salut*, le Seigneur se reconnut encore leur débiteur : il devait parfaire toute cette œuvre de salut, qu'elles avaient désirée depuis leur enfance. Dans l'immédiat cependant, sa paternelle providence l'ayant ainsi réglé et disposé, elles n'en verraient pas l'accomplissement, mais seulement au temps opportun et fixé d'avance. Au mot : *Christi*, qui veut dire *oint*, le Seigneur affirma être leur débiteur et leur accorder toute la dévotion qu'elles désiraient et qu'il avait différé jusqu'ici de leur donner. A cette double assertion : *quem vidi*, et *quem amavi*, il déclara devant Dieu le Père et tous les saints que, pour son amour, elles avaient donné la preuve de leur foi catholique par leurs œuvres saintes ; et à ces deux autres paroles : *in quem credidi, quem dilexi*, il attesta qu'elles avaient adhéré à lui par leur espérance assurée et la perfection de leur charité. Elle dit alors : « Pauvre de moi ! Seigneur, que ferez-vous donc pour celles qui ne sont pas actuellement présentes au chœur ? » Le Seigneur répondit : « J'ai attiré à moi la dévotion de tous ceux qui ont trouvé leurs délices dans ce répons, je les ai unis au couvent [1] ici présent pour les bénir de la même manière que lui. »

5. Elle dit encore : « Si, par ce petit acte de dévotion, elles ont pu acquérir un si grand bien, quelle perte ne subissent donc pas les négligentes qui n'usent pas de moyens si faciles pour réparer leurs manquements ? »

en un seul et déformés : *B* donne *convivii*, W *convivio*. Le verbe *counire* est familier à Gertrude (v.g. 12, 1, 14 ; 53, 1, 11 ; également l. I, 3, 4, 13 ; l. V, 31, 2, 11 ; *Missa*, 6, 8 ; *Exercices*, III, 326). Pour la construction, cf. l. V, 1, 17, 7 : « spiritum ejus mihi sic intraxi et univi. »

sunt ? » Respondit Dominus : « Cum imperator alicui
5 principum suorum liberaliter multa largitur praedia et
possessiones, et insuper pretiosis eum exornat vestimentis, cum ille regreditur ab imperatore, ab omnibus cognos-
citur ditatus large et honoratus valde ; attamen, si ipse
sibi bona collata excolere negligit, semetipsum exponit
10 inopiae damnumque incurrit ; sed tamen benignus rex
non ideo vestes sibi aufert quas regalis liberalitas sua
gratuite contulerat ipsi. Similiter, cum ego pro tam parva
devotione tam magnifica impendo beneficia, tenentur
homines postmodum in talibus studiosius se exercere ;
15 et si hoc negligunt facere, fructum certe bonorum illorum amittunt. Sed tamen decor gratuitae bonitatis meae,
qua ego eis benefeci gratis, perpetuo ad laudem et gloriam meam apparebit in ipsis. » Et illa : « Et quomodo,
inquit, se exercere debent in talibus, ad quorum noti-
20 tiam haec revelatio et similes forsitan nunquam per-
veniunt ? » Respondit Dominus : « Haec tamen quae
percipiunt, tenentur studiosius per imitationem see xer-
cere, quia certe ad cujuscumque notitiam aliquid talium
pervenire permitto. Ille procul dubio sciat se ad grati-
25 tudinem et studium imitationis per scientiam magis
obligatum. Unde etiam, si ipse scienter propter desidiam
suam beneficia impensa sibi in communi sive in singulari neglexerit, cum devota gratitudine et studio imitationis, damnum aeternum se noverit ex hoc incur-
surum. »
    6. Alia quoque vice, inter idem responsorium, appa-
ruit caterva daemonum coram utrisque choris psallentium, et quilibet daemon videbatur diversa mundi orna-

---

5, 10 tamen : tam B ‖ 12 cum tam ego pro parva B[1] (*corr.*
B[2]) ‖ 15 *post* hoc *add.* certe B ‖ facere negligunt W ‖ certe
fructum W ‖ 21 quae : qui W ‖ 23 aliquod W ‖ 25 et : ad
a. corr. B ‖ 27 *post* sibi *add.* sive W ‖ *post* singulari *add.*
negligit vel W

Le Seigneur répondit : « Si l'empereur fait de grandes largesses à l'un de ses vassaux, en bien-fonds et en domaines, et que, de plus, il le revêt d'habits précieux, lorsque celui-ci se retirera de devant l'empereur, tout le monde pourra voir qu'il a été comblé de présents et grandement honoré. Pourtant, s'il néglige l'administration des biens qu'il a reçus, il s'expose à tomber dans le besoin et il court à sa ruine. Le roi cependant, dans sa bonté, ne lui retire pas les vêtements que sa largesse royale lui a gracieusement délivrés. Il en va de même pour moi : lorsque pour un si petit acte de dévotion j'accorde de si magnifiques bienfaits, les hommes sont ensuite tenus de les faire valoir avec un zèle accru. S'ils s'y montrent négligents, sans aucun doute ils en perdront le fruit, mais, même alors, cette bonté généreuse, qui les a favorisés gratuitement, telle une parure, sera toujours visible en eux, pour ma louange et ma gloire. — Et comment donc, dit-elle alors, seraient-ils obligés de faire valoir ces dons, ceux à la connaissance desquels cette révélation et autres semblables ne sont peut-être jamais parvenues ? » Le Seigneur fit cette réponse : « Ce qu'ils en perçoivent, ils sont tenus de le faire valoir en se modelant avec grand zèle sur cet exemple. Car toujours je permets que quelque chose au moins de ces grâces parvienne à la connaissance de chacun. Et que celui-ci sache donc bien que cette lumière lui crée une obligation particulière de me remercier et de s'efforcer à l'imitation. Dans ces conditions, si, par indolence, il négligeait sciemment d'accroître, avec une dévotion reconnaissante et un effort d'imitation, les bienfaits à lui accordés, soit d'une manière générale soit personnellement, par cette conduite il risquerait, qu'il le sache bien, d'être éternellement damné. »

6. Une autre fois, pendant le même répons : *Regnum mundi*, apparut une troupe de démons devant les deux chœurs qui psalmodiaient, et chaque démon semblait présenter à la communauté diverses parures mondaines

menta et vanitatum varia machinamenta praetendere
5 congregationi. Cum vero conventus cum corde cantaret :
Regnum mundi et omnem ornatum saeculi contempsi,
omnis illa caterva daemonum confusa statim, tamquam
canes rabidi aqua calida perfusi, velocius aufugit. Per
quod intellexit quod, quandocumque aliquis devoto corde
10 profitetur se regna mundi contemnere et similia quae
sibi diabolus ad tentandum opponit ex corde detestari,
statim virtus diabolica in tantum debilitatur et fran-
gitur quod nunquam de caetero audet hominem in illa
causa, in qua sibi semel viriliter restitit et resistendo
15 superavit, impugnare.

CAPUT LV

De festo omnium Sanctorum

1. In festo Sanctorum omnium, in spiritu recognovit ineffabilia mysteria de semper venerandae Trinitatis
gloria, et qualiter ipsa beata et gloriosa Trinitas in
seipsa sine principio et sine fine, omni dulcedine, jucun-
5 ditate et beatitudine supereffluens, omnibus sanctis gaudium, gloriam ac beatitudinem administrat aeternam.
Sed humana fragilitate praepedita, nihil tamen de his quae
tam lucide in speculo divinae claritatis perspexerat, ad
humanam intelligentiam potuit enodare, praeter ista
10 pauca quae sub aliqua similitudine vix potuit abrupte
proferre.

2. Apparuit enim Dominus virtutum, Rex gloriae [a], in
similitudine cujusdam patrisfamilias praepotentis qui,

6, 4 praetendentem W ‖ 7 statim confusa W
LV. 1, 5 et ac W ‖ 6 *post* gaudium *add.* et W ‖ 7 tamen
om. W ‖ 9-10 enodare — potuit *om.* B[1] *mg.* B[2] ‖ **2, 1** enim *om.* W

et toute une variété de colifichets et de bagatelles. Mais lorsque le convent chanta de tout son cœur : *Regnum mundi et omnem ornatum saeculi contempsi*, toutes ces troupes de démons, soudain déconfits, déguerpirent à toute vitesse, tels des chiens enragés arrosés d'eau bouillante. Cela lui fit comprendre que si quelqu'un, d'un cœur dévot, proclame son mépris pour l'empire de ce monde, et sa cordiale horreur pour toutes ces images que le diable lui présente pour le tenter, aussitôt le pouvoir de celui-ci est tellement entamé et brisé que jamais dans la suite il n'a l'audace de s'attaquer à l'homme sur ce terrain, où on lui a une bonne fois fièrement tenu tête et gagné sur lui la victoire par cette vive résistance.

CHAPITRE LV

Fête de tous les Saints

1. En la fête de tous les Saints, elle repassa en esprit les mystères ineffables touchant la gloire de la toujours vénérable Trinité. Elle voyait comment cette bienheureuse et glorieuse Trinité n'a jamais commencé et ne cessera jamais de surabonder en elle-même de toute douceur, allégresse et béatitude et comment elle dispense à tous les saints la joie, la gloire et la béatitude éternelle. Mais la fragilité humaine la rendit cependant incapable de rien communiquer à une intelligence d'homme de ce qu'elle avait contemplé si clairement dans le miroir de la divine lumière, sinon ce peu de chose que, sous le couvert de quelque image, elle put, à grand peine, brièvement révéler.

2. Le Seigneur des armées, le Roi de gloire[a], se montra sous la figure d'un père de famille très considérable

LV. **2** *a*. Cf. *Ps.* 23, 10

faciens grande convivium cunctis principibus et opti-
matibus suis, convocaverit amicos et vicinos. Quia ipse
5 fons vitae et origo lucis perpetuae atque omnis bonitatis
auctor, satians satietas angelorum, ob reverentiam et
devotionem qua ipso die ab ecclesia recolebatur commune festum omnium Sanctorum, videbatur quosque
fidelium adhuc in terris militantis ecclesiae choris sanc-
10 torum jam in caelis triumphantium interseruisse secundum meritorum suorum dignitatem. Verbi gratia : qui
matrimonio bono legitime utentes in timore Dei bonis
exercentur operibus, apparebant adjuncti sanctis patriarchis. Qui vero secreta mysteriorum Dei cognoscere meren-
15 tur, prophetis sanctis addicti videbantur. Qui autem prae-
dicationi et doctrinae sanctae inserviunt, apostolis videbantur coadunati beatis. Et sic de aliis.

3. Cognovit etiam specialiter choro sanctorum martyrum ordinem religiosorum consertum sub obedientia
regulari Deo servientium [a], eo quod, sicut martyres sancti
in eo membro in quo passi sunt pro Domino specialem
5 decorem simul et potestatem receperunt inaestimabilis
delectationis, ita et religiosi pro singulis delectamentis
a quibus in quacumque re se continent, ut in visu,
gustu, auditu, ambulando vel loquendo et similibus,
sanctorum martyrum meritis adaequati consimilem cum
10 ipsis percipient remunerationem in caelis, quoniam, licet
persecutor ipsorum non fundat sanguinem, tamen, quod
majus est, propriam abscindere student voluntatem [b], per
continuas abstinentias immolantes quodam modo sacrificium confessionis quotidianum Domino Deo in odorem
15 mirificae suavitatis [c].

---

4 convocaverat W ‖ 7 ipsa W ‖ 14 cognoscere : noscere W ‖
3, 5 et potestatem : in potestate B ‖ 8 auditu gustu W ‖
10 quoniam licet *l* : quam licet B quamlibet W ‖ 11 ipsorum :
eorum W

qui, donnant un grand festin à ses vassaux et à ses dignitaires, y aurait invité ses amis et ses voisins. Il est en effet la source de vie et le principe de la lumière éternelle, et aussi l'auteur de toute bonté, la satiété rassasiante des anges. A cause donc de la révérence et de la dévotion avec lesquelles l'Église réunit en ce jour tous les Saints pour les fêter ensemble, on le voyait placer les fidèles de l'Église militante, encore sur la terre, dans les chœurs des saints triomphant déjà dans le ciel, selon le rang dû à leurs mérites. Par exemple : ceux qui usent légitimement des biens du mariage et s'adonnent aux bonnes œuvres selon la crainte de Dieu apparaissaient joints aux patriarches. Ceux qui ont mérité de connaître les secrets des mystères de Dieu étaient unis aux saints prophètes. Ceux qui se sont adonnés à la prédication et à l'enseignement des choses saintes semblaient mêlés aux bienheureux apôtres. Et ainsi des autres.

3. Et elle apprit encore que l'ordre religieux, servant Dieu sous l'obéissance d'une règle [a], est inséré de façon spéciale dans le chœur des martyrs. Et comme les saints martyrs ont reçu une gloire particulière et la jouissance de délices sans prix en celui de leurs membres qui a souffert pour le Seigneur, de même, les religieux, pour chaque plaisir qu'ils se refusent en quelque occasion, en ce qui concerne par exemple la vue, le goût, l'ouïe, la faculté de parler ou d'aller et venir, etc. se rendent les émules des mérites des saints martyrs et reçoivent dans les cieux une récompense semblable à la leur. Le bourreau, il est vrai, n'a pas répandu leur sang, mais, ce qui est plus important, ils s'exercent à retrancher leur volonté propre [b] et, par leurs continuelles abstinences, immolent, pour ainsi dire, un sacrifice quotidien de louange au Seigneur Dieu, en odeur de merveilleuse suavité [c].

3 *a.* Cf. *RB*, 1, 3 ‖ *b.* Cf. *RB*, prol. ‖ *c.* Cf. *Hébr.* 13, 5 ; *Éphés.* 5, 2

4. Hinc communicatura, volens pro ecclesia orare sed sapore carens, exorabat Dominum ut, si esset sibi laudabile quod oraret pro ecclesia, etiam saporem orandi sibi praestaret. Et statim apparuerunt ei diversi colores, scili-
5 cet candor pudicitiae virginalis, hyacinthinus color confessorum ac religiosorum, roseus flos martyrum, et caeteri colores quorumlibet sanctorum merita figurantes. Inter quos dum et ipsa per semet ad Dominum accedere nitens consideraret se nullius coloris decore micantem, Spiritu
10 Sancto *qui docet hominem scientiam* [a] instigante, coepit ex intimo cordis affectu gratias agere Deo pro omnibus quos unquam gratia sua in gradum virginalis dignitatis sublimavit, orans, per amorem quo pro nobis Virginis Filius fieri dignatus est, ut omnes quos in ecclesia
15 elegisset ad illam dignitatem in vera puritate cordis et corporis ad suimetipsius laudem et gloriam dignaretur conservare. Statimque vidit animam suam consimili virginum candore nitentem.

5. Hinc gratias egit Domino pro sanctitate et perfectione omnium confessorum et religiosorum in quibus sibi Dominus ab initio unquam complacuit, orans ut quemlibet adhuc militantem in ecclesia sub religionis
5 habitu Dominus conservaret et in omni bono confortaret usque in finem vitae beatum. Et statim addebatur etiam animae ejus decor hyacinthini coloris. Similiter, cum pro quolibet statu sanctorum Domino gratias referendo oraret pro augmento et profectu ecclesiae, anima
10 ejus splendore cujuslibet coloris ipsum ordinem designantis visa est decorari. Postremo vero, cum gratias agendo affectuosius oraret pro statu amantium Deum, videba-

---

4, 3 etiam : et W ‖ 4 praestaret : daret W ‖ 18 candore : creatore B[1] (*corr. s.l.* B[2])

4. Sur le point de communier, voulant prier pour l'Église, mais n'en éprouvant pas le goût, elle demanda au Seigneur, dans le cas où il trouverait bien qu'elle priât pour l'Église, de lui en donner le goût. Aussitôt, elle vit diverses couleurs : la blancheur de la pudeur virginale, la couleur hyacinthe des confesseurs et des religieux, la fleur empourprée des martyrs et les autres couleurs, symboles des mérites de tous les saints. Au milieu d'eux, comme elle s'efforçait d'approcher elle-même du Seigneur, elle remarqua n'avoir l'éclat d'aucune couleur. Sous l'inspiration de l'Esprit-Saint *qui enseigne à l'homme la science* [a], elle se mit, dans l'intime sentiment de son cœur, à rendre grâce à Dieu pour tous ceux qu'il a élevés au rang éminent de la virginité. Elle le priait, par l'amour avec lequel il a daigné devenir pour nous le Fils d'une Vierge, de bien vouloir, pour sa propre louange et gloire, garder dans une authentique pureté de cœur et de corps tous ceux que, dans l'Église, il a élus à cette grande dignité. Et aussitôt, elle vit son âme resplendir d'une blancheur semblable à celle des vierges.

5. Ensuite, elle rendit grâces au Seigneur pour la sainteté et la perfection de tous les confesseurs et religieux en qui, depuis les origines, le Seigneur s'est jamais complu, et elle pria le Seigneur de garder quiconque militait alors, dans l'Église, sous l'habit de la religion, et de le fortifier en tout bien jusqu'à l'heureux terme de sa vie. Et aussitôt la beauté de la couleur hyacinthe fut donnée à son âme. De même, tandis qu'elle rendait grâces au Seigneur pour telle ou telle catégorie de saints, en priant pour l'accroissement et le progrès de l'Église, son âme parut briller de l'éclat de la couleur qui symbolisait chacune. Finalement, tandis que dans une ferveur plus grande elle priait avec action de grâces pour tous ceux qui aiment Dieu, son âme sembla revêtue d'une

4 *a. Ps.* 93, 10

tur anima ipsius aureo amictu circumdari. Et cum sic
decore diversorum meritorum ecclesiae mirabiliter exor-
15 nata conspectui Domini adstaret, ipse decore illius delectatus ait omnibus sanctis : « Ecce ista adest *in vestitu
deaurato circumdata varietate* [a]. » Sicque extenso brachio suscepit eam super pectus suum sustentaturam,
quasi prae affluentibus deliciis subsistere non valeret.

6. Deinde cum instaret hora communicandi, et ipsa
magnum sentiret defectum virium, dixit ad Dominum :
« Et qualiter nunc, o amantissime, tibi Domino Deo vero
salutari meo [a] in sacramento ad me venienti assurgere
5 potero, cum nec vires mihi suppetant, nec alicui commi-
serim me juvandam ? » Respondit Dominus : « Ut quid
necesse habes adjutorium hominum, quae innixa super
me dilectum tuum [b] sustentaris ulnis omnipotentiae meae
divinae ? Unde tibi vires per temet surgendi et sub-
10 sistendi sufficienter ministrabo. » Sicque adjuvante
gratia, quae antea per longum tempus sine juvamine
aliorum surgere non potuit vel ire, per se in fortitu-
dine spiritus corpori Domini assurexit, cujus partici-
patione satiata unus cum eo spiritus feliciter est effecta [c].

5, 15 *post* ipse *add.* dominus *s.l.* B² ‖ **6,** 3 et *om.* W ‖
9 temet : memet W ‖ 10 administrabo W

---

5 *a. Ps.* 44, 10 ‖ **6** *a.* Cf. *Lc* 1, 47 ‖ *b.* Cf. *Cant.* 8, 5 ‖
c. Cf. *I Cor.* 6, 17 W

tunique d'or. Elle se tint alors ainsi, merveilleusement belle, en présence du Seigneur, parée qu'elle était des divers mérites de l'Église, et lui, ravi de sa beauté, dit à tous les saints : « Voyez celle-ci qui se présente *en son vêtement d'or, revêtue de couleurs variées* [a]. » Et il étendit le bras pour la presser sur son cœur, la soutenant comme si, sous l'afflux de ces délices, elle ne pouvait plus se tenir debout.

6. Puis, comme approchait le moment de la communion et qu'elle se sentait totalement démunie de forces, elle dit au Seigneur : « Et comment pourrai-je, ô mon bien-aimé, me lever en votre honneur tandis que vous venez à moi dans votre sacrement, Seigneur Dieu, mon véritable salut [a], alors que mes forces ne me soutiennent plus et que je n'ai demandé à personne de m'aider ? » Le Seigneur répondit : « Et qu'as-tu donc besoin du secours des hommes, appuyée que tu es sur moi, ton bien-aimé [b], soutenue par les bras de ma toute-puissance divine ? Je te donnerai suffisamment de force pour te lever seule et te tenir debout. » Et ainsi, avec le secours de la grâce, elle, qui auparavant n'avait pu depuis longtemps se lever ni marcher sans l'aide d'autrui, se redressa d'elle-même dans la force de l'esprit [1] pour honorer le Corps du Seigneur. Quand elle y eut participé et s'en fut rassasiée, elle eut le bonheur de devenir un même esprit avec lui [c].

---

1. Il y a dans ce passage, d'une extraordinaire densité, une sorte d'ambivalence (peut-être voulue) des sens de *spiritus*, et une sorte de dichotomie entre corps et esprit. Le corps de sainte Gertrude, soutenu par la force de son esprit (ou du Saint-Esprit ?), parvient à se déplacer pour recevoir le Corps du Christ et devenir un même esprit avec lui.

CAPUT LVI

De sancta Elisabeth

1. Festo beatae Elisabeth, cum in sequentia cantaretur *Eia mater nos agnosce* [a], ista devote salutando illam beatam orabat ut sui indignae memoraretur. Cui illa respondit : « Ego agnosco te in speculo aeternae claritatis, in quo perlucide splendet omnis intentio operum tuorum. » Et cum ista diceret : « Nonne, domina, pro detrimento laudis tuae deputas quod ego, cantando in festo tuo, solummodo intendo illi a quo tu cuncta pro quibus laudaris gratis accepisti, ad te quasi nullum habens respectum ? » Ad quod illa : « Nequaquam, ait, sed in infinitum gratius ex hoc accepto ; immo tanto suavius per hoc demulces affectum meum, quanto aliquem multo plus delectat musicum instrumentum quam balatus ovium aut mugitus boum. »

CAPUT LVII

De sancta Catharina virgine et martyre

1. Dum in die sancti Augustini inter caetera Dominus, exponens isti verbum illud : *Non est inventus similis*

LVI. 1, 5 resplendet *mg.* B² ‖ 8 solummodo : tantummodo W *qui add. s.l.* vel solum ‖ 10 respectum : regimen *a. corr.* W ‖ 11 in *om.* B ‖ 13 delectant musica instrumenta W
LVII. 1, 1 cum B

LVI. 1 *a.* Avant-dernière strophe de la séquence *Gaude Sion quod egressus a te decor* en l'honneur de sainte Élisabeth de Hongrie (*RH* 6958)

CHAPITRE LVI

Sainte Élisabeth [1]

1. En la fête de sainte Élisabeth, comme on chantait dans la séquence : *Eia mater nos agnosce* [a], elle salua dévotement la bienheureuse, en la priant de se souvenir d'elle, malgré son indignité. Celle-ci lui répondit : « Je te vois dans le miroir de l'éternelle clarté où brillent avec éclat toutes les intentions qui président à tes actions. » Et comme elle disait : « Ô Dame, ne trouvez-vous pas que votre gloire est lésée, lorsque, dans les chants de ce jour de fête, je dirige uniquement mon attention vers celui qui vous a gratifiée des dons pour lesquels on vous loue, sans avoir presque aucun regard vers vous ? » Elle répondit : « Pas du tout ! Cela m'est, au contraire, infiniment plus agréable. Tu charmes ainsi plus suavement mon cœur. Je suis comme quelqu'un à qui un instrument de musique procure bien plus de plaisir que le bêlement des brebis ou le mugissement des bœufs. »

CHAPITRE LVII

Sainte Catherine, vierge et martyre

1. Le jour de la saint Augustin [2], comme le Seigneur lui avait, entre autres, expliqué ce verset : *Non est*

---

1. Sainte Élisabeth de Hongrie, duchesse de Thuringe, morte le 17 novembre 1231, avait été canonisée dès 1235 ; elle était fêtée le 19 novembre.

2. Sur cette allusion à la fête de saint Augustin et sur l'indication qu'elle fournit quant à la composition du livre de sainte Gertrude, voir ci-dessus, 8, 2, 1 et 50, 8, 5, avec les notes à ces passages.

illi [a], etiam plurimorum sanctorum ipsi merita demons-
traret, desiderabat etiam aliqua agnoscere de gloria et
5 meritis sibi a pueritia specialius dilectae gloriosae virginis Catharinae. Cujus votis Dominus favens ostendit
illi ipsam virginem beatam in solio tam sublimiter elevato quod, si nulla regina esset in caelo, satis de istius
gloria caelum videretur illustratum. Apparebant enim
10 prope sed infra quinquaginta illi oratores quos ipsa
spiritu divinae sapientiae superatos direxit ad caelum. Qui omnes aurea sceptra in manibus tenentes,
capitella eorum super vestes ejusdem virginis declinando,
ipsam cum eisdem in modum florum miro modo exor-
15 nabant. In eisdem etiam floribus relucebat quasi miri-
fico opere intextum omne studium cui ipsi rhetores
pro acquirenda sapientia insudarant. Per quod notabatur quod illa studia idcirco egregiam virginem deco-
rabant, quoniam ipsi oratores eam pro inani gloria
20 penitus expendissent ; sed beata virgo summo studio
conabatur ipsos cum omni sapientia sua convertere ad
gratiam fidei in laudem sui creatoris. Videbatur etiam
frequentius praecelsae virgini praebere oscula delicata, et per ea, ut supra dictum est de beata Agnete,
25 immittere illi velut per afflatum omne delectamentum
quod ipse sibi intraxit de cordibus electorum ejusdem
virginis in terris memoriam agentium ; et inde videbatur corona capitis ejus mira varietatis vernantia reflorere,
in omnes sibi devotos mirificum dans resplendorem.

    8 *post* regina *add.* major W ‖ 10 oratores illi W ‖ 11 ad :
in W ‖ 16 cui : quo sibi W ‖ 23 *post* virgini *add.* dominus W
‖ 25 afflatum : inflatum B ‖ 27 agentium : gerentium W ‖ 29
dans : donans W

inventus similis illi [a], et lui avait montré les mérites de plusieurs saints, elle désira connaître quelque chose de la gloire et des mérites de la glorieuse vierge Catherine, qui lui était, depuis l'enfance, particulièrement chère. Le Seigneur, exauçant ses vœux, lui montra cette bienheureuse vierge sur un trône si haut placé que, si dans le ciel il n'y avait pas eu de reine, le ciel aurait paru suffisamment illustré par la gloire de celle-ci. Près d'elle, mais un peu au-dessous, on voyait les cinquante philosophes qu'elle avait conduits au ciel, après en avoir triomphé par la science de la divine sagesse. Ils tenaient tous en main des sceptres d'or dont ils faisaient reposer les fleurons sur les vêtements de la vierge comme les fleurs d'une admirable parure. Dans ces fleurs, brillaient symboliquement, entrelacées avec un art merveilleux, toute la peine et la sueur dépensées par ces rhéteurs pour acquérir la sagesse. Cela signifiait que leurs efforts étaient à l'honneur de cette noble vierge. Car si les philosophes s'étaient dépensés de la sorte par vaine gloire, la bienheureuse vierge s'était efforcée, avec un zèle plus grand encore, de les convertir avec toute leur sagesse à la grâce de la foi, afin de louer leur Créateur. Et l'on voyait celui-ci donner de fréquents et tendres baisers à l'illustre vierge, et lui communiquer de la sorte, comme dans un souffle — ainsi qu'on l'a dit de la bienheureuse Agnès —, toutes les délices qu'il avait aspirées dans le cœur des fidèles célébrant sur la terre la mémoire de cette vierge. La couronne placée sur sa tête paraissait alors se couvrir de fleurs variées d'une fraîcheur admirable, dont l'éclat rejaillissait merveilleusement sur tous ses dévots.

LVII. 1 *a.* 2e antienne des Laudes et des Vêpres du commun d'un confesseur pontife (*CAO* 3914) : *Sir.* 44, 20

CAPUT LVIII

De festo dedicationis ecclesiae

1. Cum in festo Dedicationis ecclesiae ad Matutinas legeretur : Regina Saba venit ad regem Salomonem, et infra : cum gemmis virtutum *a* ; ista compuncta corde dixit ad Dominum : « Heu me ! benignissime Deus, et
5 qualiter ego tantilla perveniam ad te, quae nec vestigium cujuslibet virtutis recognosco in me ? » Ad quod Dominus : « Scisne tamen hoc, quod aliquando detrahentium diversitate molestaris ? » Et illa : « Scio, Domine, quia heu ! exigentibus culpis, proximis saepe sum
10 causa scandali. » Cui Dominus : « Ergo singula detrahentium verba sume tibi loco virtutum quibus exornata pervenias ad me, et ego compassiva pietate mea compulsus benigne suscipiam te. Et quanto plus conversatio tua sine culpa reprobatur, eo amplius Cor meum ama-
15 toria blanditate tibi condescendit, quia per hoc efficieris mihi simillima, qui in operibus meis semper habui perversores. »

2. Hinc inter responsorium *Benedic a*, introduxit eam Dominus in locum ultra quam dici posset admirabilem, scilicet Cor Jesu Christi, quod dispositum erat ad modum domus in qua esset festum Dedicationis celebratura.
5 Quam cum ingressa sibi videretur, prae inaestimabili affluentia delectationum dixit ad Dominum : « Domine mi, si spiritum introduxisses in aliquem locum quo ste-

LVIII. **1,** 1 cum in festo dedicat. ecclesiae : festo dedicat. ecclesiae cum W ‖ 9 *post* culpis *add.* meis W *et s.l.* B² ‖ 15 efficeris W

LVIII. **1** *a.* Cf. *III Rois* 10, 1-2 ‖ **2** *a.* 3ᵉ répons de l'office de la dédicace (*CAO* 6235) : cf. *III Rois* 8, 30

CHAPITRE LVIII

Fête de la Dédicace de l'église

1. En la fête de la Dédicace de l'église, comme on récitait à Matines : « La reine de Saba arriva auprès du roi Salomon », et ensuite : « avec les pierres précieuses [a] de ses vertus », le cœur contrit, elle dit au Seigneur : « Hélas ! ô Dieu très bon, comment donc parviendrai-je jusqu'à vous, moi si petite qui en moi ne découvre pas même la trace de quelque vertu ? » A cela le Seigneur répondit : « Ne sais-tu pas cependant que tu es parfois blessée par les contradictions de tes détracteurs ? » Et elle : « Je ne l'ignore pas, Seigneur, car, par malheur, je suis souvent objet de scandale pour mon prochain, à cause de fautes qui lui sont odieuses. » A quoi, le Seigneur : « Eh bien ! chacune des paroles de tes détracteurs, prends-les en guise de vertus. Avec cette parure, tu pourras parvenir jusqu'à moi. Et moi, inspiré par ma pitié et ma compassion, je te recevrai avec bonté. Et plus ta conduite sera blâmée sans motif, plus mon cœur aura pour toi de condescendance et de tendresse affectueuse. C'est ainsi, en effet, que tu me deviendras tout à fait semblable, moi qui n'ai jamais pu agir sans rencontrer d'hostilité. »

Le Cœur du Christ sanctuaire. **2.** Puis, pendant le répons *Benedic* [a], le Seigneur l'introduisit en un lieu, admirable au delà de toute expression, c'est-à-dire le Cœur de Jésus-Christ. Il offrait l'aspect d'une demeure où la fête de la Dédicace allait se célébrer. Au moment où il lui sembla en franchir le seuil, une abondance incommensurable de délices lui fit dire au Seigneur : « Mon Seigneur, si vous aviez introduit mon

tissent pedes tui [b], optime mihi sufficeret ; sed quid atten-
tabo tibi respondere pro tam stupenda dignatione quam
10 modo mihi exhibes ? » Ad quod Dominus respondit : « Ex
quo tu studes mihi digniorem partem substantiae tuae,
scilicet cor tuum, saepius praebere, congruum judico ut et
ego pro omni delectamento Cor meum tibi exhibeam, qui
sum Deus in omnibus omnia [c], virtus, vita, scientia, victus,
15 vestis, et caetera quae velle potest mens pia. » Tunc illa :
« Quod unquam in aliquo cor meum tibi consentire potuit,
hoc idem, Domine mi, donum tuum erat. » Et Dominus :
« Naturale mihi est ut, quemcumque praevenero in benedictionibus dulcedinis [d], etiam subsequar in beatitudini-
20 bus remunerationun ; et si quis mihi cooperatur, ut eum
mihi coaptem secundum beneplacitum Cordis mei con-
sequenter, et ego me illi conformem secundum omne
beneplacitum cordis sui. »

3. In his delectamentis dum illa per cognitionem spa-
tiaretur, apparuit illud divinum gazophylacium circa se
ex quadratis gemmis diversi coloris aedificatum, quae
gemmae videbantur aureis colligamentis velut pro cae-
5 mento compactae. Et dum diligentius conspiceret, vidit
in singulis mirabilem quamdam alludentem vernantiam.
Per quam intellexit quomodo in futuro in quolibet electo
spiritualis gratiae dignitas omnibus beatificatis jucundum praebebit oblectamentum. Nam per dictam disposi-
10 tionem praedictarum gemmarum intellexit in Corde divino
omnium electorum praedestinationem, et quod electi
tenentur se invicem supportare, sicut lapis lapidem sup-
portat in muro. Per hoc autem quod colligamentum

2, 10 respondit *om.* W ‖ 14 *post* victus *add.* et W ‖ 15
caetera *om.* W ‖ 16 tibi *s.l.* B ‖ 18 praevenio B ‖ 19 subse-
quatur W ‖ 20 remunerationis W ‖ **3,** 6 vernantiam :
rutilantiam W *qui add. s.l.* vernantiam ‖ 9 dictam *om.* W ‖ 13
colligamenta W

âme en un lieu quelconque où vos pieds se fussent posés [b],
cela m'eût amplement suffi ; mais que pourrai-je bien
tenter de vous rendre pour la surprenante condescendance que vous me manifestez aujourd'hui ? » A quoi
le Seigneur répondit : « Parce que tu t'efforces souvent
de m'offrir la plus noble partie de ton être, c'est-à-dire
ton cœur, j'ai jugé opportun, pour te combler de délices,
de te découvrir mon propre Cœur, moi, Dieu, qui suis
tout en tous [c] : force, vie, science, vêtement, nourriture,
et tout ce que peut désirer une âme qui aime. » Elle dit
alors : « Toutes les fois que mon cœur a pu se trouver
d'accord avec vous en quelque chose, mon Seigneur,
cela aussi était un don de vous. » Et le Seigneur : « A celui
que je préviens de mes douces bénédictions [d], il est
pour moi normal d'octroyer, en outre, la récompense
de la béatitude, et si quelqu'un opère de concert avec
moi, en sorte que je puisse le façonner selon le bon plaisir
de mon Cœur, moi aussi je me conformerai en tout au
bon plaisir de son cœur. »

**Salle
du trésor.**
3. Au milieu de ces délices, comme elle
parcourait l'espace en esprit, elle vit autour
d'elle cette divine salle du trésor bâtie de
pierreries carrées de diverses couleurs, et ces pierreries
semblaient serties par des joints d'or en guise de ciment.
Et, regardant plus attentivement, elle crut voir se
jouer en chacune d'elles un admirable éclat. Elle comprit
ainsi comment, dans la vie future, la grâce spirituelle,
qui ennoblit chacun des élus, procurera joie et allégresse
à tous les bienheureux. Dans les pierreries dont on a
parlé, elle reconnut la prédestination des élus dans le
Cœur divin et comprit aussi que les élus doivent se soutenir mutuellement comme, dans un mur, une pierre
soutient l'autre. Dans le fait que le joint des pierreries

b. Cf. *Ps.* 131, 7 ‖ *c.* Cf. *I Cor.* 15, 28 ‖ *d.* Cf. *Ps.* 20, 4

gemmarum ex auro fuit, intellexit quod praedicta sup-
15 portatio fidelium in invicem fieri debet ex caritate et
pura intentione propter Deum.

4. Alia vice, dum in vigilia Dedicationis in similitudine Hester reginae, indumentis regalibus *a* spiritualium
studiorum Domino cooperante decenter exornata, ipsi
regi regum Domino adstaret pro populo suo *b*, scilicet
5 ecclesia, supplicatura, suscepta est ab ipso vero Assuero
in tantae blanditatis exhibitione, quod admissa sibi
videbatur intra sacrarium dulcissimi Cordis sui. Audi-
vitque Dominum blande dicentem sibi : « Ecce exhibeo tibi totam abundantiam dulcedinis divini Cordis mei,
10 ex qua liberaliter partiri poteris universis quantumcumque volueris. » Tunc ista, tamquam manu hau-
riens de Corde Domini, aspersit in multitudinem adver-
sariorum qui tunc minis suis conturbaverant villam.
Quo facto, cognovit quod quemcumque illorum aliqua
15 guttula illius attigisset aspersionis quam ex Corde dominico hausit, in ipso talem operaretur effectum quod
veraciter compungi deberet per veram paenitentiam ad
salutem.

5. Hinc affectuosius orans pro quadam persona, videbatur mensuram bonam de Corde Domini haustam cordi
illius infundere, quae statim post receptionem in corde
ejusdem in amaritudinem est conversa. Super quo dum
5 ista miraretur, taliter a Domino est expedita : « Cum
quis amico suo nummos tribuit, ille qui accipit libertatem habet comparandi cum eis quidquid voluerit. Et
cum pro simili pretio comparari possint poma dulcia et

4, 5 *post* vero *add.* rege W ‖ 9 mei divini cordis W ‖ **5,** 5
est *s.l.* B²

---

4 *a.* Cf. *Esther* 5, 1 ‖ *b.* Cf. *Esther* 7, 3

était d'or, elle reconnut que ce support mutuel des fidèles doit se faire dans la charité et uniquement en vue de Dieu.

Source de salut. **4.** Une autre fois, en la vigile de la Dédicace où, telle la reine Esther vêtue royalement [a], elle se tenait, par la grâce de Dieu, noblement parée de ses désirs spirituels, devant le Roi des rois, le Seigneur, pour intercéder en faveur de son peuple [b], c'est-à-dire de l'Église, elle fut accueillie par ce véritable Assuérus avec les témoignages d'une si grande affection qu'elle se vit admise dans le sanctuaire de son Cœur infiniment doux. Et elle entendit le Seigneur lui dire affectueusement : « Voici que je te présente toute la douceur qui déborde de mon divin Cœur. Tu pourras la distribuer généreusement à tous, autant qu'il te plaira. » Alors, elle puisa symboliquement avec ses mains dans le Cœur du Seigneur, pour en asperger les nombreux ennemis qui avaient récemment perturbé le domaine par leurs menaces [1]. Après ce geste, elle vit que, en chacun de ceux qu'avait atteint quelque gouttelette de cette aspersion — puisée par elle dans le Cœur du Seigneur —, celle-ci avait opéré un effet si extraordinaire qu'il se trouvait comme obligé à un repentir sincère qui le conduirait au salut par une authentique pénitence.

5. Puis elle pria, avec plus d'affection, pour une certaine personne dans le cœur de laquelle elle sembla alors verser une bonne mesure puisée dans le Cœur du Seigneur, mais ce qu'elle avait ainsi versé tournait là instantanément en amertume. Et comme elle s'en étonnait, le Seigneur lui expliqua ainsi la chose : « Lorsque quelqu'un donne de l'argent à son ami, celui-ci, en l'acceptant, est libre d'acheter tout ce qu'il lui plaît. Et comme, pour le même prix, on peut se procurer des pommes

---

1. Les rapprochements de textes proposés par Paquelin, p. 478, n. 1, pour éclairer ces incidents, paraissent peu concluants.

acida, quidam tamen libentius emunt acida, eo quod
10 videntur esse durabiliora. Similer cum ego precibus electorum meorum deflexus alicui gratiam infundo, ipsa
operatur in eo secundum quod magis cujuslibet congruit
voluntati. Verbi gratia : quibusdam magis congruit in
praesenti diversis gravaminibus quam dulcedine conso-
15 lationum perfrui ; ideoque cum ipsis gratiam infundo,
convertitur in amaritudinem praesentium gravaminum
et tribulationum, per quas magis magisque gratiae meae
coaptantur secundum optimum beneplacitum Cordis mei
divini. Quod quamvis ipsos lateat in praesenti, tanto
20 tamen dulcius experientur in futuro, quanto hic fidelius
laboraverunt, adversitates quasque pro amore nominis
mei patienter sufferendo. »

6. Inter Matutinas vero, dum Deo sibique intenderet,
et cantaretur responsorium *Vidi civitatem* [a], commonere
fecit eam Dominus cujusdam verbi quod ipsa saepius
hominibus solebat proponere ad animandum eos ad haben-
5 dam fiduciam ad Deum, et dixit : « Ut cognoscas et magis
certificeris, modo ostendam tibi cum quanta dignatione
hoc accepto, quod anima fidelis, post transgressionem
resipiscens et ad me rediens, compungitur pro transgressione cum proposito de caetero pro posse suo, me
10 auxiliante, cavendi. » Haec cum diceret, Filius regis
summi imperialibus honorifice insignitus processit ante
thronum gloriae Dei Patris, idem responsorium altisona
voce dulciter decantando, dicens : *Vidi civitatem sanctam
Jerusalem.* In quibus verbis intellexit inaestimabilem
15 dulcedinem qua Cor divinum afficitur, quoties aliquis cum
moerore recolit se per divagationem cordis vel dissolu-

---

10 ego *om.* W ‖ 14 graminibus B¹ (*corr. s.l.* B²) ‖ 20
quanto hic : hoc B¹ (*corr. mg.* B²) ‖ **6**, 8-9 resipiscens —
transgressione *om.* B¹ *mg.* B² ‖ 10 haec : hoc B ‖ 12 idem
om. W

douces ou acides, certains préfèrent acheter des pommes acides, plus faciles, semble-t-il, à conserver. De même, lorsque, touché par les prières de mes élus, je répands ma grâce sur quelqu'un, celle-ci opère en lui selon ce qui convient le mieux à ses dispositions. Ainsi conviendra-t-il davantage à certains de rencontrer ici-bas des épreuves et des contradictions plutôt que de goûter la douceur des consolations. C'est pourquoi, lorsque je répands en eux ma grâce, elle se change, pour le moment, en épreuves amères et en tribulations. Ils se rendent ainsi de plus en plus dociles à ma grâce, selon le parfait bon plaisir de mon divin Cœur. Et bien que ceci leur soit caché en cette vie, ils en feront dans la vie future une expérience d'autant plus douce qu'ils auront plus fidèlement travaillé en souffrant avec patience toutes les adversités d'ici-bas pour l'amour de mon nom. »

La Cité sainte. **6.** Pendant les Matines, comme elle était toute recueillie en Dieu et en elle-même, pendant le chant du répons *Vidi civitatem* [a], le Seigneur lui rappela un mot qu'elle répétait souvent pour exhorter les autres à la confiance en Dieu, et il lui dit : « Pour que tu en sois encore plus convaincue, je vais te montrer avec quelle bonté j'accueille une âme loyale qui, s'étant repentie d'une faute, revient à moi pleine du regret d'avoir péché, avec la résolution, grâce à mon secours, de prendre garde à l'avenir, autant qu'elle le pourra. » Après avoir dit cela, le Fils du souverain Roi s'avança, revêtu des insignes de son pouvoir, devant le trône de gloire de Dieu le Père et chanta d'une voix sonore et douce ce même répons : *Vidi civitatem sanctam Jerusalem*. A ces paroles, elle comprit l'ineffable douceur qui émeut le Cœur divin chaque fois que quelqu'un se souvient avec douleur d'avoir laissé errer son cœur

6 *a*. 12ᵉ répons (*CAO* 7871) : *Apoc.* 21, 2, et pour la suite **21,** 3 et 5

tionem verborum aut operum inutilium recidisse a Domino Deo suo, qui tam continuis beneficiis praevenit et
subsequitur ipsum, et cum desiderio proponit de cae-
20 tero velle cavere. Quod quotiescumque aliquis facit,
toties Filius Dei inaestimabili novae exultationis suavitate affectus eadem verba vel similia concinit Deo
Patri.

7. Videbatur etiam huic quod post illa verba : *Et
audivi vocem magnam de throno dicentem*, Filius Dei
interponeret singula verba illa quae cor compunctum
in cogitatione pertractat, ut est illud : Eia heu ! me mise-
5 rum ! qualiter consumpsi tempus istud, Domino Deo
amatori meo non intendendo ; et similia. Et hoc Filius
Dei in persona humanitatis velut in gravibus concinit,
tamquam discantum suavisonum faciens cum Deo Patre,
qui per modulos divinitatis seu in acutis superexcellen-
10 tissime decantabat : *Ecce tabernaculum Dei cum hominibus*, quasi in admiratione excitando provocaret
omnem caelestem militiam spirituum beatorum. Per quod
dabatur intelligi quod ille qui sic compunctus integra
voluntate proponit de caetero emendationem commis-
15 sorum ac studium bonorum, veraciter efficitur tabernaculum Dei, in quo tamquam in domo propria habitare
dignatur Dominus majestatis, sponsus animae amantis,
qui est benedictus in saecula.

8. Hinc Deus Pater, venerabili manu sua dans benedictionem, subjunxit : *Ecce nova facio omnia* [a], per hoc
insinuans quia per talem compunctionem et divinam
benedictionem ac Filii Dei sanctissimam conversationem
5 supplentur et renovantur in anima fideli queque
neglecta. Et inde est quod dicitur esse *gaudium in caelo*

---

20 *post* caetero *add.* se B[2] W ‖ **7**, 6 intendo B[1] (*corr. s.l.* B[2])
‖ 9 quae W ‖ 15 studiorum B ‖ **8**, 3 quia : quod W ‖ 5
queque : quae W ‖ 6 et *om.* W ‖ dicit W

ou d'avoir manqué de retenue dans ses paroles ou de contrôle efficace sur ses actions, et de s'être ainsi éloigné du Seigneur son Dieu qui l'avait prévenu et accompagné de bienfaits si constants, et que, dans son regret, sa volonté se promet pour l'avenir plus de vigilance. Chaque fois que quelqu'un en agit ainsi, le Fils de Dieu, ému de l'ineffable douceur d'une joie renouvelée, chante à Dieu le Père ces mêmes paroles ou quelques autres semblables.

7. Il lui semblait encore que, entre les paroles : *Et audivi vocem magnam de throno dicentem*, le Fils de Dieu intercalait un à un ces mots que médite en lui-même le cœur contrit : « Hélas ! hélas ! misérable que je suis ! Comment ai-je passé tout ce temps sans songer au Dieu qui m'aime ! etc. » C'était le Fils de Dieu qui, tenant le rôle de l'humanité, chantait cela sur un ton grave, dans une sorte de duo harmonieux avec Dieu le Père qui, sur un registre élevé, faisait, lui, en une mélodie sublime, la partie de la Divinité : *Ecce tabernaculum Dei cum hominibus*, comme s'il cherchait à provoquer l'admiration émue de toute la milice des esprits bienheureux. Et, par là, lui fut donné de comprendre que l'homme contrit et sincèrement résolu à se corriger de ses fautes et à s'appliquer désormais au bien, devient réellement le tabernacle de Dieu. Le Seigneur de majesté daigne y habiter comme dans sa propre demeure, lui, cet époux de l'âme aimante, qui est béni à jamais.

8. Puis Dieu le Père donna une bénédiction de sa main vénérable et ajouta : *Voici que je fais toutes choses nouvelles* [a], suggérant par là que, grâce à une semblable contrition et à la bénédiction divine, grâce aussi à la très sainte vie du Fils de Dieu, tout, dans l'âme fidèle, se trouve suppléé et renouvelé. C'est pourquoi il est dit

---

8 *a. Apoc.* 21, 5

super uno peccatore paenitentiam agente, quam super nona-
ginta novem justis qui non indigent paenitentia [b]. Quia infinita bonitas Dei tales dignatur in anima veraciter paeni-
10 tente delicias per semetipsam operari. Et adjecit Dominus : « Cum quamlibet animam fidelem per praesentis vitae
terminum deduco ad caeli palatium in illa via mirabili,
videlicet in ingressu caeli, inter alia quibus ipsi tunc
blandior delectamenta, etiam praedictum dulciter de-
15 canto ipsi canticum, scilicet : *Vidi civitatem sanctam*
Jerusalem novam ascendentem de terra. Per quae
verba, scilicet *nova facio omnia,* in uno momento
infundo illi simul omnia delectamenta quae tam ego
quam etiam omnis caelestis exercitus unquam persentit
20 diversis horis de qualibet ipsius compunctione. »

CAPUT LIX

Item in consecratione capellae

1. Consecrata capella, dum ad Matutinas cantaretur
responsorium *Vidi civitatem* [a], apparuit Dominus in
forma pontificali super cathedram ad parietem versus
altare, coaptans circa se vestes suas, quasi sibi locum
5 illum elegisset ad inhabitandum. Quod cum ista videret,
considerans quod remotus esset loco illi quem ipsa
elegerat ad orandum, magno desiderio videbatur eum

12 ad : in W ‖ 13 in *om.* W ‖ 16 novam *om.* B ‖ 17 scilicet
— in *om.* B ‖ 19 etiam omnis *om.* W
LIX. 1, 6 loco illi : a loco illo W *l*

---

b. *Lc* 15, 7
LIX. **1** *a.* Cf. chapitre précédent, § 6

---

1. Il s'agit d'un 10 août. Gertrude dit en effet, l. III, 17, 1, 1-2
(t. III [*SC* 143], p. 72) que l'anniversaire de la dédicace de la cha-

qu'il y a *plus de joie dans le ciel pour un seul pécheur qui fait pénitence que pour quatre-vingt-dix-neuf justes qui n'ont pas besoin de pénitence* [b]. Oui, l'infinie bonté de Dieu peut opérer par elle-même de semblables délices en faveur d'une âme qui se repent sincèrement. Et le Seigneur ajouta : « Lorsque je conduis une âme fidèle qui franchit le terme de la vie présente jusqu'au palais du ciel, dans ce chemin merveilleux par où l'on entre au ciel, au milieu de toutes les joies de mes caresses, je lui chante encore avec tendresse ce cantique : *Je vis la Cité sainte, Jérusalem nouvelle,* s'élevant de terre. Et, par ces mots : *Je fais toutes choses nouvelles,* je verse en elle, d'un seul coup et en un seul instant, toute la joie que moi-même et toute l'armée céleste avec moi avons pu naguère ressentir, à diverses reprises, lors de quelque mouvement de contrition de sa part. »

CHAPITRE LIX

Consécration de la chapelle

Ce lieu est saint. 1. Après la consécration de la chapelle [1], comme l'on chantait à Matines le répons : *Vidi civitatem* [a], le Seigneur apparut sous l'aspect d'un pontife, sur sa cathèdre adossée au mur en face de l'autel. Il disposait ses vêtements autour de lui comme s'il avait fait choix de cet endroit pour y demeurer. Voyant cela et remarquant combien il était éloigné de l'endroit qu'elle avait elle-même choisi pour y prier, elle le tirait à elle, en quelque sorte, par son grand désir,

pelle coïncidait avec la fête de saint Laurent. Ajoutons que la grâce évoquée dans ce ch. 17 du l. III fut également reçue un dimanche ; or le 10 août est tombé un dimanche en 1287, 1292, et 1298. Mais ceci ne permet évidemment pas de déterminer l'année de la consécration de la chapelle, consécration à laquelle Gertrude a assisté.

sibi propius attrahere. Ad quod Dominus : « Cum ego
sim, inquit, qui caelum et terram impleo, quanto magis
10 domum istam ! Et nescis multo attentius observari
locum quem sagitta penetrat, quam locum illum in quo
tenditur arcus ? Sic scias me non efficaciori affectu agere
ibi quo corporeus appareo, quam ibi ubi est thesaurus
meus et integer delectans oculus divinitatis meae. »
15 Extensaque manu miraculose, tetigit altare sanctum,
quasi juxta illum esset, dicens : « Et hoc est et ibi. »
Ac subintulit : « Qui quaerit salubriter gratiam meam,
in beneficiis evidentius inveniet me, et qui quaerit fideliter amorem meum, in intimis suavius me sentiet. » Per
20 haec verba intellexit quod magna distantia est inter eos
qui salutem non tantum corporis, sed etiam animae
suae, quaerunt secundum dispositionem propriae voluntatis, et illos qui se fiducialiter divini amoris providentiae
totos committunt.

2. Iterum, dum in Missa cantaretur : *Domus mea domus
orationis vocabitur*, Dominus dextra manu sua videbatur
tangere praecordia sua, et quasi ex intimo cordis affectu
prorumpere in haec verba : « Hoc integro affectu dico :
5 *in ea omnis qui petit, accipit* [a], etc. » Et extendens brachium, quasi desursum porrecta manu in medium templi, tamquam continue eam ibidem contenturus ad beneficia largienda. Item, dum infra hebdomadam super *Benedictus* cantaretur antiphona *Fundamenta templi ejus* [b],
10 apparuerunt in summitate murorum angelici spiritus quidam, amabilis faciei et compositi habitus, qui deputati
erant in custodiam templi, ad depellendas insidias inimico-

---

9 sim *s.l.* W ‖ qui *s.l.* W ‖ 15 sanctum altare W ‖ 16 illum :
illud W ‖ hoc : hic W ‖ 19 sentiat B ‖ **2,** 3 cordis *om.* W

---

2 *a.* Communion de la messe de dédicace : *Matth.* 21, 13 ;

afin qu'il se rapproche. Le Seigneur dit alors : « Je suis celui qui remplit le ciel et la terre. Combien, à plus forte raison, remplirai-je cette demeure ! Et ne sais-tu pas que l'on vise avec plus d'attention l'endroit qu'atteindra la flèche plutôt que celui où l'on tend l'arc ? Sache donc que je n'agis pas avec autant d'efficacité et de tendresse là où j'apparais corporellement que là où se trouve mon trésor et où repose avec une entière complaisance le regard de ma divinité. » Et il étendit la main, toucha — ô miracle ! — le saint autel, comme s'il était tout proche de lui, et dit : « Et voilà que c'est ici ! » Et il ajouta : « Celui qui cherche ma grâce pour son salut, me trouvera de façon plus visible dans mes bienfaits. Mais celui qui cherche fidèlement mon amour me percevra avec plus de suavité au fond de lui-même. » Elle comprit par ces mots qu'il existe une grande différence entre ceux qui recherchent non seulement le bien de leur corps mais aussi celui de leur âme selon les combinaisons de leur volonté propre, et ceux qui, avec confiance, s'en remettent totalement à la providence du divin amour.

2. Une autre fois, comme on chantait à la Messe : *Domus mea domus orationis vocabitur*, le Seigneur parut toucher sa poitrine de la main droite, et, du plus profond de son cœur, faire jaillir ces paroles : « Je le dis sans réserve : *in ea, omnis qui petit, accipit* [a], etc. » Puis, étendant le bras, il ouvrit la main au milieu du sanctuaire, la paume tournée vers le sol. Il semblait la tenir ainsi comme pour prodiguer inlassablement ses bienfaits. De même, pendant la semaine, comme l'on chantait à *Benedictus* l'antienne : *Fundamenta templi* [b], des esprits angéliques apparurent au sommet des remparts. Leur beauté était attrayante, ils étaient vêtus avec soin et députés à la garde du sanctuaire pour en

Mc 11, 17 ‖ *b.* Texte de l'antienne (*CAO* 2912) dans Paquelin, p. 481, n. 1

rum. Aureis etiam alis se invicem tangentes, dulce reddebant melos in laudem divinitatis. Videbantur enim
15 singulis vicibus a summis ad ima declinari, in signum
quod assidue benigne affectu in loco eodem cives suos
visitarent et ab omni malo custodirent.

3. Festo vero dedicationis ejusdem, lecto decumbens,
dum inter Matutinas intendere studeret eisdem, secundum quod ante aliquos annos acceperat a Domino speciali dono, videlicet ut novem ordines angelorum pro
5 ea persolverent in laude et gratiarum actione quidquid ipsa minus praevaleret, impediente humana fragilitate, et ex talibus miram in spiritu sentiret delectationem, de quibus multa possent dici quae causa brevitatis omisi, tandem vidit fluvium quemdam eximiae
10 puritatis crispantibus aquis profluere per totam latitu-
dinem caeli. Et sicut sol refulgens amoenum contuenti-
bus splendorem reddit in aqua, sic quaelibet crispa fluvii
delectabiliter coruscabat, ac si mille soles fulgerent in
caelo. Per fluvium illum intellexit notari gratiam devo-
15 tionis qua ipsa tunc fruebatur, Domino largiente ; per
crispas vero, omnes illas cogitationes quas cum studio
et labore direxerat ad Deum.

4. Tunc inclinans se Rex gloriae, calicem aureum
immisit in fluminis illius profundum, eumdemque usque ad
summum repletum extrahens, omnibus sanctis propina-
vit. Unde singuli novae delectationis et gaudii copiam
5 haurientes, proruperunt in laudes et gratiarum actiones
pro omnibus gratiis animae isti a largitore omnium bonorum unquam concessis. Videbantur etiam ex inferiori
parte calicis istius quaedam aureae fistulae progredi

14 enim : etiam W ‖ **3,** 2 inter matutinas dum W ‖ **4**
videlicet ut *l* : ut videlicet ut B¹ *quibus verbis praemisit* ita
s.l. B² ita ut videlicet W ‖ 8 dici possent W ‖ 16 cogitationes
illas W ‖ **4,** 2 profundum : fundum W ‖ 4 unde : ac W ‖ 6
istius W ‖ 8 istius : illius W

repousser les embûches des ennemis. En se touchant les uns les autres de leurs ailes d'or, ils faisaient résonner une douce mélodie à la louange de la divinité. Ils semblaient en effet descendre, chacun à son tour, du haut de la muraille pour signifier avec quelle constante et bienveillante tendresse ils rendaient visite en ce lieu à leurs concitoyens et les gardaient de tout mal.

Un fleuve d'eau vive. **3.** En la fête de cette même Dédicace, étant alitée, elle s'efforçait, pendant les Matines, de s'appliquer à cet office selon la grâce que, quelques années auparavant, lui avait concédée le Seigneur par une faveur spéciale, à savoir que les neuf chœurs des anges acquitteraient à sa place en louanges et actions de grâces tout ce que la faiblesse humaine l'empêchait de faire elle-même. Et de tout ceci, elle éprouvait, en son âme, une merveilleuse délectation. On pourrait raconter à ce propos beaucoup de choses que j'ai omises pour abréger un peu. Finalement, elle vit un fleuve, d'une extrême transparence et à la surface agitée de rides, couler à travers toute l'étendue du ciel. Or, comme l'on voit le soleil, quand il brille, refléter dans l'eau son admirable lumière, ainsi, chaque ride du fleuve étincelait merveilleusement, comme si mille soleils eussent brillé au firmament. Elle comprit que le fleuve symbolisait la grâce de cette dévotion dont elle jouissait à ce moment-là par la largesse divine, et ses rides, toutes les pensées qu'avec zèle et application elle dirigeait vers Dieu.

4. Le Roi de gloire s'inclina alors et plongea au fond du fleuve un calice d'or, puis l'en retira, plein jusqu'au bord, pour le présenter aux saints. Chacun y puisant une nouvelle abondance de délices et de joie, ils éclatèrent en louanges et en actions de grâces pour toutes les faveurs accordées à cette âme par le distributeur de tous biens. Du fond de ce calice semblaient aussi sortir des tuyaux

versus personas quasdam, quae vice illa promoverant
10 eam ad hoc ut liberius Deo vacare posset, et etiam ad
omnes quae se orationibus ejus commendauerant ;
per quas fistulas divinam consolationem erant percep-
turae. Tunc anima dixit ad Dominum : « Et quid ipsis
prodesse potest hoc quod ego ista video et intelligo,
15 cum ipsi non sentiant ? » Ad quod Dominus : « Quid
prodest, ait, patrifamilias quod implet cellaria sua plaus-
tris vini, cujus suavitatem tam singulis horis non degus-
tat, attamen quotiescumque sibi placuerit, quantita-
tem vini pro libitu suo emittere et usque ad satietatem
20 bibere poterit ? Similiter, cum ego ad preces electorum meorum aliis gratiam infundo, quamvis statim
non sentiant saporem devotionis, tamen ex hoc tempore
congruenti dignationem meam suavius experientur. »

10 etiam ad : in W ‖ 15 ipsi : ipsae B ‖ 17-19 cujus — vini
om. B¹ *mg.* B² ‖ 19 usque ad satietatem *mg.* W ‖ 20 poterit
bibere B ‖ 23 *post* experientur *add.* amen W

d'or dirigés vers certaines personnes qui, en l'occur-
rence, l'avait aidée à trouver la liberté de vaquer à Dieu,
et aussi vers tous ceux qui s'étaient recommandés à ses
prières. Par ces tuyaux, ils devaient recevoir la consolation divine. L'âme dit alors au Seigneur : « Et à quoi
donc leur sert-il que je voie et comprenne ces choses,
si eux-mêmes n'en ont pas conscience ? » A cette question, le Seigneur répondit : « Est-il donc inutile pour un
père de famille de remplir ses celliers de tonneaux de
vin, sous prétexte que, à chaque instant, il n'en déguste
pas la saveur ? Il pourra cependant, chaque fois qu'il
en aura envie, en puiser à sa guise et en boire autant
qu'il le voudra. De même, lorsqu'à la prière de mes élus
je répands ma grâce sur d'autres, ceux-ci ne ressentent
pas aussitôt, il est vrai, le goût de la dévotion, mais
ils feront, le moment venu, l'expérience savoureuse de
ma bonté. »

APPENDICE I

Dans l'introduction qu'il a donnée au t. II (*SC* 139), Dom Doyère a souligné (p. 83-91) l'intérêt des citations marginales qui, dans les manuscrits, accompagnent le texte du *Héraut*. La compagne de sainte Gertrude qui a préparé l'édition de l'ouvrage indique, en effet, dans son Prologue qu'elle a elle-même porté en marge ces références, dont l'autorité devait confirmer les paroles de la sainte (Prol., 8).

Ces citations, qui appartiennent donc à l'œuvre originale, ont malheureusement été inégalement transmises. Pour le livre IV ici présenté, seuls les manuscrits *B* et *W* les donnent, mais en nombre inégal : sur 48, 15 sont communes à *B* et à *W*, 32 propres à *B*, 1 propre à *W*. Leur lecture est souvent difficile en *B*, où elles se mêlent aux *Nota bene* et aux additions marginales.

Dom Doyère, qui se proposait d'étudier à la fin de son travail l'ensemble des citations jointes au *Héraut*, n'a pas publié celles, très nombreuses, concernant les livres I-III. Il s'est contenté d'en donner d'intéressants exemples (*loc. cit.*, p. 85-90). Nous croyons bon de donner ici toutes celles figurant dans les manuscrits du livre IV. Elles permettent de constater que l'éditrice — comme elle le dit — a souvent écrit de mémoire, même si elle avait sous la main les *Confessions* de saint Augustin et les *Sermons sur le Cantique* de saint Bernard. De là des variantes dans les citations bibliques, amenées sans doute par leur emploi dans la liturgie ou chez les Pères ; de là aussi des attributions peu sûres, qui rendent malaisées certaines identifications.

La ligne indiquée dans la référence (chapitre, paragraphe et ligne) ne donne qu'approximativement la place de la citation marginale par rapport au texte.

5, 3, 30	BW	AUGUSTINUS	In (*om.* B) cuius sinu non est contradictio.
22, 2, 25	B	[BERNARDUS]	Amans anima trahitur desideriis, dissimulat multa, maiestati oculos claudit, aperit voluptati. [*Super Cant.*, S. 74, 4]
22, 3, 10	B	*Cant.*	Viderunt omnes filiae Ierusalem et beatam dixerunt. [Cf. *Cant.* 6, 8]
22, 5, 10	B	[.........]	Si ex toto diligis, nichil deest ubi es.
25, 3, 15	BW	AMBROSIUS (*sic*)	Quidquid vis et non potes, Deus factum reputat. [AVGVST., *Enarr. in Ps.* 57,4]
28, 1, 10	B	[*Hebr.*]	Omnia nuda et aperta sunt oculis eius. [*Hébr.* 4, 13]
28, 2, 20	B	[*Ps.*]	Laetati sumus pro diebus quibus nos humiliasti. [*Ps.* 89, 15]
29, 1, 10	B	BERNARDUS	In osculis exhibet se affectuosum et blandum. [*Super Cant.*, S. 31, 8]
34, 1, 15	B	*Sap.*	Memoria iusti cum laudibus. [*Prov.* 10, 7]
35, 5, 5	B		(non déchiffré)
35, 7, 5	BW	*Petr.*	Caritas operit multitudinem peccatorum. [*I Pierre* 4, 8]

36, 2, 5	B	BERNARDUS	Non merito amans anima dicitur sponsa.
37, 1, 15	B	[.........]	Super nivem dealbabuntur sancti tui. [Cf. *Ps.* 50, 9; *Is.* 1, 18; etc.]
37, 2, 5	B	*Ps.*	Stetit Phynees et placavit. [*Ps.* 105, 30]
38, 6, 15	BW	[*Luc.*]	In columbae specie spiritus sanctus missus est. [Cf. *Lc* 3, 22, etc.]
39, 1, 10	BW	*Apoc.*	Audivi vocem magnam de caelo dicentem (*om.* W). [Cf. *Apoc.* 12, 10; 14, 13; 16, 1]
41, 2, 12	BW	*Apoc.*	Audivi vocem magnam de throno dicentem. [Cf. *Apoc.* 12, 10; 14, 13; 16, 1]
41, 2, 15	BW	*Daniel*	Ecce in nubibus caeli filius hominis veniet. [Cf. *Dan.* 7, 13, etc.]
44, 2, 12	B	*Ysaias*	Quasi sponsum decoratum corona et quasi sponsam ornatam monilibus suis. [*Is.* 61, 10]
47, 2, 5	BW	*Apoc.*	Venite, congregamini ad cenam magnam. [*Apoc.* 19, 17]
48, 1, 10	B	*Apoc.*	Mulier amicta sole et in capite eius corona stellarum XII. [*Apoc.* 12, 1]

48, 8, 20	B	Augustinus	Audivi sicut auditur in corde, etc. [*Conf.* VII, 10, 16]
48, 11, 1	B	*Apoc.*	Vocem quam audivi, sicut zitharedorum zitharizantium in zithariis suis. [*Apoc.* 14, 2]
48, 15, 55	B	*Luc.*	Et ecce vox de nube dicens : hic est filius meus dilectus. [*Matth.* 17, 5 ; cf. *Lc* 9, 35]
50, 4, 10	B	*Sap.*	Benedictio Dei super caput iusti. [Cf. *Prov.* 10, 6]
52, 5, 25	BW	*Ysaias*	Ecce (*om.* B) in die ieiunii vestri invenitis voluntates vestras. [*Cf. Is.* 58, 3]
53, 2, 1	BW	*Apoc.*	Conservus tuus sum et fratrum tuorum, dixit angelus ad Iohannem (tuus *et* 4 *ultima verba om.* B). [*Apoc.* 19, 10 ; 22, 9]
53, 2, 10	BW	Bernardus	Fidelis paranymphus, qui mutui amoris conscius, non invidus, non suam sed domini sui quaerit gloriam (gratiam W), discurrit medius inter dilectum et dilectam, vota offerens, referens dona. [*Super Cant.*, S. 31, 5]
54, 3, 12	BW	Bernardus	Quidam enim ad hoc omnes dies vitae suae

			tendunt, sed nunquam pertendunt, attamen post mortem reddetur eis.
55, 2, 1	B	*Ysaias*	Regem in decore suo videbunt oculi eius. [*Is.* 33, 17]
55, 3, 5	BW	Bernardus	Omnium sanctorum festum hodie celebramus, sive caelestium sive terrestrium. Sunt enim sancti de caelo et sunt sancti de terra. [*In festiv. omn. sanct.*, S. 5, 1]
55, 4, 10	B	Bernardus	Bonum quod in altero amas, tuum facis [1].
55, 5, 5	W	Augustinus	Quisquis per aliquam necessitatem non potuerit implere quod iubet Deus, amet illum qui implet et in illo implet. [*Enarr. in Ps.* 121, 10]
55, 5, 15	BW	Bernardus	Curat se ornare in vestitu deaurato, circumdari varietate gratiarum atque virtutum, ut cum regali gloria assistere possit sponso suo.
58, 1, 5	BW	Augustinus	Fornax nostra est lingua humana. [*Conf.*, X, 37, 60]

---

1. Cf. S. Augustin, *Sermo* 205, 2 : « In spiritualibus bonis, tuum deputa quod amas in fratre ; suum deputet quod amat in te. »

58, 1, 8	BW	Augustinus	Curiosum est genus humanum ad cognoscendum vitam alienam, desidiosum ad emendandam suam. [*Conf.*, X, 3, 3]
58, 2, 20	BW	Augustinus	Aliquando intromittis me in affectum multum inusitatum introrsus ad nescio quam dulcedinem. [*Conf.*, X, 40, 65]
58, 2, 22	BW	Bernardus	Bona sua in nobis coronat [1].
58, 4, 12	B	Bernardus	Hic inter verbum et animam sicut inter duos intimos familiares admodum celebratur confabulatio. [*Super Cant.*, S. 45, 1]
58, 6, 12	B	[.........]	Regem in decore viderunt oculi eius, non tamen ut regem, sed ut ducem. [Cf. *Is.* 33, 17]
58, 7, 8	B	*Apoc.*	Et vox quam audivi, sicut cytharedorum cytharizantium in cytharis suis. [*Apoc.* 14, 2]
58, 8, 1	B	*Luc.*	Hodie salus domui huic facta est. [*Lc* 19, 9]

---

1. Écho de la pensée fréquente chez saint Augustin : « ...dona sua coronat, non merita tua » (*In Joh.*, Tr. III, 10). Nombreuses références indiquées par M.-F. Berrouard dans son édition des *Homélies sur l'Évangile de saint Jean* (« Biblioth. Augustin. » 71), note 21, p. 860-861. Augustin dit partout *dona*.

58, 8, 20	B	*Sap.*	Reddet Deus mercedem laborum suorum et deducet illos in via pacis. [Cf. *Sag.* 10, 17]
59, 2, 1	B	*Gen.*	Per memetipsum iuravi. [*Gen.* 22, 16]
59, 2, 10	B	*Isaias*	Super muros constitui custodes : tota die et tota nocte non tacebunt laudare nomen domini. [Cf. *Is.* 62, 6]
59, 3, 10	B	*Cant.*	Emissiones tuae paradisus malorum punicorum cum pomorum fructibus, etc. [*Cant.* 4, 15]
59, 4, 5	B	*Apoc.*	Deducet eos ad vitae fontes. [*Apoc.* 7, 17]
59, 4, 12	B	*Apoc.*	Ego sitienti dabo de fonte aquae vivae gratis. [*Apoc.* 21, 6]

APPENDICE II

Le livre IV et les « excerpta » dans le manuscrit de Vienne

Le scribe du manuscrit de Vienne (*W*), comme l'introduction au t. II (*SC* 143) l'a déjà noté (p. 58 et 60-61), a travaillé à deux époques différentes et d'après deux modèles différents. Voici en quels termes ce scribe — le frère Michel Staynbrünner, du monastère de Sainte-Croix de Werdau — explique lui-même pourquoi il avait commencé son travail par le livre IV :

« Notandum quod quando hunc 4^m librum scripsi, exemplar de quo descripsi non habebat ceteros libros, videlicet p^m 2^m 3^m et 5^m, sed solummodo 4^m et excerpta de ceteris ut in fine huius quarti invenis. Post quinquennium vero devenit ad manus meas libellus in quo omnes partes erant, et sic ad laudem dei et profectum legentium reliquos etiam libros descripsi etc. » (f. 169^v).

Comme on le voit, ce premier exemplaire rencontré par Michel Staynbrünner contenait, à la suite du l. IV, seul complet, des extraits (*excerpta*) des quatre autres livres. Ces extraits occupent, dans le manuscrit *W*, les ff. 227^r (2e colonne) à 241^r ; ils se présentent comme une table très développée où sont mentionnés tous les chapitres de ces livres. En voici l'incipit et l'explicit, plus l'allusion faite au l. IV, transcrit précédemment.

« Incipit registrum sive capitula in primum librum Sancte Drudis virginis qui intytulatur memoriale habundantie divine suavitatis. Quem ut dicit dominus, si quis cum devota intentione... » (f. 227^r)

« Expliciunt capitula tercii partis (*sic*). Rubricam capitulorum quarti libri habes supra etc. Incipiunt capitula quinti libri... » (f. 237^v)

« ... Et sic est finis capitulorum libri Sancte Drudis virginis. Per me fratrem .M. .S. Anno 1485 [1]. In die Sancti Barnabe apostoli explicitum.

Orate pro me quicumque hoc lecturi sunt. » (f. 241^r)

Ces *excerpta*, parfois fort longs, ne sont pas négligeables pour la connaissance du texte du *Héraut*. Ils peuvent donner une idée de ce qu'était le manuscrit dont ils ont été tirés, manuscrit dont seul nous est connu le livre IV à travers le modèle utilisé par M. Staynbrünner pour sa copie achevée le 11 juin 1485. Non utilisés par D. Doyère pour l'édition des livres I-III, les *excerpta* le seront pour celle du livre V.

---

1. On corrigera la date de 1487 donnée par D. Doyère (*loc cit.*, p. 60). Le scribe, qui termina tout l'ouvrage le 9 août 1490 (f. 274^v), précise d'ailleurs que le l. IV avait été transcrit par lui cinq ans plus tôt.

APPENDICE III

Prière : « O Jesu dulcissime »

Dans l'édition de Lansperge, on rencontre une longue interpolation au ch. 51 de ce livre IV (à la fin de notre § 8). Il s'agit d'une prière à « Jésus infiniment doux », lui demandant de suppléer, dans sa tendresse filiale, à l'amour et à la reconnaissance que nous n'avons pas su avoir pour sa Mère, si pleine de miséricordieuse bonté (cf. *supra*, p. 429, n. 1).

En voici le texte, tel qu'il figure, à sa place, dans l'édition Paquelin, mais revu sur l'édition de Lansperge :

Hanc quoque suppletionem nos a benignissimo Redemptore nostro obtinere possumus hac vel simili oratione :

« O Jesu dulcissime, per amorem quo pro nobis ex purissima Virgine incarnari et nasci dignatus es, ut pauperum tuorum defectus suppleres, obsecro te ut per dulcissimum Cor tuum virgineae Matri tuae supplere digneris omnes defectus, quos per negligentiam et ingratitudinem multipliciter admisi in servitio et honore tam benignae Matris, cujus maternam clementiam in necessitatibus meis mihi semper fateor promptissime adfuisse. Pro cujus condigna gratitudine offer, quaeso, illi, piissime Jesu, dulcissimum Cor tuum superabundans omni beatitudine, exhibens eidem in eodem omnem affectum tuum divinum, quo eam ab aeterno prae omni creatura gratuito in Matrem elegisti, praeservasti, creasti, omnibusque virtutibus et gratiis incomparabiliter decorasti ; necnon omnem begninitatem qua ei unquam blanditus es in terris, cum te infantem in sinu suo foveret, omnemque fidelitatem, quam deinceps ei per omne tempus, quo cum hominibus conversatus es, filiali affectu exhibuisti, obediens ei in omnibus, sicut filius matri, qui es gubernator caeli, et specialiter in hora mortis, dum quasi proprii cruciatus oblitus, et ejus desolationi medullitus compassus, custodem eidem et filium providisti ; insuper affectum dignationis illius inaestimabilis, quo eam in die jucundissimae Assumptionis suae, super omnes choros Angelorum exaltasti, ac caeli terraeque Dominam et Reginam constituisti. Sicque redde eam, bone Jesu, mihi placabilem matrem, ac in vita et morte mea, piam advocatam et patronam. »

Nous pouvons, nous aussi, obtenir du très bienveillant Rédempteur semblable suppléance, par cette prière ou une autre semblable :

« ÔJésus infiniment doux, par cet amour qui vous a fait daigner prendre chair et naître pour nous de la Vierge très pure pour suppléer aux déficiences de vos pauvres, je vous supplie de daigner, par votre Cœur infiniment doux, suppléer envers votre Mère virginale, à tous les manquements auxquels ont donné lieu ma négligence et mon ingratitude, dans le service d'une Mère si bénigne, dont je reconnais que la bonté maternelle fut toujours infiniment prompte à me secourir dans mes besoins. Pour lui en exprimer une reconnaissance adéquate, je vous prie, très bon Jésus, de lui offrir votre Cœur très doux où surabonde toute béatitude. Montrez-lui en ce Cœur toute votre divine affection qui, de toute éternité, vous a fait la choisir gratuitement pour Mère, de préférence à toutes les créatures, la préserver, la créer, la parer de manière incomparable de toutes les vertus et de toutes les grâces. Montrez-lui aussi toute la tendresse avec laquelle vous l'avez caressée sur la terre, lorsqu'elle vous serrait, petit enfant, sur son sein, et toute la fidélité que, plus tard et durant tout le temps de votre vie parmi les hommes, vous lui avez témoignée avec une filiale affection, lui obéissant en tout, comme un fils à sa mère, vous qui régissez le ciel : fidélité surtout à l'heure de votre mort, lorsque, semblant oublier vos propres tourments pour compatir profondément à sa désolation, vous l'avez pourvue d'un gardien qui soit aussi un fils. Montrez-lui encore avec quel incomparable amour vous avez daigné, au jour de sa très joyeuse Assomption, l'élever au-dessus de tous les chœurs des Anges et la constituer Dame et Reine du ciel et de la terre. Et de la sorte, ô bon Jésus, faites qu'elle soit pour moi une mère secourable et, dans ma vie comme dans ma mort, une tendre avocate et protectrice. »

TABLE DES MATIÈRES

Appendices

ACHEVÉ D'IMPRIMER
LE 31 Janvier 1979
PAR F. PAILLART
ABBEVILLE

N° d'édition : 6818
N° d'impr. : 2583
Dépôt Légal : 1ᵉ trimestre 1979.

Imprimé en France.

SOURCES CHRÉTIENNES

LISTE COMPLÈTE DE TOUS LES VOLUMES PARUS

N. B. — L'ordre suivant est celui de la date de parution (n° 1 en 1942), et il n'est pas tenu compte ici du classement en séries : grecque, latine, byzantine, orientale, textes monastiques d'Occident ; et série annexe : textes para-chrétiens.

Sauf indication contraire, chaque volume comporte le texte original, grec ou latin, souvent avec un apparat critique inédit.

La mention *bis* indique une seconde édition. Quand cette seconde édition ne diffère de la première que par de menues corrections et des *Addenda et Corrigenda* ajoutés en appendice, la date est accompagnée de la mention « réimpression avec supplément ».

1. GRÉGOIRE DE NYSSE : **Vie de Moïse.** J. Daniélou (3ᵉ édition) (1968).

2 *bis.* CLÉMENT D'ALEXANDRIE : **Protreptique.** C. Mondésert, A. Plassart (réimpression de la 2ᵉ éd., 1961).

3 *bis.* ATHÉNAGORE : **Supplique au sujet des chrétiens.** *En préparation*

4 *bis.* NICOLAS CABASILAS : **Explication de la divine Liturgie.** S. Salaville, R. Bornert, J. Gouillard, P. Périchon (1967).

5. DIADOQUE DE PHOTICÉ : **Œuvres spirituelles.** E. des Places (3ᵉ édition) (1966).

6 *bis.* GRÉGOIRE DE NYSSE : **La création de l'homme.** *En préparation*

7 *bis.* ORIGÈNE : **Homélies sur la Genèse.** H. de Lubac, L. Doutreleau (1976)

8. NICÉTAS STÉTHATOS : **Le paradis spirituel.** M. Chalendard.
Remplacé par le n° 81.

9 *bis.* MAXIME LE CONFESSEUR : **Centuries sur la charité.**
En préparation

10. IGNACE D'ANTIOCHE : **Lettres. — Lettres et Martyre de POLYCARPE DE SMYRNE.** P.-Th. Camelot (4ᵉ édition) (1969).

11 *bis.* HIPPOLYTE DE ROME : **La Tradition apostolique.** B. Botte (1968).

12 *bis.* JEAN MOSCHUS : **Le Pré spirituel.** *En préparation*

13. JEAN CHRYSOSTOME : **Lettres à Olympias.** A.-M. Malingrey. Trad. seule (1947).

13 *bis.* 2ᵉ édition avec le texte grec et la **Vie anonyme d'Olympias** (1968).

14. HIPPOLYTE DE ROME : **Commentaire sur Daniel.** G. Bardy, M. Lefèvre. Trad. seule (1947).
2ᵉ édition avec le texte grec. *En préparation*

15. ATHANASE D'ALEXANDRIE : **Lettres à Sérapion.** J. Lebon. Trad. seule (1947).

16. ORIGÈNE : **Homélies sur l'Exode.** H. de Lubac, J. Fortier. Trad. seule (1947).

17. BASILE DE CÉSARÉE : **Sur le Saint-Esprit.** B. Pruche. Trad. seule (1947).

17 *bis*. 2ᵉ édition avec le texte grec (1968).

18 *bis*. ATHANASE D'ALEXANDRIE : **Discours contre les païens.** P.-Th. Camelot (1977).

19 *bis*. HILAIRE DE POITIERS : **Traité des Mystères.** P. Brisson (réimpression avec supplément 1967).

20. THÉOPHILE D'ANTIOCHE : **Trois livres à Autolycus.** G. Bardy, J. Sender. Trad. seule (1948).

    2ᵉ édition avec le texte grec. *En préparation*

21. ÉTHÉRIE : **Journal de Voyage.** H. Pétré (réimpr. 1975).

22 *bis*. LÉON LE GRAND : **Sermons,** t. I. J. Leclercq, R. Dolle (1964).

23. CLÉMENT D'ALEXANDRIE : **Extraits de Théodote** (réimpression 1970).

24 *bis*. PTOLÉMÉE : **Lettre à Flora.** G. Quispel (1966).

25 *bis*. AMBROISE DE MILAN : **Des sacrements. Des mystères. Explication du Symbole.** B. Botte (1961).

26 *bis*. BASILE DE CÉSARÉE : **Homélies sur l'Hexaéméron.** S. Giet (réimpr. avec suppl. 1968).

27 *bis*. **Homélies Pascales,** t. I. P. Nautin. *En préparation*

28 *bis*. JEAN CHRYSOSTOME : **Sur l'incompréhensibilité de Dieu.** J. Daniélou, A.-M. Malingrey, R. Flacelière (1970).

29 *bis*. ORIGÈNE : **Homélies sur les Nombres.** A. Méhat. *En préparation*

30 *bis*. CLÉMENT D'ALEXANDRIE : **Stromate I.** *En préparation*

31. EUSÈBE DE CÉSARÉE : **Histoire ecclésiastique,** t. I. G. Bardy (réimpression 1965).

32 *bis*. GRÉGOIRE LE GRAND : **Morales sur Job.** Tome I. Livres I et II. R. Gillet, A. de Gaudemaris (1975).

33 *bis*. **A Diognète.** H. I. Marrou (réimpr. avec suppl. 1965).

34. IRÉNÉE DE LYON : **Contre les hérésies,** livre III. *Remplacé par les nᵒˢ 210-211*

35 *bis*. TERTULLIEN : **Traité du baptême.** F. Refoulé. *En préparation*

36 *bis*. **Homélies Pascales,** t. II. P. Nautin. *En préparation.*

37 *bis*. ORIGÈNE : **Homélies sur le Cantique.** O. Rousseau (1966).

38 *bis*. CLÉMENT D'ALEXANDRIE : **Stromate II.** *En préparation*

39 *bis*. LACTANCE : **De la mort des persécuteurs.** 2 vol. *En préparation*

40. THÉODORET DE CYR : **Correspondance,** t. I. Y. Azéma (1955).

41. EUSÈBE DE CÉSARÉE : **Histoire ecclésiastique,** t. II. G. Bardy (réimpression 1965).

42. JEAN CASSIEN : **Conférences,** t. I. E. Pichery (réimpression 1966).

43. JÉRÔME : **Sur Jonas.** P. Antin (1956).

44. PHILOXÈNE DE MABBOUG : **Homélies.** E. Lemoine. Trad. seule (1956).

45 *bis*. AMBROISE DE MILAN : **Sur S. Luc,** t. I. G. Tissot (réimpr. avec suppl. 1971).

46. TERTULLIEN : **De la prescription contre les hérétiques.** P. de Labriolle, F. Refoulé (1957).

47. PHILON D'ALEXANDRIE : **La migration d'Abraham.** R. Cadiou (1957).

48. **Homélies Pascales,** t. III. F. Floëri, P. Nautin (1957).

49 *bis.* LÉON LE GRAND : **Sermons,** t. II. R. Dolle (1969).

50 *bis.* JEAN CHRYSOSTOME : **Huit Catéchèses baptismales** inédites. A. Wenger (réimpr. avec suppl. 1970).

51. SYMÉON LE NOUVEAU THÉOLOGIEN : **Chapitres théologiques, gnostiques et pratiques.** J. Darrouzès (1957).

52. AMBROISE DE MILAN : **Sur S. Luc,** t. II. G. Tissot (1958).

53 *bis.* HERMAS : **Le Pasteur.** R. Joly (réimpr. avec suppl. 1968).

54. JEAN CASSIEN : **Conférences,** t. II. E. Pichery (réimpression 1966).

55. EUSÈBE DE CÉSARÉE : **Histoire ecclésiastique,** t. III. G. Bardy (réimpression 1967).

56. ATHANASE D'ALEXANDRIE : **Deux apologies.** J. Szymusiak (1958).

57. THÉODORET DE CYR : **Thérapeutique des maladies helléniques.** 2 vol. P. Canivet (1958).

58 *bis.* DENYS L'ARÉOPAGITE : **La hiérarchie céleste.** G. Heil, R. Roques, M. de Gandillac (réimpr. avec suppl. 1970).

59. **Trois antiques rituels du baptême.** A. Salles. Trad. seule (1958). *Épuisé*

60. AELRED DE RIEVAULX : **Quand Jésus eut douze ans...** A. Hoste, J. Dubois (1958).

61 *bis.* GUILLAUME DE SAINT-THIERRY : **Traité de la contemplation de Dieu.** J. Hourlier (réimpr. de la 2ᵉ éd., 1977).

62. IRÉNÉE DE LYON : **Démonstration de la prédication apostolique.** L. Froidevaux. Nouvelle trad. sur l'arménien. Trad. seule (réimpr. 1971).

63. RICHARD DE SAINT-VICTOR : **La Trinité.** G. Salet (1959).

64. JEAN CASSIEN : **Conférences,** t. III. E. Pichery (réimpr. 1971).

65. GÉLASE Iᵉʳ : **Lettre contre les Lupercales et dix-huit messes du sacramentaire léonien.** G. Pomarès (1960).

66. ADAM DE PERSEIGNE : **Lettres,** t. I. J. Bouvet (1960).

67. ORIGÈNE : **Entretien avec Héraclide.** J. Scherer (1960).

68. MARIUS VICTORINUS : **Traités théologiques sur la Trinité.** P. Henry, P. Hadot. Tome I. Introd., texte critique, traduction (1960).

69. **Id.** — Tome II. Commentaire et tables (1960).

70. CLÉMENT D'ALEXANDRIE : **Le Pédagogue,** t. I. H. I. Marrou, M. Harl (1960).

71. ORIGÈNE : **Homélies sur Josué.** A. Jaubert (1960).

72. AMÉDÉE DE LAUSANNE : **Huit homélies mariales.** G. Bavaud, J. Deshusses, A. Dumas (1960).

73 *bis.* EUSÈBE DE CÉSARÉE : **Histoire ecclésiastique,** t. IV. Introd. générale de G. Bardy et tables de P. Périchon (réimpr. avec suppl. 1971).

74 *bis.* LÉON LE GRAND : **Sermons,** t. III. R. Dolle (1976).

75. S. AUGUSTIN : **Commentaire de la 1ʳᵉ Épître de S. Jean.** P. Agaësse (réimpression 1966).

76. AELRED DE RIEVAULX : **La vie de recluse.** Ch. Dumont (1961).

77. DEFENSOR DE LIGUGÉ : **Le livre d'étincelles,** t. I. H. Rochais (1961).

78. GRÉGOIRE DE NAREK : **Le livre de prières.** I. Kéchichian. Trad. seule (1961).

79. JEAN CHRYSOSTOME : **Sur la Providence de Dieu.** A.-M. Malingrey (1961).

80. JEAN DAMASCÈNE : **Homélies sur la Nativité et la Dormition.** P. Voulet (1961).

81. NICÉTAS STÉTHATOS : **Opuscules et lettres.** J. Darrouzès (1961).

82. GUILLAUME DE SAINT-THIERRY : **Exposé sur le Cantique des Cantiques.** J.-M. Déchanet (1962).

83. DIDYME L'AVEUGLE : **Sur Zacharie.** Texte inédit. L. Doutreleau. Tome I. Introd. et livre I (1962).

84. **Id. — Tome II.** Livres II et III (1962).

85. **Id. — Tome III.** Livres IV et V, Index (1962).

86. DEFENSOR DE LIGUGÉ : **Le livre d'étincelles,** t. II. H. Rochais (1962).

87. ORIGÈNE : **Homélies sur S. Luc.** H. Crouzel, F. Fournier, P. Périchon (1962).

88. **Lettres des premiers Chartreux.** Tome I : S. BRUNO, GUIGUES, S. ANTHELME. Par un Chartreux (1962).

89. **Lettre d'Aristée à Philocrate.** A. Pelletier (1962).

90. **Vie de sainte Mélanie.** D. Gorce (1962).

91. ANSELME DE CANTORBÉRY : **Pourquoi Dieu s'est fait homme.** R. Roques (1963).

92. DOROTHÉE DE GAZA : **Œuvres spirituelles.** L. Regnault, J. de Préville (1963).

93. BAUDOUIN DE FORD : **Le sacrement de l'autel.** J. Morson, É. de Solms, J. Leclercq. Tome I (1963).

94. **Id. — Tome II** (1963).

95. MÉTHODE D'OLYMPE : **Le banquet.** H. Musurillo, V.-H. Debidour (1963).

96. SYMÉON LE NOUVEAU THÉOLOGIEN : **Catéchèses.** B. Krivochéine, J. Paramelle. Tome I. Introd. et Cat. 1-5 (1963).

97. CYRILLE D'ALEXANDRIE : **Deux dialogues christologiques.** M. G. de Durand (1964).

98. THÉODORET DE CYR : **Correspondance,** t. II. Y. Azéma (1964).

99. ROMANOS LE MÉLODE : **Hymnes.** J. Grosdidier de Matons. Tome I. Introd. et Hymnes I-VIII (1964).

100. IRÉNÉE DE LYON : **Contre les hérésies,** livre IV. A. Rousseau, B. Hemmerdinger, Ch. Mercier, L. Doutreleau. 2 vol. (1965).

101. QUODVULTDEUS : **Livre des promesses et des prédictions de Dieu.** R. Braun. Tome I (1964).

102. **Id. — Tome II** (1964).

103. JEAN CHRYSOSTOME : **Lettre d'exil.** A.-M. Malingrey (1964).

104. SYMÉON LE NOUVEAU THÉOLOGIEN : **Catéchèses.** B. Krivochéine, J. Paramelle. Tome II. Cat. 6-22 (1964).

105. **La Règle du Maître.** A. de Vogüé. Tome I. Introd. et chap. 1-10 (1964).

106. **Id. — Tome II.** Chap. 11-95 (1964).

107. **Id. — Tome III.** Concordance et Index orthographique. J.-M. Clément, J. Neufville, D. Demeslay (1965).

108. CLÉMENT D'ALEXANDRIE : **Le Pédagogue,** t. II. C. Mondésert, H. I. Marrou (1965).

109. JEAN CASSIEN : **Institutions cénobitiques.** J.-C. Guy (1965).

110. ROMANOS LE MÉLODE : **Hymnes.** J. Grosdidier de Matons. Tome II. Hymnes IX-XX (1965).

111. THÉODORET DE CYR : **Correspondance,** t. III. Y. Azéma (1965).

112. CONSTANCE DE LYON : **Vie de S. Germain d'Auxerre.** R. Borius (1965).

113. SYMÉON LE NOUVEAU THÉOLOGIEN : **Catéchèses.** B. Krivochéine, J. Paramelle. Tome III. Cat. 23-34, Actions de grâces 1-2 (1965).

114. ROMANOS LE MÉLODE : **Hymnes.** J. Grosdidier de Matons. Tome III. Hymnes XXI-XXXI (1965).

115. MANUEL II PALÉOLOGUE : **Entretien avec un musulman.** A. Th. Khoury (1966).

116. AUGUSTIN D'HIPPONE : **Sermons pour la Pâque.** S. Poque (1966).

117. JEAN CHRYSOSTOME : **A Théodore.** J. Dumortier (1966).

118. ANSELME DE HAVELBERG : **Dialogues,** livre I. G. Salet (1966).

119. GRÉGOIRE DE NYSSE : **Traité de la Virginité.** M. Aubineau (1966).

120. ORIGÈNE : **Commentaire sur S. Jean.** C. Blanc. Tome I. Livres I-V (1966).

121. ÉPHREM DE NISIBE : **Commentaire de l'Évangile concordant ou Diatessaron.** L. Leloir. Trad. seule (1966).

122. SYMÉON LE NOUVEAU THÉOLOGIEN : **Traités théologiques et éthiques.** J. Darrouzès. Tome I. Théol. 1-3, Éth. 1-3 (1966).

123. MÉLITON DE SARDES : **Sur la Pâque (et fragments).** O. Perler (1966).

124. **Expositio totius mundi et gentium.** J. Rougé (1966).

125. JEAN CHRYSOSTOME : **La Virginité.** H. Musurillo, B. Grillet (1966).

126. CYRILLE DE JÉRUSALEM : **Catéchèses mystagogiques.** A. Piédagnel, P. Paris (1966).

127. GERTRUDE D'HELFTA : **Œuvres spirituelles.** Tome I. **Les Exercices.** J. Hourlier, A. Schmitt (1967).

128. ROMANOS LE MÉLODE : **Hymnes.** J. Grosdidier de Matons. Tome IV. Hymnes XXXII-XLV (1967).

129. SYMÉON LE NOUVEAU THÉOLOGIEN : **Traités théologiques et éthiques.** J. Darrouzès. Tome II. Éth. 4-15 (1967).

130. ISAAC DE L'ÉTOILE : **Sermons.** A. Hoste, G. Salet. Tome I. Introd. et Sermons 1-17 (1967).

131. RUPERT DE DEUTZ : **Les œuvres du Saint-Esprit.** J. Gribomont, É. de Solms. Tome I. Livres I et II (1967).

132. ORIGÈNE : **Contre Celse.** M. Borret. Tome I. Livres I et II (1967).

133. SULPICE SÉVÈRE : **Vie de S. Martin.** J. Fontaine. Tome I. Introd., texte et traduction (1967).

134. **Id.** — Tome II. Commentaire (1968).

135. **Id.** — Tome III. Commentaire (suite). Index (1969).

136. ORIGÈNE : **Contre Celse.** M. Borret. Tome II. Livres III et IV (1968).

137. ÉPHREM DE NISIBE : **Hymnes sur le Paradis.** F. Graffin, R. Lavenant (trad. seule) (1968).

138. JEAN CHRYSOSTOME : **A une jeune veuve. Sur le mariage unique.** B. Grillet, G. H. Ettlinger (1968).

139. GERTRUDE D'HELFTA : **Œuvres spirituelles.** Tome II. **Le Héraut.** Livres I et II. P. Doyère (1968).

140. RUFIN D'AQUILÉE : **Les bénédictions des Patriarches.** M. Simonetti, H. Rochais, P. Antin (1968).

141. COSMAS INDICOPLEUSTÈS : **Topographie chrétienne.** Tome I. Introduction et livres I-IV. W. Wolska-Conus (1968).

142. **Vie des Pères du Jura.** F. Martine (1968).

143. GERTRUDE D'HELFTA : **Œuvres spirituelles.** Tome III. Le Héraut. Livre III. P. Doyère (1968).

144. **Apocalypse syriaque de Baruch.** Tome I. Introduction et traduction. P. Bogaert (1969).

145. **Id.** — Tome II. Commentaire et tables (1969).

146. **Deux homélies anoméennes pour l'octave de Pâques.** J. Liebaert (1969).

147. ORIGÈNE : **Contre Celse.** M. Borret. Tome III. Livres V et VI (1969).

148. GRÉGOIRE LE THAUMATURGE : **Remerciement à Origène. — La lettre d'Origène à Grégoire.** H. Crouzel (1969).

149. GRÉGOIRE DE NAZIANZE : **La passion du Christ.** A. Tuilier (1969).

150. ORIGÈNE : **Contre Celse.** M. Borret. Tome IV. Livres VII et VIII (1969).

151. JEAN SCOT : **Homélie sur le Prologue de Jean.** É. Jeauneau (1969).

152. IRÉNÉE DE LYON : **Contre les hérésies,** livre V. A. Rousseau, L. Doutreleau, C. Mercier. Tome I. Introduction, notes justificatives et tables (1969).

153. **Id.** — Tome II. Texte et traduction (1969).

154. CHROMACE D'AQUILÉE : **Sermons.** J. Lemarié. Tome I. Sermons 1-17 A (1969).

155. HUGUES DE SAINT-VICTOR : **Six opuscules spirituels.** R. Baron (1969).

156. SYMÉON LE NOUVEAU THÉOLOGIEN : **Hymnes.** J. Koder, J. Paramelle. Tome I. Hymnes I-XV (1969).

157. ORIGÈNE : **Commentaire sur S. Jean.** C. Blanc. Tome II. Livres VI et X (1970).

158. CLÉMENT D'ALEXANDRIE : **Le Pédagogue.** Livre III. Cl. Mondésert, H. I. Marrou et Ch. Matray (1970).

159. COSMAS INDICOPLEUSTÈS : **Topographie chrétienne.** Tome II. Livre V. W. Wolska-Conus (1970).

160. BASILE DE CÉSARÉE : **Sur l'origine de l'homme.** A. Smets et M. van Esbroeck (1970).

161. **Quatorze homélies du IXe siècle d'un auteur inconnu de l'Italie du Nord.** P. Mercier (1970).

162. ORIGÈNE : **Commentaire sur S. Matthieu.** R. Girod. Tome I. Livres X et XI (1970).

163. GUIGUES II : **Lettre sur la vie contemplative** (ou **Échelle des moines**). **Douze méditations.** E. Colledge, J. Walsh (1970).

164. CHROMACE D'AQUILÉE : **Sermons.** J. Lemarié. Tome II. Sermons 18-41 (1971).

165. RUPERT DE DEUTZ : **Les œuvres du Saint-Esprit.** Tome II. Livres III et IV. J. Gribomont, É. de Solms (1970).

166. GUERRIC D'IGNY : **Sermons.** Tome I. J. Morson, H. Costello, P. Deseille (1970).

167. CLÉMENT DE ROME : **Épître aux Corinthiens.** A. Jaubert (1971).

168. RICHARD ROLLE : **Le chant d'amour (Melos amoris).** F. Vandenbroucke et les Moniales de Wisques. Tome I (1971).

169. **Id.** — Tome II (1971).
170. ÉVAGRE LE PONTIQUE : **Traité pratique**. A. et C. Guillaumont. Tome I. Introduction (1971).
171. **Id.** — Tome II. Texte, traduction, commentaire et tables (1971).
172. **Épître de Barnabé**. R. A. Kraft, P. Prigent (1971).
173. TERTULLIEN : **La toilette des femmes**. M. Turcan (1971).
174. SYMÉON LE NOUVEAU THÉOLOGIEN : **Hymnes**. J. Koder, L. Neyrand. Tome II. Hymnes XVI-XL (1971).
175. CÉSAIRE D'ARLES : **Sermons au peuple**. Tome I. Sermons 1-20. M.-J. Delage (1971).
176. SALVIEN DE MARSEILLE : **Œuvres**. Tome I. G. Lagarrigue (1971).
177. CALLINICOS : **Vie d'Hypatios**. G. J. M. Bartelink (1971).
178. GRÉGOIRE DE NYSSE : **Vie de sainte Macrine**. P. Maraval (1971).
179. AMBROISE DE MILAN : **La Pénitence**. R. Gryson (1971).
180. JEAN SCOT : **Commentaire sur l'évangile de Jean**. É. Jeauneau (1972).
181. **La Règle de S. Benoît**. Tome I. Introduction et chapitres I-VII. A de Vogüé et J. Neufville (1972).
182. **Id.** — Tome II. Chapitres VIII-LXXIII, Tables et concordance. A. de Vogüé et J. Neufville (1972).
183. **Id.** — Tome III. Étude de la tradition manuscrite. J. Neufville (1972).
184. **Id.** — Tome IV. Commentaire (Parties I-III). A. de Vogüé (1971).
185. **Id.** — Tome V. Commentaire (Parties IV-VI). A. de Vogüé (1971).
186. **Id.** — Tome VI. Commentaire (Parties VII-IX), Index. A. de Vogüé (1971).
187. HÉSYCHIUS DE JÉRUSALEM, BASILE DE SÉLEUCIE, JEAN DE BÉRYTE, PSEUDO-CHRYSOSTOME, LÉONCE DE CONSTANTINOPLE : **Homélies pascales**. M. Aubineau (1972).
188. JEAN CHRYSOSTOME : **Sur la vaine gloire et l'éducation des enfants**. A.-M. Malingrey (1972).
189. **La chaîne palestinienne sur le psaume 118**. Tome I. Introduction, texte critique et traduction. M. Harl (1972).
190. **Id.** — Tome II. Catalogue des fragments, Notes et Index. M. Harl (1972).
191. PIERRE DAMIEN : **Lettre sur la toute-puissance divine**. A. Cantin (1972).
192. JULIEN DE VÉZELAY : **Sermons**. Tome I. Introduction et Sermons 1-16. D. Vorreux (1972).
193. **Id.** — Tome II. Sermons 17-27, Index. D. Vorreux (1972).
194. **Actes de la Conférence de Carthage en 411**. Tome I. Introduction. S. Lancel (1972).
195. **Id.** — Tome II. Texte et traduction de la Capitulation et des Actes de la première séance. S. Lancel (1972).
196. SYMÉON LE NOUVEAU THÉOLOGIEN : **Hymnes**. J. Koder J. Paramelle, L. Neyrand. Tome III. Hymnes XLI-LVIII, Index (1973).
197. COSMAS INDICOPLEUSTÈS : **Topographie chrétienne**, t. III. Livres VI-XII, Index. W. Wolska-Conus (1973).
198. **Livre (cathare) des deux principes**. Ch. Thouzellier (1973).
199. ATHANASE D'ALEXANDRIE : **Sur l'Incarnation du Verbe**. C. Kannengiesser (1973).
200. LÉON LE GRAND : **Sermons**, tome IV. Sermons 65-98, Éloge de, S. Léon, Index. R. Dolle (1973).

201. **Évangile de Pierre.** M.-G. Mara (1973).
202. GUERRIC D'IGNY : **Sermons.** Tome II. J. Morson, H. Costello, P. Deseille (1973).
203. NERSÈS SNORHALI : **Jésus, Fils unique du Père.** I. Kéchichian. Trad. seule (1973).
204. LACTANCE : **Institutions divines,** livre V. Tome I. Introd., texte et trad. P. Monat (1973).
205. **Id.** — Tome II. Commentaire et index. P. Monat (1973).
206. EUSÈBE DE CÉSARÉE : **Préparation évangélique,** livre I. J. Sirinelli, É. des Places (1974).
207. ISAAC DE L'ÉTOILE : **Sermons.** A. Hoste, G. Salet, G. Raciti. Tome II. Sermons 18-39 (1974).
208. GRÉGOIRE DE NAZIANZE : **Lettres théologiques.** P. Gallay (1974).
209. PAULIN DE PELLA : **Poème d'action de grâces** et **Prière.** C. Moussy (1974).
210. IRÉNÉE DE LYON : **Contre les hérésies,** livre III. A. Rousseau, L. Doutreleau. Tome I. Introduction, notes justificatives et tables (1974).
211. **Id.** — Tome II. Texte et traduction (1974).
212. GRÉGOIRE LE GRAND : **Morales sur Job.** Livres XI-XIV. A. Bocognano (1974).
213. LACTANCE : **L'ouvrage du Dieu créateur.** Tome I. Introduction, texte critique et traduction. M. Perrin (1974).
214. **Id.** — Tome II. Commentaire et index. M. Perrin (1974).
215. EUSÈBE DE CÉSARÉE : **Préparation évangélique,** livre VII. G. Schroeder, É. des Places (1975).
216. TERTULLIEN : **La chair du Christ.** Tome I. Introduction, texte critique et traduction. J. P. Mahé (1975).
217. **Id.** — Tome II. Commentaire et Index. J. P. Mahé (1975).
218. HYDACE : **Chronique.** Tome I. Introduction, texte critique et traduction. A. Tranoy (1975).
219. **Id.** — Tome II. Commentaire et index. A. Tranoy (1975).
220. SALVIEN DE MARSEILLE : **Œuvres,** t. II. G. Lagarrigue (1975).
221. GRÉGOIRE LE GRAND : **Morales sur Job.** Livres XV-XVI. A. Bocognano (1975).
222. ORIGÈNE : **Commentaire sur S. Jean.** Tome III. Livre XIII. C. Blanc (1975).
223. GUILLAUME DE SAINT-THIERRY : **Lettre aux Frères du Mont-Dieu (Lettre d'or).** J. M. Déchanet (1975).
224. **Actes de la Conférence de Carthage en 411.** Tome III. S. Lancel (1975).
225. DHUODA : **Manuel pour mon fils.** P. Riché (1975).
226. ORIGÈNE : **Philocalie 21-27 (Sur le libre arbitre).** É. Junod (1976).
227. ORIGÈNE : **Contre Celse.** M. Borret. Tome V. Introduction et Index (1976).
228. EUSÈBE DE CÉSARÉE : **Préparation évangélique.** Livres II-III. É. des Places (1976).
229. PSEUDO-PHILON : **Les antiquités bibliques.** D. J. Harrington, C. Perrot, P. Bogaert, J. Cazeaux. Tome I. Introduction critique, texte et traduction (1976).
230. **Id.** — Tome II. Introduction littéraire, commentaire et index (1976).
231. CYRILLE D'ALEXANDRIE : **Dialogues sur la Trinité.** Tome I. Dial. I et II. G. M. de Durand (1976).

232. ORIGÈNE : **Homélies sur Jérémie.** P. Nautin et P. Husson. **Tome I.** Introduction et homélies I-XI (1976).

233. DIDYME L'AVEUGLE : **Sur la Genèse,** tome I. P. Nautin et L. Doutreleau (1976).

234. THÉODORET DE CYR : **Histoire des moines de Syrie.** Tome I. Introduction et **Histoire philothée** I-XIII. P. Canivet et A. Leroy-Molinghen (1977).

235. HILAIRE D'ARLES : **Vie de S. Honorat.** M.-D. Valentin (1977).

236. Rituel cathare. C. Thouzellier (1977).

237. CYRILLE D'ALEXANDRIE : **Dialogues sur la Trinité.** Tome II. Dial. III-IV. G.M. de Durand (1977).

238. ORIGÈNE : **Homélies sur Jérémie.** Tome II. Homélies XII-XX et homélies latines, index. P. Nautin et P. Husson (1977).

239. AMBROISE DE MILAN : **Apologie de David.** P. Hadot et M. Cordier (1977).

240. PIERRE DE CELLE : **L'école du cloître.** G. de Martel (1977).

241. Conciles gaulois du IVe siècle. J. Gaudemet (1977).

242. S. JÉRÔME : **Commentaire sur S. Matthieu.** Tome I. Livres I et II. É. Bonnard (1978).

243. CÉSAIRE D'ARLES : **Sermons au peuple.** Tome II. Sermons 21-55. M.-J. Delage (1978).

244. DIDYME L'AVEUGLE : **Sur la Genèse.** Tome II (Sur Genèse V-XVII). Index. P. Nautin et L. Doutreleau (1978).

245. Targum du Pentateuque. Tome I : **Genèse.** R. Le Déaut et J. Robert. Trad. seule (1978).

246. CYRILLE D'ALEXANDRIE : **Dialogue sur la Trinité.** Tome III. Dial. VI-VII, index. G. M. de Durand (1978).

247. GRÉGOIRE DE NAZIANZE : **Discours** 1-3. J. Bernardi (1978).

248. La doctrine des douze apôtres. W. Rordorf et A. Tuilier (1978).

249. S. PATRICK : **Confession et Lettre à Coroticus.** R.P.C. Hanson et C. Blanc (1978).

250. GRÉGOIRE DE NAZIANZE : **Discours** 27-31 (Discours théologiques). P. Gallay (1978).

251. GRÉGOIRE LE GRAND : **Dialogues,** tome I. Introduction, bibliographie et cartes. A. de Vogüé (1978).

252. ORIGÈNE : **Traité des principes.** Livres I et II. H. Crouzel et M. Simonetti. Tome I : Introduction, texte critique et traduction (1978).

253. Id. — Tome II : Commentaire et fragments (1978).

254. HILAIRE DE POITIERS : **Sur Matthieu,** t. I : Introduction et chap. 1-13. J. Doignon (1978).

255. GERTRUDE D'HELFTA : **Œuvres spirituelles.** Tome IV. **Le Héraut.** Livre IV. J.-M. Clément, B. de Vregille et les Moniales de Wisques (1978).

Hors série :

Directives pour la préparation des manuscrits (de « Sources Chrétiennes »). A demander au Secrétariat de « Sources Chrétiennes », 29, rue du Plat, 69002 Lyon.

La Règle de S. Benoît. VII. Commentaire doctrinal et spirituel. A. de Vogüé (1977).

SOUS PRESSE

THÉODORET DE CYR : **Histoire des moines de Syrie,** t. II. P. Canivet et A. Leroy-Molinghen.

GRÉGOIRE LE GRAND : **Dialogues,** t. II et III. P. Antin et A. de Vogüé

HILAIRE DE POITIERS : **Sur Matthieu,** t. II. J. Doignon.

S. JÉRÔME : **Commentaire sur S. Matthieu,** t. II. É. Bonnard.

Targum du Pentateuque. Tome II : **Exode et Lévitique.** R. Le Déaut.

EUSÈBE DE CÉSARÉE : **Préparation évangélique,** livres IV, 1 - V, 17. O. Zink et É. des Places.

EUSÈBE DE CÉSARÉE : **Préparation évangélique,** livres V, 18 - VI. É. des Places.

PROCHAINES PUBLICATIONS

PSEUDO-MACAIRE : **Œuvres spirituelles,** t. I. V. Desprez.

IRÉNÉE DE LYON : **Contre les hérésies,** livres I et II. A. Rousseau et L. Doutreleau.

THÉODORET DE CYR : **Commentaire sur Isaïe.** J.-N. Guinot.

SOURCES CHRÉTIENNES

(1-255)

Également aux Éditions du Cerf :

LES ŒUVRES DE PHILON D'ALEXANDRIE
publiées sous la direction de

R. ARNALDEZ, C. MONDÉSERT, J. POUILLOUX.

Texte grec et traduction française.

1. **Introduction générale, De opificio mundi.** R. Arnaldez (1961).
2. **Legum allegoriae.** C. Mondésert (1962).
3. **De cherubim.** J. Gorez (1963).
4. **De sacrificiis Abelis et Caini.** A. Méasson (1966).
5. **Quod deterius potiori insidiari soleat.** I. Feuer (1965).
6. **De posteritate Caini.** R. Arnaldez (1972).
7-8. **De gigantibus. Quod Deus sit immutabilis.** A. Mosès (1963).
9. **De agricultura.** J. Pouilloux (1961).
10. **De plantatione.** J. Pouilloux (1963).
11-12. **De ebrietate. De sobrietate.** J. Gorez (1962).
13. **De confusione linguarum.** J.-C. Kahn (1963).
14. **De migratione Abrahami.** J. Cazeaux (1965).
15. **Quis rerum divinarum heres sit.** M. Harl (1966).
16. **De congressu eruditionis gratia.** M. Alexandre (1967).
17. **De fuga.** E. Starobinsky-Safran (1970).
18. **De mutatione nominum.** R. Arnaldez (1964).
19. **De somniis.** P. Savinel (1962).
20. **De Abrahamo.** J. Gorez (1966).
21. **De Iosepho.** J. Laporte (1964).
22. **De vita Mosis.** R. Arnaldez, C. Mondésert, J. Pouilloux, P. Savinel (1967).
23. **De Decalogo.** V. Nikiprowetzky (1965).
24. **De specialibus legibus.** Livres I-II. S. Daniel (1975).
25. **De specialibus legibus.** Livres III-IV. A. Mosès (1970).
26. **De virtutibus.** R. Arnaldez, A.-M. Vérilhac, M.-R. Servel, P. Delobre (1962).
27. **De praemiis et poenis. De exsecrationibus.** A. Beckaert (1961).
28. **Quod omnis probus liber sit.** M. Petit (1974).
29. **De vita contemplativa.** F. Daumas, P. Miquel (1964).
30. **De aeternitate mundi.** R. Arnaldez et J. Pouilloux (1969).
31. **In Flaccum.** A. Pelletier (1967).
32. **Legatio ad Caium.** A. Pelletier (1972).
33. **Quaestiones in Genesim et in Exodum. Fragments grecs.** F. Petit (1978).
34 A. **Quaestiones in Genesim** I-II (e vers. armen.) (sous presse).
34 B. **Quaestiones in Genesim,** III-IV e vers. armen.) (en préparation).
34 C. **Quaestiones in Exodum,** I-II (e vers. armen.) (en prépar.).
35. **De Providentia,** I-II. M. Hadas-Lebel (1973).